高等院校精品课程系列教材

河南省"十四五"普通高等教育规划教材

国家级一流本科课程（线上线下混合式）

金融风险管理

FINANCIAL RISK MANAGEMENT

|第2版|

郭战琴 李永奎 编著

本书突出金融风险管理以量化风险为核心的特点，揭示了模型背后的经济含义，是一本既能体现高校风险管理专业教育教学特色，又能与当今国际实践相结合的优秀教材。本书将气候风险管理这一前沿议题纳入教材体系，同时把国内金融机构监管体系的重大变革融入相关章节，确保教材内容紧跟风险管理实践前沿。此外，每章增设"案例专栏"，强化案例教学在价值塑造与思维培育方面的重要作用。编者设计每章例题与练习题时参考金融风险管理师（FRM）资格认证考试的考题，针对学习重难点详解章末练习题，助力读者掌握金融风险管理基础理论。

本书适合作为高等院校经济类、金融类和管理类专业本科生的教材，也适合作为金融风险管理领域从业人员快速学习金融风险管理基础知识的参考用书。

图书在版编目（CIP）数据

金融风险管理 / 郭战琴，李永奎编著. -- 2 版.
北京：机械工业出版社，2025.8. --（高等院校精品课程系列教材）. -- ISBN 978-7-111-78984-0
I. F830.9
中国国家版本馆 CIP 数据核字第 2025HJ5206 号

机械工业出版社（北京市百万庄大街 22 号　邮政编码 100037）
策划编辑：王洪波　　　　　　　　　责任编辑：王洪波　李志斌
责任校对：甘慧彤　李可意　景　飞　责任印制：单爱军
北京瑞禾彩色印刷有限公司印刷
2025 年 9 月第 2 版第 1 次印刷
185mm×260mm・17 印张・410 千字
标准书号：ISBN 978-7-111-78984-0
定价：59.00 元

电话服务	网络服务
客服电话：010-88361066	机 工 官 网：www.cmpbook.com
010-88379833	机 工 官 博：weibo.com/cmp1952
010-68326294	金 书 网：www.golden-book.com
封底无防伪标均为盗版	机工教育服务网：www.cmpedu.com

前言
PREFACE

当今金融科技和新金融业态的快速发展，使金融风险管理的重要性日益凸显。全球气候变化、国家"双碳"战略、国内监管政策变革以及教育模式的转变等，都让我们深刻地认识到对《金融风险管理》教材进行适时修订的必要性和紧迫性。

本次再版，我们着重进行了如下几方面的修订。

首先，全球气候变化对金融体系的深远影响，以及巴塞尔银行监管委员会（BCBS，简称"巴塞尔委员会"）将气候风险纳入监管框架这一举措，促使我们新增了气候风险管理章节。该章节深入探讨了气候风险如何通过物理风险和转型风险等途径，影响金融市场和金融机构的资产运营，旨在帮助学生理解气候变化对金融市场的复杂影响，并掌握气候风险评估与管理的前沿策略。

其次，2023年国家金融监督管理总局的成立，标志着国内金融机构监管体系发生了重大变革，相关监管政策与监管架构也随之调整。新版教材及时将这些调整信息融入相关章节，确保教材紧跟风险管理实践前沿。

再次，为提升教材的实用性和思政教学功能，新版教材每章增设了"案例专栏"。这些"案例专栏"通过剖析国内外金融市场上发生的与金融风险管理紧密相关的标志性事件，深入探讨其中的伦理考量、社会责任和可持续发展等议题，进一步强化实践案例在课程思政教学中的价值塑造与思维培育等作用。

最后，针对线上线下混合式教学模式的新常态，我们优化了教材的互动性与可扩展性。在教材结构上，每章都明确了"知识传授、能力培养、素质提升"三位一体的学习目标，并新增了"重点和难点"知识点提示，以引导学生主动思考，提升学习效果。

本书旨在全面升级与深化教学内容，特别是将气候风险管理这一前沿议题融入教材体系，以回应全球金融风险管理领域的新挑战。我们期望借助此次修订，为学生打造一本既具前瞻视野又具实用价值的高质量教材，助力学生掌握扎实的金融风险管理专业技能，同时培养其金融职业道德意识，成长为能应对复杂金融风险挑战、坚守职业底线的专业人才。

编者

2025年5月

目　录
CONTENTS

前　言

第1章　风险管理基础 ······················ 1
学习目标 ··· 1
1.1　风险与金融风险 ························· 1
1.2　风险、损失与不确定性 ··············· 2
1.3　风险管理的流程和方法 ··············· 3
1.4　风险管理方法的演变 ·················· 4
1.5　金融机构的功能和分类 ··············· 5
1.6　银行业的主要风险类型 ············· 10
1.7　评估风险管理过程 ···················· 13
本章小结 ··· 15
关键概念 ··· 16
练习题 ··· 16
案例专栏 ··· 16

第2章　风险收益数理基础 ··············· 18
学习目标 ··· 18
2.1　刻画随机变量 ··························· 18
2.2　随机变量：期望值（均值）、方差、
　　　偏度和峰度 ······························ 19

2.3　正态分布和对数正态分布 ········· 22
2.4　如何计算投资的回报：收益率 ··· 24
2.5　如何计算投资的风险：标准差 ····· 27
本章小结 ··· 30
关键概念 ··· 30
练习题 ··· 30
案例专栏 ··· 31

第3章　投资组合与资本资产定价模型 ····· 33
学习目标 ··· 33
3.1　单个风险证券投资 ···················· 33
3.2　两个风险资产的投资组合 ········· 35
3.3　两个风险资产组合的有效边界 ····· 38
3.4　多个风险资产构成的投资组合 ····· 41
3.5　为什么组合多元化可以降低风险 ····· 45
3.6　无风险借贷与市场均衡 ············· 48
3.7　套利定价理论 ··························· 57
本章小结 ··· 57
关键概念 ··· 58

练习题 ………………………………… 58
案例专栏 ……………………………… 60

第4章 在险价值 VaR …………… 61

学习目标 ……………………………… 61
4.1 测度风险：一个历史视角 ……… 61
4.2 VaR 的定义 …………………… 63
4.3 VaR 的计算：基于连续分布 …… 65
4.4 VaR 的计算：基于离散分布 …… 67
4.5 边际 VaR、递增 VaR 和成分 VaR … 68
4.6 VaR 与预期亏损 ………………… 69
4.7 一致性风险度量 ………………… 71
4.8 谱风险测度 ……………………… 72
4.9 VaR 的参数选择 ………………… 72
本章小结 ……………………………… 74
关键概念 ……………………………… 74
练习题 ………………………………… 74
案例专栏 ……………………………… 75

第5章 风险因子建模 ……………… 77

学习目标 ……………………………… 77
5.1 定义波动率 ……………………… 77
5.2 时间的平方根法则 ……………… 78
5.3 自相关性对 VaR 的影响 ………… 80
5.4 风险的时间序列与 ARCH（m）模型 … 81
5.5 EWMA 模型和 GARCH（1,1）模型 … 87
本章小结 ……………………………… 90
关键概念 ……………………………… 91
练习题 ………………………………… 91
案例专栏 ……………………………… 91
附录 5A 最大似然估计法 …………… 93

第6章 债券风险管理 ……………… 94

学习目标 ……………………………… 94
6.1 债券的价值评估 ………………… 94
6.2 债券价格如何随利率变动 ……… 102

6.3 泰勒展开式与价格导数 ………… 103
6.4 线性风险管理工具：久期 ……… 105
6.5 非线性风险管理工具：凸性 …… 108
6.6 债券投资组合的风险管理 ……… 111
6.7 债券的 VaR 度量 ………………… 114
本章小结 ……………………………… 115
关键概念 ……………………………… 115
练习题 ………………………………… 116
案例专栏 ……………………………… 116

第7章 金融衍生品风险管理 ……… 118

学习目标 ……………………………… 118
7.1 金融衍生品的概念 ……………… 118
7.2 市场参与者的类型 ……………… 121
7.3 远期 ……………………………… 124
7.4 期货 ……………………………… 128
7.5 互换 ……………………………… 130
7.6 期权 ……………………………… 133
7.7 线性风险管理：对冲 …………… 141
7.8 非线性风险管理：希腊值 ……… 143
7.9 期权的 VaR ……………………… 148
本章小结 ……………………………… 148
关键概念 ……………………………… 149
练习题 ………………………………… 149
案例专栏 ……………………………… 150

第8章 《巴塞尔协议》与商业银行
资本管理 ……………………… 152

学习目标 ……………………………… 152
8.1 商业银行资本概述 ……………… 152
8.2 《巴塞尔协议》的前世今生 …… 154
8.3 资本的分类和构成 ……………… 156
8.4 资本充足率监管 ………………… 157
8.5 杠杆率：以风险为基础的资本
充足率的补充 …………………… 161
本章小结 ……………………………… 165

关键概念 ················· 165
练习题 ··················· 165
案例专栏 ················· 166

第9章 信用风险管理 ············· 168

学习目标 ················· 168
9.1 传统信用风险管理 ········· 168
9.2 信用风险度量 ············ 171
9.3 度量违约风险的精算法 ····· 173
9.4 度量违约风险的市场价格法 ···· 178
9.5 信用风险组合管理 ········· 186
9.6 交易对手风险管理 ········· 195
本章小结 ················· 200
关键概念 ················· 200
练习题 ··················· 201
案例专栏 ················· 202

第10章 操作风险管理 ············ 204

学习目标 ················· 204
10.1 操作风险的定义 ·········· 204
10.2 操作风险评估：损失分布法 ···· 205
10.3 操作风险的管理 ·········· 208
本章小结 ················· 210
关键概念 ················· 210
练习题 ··················· 210
案例专栏 ················· 211

第11章 流动性风险管理 ·········· 213

学习目标 ················· 213
11.1 流动性和流动性风险 ······ 213
11.2 资产流动性风险 ·········· 214
11.3 融资流动性风险 ·········· 217
11.4 流动性风险管理：融资缺口分析 ··· 219
11.5 流动性风险的监管规则 ···· 220

本章小结 ················· 221
关键概念 ················· 221
练习题 ··················· 221
案例专栏 ················· 222

第12章 经济资本与RAROC ······· 224

学习目标 ················· 224
12.1 经济资本 ··············· 224
12.2 经风险调整的业绩度量
　　 与RAROC ············· 227
本章小结 ················· 230
关键概念 ················· 230
练习题 ··················· 230
案例专栏 ················· 231

第13章 气候风险管理 ············ 232

学习目标 ················· 232
13.1 概述 ··················· 232
13.2 气候变化与气候风险 ······ 234
13.3 气候变化对宏观经济体系的影响 ··· 238
13.4 气候变化对金融体系的影响 ··· 239
13.5 气候风险加剧了银行业面临的
　　 其他风险 ··············· 241
13.6 气候风险评估 ············ 243
13.7 金融机构的气候风险管理 ··· 247
13.8 ESG、可持续发展与气候
　　 风险管理 ··············· 258
本章小结 ················· 260
关键概念 ················· 260
练习题 ··················· 260
案例专栏 ················· 261

参考文献 ··················· 264

本书练习题参考答案 ··········· 266

第 1 章
CHAPTER 1

风险管理基础

§ **学习目标**

1. 掌握风险与损失、风险与不确定性之间的差异及其内在联系。
2. 掌握风险管理的基本流程和常用的风险管理方法。
3. 了解金融机构的功能和分类。
4. 掌握银行业面临的主要风险类型。
5. 认识到金融风险对经济社会的潜在不利影响,履行好防范风险和维护金融稳定的社会责任。

1.1 风险与金融风险

"风险"一词并不是现在才出现的。远古时代,靠打渔为生的人出海前总要举行正式的出海仪式,祈祷海上风平浪静且获得大丰收。在他们的概念中,海上的"风"代表了能危及生命的险情,让他们的出海过程充满了未知和不确定性,突然的风浪可能会带走一切。"风"代表险情,因此大家慢慢接受了以"风险"来代表其遭遇的损失和灾祸。

发展到现代,"风险"一词已经慢慢超出了"遭遇的损失和灾祸"的狭义概念,更多的是代表"遭遇损失的不确定性与概率"。现代意义上的风险,狭义概念是指未来发生损失的情况具有不确定性;广义概念并没有指出一定会发生损失,而是强调了未来具有不确定性的可能。在经济金融领域中,风险被赋予了特殊含义,表示未来的资产、负债或者收益的价值发生波动的可能性及其带来的影响。

风险并不神秘,它是一种可以被人们感知和认识的客观存在。风险具有如下特征。

（1）**客观性**。风险是一种客观存在。虽然随着科技的进步，人们认识、管理和控制风险的能力在增强，但不可能完全消除风险。风险的发生具有一定的规律性，这种规律性为人们认识风险、度量风险、管理风险、把风险减小到最低程度提供了一种可能性。

（2）**损害性**。损害是风险发生的结果，任何风险都会给人们的利益造成一定的损害，无论是经济上的损害，还是精神上的损害。保险不是保证风险不发生，而是保证对其损害进行经济补偿。

（3）**不确定性**。风险的不确定性具体表现在：空间上的不确定性、时间上的不确定性和损失程度上的不确定性。

金融风险泛指与金融活动有关的风险，它体现在金融交易、金融产品、金融市场或金融机构等各个方面。对风险的定义，无论是业界还是理论界，长期以来都没有一个统一的界定。王勇博士曾统计过，世界上对风险的定义最多时高达 14 种。在本书中，我们使用美国经济学家弗兰克·H. 奈特 1921 年在其专著《风险、不确定性与利润》中对风险的定义，即能够用概率的理论体系来量化的**波动**（variability）是"**风险**"（risk），不能用概率的理论体系来量化的波动是"**不确定性**"（uncertainty）。

1.2 风险、损失与不确定性

多年前，当在"金融风险管理"课堂上问学生什么是风险时，有些学生认为"风险就是损失"，还有些学生认为"风险就是不确定性"。那么风险、损失和不确定性这三个概念的区别和联系到底是什么？

1. 风险与损失

在理解和使用风险概念的时候，一个普遍的误区是将风险与损失相混淆，或者替换使用。尽管风险与损失有密切联系，但是根据本书对风险的定义以及产业实践，风险虽然通常用损失的可能性以及潜在的损失规模来计量，但绝不等同于损失本身。事实上，我们经常讲到的损失是一个事后概念，反映的是风险事件发生后所造成的实际结果。但在金融风险管理领域，风险是一个明确的事前概念，反映的是损失发生前事物发展的状态。对此，我们可以采用概率和统计方法来计算出发生损失的可能性和可能发生的损失规模。因此，在本书中，风险和损失是不能同时并存的事物发展的两种状态。将风险误解为损失，就会混淆损失发生前的事前风险管理与发生后的损失处置和管理，从而削弱了风险管理的积极性、主动性和有效性。

2. 风险与不确定性

与风险相关的另一个概念是不确定性。风险和不确定性是密切联系在一起的，同时两者之间又存在差别。所谓不确定性，是指对风险承受主体预测未来的能力的怀疑，它是一个无法具体测量的主观概念。它包含两层含义：第一层是横向的不确定性，也就是空间维度上存在的不确定性，指对交易对手的当前状况和历史不了解的一种不确定性，这种不确定性主要是由信息不对称性引起的，兼具客观性和主观性；第二层是纵向的不确定性，也就是时间维度上的不确定性，指经济主体自身未来的发展状况以及外部环境未来的不确定性，这种不确定性是非人力所能控制的，具有完全的客观性。从数学的角度来分析，风险和不确定性主要是通过观察事件的结果的概率分布是否确定来加以区分的，如果有确定的概率分布就是风险，反之则是不确定性。

1.3 风险管理的流程和方法

风险管理的流程包括风险识别、风险计量和风险管理等环节。风险识别是指对经济主体面临的各种潜在的风险因素进行认识、鉴别和分析，主要包括两个方面：一是根据业务的风险因子判断面临的风险类型，然后分析经济主体的风险暴露；二是分析金融风险的成因和特征。风险计量主要是指采用数量模型对风险进行计算和度量。最后一个环节是风险管理。主流的风险管理方法有如下几种：风险分散、风险对冲、风险转移、风险规避和风险补偿。

1. 风险分散

风险分散是指通过多样化投资来分散和降低风险的方法。对于由相互独立的多种资产组成的资产组合，只要组成资产的个数足够多，其非系统性风险就可以通过这种分散化的投资来消除。例如，银行的信贷业务应是全面的，不应集中于同一业务、同一性质或者同一国家的借款者，银行可以通过贷款出售或与其他商业银行组成银团贷款的方式，使自己的授信对象多样化。

2. 风险对冲

风险对冲是指通过投资或购买与标的资产收益波动负相关或完全负相关的某种资产或金融衍生品，来冲销风险所带来的损失的一种风险管理策略。它是管理利率风险、汇率风险等市场风险的非常有效的方法，现在也被用来管理信用风险。与风险分散不同，风险对冲可以管理包括系统性风险在内的全部风险，可以根据投资者的风险承受能力和需要，通过对冲比率的调节和选择将风险降低到投资者希望的水平。它分为自我对冲和市场对冲。

（1）**自我对冲**是指商业银行利用资产负债表或某些具有收益负相关性质的业务组合本身所具有的对冲特性进行风险对冲。

（2）**市场对冲**是指对于无法通过资产负债表和相关业务调整进行自我对冲的风险，通过衍生品市场进行对冲。

3. 风险转移

风险转移是指通过购买某种金融产品或采取其他合法的经济措施，将风险转移给其他经济主体承担的一种风险管理方法。采用风险转移方法可以降低那些风险分散方法无能为力的系统性风险。它分为保险转移和非保险转移。

保险转移是指以缴纳保险费为代价，将风险转移给保险人（如出口信贷保险）的一种方法。在金融风险管理中，以市场风险为代表的投机性风险一般得不到保险，但金融市场创造了类似于保险单的期权合约，使得投资者可以采用风险转移策略来管理利率、汇率和资产价格波动而产生的市场风险。同样，担保和备用信用证也提供了类似期权合约的工具。担保就是典型的将风险合法转移给第三方的例子。

4. 风险规避

风险规避是指通过拒绝或退出某一业务或市场，来消除本机构对该业务或市场的风险暴露，简单说就是不做业务就不承担风险。

在现代风险管理实践中，风险规避主要是通过经济资本配置来实现的。做法是：首先将全部风险进行量化，然后依据董事会所确定的风险战略和风险偏好确定经济资本配置，最终表现为信用限额和交易限额等。对于不擅长应对因而不愿承担的风险，有限的经济资本配置会迫使业务部门尽可能降低对该业务的风险暴露，直至最后完全退出该领域。该方法的实施成本是风险分析和经济资本配置方面的成本支出。当然，根据风险收益对称原则，在实施风险规避的同时，也丧失了在某项业务方面获得收益的机会和可能。风险规避是一种消极策略，它不能成为主导风险管理策略。

5. 风险补偿

风险补偿是指事前（损失发生以前）对所承担的风险进行价格补偿，而将事后以抵押、担保或保险等形式获取的实物或资金补偿归于风险转移策略。对于那些无法通过分散或转移等方法进行管理，而且又无法规避、不得不承担的风险，投资者可以采取在交易价格上加入风险因素，即风险回报的方式，获得风险补偿。同时间有价值一样，风险也是有价值的。对商业银行而言，风险管理的一个主要方面就是对风险合理定价。

1.4 风险管理方法的演变

风险管理的方法从产生开始，依次经历了如下几个阶段：传统风险管理阶段、现代风险管理阶段、全面风险管理阶段。

1. 传统风险管理阶段

最早的风险管理意识出现在 20 世纪 30 年代的美国。风险管理这一名词最早是在 1930 年由美国宾夕法尼亚大学的一名博士在美国管理协会发起的一项保险问题会议上提出的。最初的风险管理以保险行业为代表。在实践中，时至今日购买保险仍是个人或企业管理风险的重要手段。在学术领域，风险管理也是在保险学系内发展起来的。保险对风险管理理论的发展功不可没。但是随着风险管理实践的不断发展和保险功能局限性的显现，许多企业开始减少对购买传统保险的依赖，它们通常在组织内部采取行动来控制风险和不确定性对组织的影响。风险管理从此迈入新纪元。

真正意义上的风险管理要追溯到 20 世纪 50 年代的美国。最早论及风险管理的文章是 1956 年在《哈佛商业评论》上发表的《风险管理——成本控制的新名词》。与此同时，其他国家的风险管理思想也纷纷出现，并且带有本国特点。德国的风险管理同早期的美国类似，也是偏重于保险政策，认为管理风险的主要方法是规避、分散、补偿、转移、预防风险等。德国的风险管理研究偏重于理论研究与风险政策的研究，在现实管理手段上有所欠缺。法国也是很早就将风险管理思想引入企业经营管理体系中的国家，但是它一直没有形成完整的理论体系，直到 70 年代后期，随着风险变得日趋复杂，法国才引进美国成熟的风险管理理论并加以改进和利用。

在这一阶段，学者们在风险管理理论研究方面取得了丰硕的成果，为现代金融学发展奠定了坚实的基础。比较有代表性的是马科维茨于 1952 年提出的"资产组合理论"。他利用统计学的方差或标准差的概念，对风险证券的不确定性进行了度量，为金融风险的研究奠定了基础。紧接着，夏普对资产组合理论进行拓展，构建出经典的资本资产定价模型，为以后资产定价的实证与理论研究夯实了基础。在资本资产定价模型基础上发展起来的套利定价理论和著名的 Black-Scholes 期权定价公式等，都是同时期的产物。正是这些理论的发展，使得风险管理从经验式研究逐步发展成为一门相对独立的学科。1986 年 10 月，风险管理的国际学术研讨会在新加坡召开，风险管理正式成为一个影响全球经济的共同课题，传统的风险管理方法开始向现代风险管理方法转化。

2. 现代风险管理阶段

20 世纪 80 年代末期，全球经济金融高速发展，各国企业都面临着重大的经济环境变化，一些国家开始经历经济金融危机。金融风险领域也发生了显著的变化，不同类型风险的关联性增强，金融风险不再是一个简单的现象，而是受市场风险、信用风险和操作风险共同影响和作用。国家与国家之间、企业与企业之间甚至企业的不同部门之间，风险的关联性都大大加强。传统风险管理阶段那种单一风险的管理模式已不再适用。风险管理进入了从整体角度出发考虑各种风险组合效果的阶段。

现代风险管理阶段没有明显的时间界限。人们普遍认为 1993 年**首席风险官**（chief risk officer，CRO）职务的诞生，在风险管理演进历史中具有非常重要的里程碑意义，与该职务相匹配的风险管理标准也在各个国家纷纷出台。此后，CRO 开始对企业的风险状况做整体的评估和管理调控，企业内部各部门或者生产线之间不再各自为政。

3. 全面风险管理阶段

1990 年以后，一方面，金融衍生品的使用不当引发了多起金融风暴，财务性风险管理有了进一步的发展；另一方面，保险理财与金融衍生品的整合打破了保险市场与资本市场之间的藩篱。这两方面的因素共同促成风险管理进入全面风险管理阶段。

这一阶段的核心理论有两个，即**企业风险管理**（enterprise risk management，ERM）和**全球化风险管理**（global risk management，GRM）。虽然它们的偏重点有所不同，但是反映的核心理念一致，那就是在考察金融机构的风险时，不再简单拆分各类风险，而是进行合理的、准确的、全面的度量。全面风险管理理念的产生，源于美国反虚假财务报告委员会下属的发起人委员会（The Committee of Sponsoring Organizations of the Treadway Commission，COSO）对风险管理的研究。COSO 认为，对管理者来说，一个非常重大的挑战就是，确定某个组织在努力创造价值的过程中准备承受多大的风险。而制定统一的标准并提供主要的原理和概念的风险管理框架，将有助于企业迎接这一挑战。2004 年，COSO 发布了《企业风险管理整合框架》研究报告，该框架确定了现代全面风险管理理论的核心内容。

1.5 金融机构的功能和分类

金融风险管理是识别、评估和管理金融风险的过程，它的目的是为金融机构创造经济价值。过去几十年来，金融风险管理在金融机构的管理行为中变得越来越重要，金融机构在风险管理方面的成本投入也越来越多。本书主要讨论银行和其他金融机构的风险管理方法，所以我们先来了解金融机构的相关情况。

1.5.1 金融机构的功能

1. 降低信息不对称，提升金融市场交易效率

信息经济学认为，在社会经济交易中，市场交易双方难以拥有等量同质的信息，信息不对称由此产生。它是普遍存在的经济现象，是风险产生的重要原因之一。例如，在借贷交易中，对于贷款资金的用途、贷款项目的潜在回报率和相应的风险情况，借款人比贷款人拥有更多的信息。信息不对称在借贷交易的前后两个阶段都会引发风险问题。交易前发生的风险问题，我们称之为**逆向选择**；交易后发生的风险问题，我们称之为**道德风险**。因此，逆向选择源于金融交易合同缔结前的信息不对称，道德风险源于金融交易合同缔结后的信息不对称。

在信息不对称的情况下，贷款人出于风险审慎管理的动机，可能会在高估项目风险的基础上对贷款进行定价。当贷款利息成本高于贷款项目可能带来的收益时，对正常的借款人来说，他们会放弃这一融资需求，但是对具有赌徒心理的那部分借款人来说则不一定。因此，金融市场上的逆向选择一般是指最有可能产生借贷风险的潜在借款人获得了贷款融资，这些人往往是最积极寻找贷款的人，因而也是最有可能得到贷款的人。基于这一考虑，贷款人可能会决定不发放或少发放贷款。

道德风险是信息不对称下交易合同缔结之后发生的风险，是指借款人使用资金去从事一些对贷款人不利的活动，这些活动可能会导致贷款到期无法偿还。由于道德风险降低了贷款到期偿还的概率，贷款人可能会因此决定不发放贷款。

相比之下，金融机构有严格的风险管理制度和专业的风险管理人才，在一定程度上能够降低金融市场上的信息不对称，提升金融市场的交易效率。

2. 降低交易成本

交易成本是执行金融交易所花费的时间和金钱，它是资金冗余者所面临的主要问题。金融市场中，交易成本对金融机构在经济运行中的作用如此重要的一个原因在于，交易双方对彼此信息的掌握程度不同，即交易双方之间存在着信息不对称。

假设你知道 A 和 B 两个公司正在进行兼并与收购交易。A 公司打算花 200 万元收购经营困难的 B 公司，但是它用于收购的资金不足。你认为这是一桩非常好的交易。你拥有现金并想借给 A 公司，但是为了保护自己，你将雇用一家律师事务所来协助你打理这笔借款交易中的各种法律事务，比如起草借款合同等，你需要为此花费 20 万元。将这笔交易成本记入贷款成本中后，你意识到你无法从这笔交易中赚取足够的收益，因为从贷款中获得的利息收益只能勉强抵补该交易成本，于是你只能极不情愿地告知 A 公司，它得去别处寻找贷款机会。这个例子说明，像你这样的家庭储户和像 A 公司这样的潜在借款人，都可能会因不能从交易中获利而被排除在金融市场之外。

但是，金融机构具有降低交易成本的专业能力，可以解决这个问题。例如，银行可以每年花 1 000 万元聘请一家一流的律师事务所来处理和贷款交易相关的各项法律事务，比如起草一份更高质量、更能保护贷款人利益的贷款合同。假设银行每年有 1 万笔贷款交易，分摊

到每笔贷款的律师费只需 1 000 元。那么,对银行来说,为 A 公司提供贷款就有利可图。

金融机构的交易规模较大,能够大幅度降低交易成本,获得规模经济的好处,因此,可以让你间接地将资金提供给像 A 公司这样具有实体投资机会的公司。此外,金融机构的低交易成本也意味着它能为顾客提供流动性服务。这种服务可以使顾客获得仅次于持有现金的流动性,从而降低流动性成本。

3. 帮助投资者降低风险

金融机构参与金融市场能带来的另一个好处是帮助降低投资者所面临的风险。从某种意义上说,由于金融机构的存在,风险较高的资产被转换成更加安全的资产供投资者持有。

金融机构创造并出售人们觉得风险适中的各种金融资产(比如银行的活期存款、不同期限的定期存款和理财产品等),然后将出售金融资产所得的资金(储户存款)用于风险较高的实体项目投资(银行贷款)。由于金融机构的交易成本低,它们能够以低成本分担风险,从而可以从投资风险性资产(银行贷款)获得的回报和出售金融资产(银行存款)支付的成本(存款利息)的价差中获利。这种风险分担的过程也被称为资产转换过程。

金融机构还通过帮助个人进行多样化投资来降低他们所面临的风险。投资分散化是将资金投资于一组资产所构成的资产组合(即不把所有鸡蛋放在一个篮子里),组合里的资产回报率通常不会同步变化。因此,资产组合的整体风险比其中每个资产的风险都要小,较低的交易成本允许金融机构通过将一组资产组合成为一种新的资产并将其出售给个人来实现多样化。

总之,金融机构在我们社会经济生活中的作用非常重要,它们能在一定程度上降低信息不对称、降低投资者的交易成本并促进风险分担。金融机构这种功能的成功应用可以从大多数人都将其持有的资金存储于金融机构,以及企业从金融机构获得贷款这些事实中得以证明。因此,金融机构在提高市场交易效率方面起到非常重要的作用,如果没有一系列功能完备的金融机构,经济将很难繁荣发展。

1.5.2 金融机构的分类

金融机构按照不同的标准可以划分为若干个种类。从国际层面看,国际货币基金组织(IMF)在 2000 年出版的《货币与金融统计手册》中,将金融机构定义为所有从事金融中介或相关辅助性金融活动的公司机构或准公司机构,分类相对简化。随着经济全球化的深入,各经济体之间的联动效应不断增强,金融风险出现国际传导的可能性增大。而日益发展的非银行金融中介、各种创新型金融产品以及跨市场、跨产品、跨境的资金流动风险对先前的分类统计提出了新的挑战。于是,在 2008 年全球金融危机后,各国中央银行对金融统计数据缺失问题展开了广泛、深入的讨论和反思。为了更好地适应全球宏观数据分析需要,国际货币基金组织于 2012 年 2 月在华盛顿召开专家小组会议,正式启动了对《货币与金融统计手册》的全面修订工作,进一步细化了金融机构的类别。金融机构和金融工具的分类得到进一步丰富,由原来主要关注银行业存款类金融机构业务扩展到保险、证券、货币市场基金、特殊目的实体、主权财富基金等非银行金融机构业务及其创新工具。依据修订,金融机构分为九类,它们分别是:中央银行、除中央银行以外的存款类金融机构、货币市场基金、投资银行、共同基金、对冲基金、私募股权投资基金、保险公司、养老金。

从国内情况看，近年来，我国金融总量快速扩张，金融结构多元发展，金融产品和金融工具不断创新，以往以银行业为主的传统金融统计开始向覆盖银行、证券和保险的金融业综合统计转变。2014年9月19日，中国人民银行正式发布了《金融机构编码规范》，确立了我国的金融机构涵盖货币当局、监管当局、银行业存款类金融机构、银行业非存款类金融机构、证券业金融机构、保险业金融机构、交易及结算类金融机构、金融控股公司、其他等共九大类机构。

随着金融科技的快速发展和新金融业态的不断涌现，为进一步强化金融监管、维护金融稳定，我国在2023年5月18日成立了国家金融监督管理总局（以下简称"国家金融监管总局"）。国家金融监管总局对银行业金融机构进行了更为细致的划分，这一举措标志着我国金融监管体系迎来了重大变革。

1. 我国的多层次银行业体系

当前，我国已形成多层次的银行业体系，根据国家金融监管总局统计口径，金融机构被分为大型商业银行、股份制商业银行、城市商业银行、农村金融机构和其他类金融机构等五大类，每一类还包含了更具体的子类别。具体如下。

（1）大型商业银行。大型商业银行在我国银行体系中占据主导地位，是企业、机构及个人客户的主要融资来源。根据国家金融监管总局披露的信息，大型商业银行包括中国工商银行、中国农业银行、中国银行、中国建设银行、交通银行和中国邮政储蓄银行等6家银行。

（2）股份制商业银行。股份制商业银行近年来凭借其敏锐的市场洞察力，紧抓市场机遇，实现了持续且快速的发展，市场份额稳步攀升，已然成为我国银行业体系中不可或缺的一环。这类银行不仅市场化程度高，而且在银行系统构建与金融科技应用方面展现出了卓越的发展态势。据国家金融监管总局披露的信息，我国目前共有12家股份制商业银行，它们分别是：招商银行、中信银行、中国光大银行、浦发银行、中国民生银行、华夏银行、平安银行、兴业银行、广发银行、浙商银行、恒丰银行以及渤海银行。作为大型商业银行之外的另一支重要力量，股份制商业银行持有在全国范围内开展银行业务的牌照，为金融市场的繁荣与发展注入了新的活力。

（3）城市商业银行。城市商业银行是在当地城市信用社的基础上组建成立的区域性金融机构，通常在获得经营许可的地域范围内经营各类商业银行业务，是我国银行业金融机构的重要组成部分。

（4）农村金融机构。我国农村金融机构包括农村商业银行、农村合作银行、农村信用社和新型农村金融机构。农村金融机构是区域性金融机构的主要组成部分，为农村和城市的小企业和当地居民提供银行产品和服务。

（5）其他类金融机构。其他类金融机构是指除传统银行业金融机构（如商业银行等）以外的各类金融机构。根据国家金融监管总局的公开信息，这一类别涵盖了政策性银行及国家开发银行、民营银行、外资银行、非银行金融机构、金融资产投资公司和理财公司等多元化机构。具体包括以下内容。

1）政策性银行及国家开发银行。政策性银行是指由政府出资设立，不以营利为目的，而是为了贯彻和配合政府特定经济政策和意图而进行融资和信用活动的机构。1994年，我国设立的政策性银行包括国家开发银行、中国进出口银行和中国农业发展银行。中国进出口银行和中国农业发展银行一直坚守政策性银行的定位，国家开发银行虽然最初是作为政策性银行成立的，但自 2015 年被定位为开发性金融机构后，已经部分向开发性金融机构转型。

2）民营银行。民营银行是指由民营企业或私人资本投资设立的金融机构，它们的出现打破了长期以来我国金融体系由国有机构主导的格局，为中小企业开辟了更广阔的融资渠道，成为我国金融体系多元化发展的重要推手，扮演着不可或缺的角色。

3）外资银行。外资银行包括外国银行的代表处和分支机构，以及外商独资银行及合资银行。这些银行通常在华开展业务，为跨国公司和外国投资者提供金融服务。

4）非银行金融机构。非银行金融机构是指那些不以存款和贷款为主要业务的金融机构，如信托投资公司、证券公司、基金管理公司、保险公司、资产管理公司等。这些机构通过提供多样化的金融产品和服务，丰富了金融市场的结构。

5）金融资产投资公司。金融资产投资公司是指专门从事银行债权转股权及配套支持业务的非银行金融机构。它们通常由大型银行设立，以帮助解决不良资产问题。

6）理财公司。理财公司是指专门从事理财产品的设计、销售和管理的金融机构，通常隶属于大型银行或信托公司，为个人和企业提供财富管理服务。

2. 我国的金融监管体系

一个健全且高效的金融监管体系，在维护金融市场稳定、防范系统性风险及促进经济稳健发展中发挥着重要作用，作为我国经济改革开放与现代化进程的重要支撑，该体系随着我国经济的迅猛增长与金融市场的不断深化而持续演进。2023 年，中国正式确立了以"一行一局一会"［即中国人民银行、国家金融监管总局、中国证券监督管理委员会（以下简称"证监会"）］为核心的金融监管架构，并在此架构之上设立了中央金融委员会，负责金融业的顶层设计与战略规划，确保金融监管体系与国家发展战略相协调，推动金融改革与发展，维护国家金融安全与稳定。

在国家金融监管总局成立之前，我国的金融监管经历了多次历史性的演变。改革开放初期，中国人民银行作为唯一的金融监管机构，实行了"大一统"的混业监管模式。然而，随着市场经济的蓬勃发展与金融业务的日益多样化，这一模式逐渐显露出局限性。随着 1992 年证监会、1998 年中国保险监督管理委员会（以下简称"保监会"）以及 2003 年中国银行业监督管理委员会的相继成立，我国金融监管正式进入了"一行三会"的分业监管时代。然而，随着金融创新的加速与混业经营的兴起，分业监管模式逐渐暴露出监管空白、职能重叠等问题，对金融市场的稳定与健康发展构成了潜在威胁。

为应对这些挑战，2018 年，银监会与保监会实现了战略性合并，组建了中国银行保险监督管理委员会（以下简称"银保监会"），进一步整合了银行业与保险业的监管职能，提升了监管效率与协同性。然而，随着金融科技的迅猛发展以及新金融业态的不断涌现，仅靠银保监会的力量已难以全面应对现代金融监管的复杂性与挑战性。

因此，2023 年国家金融监管总局的成立，不仅实现了除证券业外金融业的统一监管，还显著增强了机构监管、行为监管、功能监管、穿透式监管、持续监管的力度与精准度。这一改革举措不仅优化了监管资源的配置效率，还通过构建"四级垂管"（即总局、省局、分局、支局）的监管架构，进一步强化了地方金融监管体系的稳固性与有效性。

此外，国家金融监管总局还肩负起了对金融控股公司等金融集团进行日常监管的重任，以及保护投资者的崇高使命。这一系列改革举措不仅体现了我国金融监管体系的现代化构建与升级，更彰显了我国政府在维护金融市场稳定、防范系统性风险以及促进经济健康发展方面的坚定决心与不懈努力。

1.6 银行业的主要风险类型

根据《巴塞尔新资本协议》（《巴塞尔协议Ⅱ》），银行业主要面临八种风险类型：市场风险、信用风险、操作风险、流动性风险、国家风险、声誉风险、法律风险和战略风险。管理这些传统的风险构成了银行业稳健运营与风险管理的基石。每一种风险都深刻影响着银行的财务状况与业务连续性。

然而，随着气候变化的加剧、全球经济的不断演变以及金融创新的加速推进，银行业所面临的风险图谱正日益复杂化和多元化。近年来，监管部门对气候风险的关注度显著上升。气候风险不仅与自然环境的变化息息相关，更与银行业的长期可持续发展紧密相连。它超越了传统风险框架的范畴，对银行的投资策略、信贷组合乃至整体风险管理策略都提出了新的挑战。

巴塞尔银行监管委员会（以下简称"巴塞尔委员会"）在2021年发布的《气候相关风险驱动因素与传导途径》报告中指出，气候风险会对传统风险，如信用风险、市场风险、操作风险、流动性风险和声誉风险等产生连锁效应。这种效应会进一步波及银行乃至整个金融体系的风险层级结构，这说明气候风险并非孤立存在，而是影响传统风险的一个关键因素。鉴于气候风险管理更为复杂，本书将在最后一章进行专门的探讨，本部分先介绍传统的风险类型。

1.6.1 市场风险

市场风险是指市场价格（利率、汇率、股票价格和商品价格）的不利变动可能导致银行表内和表外业务发生损失的风险。市场风险存在于银行的交易和非交易业务中，源于资本市场价格变化的不确定性。市场风险分为利率风险、汇率风险（包括黄金价格波动的风险）、股票价格风险和商品价格风险，分别指由于利率、汇率、股票价格和商品价格的不利变动所带来的风险。这些市场风险可能直接对金融机构产生影响，也可能通过其他金融市场参与者的活动间接对金融机构产生影响。

利率风险按照来源不同，细分为重新定价风险、收益率曲线风险、基准风险和期权性风险。⊖

（1）**重新定价风险**（repricing risk）。它也称为期限错配风险，是最主要和最常见的利率风险形式，来源于银行资产、负债和表外业务到期期限（就固定利率而言）或重新定价期限（就浮动利率而言）所存在的差异。这种重新定价的不对称性使银行的收益或内在经济价值会随着利率的变动而变化。例如，如果银行以短期存款作为长期固定利率贷款的融资来源，当利率上升时，贷款的利息收入是固定的，但存款的利息支出会随着利率的上升而增加，从而使银行的未来收益减少和经济价值降低。

⊖ 该定义参考了《商业银行市场风险管理指引》（银监会令2004年第10号）。

（2）**收益率曲线风险**（yield curve risk）。重新定价的不对称性会使收益率曲线的斜率和形态发生变化（收益率曲线的非平行移动），对银行的收益或内在经济价值产生不利影响，从而形成收益率曲线风险，也称为利率期限结构变化风险。例如，若以 5 年期政府债券的空头头寸为 10 年期政府债券的多头头寸保值，当收益率曲线变陡的时候，虽然上述安排已经对收益率曲线的平行移动进行了保值，但 10 年期债券多头头寸的经济价值还是会下降。

（3）**基准风险**（basis risk）。基准风险也称为利率定价基础风险，是另一种重要的利率风险来源。在利息收入和利息支出所依据的基准利率变动不一致的情况下，虽然资产、负债和表外业务的重新定价特征相似，但因为现金流和收益的利差发生了变化，银行的收益或内在经济价值也会受到不利影响。例如，一家银行用 1 年期存款作为 1 年期贷款的融资来源。贷款参照美国国库券（T-bills）的利率每月重新定价，而存款参照伦敦银行间同业拆借利率（LIBOR）每月重新定价。虽然利率敏感性负债与利率敏感性资产的重新定价期限完全相同，并不存在重新定价风险，但因为其基准利率的变化可能不完全相关，变化不同步，该银行仍然面临因基准利率的利差发生变化而带来的基准风险。

（4）**期权性风险**（optionality）。期权性风险是一种越来越重要的利率风险，来源于银行资产、负债和表外业务中所隐含的期权。一般而言，期权赋予其持有者买入、卖出或以某种方式改变某一金融工具或金融合同的现金流量的权利，而非义务。期权可以是单独的金融工具，如场内（交易所）交易期权和场外期权合同，也可以隐含于其他的标准化金融工具之中，如债券或存款的提前兑付、贷款的提前偿还等选择性条款。一般而言，期权和期权性条款都是在对买方有利而对卖方不利时执行的，因此，此类期权性工具因具有不对称的支付特征而会给卖方带来风险。比如，若利率变动对存款人或借款人有利，存款人就可能选择重新安排存款，借款人可能选择重新安排贷款，从而对银行产生不利影响。

市场风险的特点：

- 相对于信用风险而言，市场风险具有数据优势和易于计算的特点，而且可供选择的金融产品很丰富，因此可以采用多种技术手段加以规避。
- 市场风险主要来自所属经济体系，因此具有明显的系统性风险的特征，难以通过分散化完全消除。
- 国际性商业银行通常分散投资于多国金融/资本市场，降低其所承担的系统性风险。

1.6.2 信用风险

信用风险是指债务人或交易对手未能履行合同所规定的义务或信用质量发生变化，影响金融工具价值，从而给债权人或金融工具持有人带来损失的风险。传统的信用风险是指交易对象无力履约的风险，即债务人未能如期偿还其债务造成违约，从而给经济主体经营带来的风险。这里的风险被理解为只有当违约实际发生时才会产生，因此信用风险又被称为"违约风险"。从组合投资的角度出发，投资者的投资组合不仅会因为交易对手的直接违约而发生损失，而且会因为交易对手履约的可能性的变化而遭受损失。

信用风险的表现形式有：违约风险、交易对手风险、信用迁移风险、信用事件风险和可归因于信用风险的结算风险。

1.6.3 操作风险

操作风险在《巴塞尔协议Ⅱ》中的定义有两种类型：一种是基于损失发生原因的定义，另一种是基于损失事件类型的定义。基于损失发生原因的操作风险的定义：操作风险是指由不当或者失效的内部流程、人员、系统以及外部事件所造成的损失。相应的风险因素来自四个方面，分别是内部流程、人员因素、系统缺陷和外部事件。基于损失事件类型定义的操作风险分为七大类：内部欺诈，外部欺诈，就业政策和工作场所安全，客户、产品和业务活动，实物资产的损坏，业务中断和信息科技系统故障，执行、交割和流程管理。

操作风险的特点：

- 具有普遍性。与市场风险主要存在于交易类业务、信用风险主要存在于授信类业务不同，操作风险普遍存在于商业银行业务和管理的各个方面。
- 具有非营利性。不同于市场风险和信用风险，操作风险并不能为商业银行带来盈利，商业银行之所以承担它是因为它不可避免。对它的管理策略是在管理成本一定的情况下尽可能降低风险。
- 具有可转化性。在实践中，操作风险往往可以转化为市场风险和信用风险，因此，人们往往难以将其与市场风险和信用风险等严格区分开来。

1.6.4 流动性风险

流动性风险是指商业银行无法以合理成本及时获得充足资金，用于偿付到期债务、履行其他支付义务和满足正常业务开展的其他资金需求的风险。流动性风险既包含融资流动性风险，又包含资产流动性风险。具体而言，融资流动性风险体现在银行的负债方，即银行是否拥有以较低的成本筹集所需资金的能力；资产流动性风险体现在银行的资产方，即在资产不发生损失或少发生损失情况下的迅速变现能力。

流动性风险的特点：

- 流动性风险和其他风险有很大区别。它不是由特定的某一原因引起的，其形成的原因更复杂。
- 流动性风险的产生原因除了商业银行的流动性计划不完善之外，还包括信用风险等其他风险没有得到有效管理，这些因素都可能导致银行的流动性不足。

1.6.5 国家风险

国家风险是指经济主体在与非本国居民进行国际经济贸易与金融往来时，由于别国经济、政治和社会等方面的变化而遭受损失的可能性。它是由债务人所在国家的行为引起的，它超出了债权人的控制范围，是非国内经济活动中的风险。

国家风险的特点：

- 发生在国际经济金融活动中。在同一个国家范围内的经济金融活动中不存在国家风险。
- 在国际经济金融活动中，不论是政府、商业银行、企业还是个人，都可能遭受国家风险所带来的损失。

1.6.6 声誉风险

声誉是商业银行所有的利益持有者通过持续努力、长期信任建立起来的宝贵的无形资产。**声誉风险**是指由于意外事件、商业银行的政策调整、市场表现或日常经营活动所产生的负面结果，可能对商业银行的声誉这种无形资产造成损失的风险。商业银行通常将声誉风险看作其市场价值的最大威胁，因为商业银行的业务性质要求它能够维持存款人、贷款人和整个市场的信心。

声誉风险的特点：

- 几乎所有的风险都可能影响商业银行的声誉，因此，没有可量化的风险管理手段来控制声誉风险。
- 管理声誉风险的策略包括：强化全面风险管理和公司治理，并预先做好应对危机的准备；确保其他风险被正确地识别、优先排序，并得到有效管理。

1.6.7 法律风险

商业银行的日常经营活动或各类交易应当遵守相关的商业准则和法律法规，在这个过程中，因为无法满足或违反法律要求，导致商业银行不能履行合同、发生争议/诉讼或其他法律纠纷，而可能给商业银行造成经济损失的风险，即为**法律风险**。按照《巴塞尔协议Ⅱ》的规定，法律风险是一种特殊类型的操作风险。

从狭义上讲，法律风险主要关注商业银行所签署的各类合同、承诺等法律文件的有效性和执行性。从广义上讲，**与法律风险类似或密切相关的风险还有合规风险和监管风险**。

合规风险是指商业银行由于违反监管规定和原则而招致法律诉讼或遭到监管机构处罚，进而产生不利于商业银行实现商业目的的风险。**监管风险**是指由于法律或监管规定的变化，可能影响商业银行正常经营或削弱其竞争能力、生存能力的风险。

1.6.8 战略风险

战略风险是指金融机构在追求短期商业目的和长期目标的系统化管理过程中，不恰当的未来发展规划和战略决策所带来的影响金融机构未来发展的潜在风险。

战略风险管理有双重含义。一方面是商业银行发展战略的风险管理，针对政治、经济、社会、科技等外部环境和商业银行的内部可利用资源，系统识别和评估商业银行既定的战略目标、发展规划和实施方案是否存在潜在的风险，并采取科学的决策方法或风险管理措施来避免或降低风险。另一方面是从战略性的角度管理商业银行的各类风险，在进行各类风险管理的过程中，从长期的、战略的角度充分准备，准确预期未来可能发生的意外事件或不可预期事件，将各类风险的潜在经济损失控制在可接受的范围内，以确保商业银行的运营稳定性。

1.7 评估风险管理过程

金融机构的风险管理部门常常面临着风险管理和业务发展两难的困境。如果要求业务发展过程中时时、事事讲风险，那么风险管理部门在机构内部将非常不受欢迎。如果认为风管理无足轻重，那么一旦出现风险事件并造成了巨额损失，损失就会被归咎为风险管理部门的失败。为此，应该如何评估风险管理过程？

第一，我们必须要认识到，一些巨额损失的出现，并不一定意味着风险管理的失败。因为人类的认识能力有限，现实中一定有我们永远无法预测或者管理的因素（我们称之为运气不佳）存在。比如某机构的某只基金的投资收益率为 –10%，绝对额损失可能达到以亿元为单位的量级。仅凭这个数据就追究风险管理部门的责任，显得有些武断。如果此时市场上所有同类型基金的平均收益率为 –20%，反而证明了风险管理部门已经尽职尽责地控制了风险，此时不但不应该惩罚，反而应该对风险管理部门进行奖励。

第二，并不是所有类型的风险都能够进行有效的管理。我们无法完美地管理"不能被度量的风险"，我们自然也无法真正管理"不能被识别的风险"。因为人对周遭世界的认知存在局限，这些局限可能引发那些会对目标产生影响的风险。这些风险分为如下三类：①已知的已知风险（known known risk）；②已知的未知风险（known unknown risk）；③未知的未知风险（unknown unknown risk）。这是当今风险管理界公认的风险分类。

1.7.1 已知的已知风险

已知的已知风险是由可确定并且可以度量的风险组成的。在管理这类风险时，管理部门的主要职责是在估计未来收益和损失分布的基础上建立未来收益率的分布。这个步骤在现实中是比较困难的，不过因为我们拥有经历了不同周期的大量的历史收益率数据，所以我们经常使用历史收益分布作为未来收益分布的代表。这么做带来的问题是，收益率在近期历史中可能会保持恒定，但是并不意味着它在未来不发生变化。对这类风险，即便金融机构的风险管理部门已经识别并进行了评估，也对其中的重大风险进行了度量和预警，但它们仍然可能会因为投资组合的决策或运气不佳而造成损失。但是，这样的风险损失事件发生的概率相对较低。风险管理者只能在自身的风险承受范围内，对风险的发生频率和可接受的损失金额进行限制，而不能在绝对意义上不允许风险发生。因为接受这一类风险的存在，是金融机构业务持续发展的客观要求。

1.7.2 已知的未知风险

已知的未知风险，包括风险本身是已知或者金融机构应当知道的，但却没有被风险管理部门恰当度量的模型缺陷。比如，在风险识别环节，风险经理可能忽略了重要的已知风险因子；在风险度量环节，风险经理可能没有准确度量风险因子的分布，包括波动率和相关系数；而在映射过程中，风险经理用暴露于风险因子的风险暴露来代替头寸；或是风险管理者使用的模型的前提假设比较严格，和现实差距较大等。所有这些做法都可能导致损失的发生。

另一个比较有代表性的已知的未知风险是流动性风险。许多风险模型都假设头寸可以在指定的时间范围内迅速变现，这个假设并不现实，因为头寸变现取决于很多方面的因素。首先，最重要的因素是资产的内在流动性。比如，买卖价差较小并且交易中很少遇到市场冲击的国债的流动性就比高收益的公司债的流动性高。其次是头寸的规模，当交易头寸比正常交易头寸大很多的时候，在执行交易的过程中一定会经历较大幅度的价格下降。

如果风险管理部门的管理人员在自身的专业、背景以及经验等方面的差异，导致此类风险发生并产生了巨额损失，那么，责任确实应该归因于管理失败，而不能简单归因于运气不佳。

1.7.3 未知的未知风险

未知的未知风险的管理是最难的，因为它代表了大部分可预测情景范围之外的所有事件。比较有代表性的是监管风险和交易对手风险等。

如果监管机构突然对市场上的某些交易进行限制，就会给金融机构造成一些不可预料的损失。比如，对卖空交易的突然限制将对金融机构的对冲策略直接产生严重影响。

另外，管理交易对手风险也非常困难，因为风险管理部门不但要充分地了解它的交易对手（事实上很困难），还需要了解交易对手的交易对手。没有一家机构可以获得所有这些信息，因此，这种传染性风险就无法直接进行度量。

同样地，一些涉及相同交易者行为和头寸情况的流动性风险，评估起来也非常困难，因为这些情况无法提前预知。在非流动性市场，强制出售会付出非常大的代价。

这类风险在业内有时被称为奈特不确定性。奈特不确定性是一种无法度量的风险。金融机构无法时刻持有足够的资本来抵御大量的交易对手破产风险或者系统性风险。在这些情况下，一国的中央银行或者政府将成为最后的风险经理。

风险管理的目的不仅仅是防止损失。我们之所以会对风险进行以上三种分类，是因为需要对不同原因导致的风险损失进行检讨和追责。如果是第二类风险造成的损失，我们可以直接论断为风险管理的失败，并对相关风险管理者的工作进行审核，通过加强对其培训或工作调整来提升机构的风险管理质量。但是第一类风险和第三类风险所造成的风险损失事件并非风险管理部门能完全避免的。比如对于第一类风险造成的较大损失，只要风险管理部门已经就未来的投资收益概率分布情况和公司预先进行了充分的交流沟通，那么，在这种情况下发生了损失，只能归因于该机构运气不佳。综上，金融机构出现的较大损失，并不一定是风险管理部门的责任，必须具体问题具体分析。

❖ 本章小结

本章主要介绍了金融风险管理的基本概念与框架，包括：风险与金融风险的含义；风险、损失与不确定性等几个核心概念之间的关系；风险管理的流程；几种主要的风险管理方法，如风险分散、风险对冲、风险转移、风险规避和风险补偿等。

自 2023 年我国成立国家金融监管总局后，金融监管体系发生了重大变革。基于此，本章根据国家金融监管总局统计口径，在金融机构的分类部分，详细介绍了我国的多层次银行业体系，以及我国的金融监管体系及其发展演变。

最后，由于近年来监管部门对气候风险的关注度显著上升，本章在介绍银行业面临的主要风险类型时，引入了气候风险。

本章的**重点**和**难点**：①不要混淆风险与损失。风险虽然通常用损失的可能性以及潜在的损失规模来计量，但绝不等同于损失本身。②风险不等同于不确定性，尤其是在金融风险管理领域。③金融机构面临风险管理与业务发展的权衡挑战。④巨额损失的发生不必然指向风险管理失效，须区分三类风险范畴：已知的已知风险、已知的未知风险、未知的未知风险。

关键概念

金融风险	损失	不确定性	风险识别	风险计量	风险管理
风险分散	风险对冲	风险转移	风险规避	风险补偿	金融机构
信息不对称	逆向选择	道德风险	市场风险	信用风险	操作风险
流动性风险					

练习题

1. 什么是金融风险？
2. 风险、损失与不确定性这三个概念的区别和联系是什么？
3. 分别简述什么是风险分散、风险对冲、风险转移、风险规避和风险补偿。
4. 简述金融机构的主要功能。
5. 简述我国的大型商业银行有哪些。
6. 银行业面临的主要风险类型有哪些？
7. 讨论：金融机构出现了巨额损失是不是意味着风险管理部门的失败？

案例专栏

雷曼兄弟公司破产案

雷曼兄弟公司（以下简称"雷曼兄弟"）成立于1850年，是一家历史悠久的国际性金融机构及投资银行，业务范围广泛，包括市场研究、证券交易、投资管理、私募基金及私人银行服务等。2008年9月15日，雷曼兄弟因受次贷危机影响，公司出现巨额亏损，最终向纽约南区的美国破产法庭递交破产保护申请。当时，雷曼兄弟负债超过6 130亿美元，资产总额为6 390亿美元。

雷曼兄弟的破产不仅标志着次贷危机的全面爆发，也引发了全球金融危机的全面升级。其破产后，美国政府乃至全球政府迅速采取新的措施应对危机。此外，雷曼兄弟的破产还导致LIBOR大幅上升，标准普尔500指数下跌，货币市场基金"第一储备"损失惨重，引发了大规模赎回潮。雷曼兄弟破产案例是2008年全球金融危机中的标志性事件，其破产过程和原因复杂且多方面。

内部因素分析：①高杠杆业务模式。雷曼兄弟采用高杠杆的业务模式，即通过借入大量资金进行投资，这种模式在市场环境良好时可以放大收益，但在市场环境恶化时会迅速放大损失。②次级贷款和房地产业务。雷曼兄弟在次贷危机期间大量投资于次级抵押贷款产品和房地产市场，这些投资在房价下跌时迅速贬值，导致巨额亏损。③风险管理不足。雷曼兄弟在风险管理方面存在严重不足，未能有效识别和控制风险，特别是在次贷危机期间未能及时调整投资策略。④内部控制薄弱。内部控制的薄弱是雷曼兄弟落败的根本原因之一，有效的风险评估和控制机制的缺乏导致了巨大的损失。

外部因素分析：①系统性风险。从2007年夏天开始，整个金融市场基本层面的变化和不稳定导致了系统性风险的加剧，次贷危机席卷了整个金融市场，造成了约10万亿美元的经济损失。②市场信心崩溃。美国财政部和美国联邦储备系统（以下简称"美联储"）在贝尔斯登公司和美国国际集团（AIG）面临破产时采取了救助措施，但拒绝救助雷曼兄弟，这一决定引发了市场信心的崩溃，进一步加剧了金融市场的动荡。③全球金融机构自危。由于雷曼兄弟的"有毒资产"规模巨大且关系复杂，全球金融机构人人自危，引发了全球金融市场的金融海啸。

雷曼兄弟的破产案例为金融机构提供了重要的教训。第一，风险管理的重要性。金融机构必须建立和完善风险管理体系，及时识别和控制风险，避免因风险管理不足而导致的巨额损失。第二，内部控制的必要性。加强内部控制、确保有效的风险评估和控制机制，是金融机构稳健运营的关键。第三，政策协调的重要性。在金融危机期间，政府和监管机构应加强政策协调和资本支持，避免因救助措施不当引发更大的市场动荡。

总之，雷曼兄弟的破产案例不仅揭示了金融机构在高杠杆业务模式和风险管理方面的不足，也反映了系统性风险和市场信心在金融危机中的重要作用。深入分析这一案例可以为未来的金融监管和风险管理提供宝贵的借鉴。

资料来源：[1] 敖金俐. 从内部控制看雷曼的破产之路 [J]. 会计之友，2011（3）：72-74.
[2] 王平，唐开康. 企业文化在企业危机管理中的作用：基于雷曼兄弟的案例研究 [J]. 管理案例研究与评论，2019，12（3）：301-314.

案例讨论题

1. 雷曼兄弟采用的高杠杆业务模式在市场恶化时带来了哪些影响？
2. 雷曼兄弟在风险管理和内部控制方面的不足表现在哪些方面？
3. 从雷曼兄弟破产案例中，我们可以汲取哪些思政方面的教训和启示？

第 1 章　案例讨论题参考答案

第 2 章
CHAPTER 2

风险收益数理基础

§ 学习目标

1. 掌握概率与频率、随机事件与随机变量两组概念的定义及其在统计中的应用。
2. 能够计算随机变量的期望值（均值）、方差、相关系数与协方差等关键统计量。
3. 能够利用偏度和峰度的数值来评估随机变量所代表的投资标的可能面临的风险水平。
4. 掌握多种平均收益率的计算方法及其在金融数据分析中的应用。
5. 认识到金融从业者在追求回报的同时必须重视风险管理，保障国家金融稳定和经济安全。

2.1 刻画随机变量

2.1.1 概率与频率

现实生活中，除了必然事件（如地球绕着太阳转）和不可能事件（如抛一枚硬币，同时出现两个面）外，如果一件事情在试验中既可能发生，也可能不发生，我们就称其为不确定事件。在金融领域，投资风险证券就是这样的不确定事件，投资结果既可能表现为收益，也可能表现为损失。人们希望找到某个数，来表征收益或损失这个不确定事件发生的可能性大小，于是引入了概率的概念。要理解概率的概念，必须先介绍频率，二者在金融风险管理领域都很重要，它们既有联系也有本质的不同。

频率描述的是一件事情发生的频繁程度。严格的定义是：在相同的条件下，进行 n 次试验，事件 A 发生的次数 n_a 称为事件 A 的频数，比值 n_a/n 称为事件 A 发生的**频率**。

频率比较好理解，那么什么是概率呢？实际上，在还没有概率这个概念的时候，大量的重复试验表明，随着重复次数 n 的逐渐增大，事件 A 的频率会呈现出稳定性，逐渐稳定于某个常数，这个常数就是可以描述事件发生可能性大小的概率，这种"频率稳定性"就是我们通常所说的统计规律性。简单来说，我们是通过频率来引出概率的。比如，随机抛掷一枚大小均匀的硬币 100 000 次，统计发现正面向上的频率约为 50%。于是，当我们预测硬币从空中落下时正面向上的概率为多大时，我们会脱口而出：50%。

结论：概率是通过频率稳定性引出的，用来表示某事件出现的**可能性大小**。显然，频率是站在现在向过去看，针对已发生事件的统计结果，是事后概念；而概率是站在现在来预测未来事件的发生结果，是事前预测。二者都属于 [0，1] 分布。

2.1.2 随机事件与随机变量

事件（event）是一种数学语言，通俗地说就是事情或现象。**随机事件**（random event）是在一定条件下，可能发生也可能不发生的事件。例如，抛掷一枚硬币，其结果可能是正面朝上，也可能是反面朝上。在一次抛掷中，我们无法预知究竟会出现哪一种结果。像这种在一定条件下，每次观测结果具有不确定性的现象称为**随机现象**。一个随机现象也就是一个**随机试验**，而试验的可能结果都叫**随机事件**。就抛硬币来说，正面朝上是一个事件，反面朝上也是一个事件。

一个随机试验的所有可能结果（称为基本事件）组成一个**样本空间** Ω。比如掷一颗骰子，它的所有可能结果是出现 1 点、2 点、3 点、4 点、5 点和 6 点，若定义 X 为掷一颗骰子时出现的点数，则 X 就是**随机变量**。

随机变量 X 是定义在样本空间 Ω 上的取值为实数的函数，即样本空间 Ω 中的每个基本事件，都有实轴上的点与之对应。例如，随机抛掷一枚硬币，可能的结果有两个：要么正面朝上，要么反面朝上。如果我们定义 X 为抛掷一枚硬币时朝上的面，则 X 为随机变量。当正面朝上时，X 取值为 1；当反面朝上时，X 取值为 0。

根据所给出的结果和对应到实数空间的函数取值范围，常见的随机变量主要有离散型随机变量和连续型随机变量：如果随机变量 X 的所有可能取值为有限多个或者可数多个，即为**离散型随机变量**；如果随机变量 X 的所有可能取值由一个实数轴上的（有限或无限）区间组成，则为**连续型随机变量**。通过对每一个随机变量的取值定义一个对应的概率，就得到了随机变量的分布。我们在概率论中已学习到了离散分布和连续分布。

2.2 随机变量：期望值（均值）、方差、偏度和峰度

投资组合的收益率是一个随机变量，随机变量一般用分布函数来描述。其实不必知道整个分布函数，只需关注重要的参数，比如期望值（均值）、方差或标准差、偏度和峰度等，就能刻画一个随机变量，这样做较为方便。

（1）**期望值或均值**（mean）：度量随机变量的集中趋势，或者说总体的重心。计算公式如下：

$$\mu_x = E(X) = \sum_{i=1}^{n} P(X=x_i)x_i, \text{ 或 } \mu_x = E(X) = \int_{-\infty}^{+\infty} f(x)x\mathrm{d}x \quad (2\text{-}1)$$

式中，X 表示随机变量，μ_x 和 $E(X)$ 表示 X 的期望值（均值），若 X 为离散型随机变量，x_i 表示 X 的所有可能取值（$i=1, \cdots, n$），$P(X=x_i)$ 表示相应的概率，若 X 为连续型随机变量，$f(x)$ 表示相应的概率密度函数。

（2）**方差**（variance）：度量随机变量离散程度的指标，衡量数据变化的波动性。计算公式如下：

$$\sigma^2 = \text{Var}(X) = \int_{-\infty}^{+\infty}[x-E(X)]^2 f(x)\mathrm{d}x \quad (2\text{-}2)$$

或

$$\sigma^2 = \text{Var}(X) = \sum_{i=1}^{n} P(X=x_i)(x_i-\mu_x)^2 \quad (2\text{-}3)$$

式中，X 表示随机变量，σ^2 和 $\text{Var}(X)$ 表示 X 的方差。现实中，标准差 $\sigma = \sqrt{\text{Var}(X)}$ 使用起来更为方便，因为它与原始随机变量 X 的单位相同。

（3）**偏度**（skewness）：统计数据分布非对称程度的数字特征，刻画分布偏离对称的程度。定义上，偏度是样本的三阶标准化矩。计算公式如下：

$$\gamma = \frac{\int_{-\infty}^{+\infty}[x-E(X)]^3 f(x)\mathrm{d}x}{\sigma^3} \quad (2\text{-}4)$$

式中，γ 表示随机变量的偏度，σ 表示随机变量的标准差。

偏度相对于正态分布（偏度 = 0）可分为右偏分布（也叫正偏分布，其偏度＞0）和左偏分布（也叫负偏分布，其偏度＜0）。左偏度或负偏度表明分布有一个很长的左尾，数据的均值、中位数（median）和众数（mode）之间的关系为：均值＜中位数＜众数。它表明该分布受极端值影响很大，如果这是投资组合损益的分布，而极端值是负值，那么对于投资项目来说，这是一个很危险的信号。右偏度或正偏度表明分布有一个很长的右尾，数据的均值、中位数和众数之间的关系为：均值＞中位数＞众数。具体如图 2-1 所示。

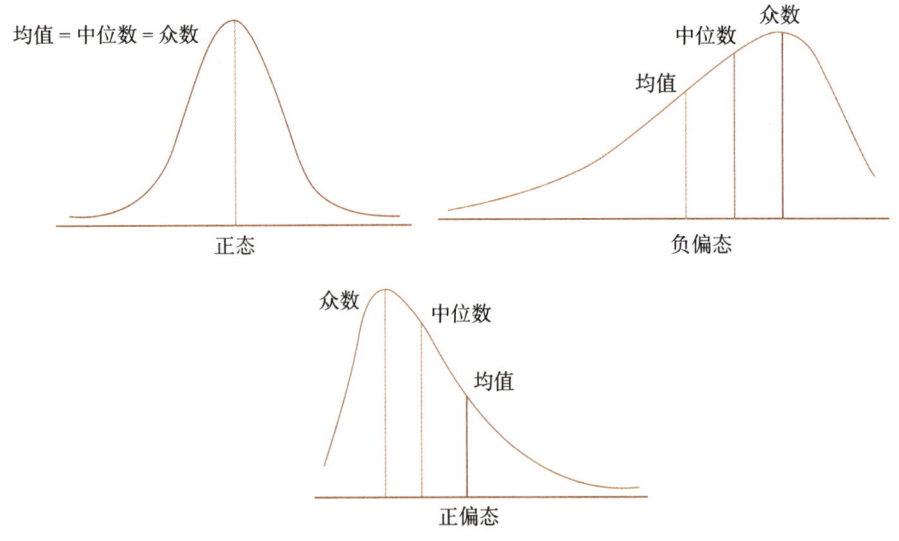

图 2-1　统计分布的偏度特征

（4）**峰度**（kurtosis）：又称峰态系数，它刻画一个分布的"扁平"程度，或者说它的尾部宽度。定义为随机变量的四阶中心矩与方差平方的比值。它的计算公式如下：

$$\delta = \frac{\int_{-\infty}^{+\infty}[x-E(X)]^4 f(x)\mathrm{d}x}{\sigma^4} \qquad (2\text{-}5)$$

式中，δ 表示随机变量的峰度。

它是相对于正态分布的反映随机分布的形状的量。峰度等于 3 被认为是标准水平，代表正态分布。峰度小于 3 的分布称为薄尾（platykurtic）分布；峰度大于 3 的分布称为厚尾（fat-tailed）分布，也称肥尾分布。厚尾分布的尾部形状厚度很大，观测值具有较大权重，表明出现极端值的可能性较高，这个参数对于风险度量非常重要，金融风险管理中常见的是厚尾分布。具体如图 2-2 所示。

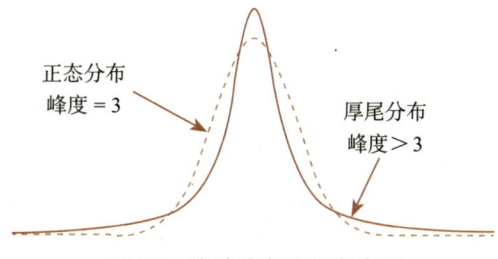

图 2-2　统计分布的峰度特征

注意：虽然峰态系数的中文名称似乎和分布的"峰"有关，然而它度量的是分布的"尾巴"的厚度。尽管一般情况下厚尾往往伴随着尖峰，但是情况并不总是这样。

例 2-1　一位分析师得到下列关于两个投资组合在同时期的收益率分布信息，见表 2-1。

表 2-1　投资组合在同时期的收益率分布信息

投资组合	偏度	峰度
A	−1.6	1.9
B	0.8	3.2

该分析师宣称投资组合 A 的收益率分布的峰度比正态分布高并且投资组合 B 的收益率分布具有较厚的左尾。你认为该分析师的说法是否正确？

解答：这位分析师的说法不正确。因为投资组合 A 的偏度小于 0，所以投资组合 A 是左偏，它具有较厚的左尾。另外，正态分布的峰度是 3，投资组合 A 的峰度小于正态分布的峰度。而投资组合 B 的偏度大于 0，它的尾部是右偏而非左偏的。所以，该分析师关于投资组合 A 和投资组合 B 的说法都是不正确的。

（5）**协方差**（covariance）**和相关系数**（correlation coefficient）。当处理两个随机变量时，它们的相互影响可以用协方差来描述。协方差的计算公式为

$$\sigma_{xy} = \mathrm{Cov}(X,Y) = \iint [x-E(X)][y-E(Y)] f(x,y)\mathrm{d}x\mathrm{d}y \qquad (2\text{-}6)$$

或

$$\sigma_{xy} = \mathrm{Cov}(X,Y) = \frac{\sum_{i=1}^{n}(x_i-\mu_x)(y_i-\mu_y)}{n} \qquad (2\text{-}7)$$

式中，X、Y 表示两个随机变量，σ_{xy} 和 $\text{Cov}(X, Y)$ 表示它们的协方差，μ_y 和 $E(Y)$ 表示 Y 的期望值（均值），当 X 和 Y 为连续型随机变量时，$f(x, y)$ 表示联合概率密度函数。

可以将协方差转化为无单位的相关系数。相关系数的计算公式为

$$\rho(X, Y) = \frac{\text{Cov}(X, Y)}{\sigma_X \sigma_Y} \qquad (2\text{-}8)$$

式中，$\rho(X, Y)$ 表示 X 和 Y 这两个随机变量的相关系数，σ_X 和 σ_Y 分别表示 X 和 Y 的标准差。

相关系数是线性相关的度量指标，它总是取值于 $[-1, 1]$。相关系数为 1 意味着两个变量的变化方向是一致的。相关系数为 -1 意味着两者的变化方向相反。

例 2-2 有 A、B、C 和 D 四种资产，每种资产在衰退、平稳、繁荣三种经济状态下的收益率分布见表 2-2。假设上述三种经济状态发生的概率均为 1/3。

表 2-2　不同经济状态下资产的收益率分布

资产	衰退	平稳	繁荣	均值
A	5%	5%	5%	5%
B	−10%	5%	20%	5%
C	−5%	5%	15%	5%
D	−5.5%	6%	14.5%	5%

根据上表数据计算出的每种资产的期望值、标准差和偏度见表 2-3。

表 2-3　资产的期望值、标准差和偏度

资产	期望值	标准差	偏度
A	5%	0	0
B	5%	12.25%	0
C	5%	8.16%	0
D	5%	8.20%	−0.181

请问：（1）资产 A 和资产 B 之间，你选择哪一个进行投资？
（2）资产 B 和资产 C 之间，你选择哪一个进行投资？
（3）资产 C 和资产 D 之间，你选择哪一个进行投资？

解答：（1）资产 A 和资产 B 之间，你应该选择资产 A 进行投资。因为在收益的期望值相同的情况下，投资者喜欢标准差（风险）小的投资。

（2）资产 B 和资产 C 之间，你应该选择资产 C 进行投资，原因同（1）。

（3）资产 C 和资产 D 的期望值和标准差相等。这时候应该看高阶矩，资产 D 的偏度为负，负偏度表明分布有一个很长的左尾，说明资产 D 出现大的负值的概率很大。所以，资产 C 和资产 D 之间，你应该选择资产 C 进行投资。

2.3　正态分布和对数正态分布

2.3.1　正态分布

正态分布是描述连续型随机变量的一种重要概率分布，在金融风险管理上起到了非常核心的作用，因为它可以充分表现许多金融变量的性质。例如，在 Black-Scholes 期权定价公式

中，$N(\cdot)$ 代表了累积正态分布函数。另外，股票价格每日收益率的分布与正态分布密度曲线相似（见图2-3）。若随机变量 X 的概率密度函数为

$$f(x) = \frac{1}{\sqrt{2\pi\sigma^2}} \exp\left[-\frac{1}{2\sigma^2}(x-\mu)^2\right] \qquad (2\text{-}9)$$

则称 X 服从参数为 μ、σ 的正态分布，记为 $N(\mu, \sigma^2)$，μ 是正态分布的均值，σ^2 是方差。

正态分布可以只用它的前两阶矩来刻画，即均值和方差。均值描述曲线的位置，所以均值又称为位置参数。方差描述离散程度，所以方差又称为形状参数。正态分布的峰度为3，偏度为0。

对于一个正态分布，收益率高于或低于均值一定数量的概率只取决于标准差。比如，在正态分布情况下，收益率在围绕其均值左右一个标准差这一区域内波动的概率是68.26%。收益率在围绕其均值左右两个标准差这一区域内波动的概率是95.44%。收益率在围绕其均值左右三个标准差这一区域内波动的概率就是99.74%。

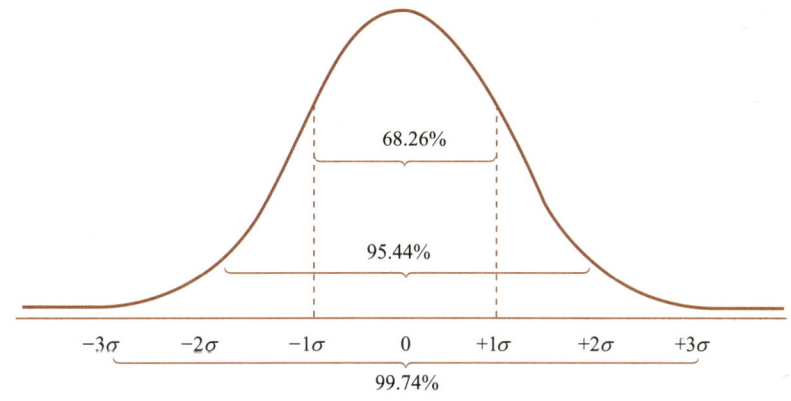

图2-3 正态分布密度曲线

例2-3 考虑一只股票，初始价格为100美元。它一年后的价格由 $S = 100e^r$ 给出，式中，收益率 r 服从均值为0.1、标准差为0.2的正态分布。求：在95%的置信水平下，S 的范围。

解答：本题中是一个双边置信区间，因此 $\alpha = 1.96$。我们可以通过 $100e^{(\mu \pm \alpha\sigma)}$ 来计算边界值。下界为 $V_1 = 100e^{(0.1-1.96\times 0.2)} = 100e^{-0.292} = 74.68$ 美元，上界为 $V_2 = 100e^{(0.1+1.96\times 0.2)} = 100e^{0.492} = 163.56$ 美元。

在商业银行的风险管理实践中，正态分布广泛应用于市场风险量化，经过修正后也可以用于信用风险和操作风险建模。例如，可以用正态分布来描述交易类资产的收益率分布。一般来说，如果影响某一数量指标的随机因素非常多，而某个因素所起的作用相对有限，各个因素之间又近乎独立，则这个指标可以近似看作服从正态分布。

2.3.2 对数正态分布

对于许多金融变量来说，正态分布是一个很好的近似。这些金融变量包括外汇价格变化率、股票价格变化率、债券价格变化率、商品价格变化率以及收益率的变化等。这些变量的特征是微小变化出现的频率高，大变动出现的频率低，非常符合正态分布的钟形特征。

但是，严格来说，对于这些金融变量，正态分布即使在理论上也是不正确的。例如，股票的收益率 $r = \dfrac{P_1 - P_0}{P_0}$，式中，$P_0$ 和 P_1 分别表示股票的当前价格和期末价格。因为正态分布两边的尾部是无穷的，理论上，r 可以小于 -1，这意味着 $P_1 < 0$。但是因为有限责任，股票等资产的价格不可能小于零，收益率不可能小于 -1。

在一些情况下，比如，在短期或微小的价格变动情况下，得到负价格的概率非常小以至于可以忽略，这时假设收益率服从正态分布就是一个很好的近似。如果不是这种情况，我们就需要求助于其他的分布以防止价格为负，对数正态分布就是这样的分布之一。

如果一个随机变量 $R = \ln\dfrac{P}{P_0}$ 服从正态分布 $N(\mu, \sigma^2)$，我们就称随机变量 P 服从**对数正态分布**。通过取对数，价格由 $P = P_0 \exp(R)$ 给出。因为指数函数始终是正值，这就排除了价格为负的情形。除了尾部特征存在差异外，正态分布与对数正态分布在整体形态上有一定相似性；不过，正态分布是对称分布，而对数正态分布并非对称分布，其概率密度曲线呈现右倾斜的特征（即右偏分布）。对数正态密度函数的表达式如下：

$$f(x) = \begin{cases} \dfrac{1}{x\sigma\sqrt{2\pi}} \exp\left[-\dfrac{1}{2\sigma^2}(\ln x - \mu)^2\right], & x > 0 \\ 0, & x \leq 0 \end{cases} \quad (2\text{-}10)$$

对数正态分布从短期来看，与正态分布非常接近。但长期来看，对数正态分布向上分布的数值更多一些。也就是说，对数正态分布中，有更大向上波动的可能，更小向下波动的可能。

2.4 如何计算投资的回报：收益率

如何计算一项投资的回报？举个例子：假定你在一年前的今天以每股 45 元的价格买入了 100 股某公司的股票。该股票今天的市场价格是 48 元，公司每年都会对股东分红。那么在过去一年里，你的投资效益如何？

实际上在过去一年中，你投资这只股票和投资债券一样，有两个收益渠道。一方面，作为股东（虽然你只有 100 股股份），你收到了公司派发的红利 27 元（= 0.27 元 / 股 × 100 股）；另一方面，当你按照市场价格把手中的股票卖掉后，你每股会收到 3 元（= 48 元 − 45 元）的买卖价差，如果这个价差大于零，它就是投资者的收益，它有个专业名字，称为**资本利得**。如果这个价差小于零，它就是投资者的损失，叫作资本损失（负的资本利得）。因为无论收益或损失，它们都是投资结果，损失是负收益，而收益是负损失，是一体两面，所以，从现在开始，我们把投资结果统称为资本利得。

2.4.1 绝对收益和相对收益

对这笔股票投资收益的衡量，我们有绝对收益和相对收益两个指标。绝对收益是用货币单位表示的所收到的现金与资产价值改变量之和（股利 + 资本利得）。相对收益就是收益率，是用绝对收益除以初始投资所得到的比值，用公式表示为

$$\text{收益率} = \dfrac{\text{股利} + \text{资本利得}}{\text{初始投资}} = \dfrac{\text{股利}}{\text{初始投资}} + \dfrac{\text{资本利得}}{\text{初始投资}} = \text{股利收益率} + \text{资本利得率}$$

股票投资的收益率是股利收益率和资本利得率两部分之和。具体到这个例子：投资一年后，投资者的绝对收益包括资本利得 300 元（= 48 元 / 股 × 100 股 − 45 元 / 股 × 100 股）和红利 27 元，一共是 327 元。

初始投资是一年前购买股票付出的资金 4 500 元（= 45 元 / 股 × 100 股）。所以投资者的相对收益，即收益率为 327 / 4 500=7.27%。

我们把这个具体问题一般化。假设 t 代表我们要考虑的年份，某只股票在第 t 年的年初价格为 P_t，年末价格为 P_{t+1}，Div_{t+1} 代表期间公司支付的股利，R_{t+1} 表示股票投资在这一年的总收益率。从而，资本利得为 $P_{t+1} - P_t$，资本利得率为 $\frac{P_{t+1} - P_t}{P_t}$，股利收益率为 $\frac{\text{Div}_{t+1}}{P_t}$。则股票投资收益率为

$$R_{t+1} = \frac{\text{Div}_{t+1}}{P_t} + \frac{P_{t+1} - P_t}{P_t} \qquad (2\text{-}11)$$

2.4.2 持有期收益率

上面介绍的例子中，投资期刚好是一年。如果投资者的投资期不是一年，该怎么衡量投资期间的总收益？我们这里介绍一个新的收益衡量指标：**持有期收益率**（holding period return，HPR）。投资者把资金投资到股票市场后，每年都把上一年的股利进行再投资，购买更多的股票，这种情况一共持续 t 年，问：在第 t 年年末，投资者的投资价值是多少？

持有期收益率是指某投资者持有某项投资 t 年后能得到的报酬率，假定在第 i 年的收益率为 R_i，$i = 1, 2, \cdots, t$，则 t 年后的 1 元初始投资的期末价值为 $1 \times (1+R_1)(1+R_2)\cdots(1+R_t)$。如果持有期收益率用 HPR 来表示，1 元初始投资的期末价值为 $1 \times (1+\text{HPR})$。根据金融无套利原理，这两个期末价值一定相等。所以，持有期收益率可表示为

$$\text{HPR} = (1+R_1) \times (1+R_2) \times \cdots \times (1+R_t) - 1 \qquad (2\text{-}12)$$

举个例子，假定投资者第 1 年、第 2 年、第 3 年和第 4 年的投资收益率分别是 10%、−5%、20%、15%。那么投资者 4 年投资期的持有期收益率为多少？

根据式（2-12）计算，4 年投资期的持有期收益率为

$$(1+10\%) \times (1-5\%) \times (1+20\%) \times (1+15\%) - 1 = 44.21\%$$

2.4.3 平均收益率

持有期收益率很容易理解，经济含义也很简单，就是平均每单位投资到期末的价值与期初投资价值的差。这个指标的不足之处在于：投资者无法对不同投资期限的两项投资的收益率进行比较。所以，现实中经常用来衡量收益率的指标是平均收益率。

再看一个例子：一个投资者在年初花了 10 000 元买了一手股价为 100 元 / 股的某股票。然而，年末时该股票跌至 50 元 / 股，但是在第二年的年末，它又回升至 100 元 / 股，在此期间，该公司没有任何股利支付。请问：投资者两年期间的平均收益率是多少？

直觉告诉我们，该项两年期投资的平均收益率为 0。因为该股票的买价是 100 元，持有两年后再以 100 元卖掉，其间该公司也没有支付股利，对投资人来说这期间没有绝对收益。

自然地，相对收益一定是 0 了。

但是如果我们随机咨询一些股民，一定会有人告诉你，投资的平均收益率是 25%。因为第一年的收益率是 $(50-100)/100=-50\%$，第二年的收益率是 $(100-50)/50=100\%$。这样，两年的平均值为 $(-50\%+100\%)/2=25\%$。

好像两种方法都有道理。那么到底哪个是正确的？实际上两个都正确。为什么？因为这是根据两种不同规则计算出来的平均收益率。如果答案是 0，意味着此刻投资者使用的是几何平均年收益率；如果答案是 25%，意味着此刻投资者使用的是算术平均年收益率。

现实中，这种可以用两种不同方法计算平均收益率的事实导致了一些混淆。下面，我们首先解释这两种平均收益率的计算规则，然后再来介绍何种情况下用哪一个平均收益率更合适。

1. 几何平均年收益率

几何平均年收益率回答的问题是"你在某一个特定期间的平均年复合收益率是多少"，也就是说，它是按照年复利的形式来计算的。如果我们用 R_g 表示投资期间的几何平均年收益率，则 1 元初始投资 t 年后的终值为 $1\times(1+R_g)^t$。用 R_i 表示投资者在第 i 年的收益率，$i=1,2,\cdots,t$，有下式成立：

$$(1+R_g)^t = (1+R_1)\times(1+R_2)\times\cdots\times(1+R_t) \quad (2\text{-}13)$$

为了说明如何计算几何平均年收益率，我们仍然用刚才的持有期收益率的例子。如果我们继续用 R_g 代表几何平均年收益率，那么对投资者来说，1 元的初始投资在第 1 年、第 2 年、第 3 年和第 4 年的收益率分别为 10%、-5%、20%、15% 的情况下，持有 4 年后的期末价值，与 1 元投资按照每年收益率为 R_g 复利 4 年后的期末价值应该相等，即有下式：

$$(1+R_g)^4 = (1+10\%)\times(1-5\%)\times(1+20\%)\times(1+15\%)$$

$$R_g = \sqrt[4]{(1+10\%)\times(1-5\%)\times(1+20\%)\times(1+15\%)} - 1$$

计算后，得到投资者 4 年投资期的几何平均年收益率为 9.58%。

2. 算术平均年收益率

算术平均年收益率回答的问题是"你在某一个特定期间的平均年收益率是多少"。如果我们用 R_a 表示投资者 t 年投资的算术平均年收益率，用 R_i 表示投资者在第 i 年的收益率，$i=1,2,\cdots,t$，有下式成立：

$$R_a = \frac{R_1+R_2+R_3+\cdots+R_t}{t} \quad (2\text{-}14)$$

算术平均年收益率就是把每年的收益率加总后除以年数。我们仍然用刚才的持有期收益率的例子。计算得到的算术平均年收益率为

$$\frac{10\%-5\%+20\%+15\%}{4} = 10\%$$

我们注意到，使用同一个例子的数据，计算得到的几何平均年收益率和算术平均年收益率是不一样的。几何平均年收益率是 9.58%，算术平均年收益率是 10%。几何平均年收益率小于算术平均年收益率。这是偶然吗？不是，事实证明，一般情况下，几何平均年收益率都小于算术平均年收益率。二者只有在各期收益率都相等这一种情况下才相等，否则几何平均

年收益率通常都低于算术平均年收益率。

当我们观察历史收益时，几何平均年收益率告诉你，在按年进行复利的情况下，你平均每年实际赚多少。算术平均年收益率告诉你，在一个有代表性的年份区间，你平均每年赚多少，它是分布平均值的无偏估计。

哪一个更好呢？几何平均年收益率是采用**时间加权平均法**（time weighted average）来计算的。使用这种方法的前提假设是投资期间的所有现金股利都要再投资，这种方法测定初始价值的复利成长模式，因此，几何平均年收益率对于描述实际的历史投资经验非常有用。一般情况下，算术平均年收益率在你对未来的投资收益进行估计的时候有用。监管层要求机构投资者在进行业绩汇报时必须采用几何平均年收益率，因为几何平均更严谨。例如，一共10年的投资，前面9年都是盈利20%，最后1年赔100%。如果按照算术平均法，投资有收益，但如果按照几何平均法，收益为0。

2.5 如何计算投资的风险：标准差

上一节我们学习了度量投资回报的指标——收益率。本节我们介绍风险的衡量指标——方差和标准差。

美国的伊博森公司（Ibbotson Associates）有一组关于股票、债券和国库券的收益率的著名研究。公司提供了五种重要类别的金融工具的历年收益，这五种金融工具分别是：以标准普尔500综合指数为代表的大公司普通股（S&P）、小公司普通股（small cap）、长期公司债券（corp bond）、长期美国政府债券（long bond）和美国国库券（T-bill）。

图2-4展示了1925年到2000年这五种金融工具在美国资本市场上的收益和风险，这张图显示了投资者在1926年年初投资1美元的增值情况。如果1美元投资于大公司普通股并且所有收到的股利都进行再投资，那么到2000年年末，这一投资的价值就会增长到2 587美元。投资于小公司普通股的价值增幅是最大的，如果在1926年年初投资1美元于小公司普通股，这项投资的价值在2000年年末会增长到6 402美元。仔细观察这张图发现，相比于投资1美元于长期美国政府债券，投资1美元于小公司普通股的收益变动程度较大，特别是这一时间段的初期，但长期美国政府债券的收益较为平稳。

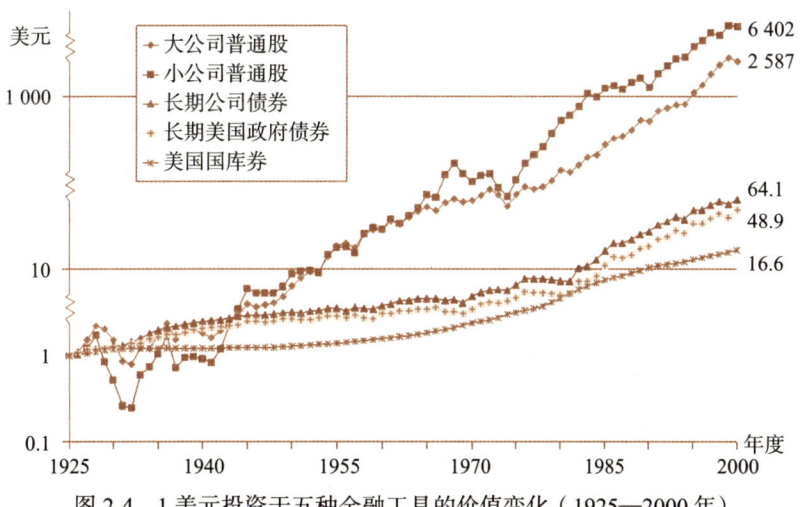

图2-4　1美元投资于五种金融工具的价值变化（1925—2000年）

图 2-4 在计算以上组合的收益时没有考虑税收和交易费用。而图 2-5 除了计算这些金融工具的历年收益，还计算了消费者价格指数（CPI）的历年变化，CPI 是度量通货膨胀的基本指标。我们可以通过扣除每年的通货膨胀影响来计算每年的实际收益。由图 2-5 可知，剔除通货膨胀影响后的收益情况也近似如此。

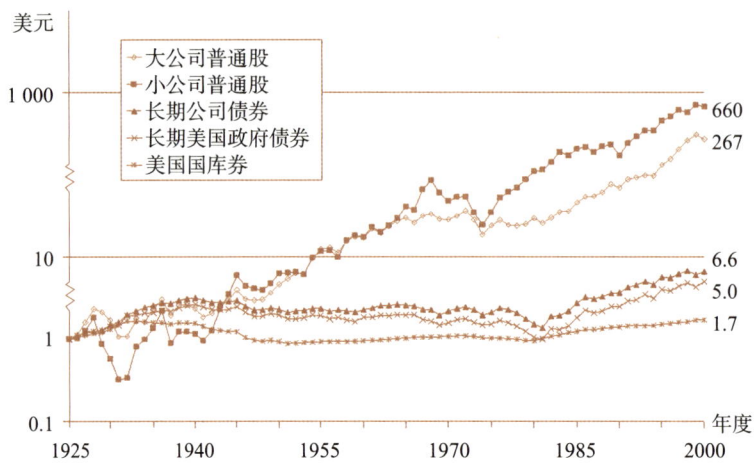

图 2-5　剔除通货膨胀的影响后 1 美元投资于五种金融工具的价值变化（1925—2000 年）

为了看起来更直观，我们选取普通股、长期美国政府债券和美国国库券三个金融工具，计算它们从 1926 年到 2000 年历年的收益率并标注在图 2-6 上。很明显看到，相比代表美国国库券收益率的曲线，代表普通股收益率的曲线的波动最厉害，代表长期美国政府债券收益率的曲线的波动介于两者中间。如果我们已经理解了投资收益的波动代表风险的话，从图 2-6 中我们可以得到一个结论：普通股的风险大于长期美国政府债券的风险，而长期美国政府债券的风险大于美国国库券的风险。

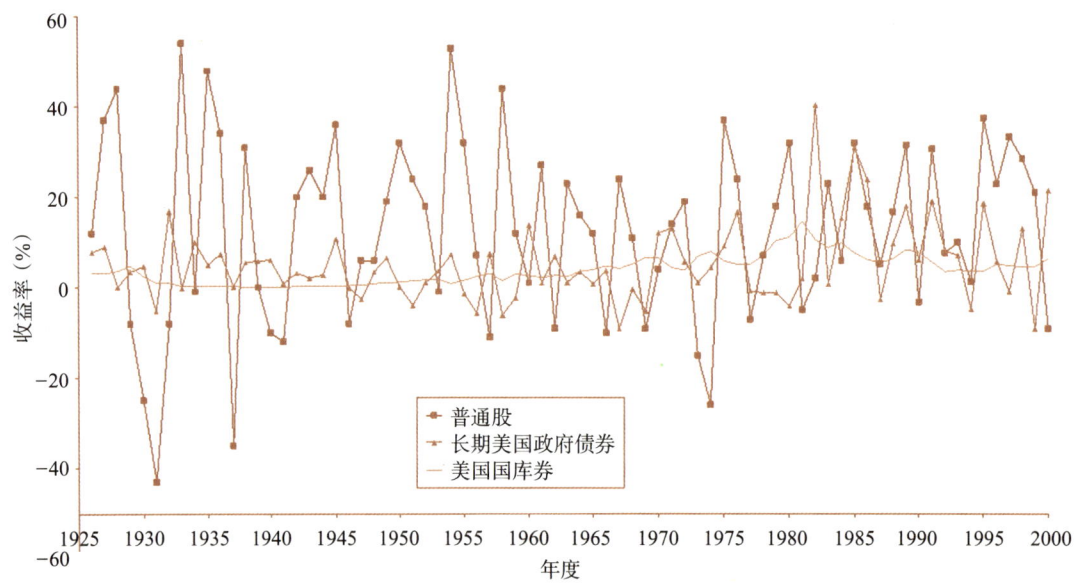

图 2-6　1 美元投资于普通股、长期美国政府债券和美国国库券的收益率（1926—2000 年）

为了考察未来股票投资的风险,我们首先看资本市场中股票的历史收益率。对于历史收益率,我们用平均年收益率和收益率分布的标准差两个指标来描述。

$$\overline{R} = \frac{R_1 + R_2 + \cdots + R_T}{T}$$

这里,$\overline{R}$ 代表算术平均(average)或均值。它的计算就是把所有年份的收益率加起来除以总的年份数。平均年收益率的经济含义就是投资者在过去 T 年的任何一个特定年份可以实现的收益的最好的估计值,是无偏估计。

这里,投资的风险用收益率的标准差(standard deviation,SD)或方差来描述。标准差是方差的平方根,即

$$\text{SD} = \sqrt{\text{Var}} = \sqrt{\frac{(R_1 - \overline{R})^2 + (R_2 - \overline{R})^2 + \cdots + (R_T - \overline{R})^2}{T-1}} \tag{2-15}$$

在后面的学习中我们会经常用到这个公式。

我们把五种金融工具从 1926 年到 2014 年共 89 年的收益率和每年的通货膨胀率数据绘制成柱状图(见图 2-7)。这个图又称作频率分布图,根据这个频率分布,我们发现,一个分布的离散程度或延伸程度度量了某一特定的收益可能偏离平均收益多少。如果分布非常分散,那么收益的不确定性高。相比之下,如果分布在几个百分点的范围内是非常密集的,那么收益的不确定性低。由图 2-7 可知,小公司普通股的收益分布非常分散,说明收益的不确定性高;而美国国库券的收益分布很集中,收益的不确定性就很小。由此得到结论:相比美国国库券,小公司普通股的风险高。

项目	平均年收益率	标准差	频率分布(%)
大公司普通股	12.1%	20.1%	
小公司普通股	16.7%	32.1%	
长期公司债券	6.4%	8.4%	
长期美国政府债券	6.4%	10.0%	
美国国库券	3.5%	3.1%	
通货膨胀率	3.0%	4.1%	

图 2-7 美国证券市场五种金融工具的平均年收益率、标准差和频率分布(1926—2014 年)

资料来源:改编自 Stocks, Bonds, Bills, and Inflation 2015 Yearbook™,Roger G. Ibbotson 和 Rex A. Sinquefield (Chicago:Morningstar)负责年度更新。版权所有。

再次强调:关于风险,目前并没有一个统一的定义。因为方差或标准差是度量变动程度或离散程度的最常用指标,所以我们这里用它们来表征风险。小公司普通股收益的标准差最大,所以小公司普通股的风险最大。对于它的解释,需要用到前面章节关于正态分布的讨论。

我们以平均年收益率作为纵坐标,以平均年收益率的标准差作为横坐标,把大公司普通股、小公司普通股、长期美国政府债券和美国国库券的平均年收益率和收益率的标准差绘制

在一个坐标系中，如图 2-8 所示。很明显，四种金融工具中，收益率较低的标准差也较小，如平均年收益率最低的国库券，其标准差也最小。收益率最高的其标准差也最大，如小公司普通股。历史数据再次告诉我们：高风险，高收益；低风险，低收益。风险和收益是成正比的。

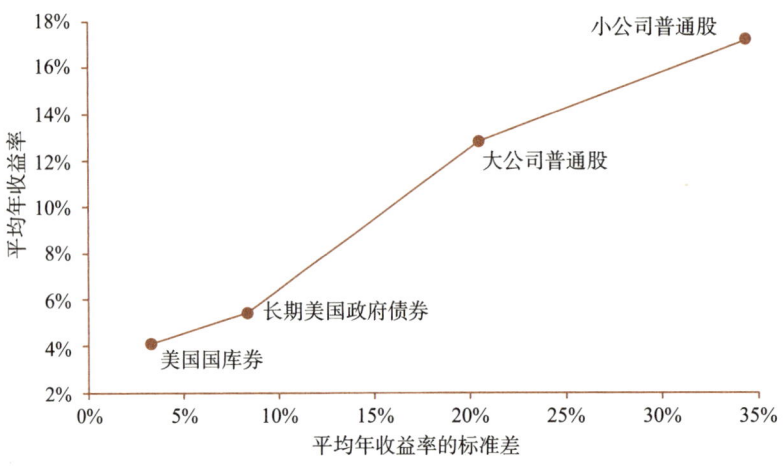

图 2-8　不同金融工具的风险与收益

本章小结

本章回顾了概率论中的一些基本概念：概率与频率、随机事件与随机变量，随机变量的期望值（均值）、方差、偏度、峰度，以及两个随机变量的协方差和相关系数。本章内容是后面章节学习的量化基础。

组合投资的回报可以用绝对值（绝对收益）衡量，也可以用相对值（收益率）来衡量。常见的收益率有持有期收益率、几何平均年收益率和算术平均年收益率等。收益率的波动即标准差，被视为风险。在下一章，如果投资者的组合只包含一个风险资产，那么标准差或方差就是度量该资产风险的合适指标。

本章的**重点**和**难点**：①概率与频率的差异；②随机变量的偏度与峰度；③正态分布与对数正态分布。

关键概念

概率和频率　　随机事件　　随机变量　　期望值（均值）　　方差　　标准差
偏度　　峰度　　正态分布　　对数正态分布　　持有期收益率
几何平均年收益率　　算术平均年收益率

练习题

1. 碰运气游戏的概率和收益如下，玩一次游戏的成本是 100 元，因此每次游戏的净利润是收益减去 100 元。

概率	收益（元）	净利润（元）
0.10	500	400
0.50	100	0
0.40	0	−100

预期现金收益是多少？期望收益率是多少？计算收益率的方差和标准差。

2. 在 2010—2014 年繁荣年份中，王牌共同基金经理王女士管理的基金的收益率以及作为对比的市场收益率如下：

	2010年	2011年	2012年	2013年	2014年
王女士管理的基金的收益率(%)	+24.9	-0.9	+18.6	+42.1	+15.2
标准普尔500指数的收益率(%)	+17.2	+1.0	+16.1	+33.1	+12.7

计算王女士的共同基金的平均收益率和标准差。用这些指标衡量她的业绩，比市场好还是差？

3. 下面的阐述都有错误或者误导作用，请解释为什么。

（1）长期美国国债总是绝对安全的。

（2）与国债相比，所有的投资者都应该更喜欢股票，因为股票的长期收益率更高。

（3）对股票市场未来收益率的最实际的预测是过去 5 到 10 年的历史收益率的平均值。

4. 下列哪种说法最好地描述了正态分布和对数正态分布的关系？

A. 对数正态分布是正态分布的对数

B. 如果随机变量 X 的对数服从对数正态分布，那么 X 服从正态分布

C. 如果随机变量 X 服从对数正态分布，那么 X 的对数服从正态分布

D. 两种分布没有任何关系

5. 在均值和方差相同的情况下，哪种分布的极值变量发生的概率最低？

A. 峰度为 4 的分布　　B. 峰度为 8 的分布

C. 正态分布　　　　　D. 薄尾分布

案例专栏

蚂蚁集团整改事件

蚂蚁集团作为中国领先的金融科技企业，其业务涵盖了支付、微贷、理财、保险等多个领域。然而，随着业务的快速发展，蚂蚁集团面临着一系列的监管挑战和合规风险管理问题。为了规范金融市场、防范金融风险，中国金融管理部门对蚂蚁集团及旗下机构进行了严格的监管和整改。通过整改，蚂蚁集团及旗下机构的合规性得到了显著提升，业务操作更加规范和透明；蚂蚁集团加强了风险管理机制的建设和完善，提高了风险识别和应对能力；蚂蚁集团更加注重消费者权益的保护，提高了服务质量和客户满意度。这次整改虽然最终导致了罚款和估值下降，但同时也为互联网金融行业树立了合规发展的典范。

蚂蚁集团的整改事件始于 2020 年 11 月，当时蚂蚁集团暂缓上市，监管机构开始加强对平台经济和互联网金融巨头的监管。2020 年 12 月，人民银行、银保监会、证监会、国家外汇管理局等金融管理部门联合约谈蚂蚁集团，并提出了五项整改要求。这些要求包括纠正支付业务不正当竞争行为、打破信息垄断、蚂蚁集团整体申设为金融控股公司、严格落实审慎监管要求以及管控重要基金产品流动性风险。

整改原因主要有两大方面：第一，存在业务违规。蚂蚁集团及旗下机构在基金销售、信贷等业务中存在多项违规行为。例如，"余额宝"服务升级未充分揭示业务规则，参与的基金专属福利券活动不合规等。这些行为违反了《货币市场基金监督管理办法》及其他相关法规。第二，存在风险隐患。蚂蚁集团的业务模式和风险管理机制存隐患，可能对金融体系的稳定性造成影响。例如，"花呗"业务中的"全额还款"变"最低还款"问题，引发了消费者对逾期利息的投诉和质疑。

整改过程中，蚂蚁集团采取了多项措施，包括提升交易透明度，合法合规经营个人征信业务，审慎监管信贷、保险、理财等各项金融业务。蚂蚁集团还主动压降"余额宝"余额，整体申设为金融控股公司，并将"借呗""花呗"全部纳入消费金融公司，依法合规开展消费金融业务。此外，重庆蚂蚁消费金融有限公司增资至185亿元，这是整改进程中的一个里程碑事件。

最后，金融管理部门依据相关法律法规对蚂蚁集团及旗下机构处以了71.23亿元的罚款。蚂蚁集团及旗下机构需要对存在违规行为的业务进行整改。例如，针对基金销售业务的问题，蚂蚁（杭州）基金销售有限公司被责令改正，并需在90日内提交书面整改报告。蚂蚁集团需要加强风险管理机制的建设和完善，确保业务的合规性和风险可控性。例如，针对"花呗"业务中的问题，蚂蚁集团需要优化自动还款机制，提高通知提醒的准确性和及时性。

资料来源：[1] 陈月石，蚂蚁集团及旗下机构因何被罚没超71亿元，释放了什么监管信号？澎湃新闻，2023年7月7日。

[2] 浙江证监局：对蚂蚁（杭州）基金销售有限公司采取责令改正措施，澎湃新闻，2024年9月30日。

案例讨论题

1. 结合蚂蚁集团的整改事件，分析在金融创新和业务扩张过程中，企业应如何平衡创新速度与风险管理，以避免潜在的系统性风险？请谈谈这一平衡对维护金融市场稳定性的重要性。
2. 蚂蚁集团在整改过程中采取了哪些具体措施来加强合规性和风险管理？
3. 从价值观塑造视角，谈谈如何促进互联网金融行业的健康有序发展。蚂蚁集团整改事件对互联网金融行业的合规发展有何启示？

第2章 案例讨论题参考答案

第 3 章
CHAPTER 3

投资组合与资本资产定价模型

§ 学习目标

1. 理解投资组合多元化的本质。
2. 掌握资本市场线与证券市场线的区别与联系。
3. 学会应用资本资产定价模型评估风险收益。
4. 能够计算风险资产或投资组合的预期收益与风险度量,并确定投资组合的有效边界。
5. 认识到多元化投资对于国家经济稳定的重要性,培养在全球化背景下维护国家金融安全和推动经济发展的责任感。

3.1 单个风险证券投资

股票投资者都非常关注股票的期望收益、方差(或标准差)以及股票与市场中其他证券(或指数)的协方差或相关系数。

期望收益是指持有一只股票的投资者期望在未来一段时期所能获得的收益,期望收益不是实际收益。单个证券的期望收益,可以简单地以过去一段时期这一证券所获得的平均收益来表示。此外,还有其他确定期望收益的方法:可以通过仔细分析上市公司的前景,或采用计算机模型模拟,抑或根据专业的或内幕信息确定期望收益。

方差是一只股票的收益与其平均收益的离差平方的平均数。标准差是方差的平方根。方差和标准差度量的是单只股票收益的变动性,而市场上股票之间的收益是相互关联的,所以,我们引入协方差和相关系数。

协方差是一个度量两个证券收益之间相互关系的统计指标。这种相互关系也可以用两种证券之间收益的相关系数来反映。如果它们的协方差（或相关系数）为正，则表示两种资产的收益率呈同方向变动；如果协方差（或相关系数）为负，则表示两种资产的收益率呈反方向变动。协方差和相关系数是理解我们后面要学习的贝塔系数的基础。

例 3-1 假定宏观经济在未来一年有三种状况出现：萧条、正常和繁荣，假设每种经济状况出现的概率相同。表 3-1 为股票基金 A 和债券基金 B 的收益率预测，请计算二者的期望收益率、方差、标准差、协方差和相关系数。

表 3-1 股票基金 A 和债券基金 B 的收益率预测

经济状况	股票基金 A	债券基金 B
萧条	−7%	17%
正常	12%	7%
繁荣	28%	−3%

（1）计算期望收益率。根据第 2 章的概率知识，我们知道，本例中的收益率是一个离散随机变量，其期望收益率等于不同经济状况下收益率的概率加权平均。三种经济状况出现的概率都为 1/3，所以，股票基金 A 的期望收益率为

$$E(R_A) = -7\% \times P_{萧条} + 12\% \times P_{正常} + 28\% \times P_{繁荣} = 11\%$$

同理，债券基金 B 的期望收益率为

$$E(R_B) = 17\% \times P_{萧条} + 7\% \times P_{正常} + (-3\%) \times P_{繁荣} = 7\%$$

（2）计算方差和标准差。方差是离差平方的概率加权之和。离差是指每种状况下的收益率与期望收益率之差。我们首先需要计算出离差和离差的平方，然后计算方差。

在不同经济状况下，股票基金 A 的收益率离差 $= R_{Ai} - E(R_A)$。例如，在经济状况为萧条的情况下，股票基金 A 此时的收益率离差为 $-7\% - 11\% = -18\%$，离差的平方即 $(-18\%)^2 = 0.0324$。

其方差为 $\sigma_A^2 = \sum_{i=1}^{3} P_i \times [R_{Ai} - E(R_A)]^2$。根据前面的公式，我们得到股票基金 A 和债券基金 B 的方差和标准差的结果，见表 3-2。

表 3-2 计算方差和标准差

经济状况	股票基金 A		债券基金 B	
	收益率	离差的平方	收益率	离差的平方
萧条	−7%	0.0324	17%	0.0100
正常	12%	0.0001	7%	0.0000
繁荣	28%	0.0289	−3%	0.0100
期望收益率	11%		7%	
方差	0.0205		0.0067	
标准差	14.31%		8.16%	

计算出股票基金 A 的方差是 0.0205，标准差为 14.31%；债券基金 B 的方差是 0.0067，标准差是 8.16%。

（3）计算协方差和相关系数。两个随机变量的协方差等于两个离差乘积的概率加权之和。为了计算股票基金 A 和债券基金 B 的协方差，首先要计算股票基金 A 和债券基金 B 在不同经济状况下的离差，然后对两个离差做加权处理。所谓的加权处理，就是将两个离差的乘积

与出现该种经济状况的概率相乘。

$$\text{Cov}(A,B) = \sigma_{AB} = \sum_{i=1}^{3} P_i \times [R_{Ai} - E(R_A)] \times [R_{Bi} - E(R_B)]$$

把相关数据代入上式，就可以得到计算结果。比如，经济萧条状况下，股票基金 A 的离差为 −18%（= −7% − 11%），债券基金 B 的离差为 10%（= 17% − 7%），二者的乘积为 −0.018（= −18% × 10%）。加权处理后得到 −0.006 0。其他数据的计算过程类似，具体计算结果见表 3-3。

表 3-3 计算协方差和相关系数

经济状况	股票基金 A 的收益率离差（1）	债券基金 B 的收益率离差（2）	两个离差的乘积（1）×（2）	加权处理
萧条	−18%	10%	−0.018 0	−0.006 0
正常	1%	0%	0.000 0	0.000 0
繁荣	17%	−10%	−0.017 0	−0.005 7
协方差				−0.011 7

股票基金 A 和债券基金 B 的协方差为 −0.011 7。协方差为负，表示这两种资产的收益率呈反方向变动，意味着股票基金 A 的收益率上升时，债券基金 B 的收益率下降，或者说股票基金 A 的收益率下跌时，债券基金 B 的收益率上升。

最后一个指标是相关系数。我们用 ρ_{xy} 表示两个随机变量 X 和 Y 的相关系数。相关系数也可衡量两个随机变量的线性变动关系，可以看成剔除了量纲影响和标准化后的特殊协方差。在本例中，股票基金 A 和债券基金 B 的相关系数等于它们之间的协方差除以它们标准差的乘积，即

$$\rho_{AB} = \frac{\text{Cov}(A,B)}{\sigma_A \sigma_B} = \frac{-0.011\,7}{14.31\% \times 8.16\%} = -0.998\,8$$

3.2 两个风险资产的投资组合

如果你同时购买了上一节中的股票基金 A 和债券基金 B，意味着你拥有了一个由 A 和 B 构成的投资组合，那么你将如何计算你的投资组合的期望收益和标准差？

假设你准备把自己的全部资金（初始价值为 V_0）用来投资 A 和 B。首先，你将思考如何配置资金。显然，你更喜好选择一个具有高期望收益、低风险的投资组合。如果这样，你需要考虑两个问题。

（1）证券的期望收益与投资组合的期望收益之间存在什么样的数量关系。

（2）证券的标准差、两个资产之间的相关系数与投资组合的标准差之间存在什么样的数量关系。

3.2.1 投资组合的期望收益

根据上一节的计算结果，A 的期望收益和风险都高于 B，$E(R_A) > E(R_B)$，$\sigma_A > \sigma_B$。假设你准备将一部分资金投资于 A，剩余资金全部投资于 B，投资权重分别为 ω_A 和 ω_B，显然有 $\omega_A + \omega_B = 1$。那么，投资组合的风险和收益如何计算？

假设投资者期初在 A 和 B 上的投资价值分别为 $V_A(=V_0\omega_A)$ 和 $V_B(=V_0\omega_B)$，则

$$V_0 = V_A + V_B \tag{3-1}$$

假设投资组合的收益率为 R_P，则投资组合的期末价值 $[V_0 \times (1+R_P)]$ 应该等于 A 和 B 的期末价值之和，即

$$V_0 \times (1+R_P) = V_A \times (1+R_A) + V_B \times (1+R_B) \quad (3\text{-}2)$$

结合式（3-1）和式（3-2），易得

$$R_P = \omega_A R_A + \omega_B R_B \quad (3\text{-}3)$$

对式（3-3）两边求期望，可知

$$E(R_P) = \omega_A E(R_A) + \omega_B E(R_B) \quad (3\text{-}4)$$

即组合的收益是构成组合的单个证券的收益的加权之和。投资组合的期望收益是构成这个投资组合的单个证券的期望收益的加权之和。此时，第一个问题已经解决。

3.2.2 投资组合的方差

根据方差的定义，投资组合收益率 R_P 的方差就是 R_P 对自己的协方差，即

$$\sigma_P^2 = \text{Cov}(R_P, R_P) = \text{Cov}(\omega_A R_A + \omega_B R_B, \omega_A R_A + \omega_B R_B) \quad (3\text{-}5)$$

根据第 2 章给出的协方差计算公式，有

$$\begin{aligned}\sigma_P^2 &= \text{Cov}(\omega_A R_A, \omega_A R_A) + \text{Cov}(\omega_A R_A, \omega_B R_B) + \text{Cov}(\omega_B R_B, \omega_A R_A) + \text{Cov}(\omega_B R_B, \omega_B R_B) \\ &= \omega_A^2 \text{Cov}(R_A, R_A) + 2\omega_A \omega_B \text{Cov}(R_A, R_B) + \omega_B^2 \text{Cov}(R_B, R_B)\end{aligned} \quad (3\text{-}6)$$

即

$$\sigma_P^2 = \omega_A^2 \sigma_A^2 + 2\omega_A \omega_B \sigma_{AB} + \omega_B^2 \sigma_B^2$$

把 A 和 B 之间的协方差 $(\sigma_{AB} = \rho_{AB}\sigma_A \sigma_B)$ 代入上式，得到投资组合的方差公式为

$$\sigma_P^2 = \omega_A^2 \sigma_A^2 + \omega_B^2 \sigma_B^2 + 2\omega_A \omega_B \rho_{AB} \sigma_A \sigma_B \quad (3\text{-}7)$$

组合的方差由 3 项构成：第一项是 A 的方差，第二项是 B 的方差，第三项是 A 和 B 的协方差。这个公式表明：两只证券构成的组合的方差，取决于单只证券的方差和两只证券的协方差。方差度量证券收益的变动程度，而协方差度量两种证券收益之间的相互关系。

3.2.3 投资组合方差的另一种计算方法：矩阵法

根据式（3-6），两只证券构成的组合的方差为

$$\sigma_P^2 = \text{Cov}(\omega_A R_A, \omega_A R_A) + \text{Cov}(\omega_A R_A, \omega_B R_B) + \text{Cov}(\omega_B R_B, \omega_A R_A) + \text{Cov}(\omega_B R_B, \omega_B R_B)$$

也就是说，组合的方差是组合中任意两两资产之间的协方差之和。我们用矩阵法表示，得到表 3-4。

表 3-4 矩阵法计算组合的方差

$\omega_A^2 \sigma_A^2$	$\omega_A \omega_B \sigma_{AB}$
$\omega_A \omega_B \sigma_{AB}$	$\omega_B^2 \sigma_B^2$

这个矩阵对角线上有两项：左上角的项是资产 A 的方差，右下角的项是资产 B 的方差。另外两项是协方差，两个协方差项相同，说明了为什么投资组合方差公式最右侧的协方差项

的前面有个系数2。很多人觉得矩阵法比直接按照方差公式展开更令人不解，但是矩阵法很容易推广到由多个风险资产构成的投资组合的风险计算中。这一点，我们后面再展开。

回到开始的问题：如果构成组合的两个风险资产是股票基金A和债券基金B。投资者将50%的资金投资于A，50%的资金投资于B，我们现在来计算投资组合的风险和收益。

两个资产的投资权重均为50%，宏观经济状况为萧条时，两个资产的收益率分别为 −7%和17%。根据式（3-3），组合的收益率为

$$R_P = \omega_A R_A + \omega_B R_B = 0.5 \times (-7\%) + 0.5 \times 17\% = 5\%$$

同理，得到正常和繁荣经济状况下组合的收益率分别为9.5%和12.5%。组合的期望收益率就是组合在不同经济状况下收益率的概率加权平均：

$$\frac{1}{3} \times 5\% + \frac{1}{3} \times 9.5\% + \frac{1}{3} \times 12.5\% = 9\%$$

根据式（3-4）直接计算的组合的期望收益率：$E(R_P) = \omega_A E(R_A) + \omega_B E(R_B) = 0.5 \times 11\% + 0.5 \times 7\% = 9\%$。毫不意外，两种方法的计算结果相同。

组合方差的计算也有两种思路。第一种思路是使用矩阵法直接计算。此时一定要注意，因为有相关系数的存在（A和B的相关系数 $\rho_{AB} = -0.9988$），所以一定不要把方差误解为是加权平均，这是最容易出错的地方。

另外一个计算方差的思路是：把投资组合看作一个风险资产，这个风险资产在不同的经济状况下有不同的回报。根据3.1节介绍的计算单个风险资产的收益和方差的方法，可以得到组合的方差。具体计算结果见表3-5。

标准差分别为14.31%和8.16%的证券，以相等权重（50%投资于股票基金A，50%投资于债券基金B）构成的投资组合的标准差为3.08%。其风险低于单独持有任何一种单个投资对象时所必须承担的风险水平。为什么？原因是：**分散投资降低了风险**。

重要提醒：组合的标准差不是组合中各个证券的标准差的加权平均。在此，组合中各证券的标准差的加权平均为11.24%。

表3-5 利用不同方法计算的组合的收益和方差

经济状况	股票基金A	债券基金B	组合	离差的平方
萧条	−7%	17%	5.0%	0.001 6
正常	12%	7%	9.5%	0.000 0
繁荣	28%	−3%	12.5%	0.001 2
期望收益率	11%	7%	9%	
方差	0.020 5	0.006 7	0.001 0	
标准差	14.31%	8.16%	3.08%	

结论：组合的期望收益率等于组合中各个证券期望收益率的加权平均。一般情况下，组合的标准差都小于组合中各个证券的标准差的加权平均。只有在组合中各个证券之间的相关系数为1时，组合的标准差才等于组合中各个证券的标准差的加权平均。

换句话说，只要相关系数小于1，组合投资能分散风险的效应就会发生作用。我们把这个结论扩展到多种证券构成的投资组合中，只要组合中多种证券两两之间的相关系数小于1，多元化证券投资组合的标准差就一定小于组合中各个证券的标准差的加权平均。

3.3 两个风险资产组合的有效边界

在上一节学习由两个风险资产构成的投资组合的方差时，我们发现，影响组合方差（σ_P^2）的变量有两类：一类是资产之间的相关系数（ρ_{AB}）；另一类是投资权重变量（ω_A 和 ω_B）。理论上，不同的权重配置下可以得到无穷多个投资组合。比如，$P(\omega_A = 50\%, \omega_B = 50\%)$ 组合只是我们能创造出的无限多个组合中的一个。是不是所有的权重配置都是有效的？所谓的有效，就是指组合风险一定时收益最大，或组合收益一定时风险最小。为解决这个问题，我们需要学习投资组合的有效边界理论。

3.3.1 不同权重配置下投资组合的收益和风险

仍以前面例子中的股票基金 A 和债券基金 B 构成的投资组合为例。如果把全部资金都投资于资产 B，此时组合的收益和风险就是 B 的收益和风险。然后，我们逐步减少资产 B 的投资权重，同时逐步增加资产 A 的投资权重。不同的权重配置，会得到不同的投资组合。在上一节的等权重配置下，组合的期望收益率为 9%，组合的标准差（风险）为 3.08%。那么在其他权重配置下，这两个风险资产构成的投资组合的期望收益率和标准差是多少？

使用 Excel 表格解决这个问题。第一步，假设投资者把所有的资金都用于购买债券基金 B，此时所谓的组合其实只有一个资产——债券基金 B，而股票基金 A 的权重为 0，所以组合的期望收益率和标准差就是债券基金 B 的期望收益率和标准差。

第二步，假设 95% 的资金投资于债券基金 B，5% 的资金投资于股票基金 A，在这种权重配置下，计算出组合的期望收益率为 7.2%，标准差为 7.0%。以此类推，假设每次变动 5 个百分点，债券基金 B 的权重逐步下降直至为 0，股票基金 A 的权重逐步上升到 100%，我们能计算出 20 个不同权重配置下组合的期望收益率和标准差，见表 3-6。

表 3-6　20 个不同权重配置下组合的期望收益率和标准差

投资于股票基金 A 的百分比	期望收益率	标准差
0%	7.0%	8.2%
5%	7.2%	7.0%
10%	7.4%	5.9%
15%	7.6%	4.8%
20%	7.8%	3.7%
25%	8.0%	2.6%
30%	8.2%	1.4%
35%	**8.4%**	**0.4%**
40%	8.6%	0.9%
45%	8.8%	2.0%
50%	**9.0%**	**3.08%**
55%	9.2%	4.2%
60%	9.4%	5.3%
65%	9.6%	6.4%
70%	9.8%	7.6%
75%	10.0%	8.7%

(续)

投资于股票基金 A 的百分比	期望收益率	标准差
80%	10.2%	9.8%
85%	10.4%	10.9%
90%	10.6%	12.1%
95%	10.8%	13.2%
100%	11.0%	14.3%

最后，我们把这 20 个不同权重配置下组合的期望收益率和标准差数据，绘制在一个横坐标为组合标准差，纵坐标为组合期望收益率的坐标系中，如图 3-1 所示。从图中我们很明显看到，随着债券基金 B 投资权重逐步下降，组合的标准差在下降，但是组合的期望收益率在上升。当债券基金 B 投资权重下降到 65% 时，这时候组合的权重配置为债券基金 B 占 65%，股票基金 A 占 35%，组合的标准差达到最小，即 0.4%。这个点，我们称为**最小方差点**。

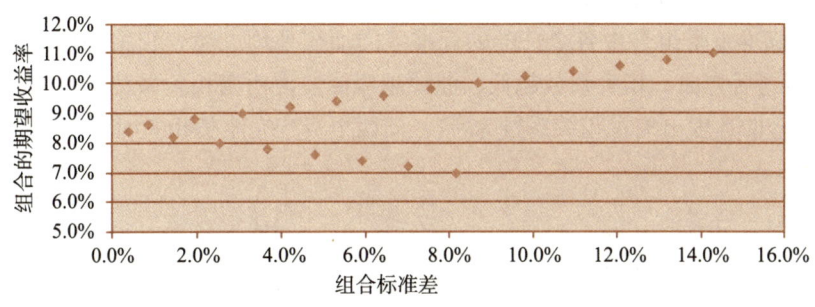

图 3-1 组合的收益和风险图

当债券基金 B 的投资权重继续下降时，组合的风险开始增加。随着组合中债券基金 B 的权重下降，股票基金 A 的权重增加，组合的期望收益率一直在增加。把这些点连起来就是一条向后弯曲的曲线，曲线上所有点所代表的组合，都是投资者所面临的"机会集"或"可行集"，或称为"组合边界"或"组合前沿"。

也就是说，投资者可以选择不同的权重配置，得到曲线上任意一点。但是投资者不能达到曲线上方的任意一点，因为他不能提高某些证券的收益率，降低某些证券的标准差，或者降低两种证券之间的相关系数。同理，投资者也不能达到曲线下方的任意一点。当然，即使投资者能这么做，他也不会想达到曲线下方的组合。

到现在为止，相信大家已经注意到：有一些组合明显优于其他组合，在同样或更低的风险水平上，它们能提供更高的收益，这些组合就是从最小方差点往上的那部分组合。就本例来说，相信所有的投资者都不会选择持有权重高于 65% 的债券基金 B 或者权重低于 35% 的股票基金 A 的组合。为什么？画一条平行于纵轴的线，你会发现：相同风险下，通过调整权重配置，你能得到更高的期望收益，见图 3-2。因此，对理性的投资者来说，没有人会愿意持有最小

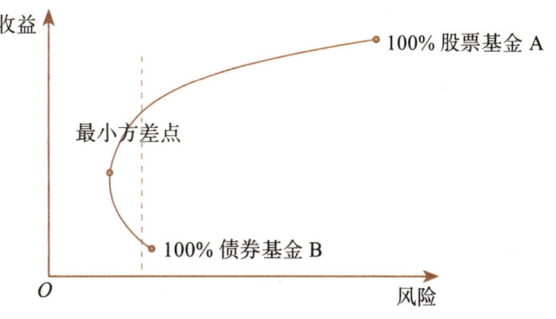

图 3-2 相同风险下的不同收益组合

方差点以下的组合。从最小方差点往上直至 100% 投资于股票基金 A 的这段曲线，我们称之为"有效集""有效前沿"或"有效边界"。

3.3.2 不同相关系数投资组合的收益和风险

截至目前，我们还没讨论影响组合方差和标准差的另外一个变量：相关系数。在前面的例子中，资产 A 和资产 B 的相关系数是 −0.998 8，这是我们前面学习计算的结果。资产 A 和资产 B 构成的投资组合边界就是在这个相关系数假设下得到的。现在我们来考察不同相关系数下，投资组合的有效边界的情况。

假设资产 A 和资产 B 的相关系数分别为 1、0.2 和 −1，在不同相关性下，重复前面的计算过程，我们能得到三条不同的组合边界，见图 3-3 中直线、曲线和折线。

由图 3-3 可知，组合边界的形状取决于资产的相关系数。当两个资产完全正相关，即相关系数为 1 时，组合边界是一条直线（断点线），说明此时没有分散风险，多元化效应没有出现，组合的标准差是组合中各个证券的标准差的加权平均。随着相关系数下降，从 1 变为 0.2，组合边界向后弯曲，相关系数越低，曲线越弯曲。说明当相关系数下降时，多元化效应增加。最大的弯曲程度出现在相关系数为 −1，即两个资产完全负相关时。

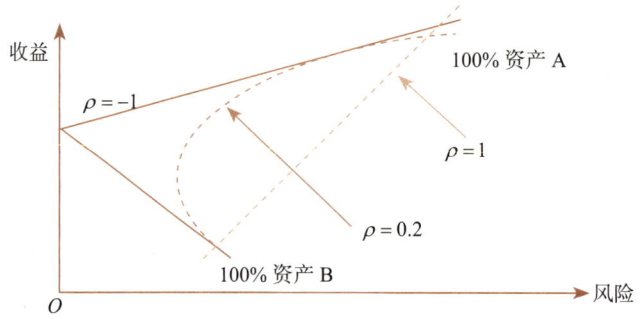

图 3-3 不同相关系数假设下的组合边界

虽然完全负相关看起来很有意思，但实际上没有多少价值。因为非常高的负相关不经常出现，现实中大多数证券之间都是正相关。

值得注意的是，一对风险资产之间只存在一个相关系数。就像我们一直用的股票基金 A 和债券基金 B 的例子中，两者的相关系数为 −0.998 8。

把这个问题一般化。由式（3-7）可知：当 $\rho_{AB}=1$ 时，$\sigma_P^2=(\omega_A\sigma_A+\omega_B\sigma_B)^2$，组合的标准差 $\sigma_P=\omega_A\sigma_A+\omega_B\sigma_B$。此时，组合的风险为两资产风险的加权和，完全没有分散风险。当 $\rho_{AB}=-1$ 时，$\sigma_P^2=(\omega_A\sigma_A-\omega_B\sigma_B)^2$，组合的标准差 $\sigma_P=|\omega_A\sigma_A-\omega_B\sigma_B|$。选择合适的权重变量，组合的标准差可以达到零，风险得到完全分散。当 $-1<\rho_{AB}<+1$ 时，组合的标准差介于上述二者之间。

为了更好地说明这部分内容，我们再来看一个例子。

例 3-2 假设你的投资组合 60% 投资于股票 A，40% 投资于股票 B。股票 A 的期望收益率为 8%，标准差为 13.2%，股票 B 的期望收益率为 18.8%，标准差为 31%。

（1）投资组合的期望收益率 $E(R_P)=\omega_A E(R_A)+\omega_B E(R_B)=0.6\times 8\%+0.4\times 18.8\%=12.32\%$。

（2）使用矩阵法计算组合的方差。

解答：用矩阵法计算组合的方差，见表 3-7。

表 3-7 用矩阵法计算组合的方差

$\omega_A^2 \sigma_A^2 = (7.92\%)^2$	$\omega_A \omega_B \sigma_{AB}$
$\omega_A \omega_B \sigma_{AB}$	$\omega_B^2 \sigma_B^2 = (12.4\%)^2$

第一种情形：假设股票 A 和股票 B 的相关系数为 1，容易计算出组合的方差为 0.041 3，标准差为 20.3%。

第二种情形：假设二者的相关系数为 0.19，在新的相关系数假设下，我们继续得到组合的方差为 0.025 4，标准差为 15.93%。

第三种情形：假设股票 A 和股票 B 的相关系数为 −1。采用相同的思路，得到组合的方差为 0.002 0，标准差为 4.48%。

上例表明，当两只股票负相关时，分散化的好处很明显。遗憾的是，这几乎不可能发生在真实的股票上，但是为了说明这一点，我们假设它会发生，最后，我们索性就假设它们完全负相关。完全负相关时，总会存在一个投资组合（用一组权重来表示），可以完全消除风险。

结论：相同的权重配置下，随着相关系数降低，组合的标准差（也就是组合的风险）一直在下降。组合的期望收益率不变，一直都是组合中各个证券期望收益率的加权和。

再次强调：组合的期望收益率是组合中各个证券期望收益率的加权和，而方差和标准差不是。

例 3-3 相关系数为 0.4 的 M 公司和 B 公司的股票，分别以 60% 和 40% 的权重构成一个投资组合，其中，M 公司股票的平均收益率为 15%，标准差为 28%。B 公司股票的平均收益率为 21%，标准差为 42%。计算组合的平均收益率和标准差。

解答：投资组合的平均收益率：

$$0.6 \times 15\% + 0.4 \times 21\% = 17.4\%$$

投资组合的标准差：

$$[(28\%)^2 \times 0.6^2 + (42\%)^2 \times 0.4^2 + 2 \times 0.4 \times 0.4 \times 0.6 \times 28\% \times 42\%]^{\frac{1}{2}} = 28.1\%$$

切记：标准差的加权平均 = 28% × 0.6 + 42% × 0.4 = 33.6%，这个数据不是投资组合的标准差。也就是说，组合的收益率 17.4% 是加权平均，但是组合的标准差不是加权平均。

3.4 多个风险资产构成的投资组合

我们已经知道了两个风险资产构成的投资组合的有效集或有效边界，那么多个风险资产构成的投资组合的有效边界会是什么样子？这一节，我们就来回答这个问题。

例 3-4 现在，我们将另一家公司 N 的股票（平均收益率为 19%，标准差为 30%）加入上一节例 3-3 中的 M 公司和 B 公司股票构成的投资组合中。我们观察由这三个风险资产构成的投资组合的有效集的情况。

我们可以把 M 公司和 B 公司股票构成的投资组合看作一只股票，这只名字为投资组合的

"股票"有自己的平均收益率（17.4%）和标准差（28.1%）。

N 公司股票的加入，实际上就是原来的投资组合这只"股票"和 N 公司构成的投资组合的问题。那么沿袭之前的思路，在相关系数为 0.3，等权重配置的假设下，我们可以计算新投资组合的平均收益率和标准差。

新投资组合的平均收益率为 $0.5 \times 17.4\% + 0.5 \times 19\% = 18.2\%$。

新投资组合的标准差为 $[(28.1\%)^2 \times 0.5^2 + (30\%)^2 \times 0.5^2 + 2 \times 0.5 \times 0.5 \times 28.1\% \times 30\% \times 0.3]^{\frac{1}{2}} = 23.43\%$。

这里再次强调新投资组合的标准差是 23.43%，它不是标准差的加权平均 29.05%（$=0.5 \times 30\% + 0.5 \times 28.1\%$）。只有一种情况下二者是相等的，即构成组合的两个风险资产的收益完全正相关，即相关系数为 1 的情况下。

为什么新投资组合的收益率更高，风险更低，如何做到的？答案是多元化效应，或者称分散化效应。

3.4.1　N 个资产构成的投资组合的风险

沿着上一节的思路，我们来讨论 N 只股票构成的投资组合的期望收益和风险。

毫不意外，组合的收益 (R_P) 或期望收益 $[E(R_P)]$ 仍然是组合中各个股票的收益 (R_i) 或期望收益 $[E(R_i)]$ 的加权平均，即

$$R_P = \sum_{i=1}^{n} \omega_i R_i \qquad (3\text{-}8)$$

或

$$E(R_P) = \sum_{i=1}^{n} \omega_i E(R_i) \qquad (3\text{-}9)$$

式中，ω_i 是投资在第 i 只股票上的权重。

下面，我们来讨论 N 只股票构成的投资组合的风险。

显然，当构成组合的股票数由 2 只到 3 只，然后一直增加到 N 只的时候，计算组合的方差就不像计算期望收益率那么简单了。为方便讨论，我们仍然用矩阵法，通过对 2 只股票构成的组合的方差计算公式进行扩展，来探讨 N 只股票构成的组合的方差计算。

假设我们投资了 N 只股票，在横轴上写下数字 1~N，在纵轴上写下数字 1~N，这样就形成一个 $N \times N = N^2$ 个格子的矩阵，如图 3-4 所示。

首先看对角线上的阴影格子。第 1 格的数值是 $\omega_1^2 \sigma_1^2$。这里的 σ_1^2 是第一只股票的收益率的方差。

其次是非对角线上的方格，比如我们考虑第 2 行第 5 列的格子。这个格子的数值是 $\omega_2 \omega_5 \text{Cov}(R_2, R_5)$，$\omega_2$ 和 ω_5 分别是对第 2 只和第 5 只股票的投资比例，$\text{Cov}(R_2, R_5)$ 是第 2 只和第 5 只股票的收益率的协方差。接下来注意第 5 行第 2 列的格子，它的数值是 $\omega_5 \omega_2 \text{Cov}(R_5, R_2)$。因为两个协方差相等，所以这两个格子的数值相等。实际上每一对股票构成的组合都在矩阵中出现两次，一次出现在矩阵的左下方，一次出现在矩阵的右上方。

由此可见，矩阵对角线上的各项是每只股票收益率的方差，而非对角线上的各项则是股票收益率之间的协方差。对角线上的项数总是等于组合中股票的个数 N。非对角线上的项数，

也就是协方差的个数,就是 N^2 减去 N。随着 N 的增加,非对角线上的项数增长会大大超过对角线上的项数增长。

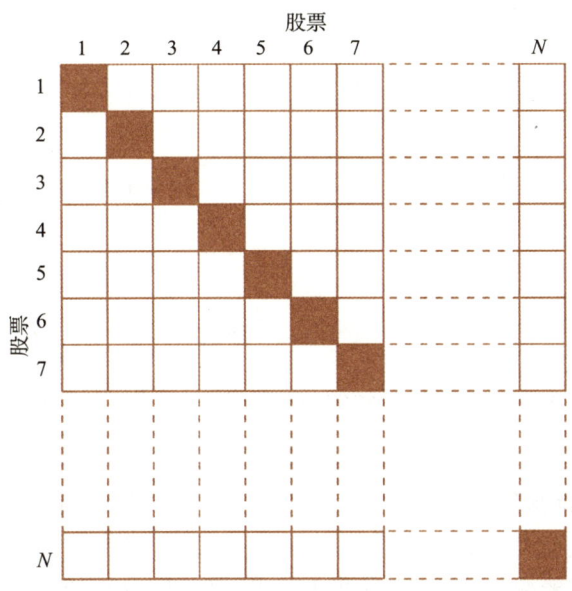

图 3-4　使用矩阵法计算 N 只股票构成的组合的方差

将图 3-4 上所有方格加总,就得到 N 只股票构成的投资组合的方差:

$$\sigma_P^2 = \sum_{i=1}^{n}\sum_{j=1}^{n} w_i w_j \text{Cov}(R_i, R_j) \quad (3-10)$$

式中,$\text{Cov}(R_i, R_j)$ 是任意两只股票 i 和 j 的协方差。

这就是为什么 N 个风险资产构成的投资组合的方差计算很困难。因为估计两两股票之间的相关系数(ρ_{ij})很困难。如果令 $N=100$,那么计算 100 只股票构成的投资组合的方差,除了要计算 100 个方差(σ_i^2)外,还要计算 10 000−100=9 900 个协方差,那么将会有 9 900/2=4 950 个协方差 $[\text{Cov}(R_i, R_j), i \neq j]$ 或相关系数需要估计。估计相关系数的工作量巨大。这个问题我们将在下一节讨论。

3.4.2　N 个资产构成的投资组合的有效边界

前面我们讨论了两个风险证券构成的投资组合的有效边界。这一节,我们讨论多个证券构成的投资组合的有效边界。

仍然沿着之前的分析思路,在例 3-3 中的两只股票和例 3-4 中的三只股票的基础上进一步分析,逐步增加组合中的股票个数,那么投资组合的组合边界将会一直**向上向左**推进,如图 3-5 所示。

等把市场上所有的股票都加入组合中后,这个组合的边界将不能再往外推进。注意,当

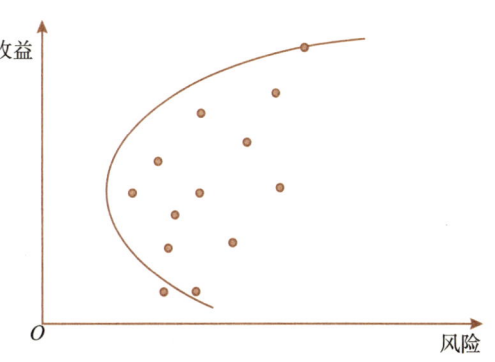

图 3-5　多个资产构成的组合边界

涉及多只股票时，所有组合覆盖的是整个区域。组合边界外面的区域是不可达世界，组合边界及其里面的区域是可达世界，如图3-6所示。

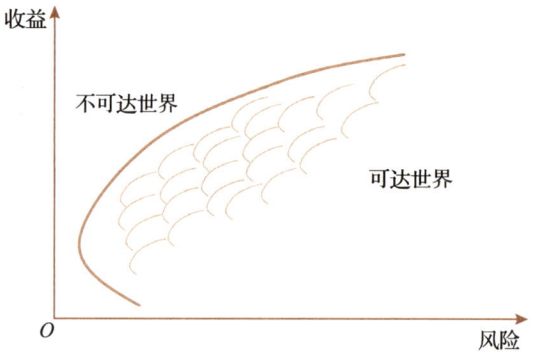

图3-6　组合边界把整个区域分割成可达世界和不可达世界

在组合边界上，从最小方差点开始向上的曲线，称为"有效集""有效边界"或"有效前沿"。有效边界上的点即最优决策点。这里的"最优"意味着风险一定时，有效边界上的点所代表的组合的期望收益最大；或期望收益一定时，有效边界上的点所代表的组合的风险最小。

显然，所有的投资者都会选择有效边界上的点，如图3-7中的 C 点和 D 点。

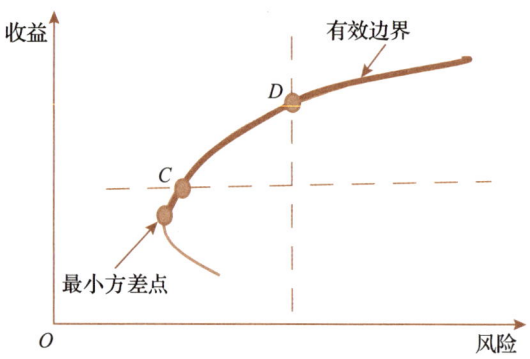

图3-7　有效边界上的点是最优决策点

最后回答这一节开始的问题：多个风险资产构成的投资组合的有效边界会是什么样子的？答：多个风险资产构成的投资组合的有效边界就是最小方差点之上的间断曲线的部分，如图3-8所示。

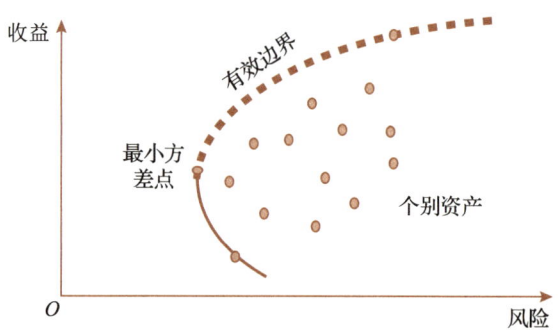

图3-8　多个风险资产构成的投资组合的有效边界

3.5 为什么组合多元化可以降低风险

在前面的讨论中,我们一直在强调一个观点:当相关系数小于1时,组合的标准差小于组合中各个证券标准差的加权和,即组合投资能降低风险的原因在于多元化。我们这一节来了解一下多元化的威力。

任何证券投资的收益都是由两部分组成的。一部分是证券的正常收益或者叫作期望收益,它是市场上的投资者预测或者期望得到的那部分收益。另外一部分是证券的不确定收益或者叫作风险收益。

现以某公司的股票为例,开始对"组合投资能分散风险"这一观点进行讨论。如果你投资一只股票,你一定会思考哪些因素决定了这只股票下个月的收益率。

股票的收益是由预期到的期望收益和未预期到的风险收益两部分组成的,我们用下式表示一只股票的收益(R)。

$$R = E(R) + U \tag{3-11}$$

式中,$E(R)$ 是预期到的期望收益;U 是未预期到的风险收益。

通过公司金融课程我们已经了解到,一只股票下个月的收益中的正常收益或期望收益,取决于股东已知的所有关于这只股票的信息。而未预期的风险收益,来自与公司相关的下个月才会披露的信息,虽然这种信息可能无穷无尽。比如:市场利率突然下降、政府发布国民生产总值信息、公司的创始人或总裁意外退休或卸任、公司的销售数字高于预期的传闻、有关公司研发的重大进展等。因此,股票收益取决于两类信息,一类是预期到的信息,另一类是意外信息(或新信息)。

收益中未预期到的部分,即意外产生的那部分,才是投资者面临的真正风险。刚才举例的信息中,利率变动和政府发布的国民生产总值的公告,显然对所有的公司都很重要。但是某公司的创始人或总裁意外退休或卸任、公司的销售数字高于预期的传闻、有关公司研发的重大进展等,它们只对这家特定的公司有意义。

我们把这两大类型的信息和由此导致的风险分为两个部分:系统性风险(m)和非系统性风险(ε),非系统性风险又称为公司特有风险。用公式表示如下:

$$R = E(R) + U = E(R) + m + \varepsilon \tag{3-12}$$

式中,m 代表系统性风险,市场风险也是一种系统性风险,它强调的事实是 m 在某种程度上影响市场中所有的资产;ε 代表公司特有风险。U 分解为两个组成部分 m 和 ε。这个方法很重要的一点是,ε 和大多数其他公司的特有风险不相关,因为它是这个公司特有的。

我们将在下一节讨论的资本资产定价模型只考虑了一种系统性风险因素:市场组合风险。所以,在资本资产定价模型部分,系统性风险和市场风险常常不加区别地交替使用,资本资产定价模型也被称为单因素模型。而套利定价理论考虑了多个系统性风险因素,因此常被称为多因素模型。

3.5.1 多元化的本质

投资多元化可在不明显减少投资期望收益的前提下,明显降低收益的波动水平。那么,多元化降低风险的本质是什么?

如果把两只不相关的股票放在一个投资组合里，因为两只股票的非系统性风险因素不相关，所以，对于一只股票可能有利的非系统性风险，对于另外一只股票可能是不利的，这样二者对组合的影响就能相互抵消。那么，组合的非系统性风险将会低于两只股票中任何一只的非系统性风险。

如果我们把第 3 只股票加入组合，组合的非系统性风险将会低于两资产组合的非系统性风险，当我们加入第 4 只、第 5 只、第 6 只股票，这种效果将会继续。理论上，如果我们能够把无限多数量的证券放在一起，组合的非系统性风险将会消失。**多元化降低风险的本质**在于，当一种资产的收益达不到预期时，组合中另一种资产的收益却可能超出预期，于是收益的波动就互相抵消了。

我们刚才的分析可以用图 3-9 来说明。标准差代表组合的总风险，当把组合收益的标准差和组合中证券数量联系起来时，图 3-9 显示，单个证券的标准差更大，总风险更高。增加第 2 只和第 3 只股票，组合的标准差将减小。以此类推，增加到第 N 只股票，组合的标准差持续减小。可见，组合的总风险会随着投资多元化程度的提高而平稳地降低。

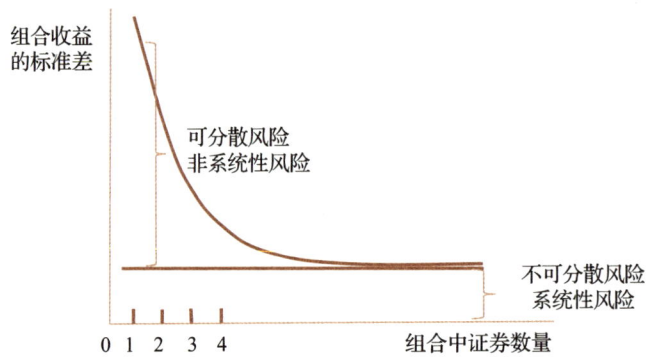

图 3-9　组合收益的标准差与组合中证券数量的关系

但是投资多元化并不会让标准差或总风险降为 0。当证券数量达到一定程度的时候，组合的标准差将稳定在一个水平上，不再发生大的变动（见图 3-9 粗体的水平线）。也就是说，投资多元化的好处是有限度的，它并没有我们所希望的那么好。因为，影响股票收益的系统性风险不会因为多元化而降低，只有非系统性风险因为投资多元化被分散掉了。所以，非系统性风险又被称为可分散风险。系统性风险不能通过多元化被分散掉，所以又被称为不可分散风险。一只股票的总风险是由系统性风险和非系统性风险两类风险组成的，用公式表示为

$$总风险 = 系统性风险 + 非系统性风险 \tag{3-13}$$

收益的标准差衡量的是总风险的大小。对风险分散效果好的多元化投资组合来说，非系统性风险已经微乎其微了。因此，对一个风险充分分散化的投资组合来说，总风险约等于系统性风险。

3.5.2　多元化降低风险的数理证明

仍然使用矩阵法来计算一个等权重（$1/N$）的 N 只股票组成的投资组合的方差。由前文可知，组合的方差等于 $N \times N$ 的矩阵中 N^2 个格子数值的和，见式（3-10），其中有 N 个方差

项，N^2-N 个协方差项。

$$\sigma_P^2 = \sum_{i=1}^{N}\sum_{j=1}^{N}\omega_i\omega_j\text{Cov}(r_i,r_j) = \sum_{i=1}^{N}\left(\frac{1}{N}\right)^2\sigma_{ii} + \sum_{i=1}^{N}\sum_{j\neq i}^{N}\left(\frac{1}{N}\right)^2\text{Cov}(r_i,r_j) \quad (3\text{-}14)$$

对式（3-14）做一个简单的数学处理：把系数项移到求和符号的外面，然后把方差项前面的系数拆分开，一个 $\frac{1}{N}$ 拿到括号外面。给后面协方差项的系数乘上一个 N^2-N，再除以一个 N^2-N，变成下式：

$$\sigma_P^2 = \frac{1}{N}\left(\frac{1}{N}\sum_{i=1}^{N}\sigma_i^2\right) + \frac{N^2-N}{N^2}\left[\frac{1}{N^2-N}\sum_{i=1}^{N}\sum_{j\neq i}^{N}\text{Cov}(r_i,r_j)\right] \quad (3\text{-}15)$$

易知，等式右侧的第一项中的 $\frac{1}{N}\sum_{i=1}^{N}\sigma_i^2$，是组合的平均方差项，第二项中的 $\frac{1}{N^2-N}\sum_{i=1}^{N}\sum_{j\neq i}^{N}\text{Cov}(r_i,r_j)$，是组合的平均协方差。显然，当 N 足够大时，$\frac{1}{N}$ 无限趋向于 0，那么，$\frac{1}{N}\left(\frac{1}{N}\sum_{i=1}^{N}\sigma_i^2\right)=0$，即方差项的贡献可以视为 0。而当 N 足够大时，$\frac{N^2-N}{N^2}$ 无限趋向于 1，所以协方差项的贡献 $\frac{N^2-N}{N^2}\left[\frac{1}{N^2-N}\sum_{i=1}^{N}\sum_{j\neq i}^{N}\text{Cov}(r_i,r_j)\right]$，就是平均协方差 $\frac{1}{N^2-N}\sum_{i=1}^{N}\sum_{j\neq i}^{N}\text{Cov}(r_i,r_j)$。

结论：当组合中的证券数量 N 较大时，组合的方差约等于组合的平均协方差，即我们刚讨论的系统性风险，这里是市场风险。

这就是多元化降低风险的数理证明。

3.5.3 投资组合理论小结

（1）本节从单只股票投资开始，依次分析了 2 只、3 只乃至多只股票构成的投资组合的收益和风险的计算。得到如下结论。

1）组合的期望收益等于组合中各个证券期望收益的加权平均。

2）一般情况下，组合的标准差都小于组合中各个证券的标准差的加权平均。只有在组合中各个构成资产之间的相关系数为 1 时，投资组合收益的标准差才等于组合中各个证券收益的标准差的加权平均。

3）对于 N 个风险资产构成的投资组合，只要风险资产之间不是完全正相关，组合多元化能分散风险的效应就会发生作用。我们把这个结论扩展到多种证券构成的投资组合中，只要组合中多种证券两两之间的相关系数小于 1，多元化证券投资组合的标准差就一定小于组合中各个证券的标准差的加权平均数。

（2）组合风险的计算公式显示，组合的风险取决于两类变量，一类是组合中各资产之间的相关系数；另一类是每种资产的投资权重。所以，投资者进行股票投资必须要关注两件事情。

1）选择资产。此时一定要注意不要选择完全正相关的股票，要尽量在不同行业、不同地区以及不同规模的公司之间进行投资，尽量分散化，这样可以降低风险。

2）优化资产配置。组合中不同资产的投资权重不同，组合的收益和风险不一样。投资者的最优决策一定要在组合的有效边界上，结合自己的风险偏好，进行最优化投资。

（3）组合的风险有两类：可分散风险和不可分散风险。通过组合投资多元化，可在不明显减少投资期望收益的前提下，降低收益的波动水平，即大幅降低组合的可分散风险。

3.6 无风险借贷与市场均衡

3.6.1 无风险借贷与资本市场线

除风险资产外，现在，我们考虑将短期国库券一类的无风险证券加入风险资产组合中。假设我们能以利率 r_f 无风险借贷，现在，我们将一部分资金投资于国库券（即借出资金），剩余的资金全部投资于普通股资产组合 P，这两个资产在任意权重配置下构成的新组合都在图 3-10 中的连接 r_f 和 P 点的直线上。

结论：无风险资产国库券和风险资产组合 P 构成的新组合 P* 的组合边界是一条直线。

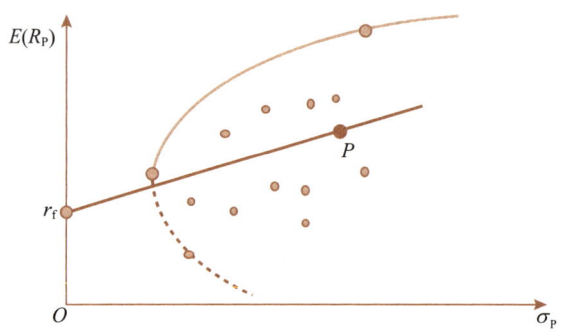

图 3-10 加入无风险资产后的投资组合边界

下面是数理证明。

我们用 $E(R_P)$ 表示资产组合 P 的期望收益，用 σ_P 表示资产组合的标准差；用 $E(R_{P^*})$ 表示新资产组合的期望收益，用 σ_{P^*} 表示新资产组合的标准差；无风险资产的收益率为 r_f，标准差为 σ_f；ω_P 是投资于风险资产组合 P 的权重，ω_f 是投资于无风险资产的权重。易知：其标准差 $\sigma_f = 0$，$\omega_f = 1 - \omega_P$，无风险资产与风险资产组合的相关系数 $\rho_{12} = 0$。

那么，新资产组合的期望收益和方差分别为

$$E(R_{P^*}) = \omega_f r_f + \omega_P E(R_P) \tag{3-16}$$

$$\sigma_{P^*}^2 = \omega_f^2 \sigma_f^2 + \omega_P^2 \sigma_P^2 + 2\omega_f \omega_P \rho_{12} \sigma_f \sigma_P \tag{3-17}$$

式（3-17）中，$\sigma_f = 0$，$\rho_{12} = 0$，所以，该式调整为 $\sigma_{P^*}^2 = \omega_P^2 \sigma_P^2$，即

$$\sigma_{P^*} = \omega_P \sigma_P \tag{3-18}$$

新资产组合的风险是构成组合的风险资产的 ω_P 倍。

调整后的式（3-18）可以写成：

$$\omega_P = \sigma_{P^*} / \sigma_P \tag{3-19}$$

把 $\omega_f = 1 - \omega_P$ 和式（3-19）代入式（3-16），得到：

$$E(R_{P^*}) = r_f + \frac{E(R_P) - r_f}{\sigma_P} \sigma_{P^*} \quad (3\text{-}20)$$

式（3-20）显示，新资产组合的收益 $E(R_{P^*})$ 是标准差 σ_{P^*} 的线性函数。因此，由无风险资产和风险资产组合 P 构成的新组合 P^* 的组合边界是一条直线，这条直线的斜率为 $\frac{E(R_P) - r_f}{\sigma_P}$。其经济含义为单位风险（$\sigma_P$）的溢价补偿 $[E(R_P) - r_f]$。

所以，加入无风险资产后，任何风险资产或风险资产组合与无风险资产构成的新的组合，都在无风险资产与该资产或资产组合相连接的直线上。这样，由无风险资产(r_f)出发到风险资产的可行区域里就会有无穷多条直线，这些直线的名字叫作**资本配置线**（capital allocation line，CAL），如图 3-11 所示。

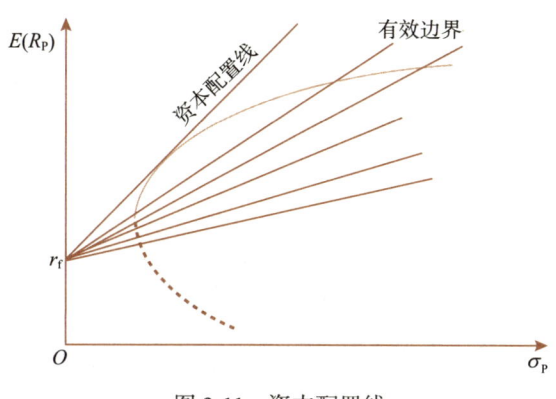

图 3-11 资本配置线

夏普比率（sharp ratio）是风险溢价与标准差之比：

$$夏普比率 = \frac{E(R_P) - r_f}{\sigma_P} \quad (3\text{-}21)$$

夏普比率是一个收益相对于所承担风险（这里用标准差来度量）的指标。夏普比率有时候也被称作回报 – 风险比率。回报是平均超额收益，风险是标准差。自然，投资者希望这个指标越大越好。

我们可以直观判断出最上面的那条资本配置线，也就是从 r_f 出发、与风险资产组合边界相连接的直线是最优的，原因是这条直线的夏普比率最大。

有意思的是，夏普比率刚好就是这些资本配置线的斜率。这些资本配置线中最优的一条是最陡的这条资本配置线，它是从纵轴上的 r_f 出发，与原来的由风险资产构成的资产组合（见图 3-12 中实曲线）的有效边界相切的那条直线，切点是图 3-12 中的 M 点。其他的资本配置线都不是最优的。

这条切线也被称为**资本市场线**（capital market line，CML），如图 3-12 所示。我们能够在资本市场线上找到标准差相同但期望收益更高的点，或者期望收益相同但标准差更小的点。事实上，这条线给投资者提供了最优的投资机会。在一个具有同质预期⊖的世界中，所有投资者都会持有切点（M 点）代表的风险资产组合。

⊖ 同质预期假设是指所有的投资者对收益、方差和协方差都有相同的估计。

确认出有效边界后，如果能以无风险利率借贷，无论投资者的风险厌恶程度如何，任何投资者在组合中持有的风险资产总是 M 点所代表的切点组合，即投资者将在无风险收益点与有效边界的切点 M 点所形成的直线上分配资金。这就是著名的两基金分离定理。

如果投资者的风险厌恶程度较高，就可以在 r_f 和 M 点之间进行投资，也称借出资金；如果投资者风险厌恶程度较低，就可以在离 M 点较近，甚至是 M 点之外的点进行投资，投资者会借入一部分资金，与自有资金一起投资于 M 点所代表的组合。投资者在这条直线上选择的位置，由投资者个人的风险承受能力等内在特征决定。

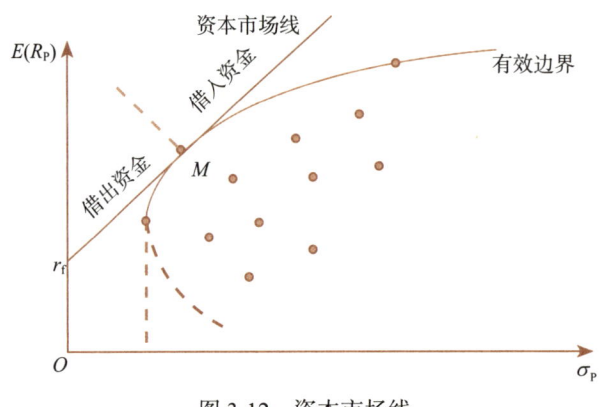

图 3-12 资本市场线

我们用数字来说明。假设资产组合 M 的 $E(R_M)=15\%$，$\sigma_M=16\%$。国库券的收益率 r_f 为 5%。投资者将一半的资金投资于资产组合 M，另一半投资于无风险资产国库券（即以 5% 的利率借出）。投资组合的期望收益率 $E(R_P)$ 在投资组合 M 的期望收益率和国库券收益率之间：

$$E(R_P) = 0.5 \times r_f + 0.5 \times E(R_M) = 10\%$$

投资组合的标准差 σ_P 也将在 M 的标准差和国库券的标准差之间：

$$\sigma_P = \omega_M \sigma_M = 0.5 \times 16\% = 8\%$$

假设你是激进型投资者，你决定冒险大干一场：以国库券收益率借入金额等于你初始投入的资金（此时你在无风险资产的投资权重 $\omega_f = -1$），然后将所有资金投资于资产组合 M（此时你的 $\omega_M = 2$）。现在你将以自有资金两倍的金额投资于 M，但你需要支付借款的利息。你的投资的期望收益率为

$$E(R_P) = (-1) \times r_f + 2 \times E(R_M) = 25\%$$

投资组合的标准差为

$$\sigma_P = \omega_M \sigma_M = 2 \times 16\% = 32\%$$

借入资金是负的借出资金，以利率 r_f 借款，将借入的资金和自有资金一起投资于资产组合 M，可能的投资范围就可以扩大到 M 点右边的延长线上。

3.6.2 市场组合与贝塔系数

1. 一个特殊的投资组合：市场组合

在同质预期假设下，当所有投资者都选择持有切点（M 点）代表的风险资产组合时，这

个组合就是目前所有证券按照市场价值加权的组合，称为市场组合 M。市场组合 M 是由市场中所有风险证券组成的投资组合。市场中每一只证券在市场组合中的权重为

$$\omega_i = \frac{证券\,i\,的市场价值}{全部风险证券的总市场价值}$$

市场组合的收益率为

$$r_M = \sum_{i=1}^{n} \omega_i r_i \tag{3-22}$$

市场组合的方差为

$$\sigma_M^2 = \text{Cov}\left(\sum_{i=1}^{n} \omega_i r_i, \sum_{i=1}^{n} \omega_i r_i\right) \tag{3-23}$$

把协方差函数展开并进行适当调整，可得：

$$\text{Cov}\left(\sum_{i=1}^{n} \omega_i r_i, \sum_{i=1}^{n} \omega_i r_i\right) = \sum_{i=1}^{n} \omega_i \text{Cov}\left(r_i, \sum_{i=1}^{n} \omega_i r_i\right) = \sum_{i=1}^{n} \omega_i \text{Cov}(r_i, r_M) = \sum_{i=1}^{n} \omega_i \sigma_{iM}$$

进而整理得到：

$$\sigma_M^2 = \sum_{i=1}^{n} \omega_i \sigma_{iM} \tag{3-24}$$

市场组合是风险充分分散化的组合。对于这类组合，考虑组合中单个资产的总风险 σ_i 毫无帮助。这一点由式（3-24）可以看出：市场组合风险 σ_M^2 是组合中各证券与市场组合的协方差 $[\sigma_{iM} = \text{Cov}(r_i, r_M)]$ 的权重和，不是 σ_i。换句话说，**不要孤立地看待每只股票，而是要看这只股票对投资组合风险的贡献**。单只股票对投资组合风险的贡献，由这只股票对投资组合价值变动的敏感性来决定。

因此，我们需要度量这只股票对市场波动的敏感程度，称之为**贝塔系数**（β）。贝塔系数是度量一只股票对于市场组合价值变动的敏感程度（即系统性风险的大小）的指标。

另外，研究者们发现，对于大型投资组合中的风险资产来说，最佳的风险衡量指标就是该资产的贝塔系数。

统计学家定义资产 i 的贝塔系数为

$$\beta_i = \frac{\text{Cov}(R_i, R_M)}{\sigma^2(R_M)} = \frac{\sigma_{iM}}{\sigma^2(R_M)} \tag{3-25}$$

式中，$\text{Cov}(R_i, R_M)$ 是第 i 种资产的收益与市场组合收益之间的协方差；$\sigma^2(R_M)$ 是市场组合收益的方差。这个协方差和方差的比率度量了一只股票对市场组合风险的贡献。

2. 贝塔系数的特性

投资组合的贝塔系数等于组合中各资产贝塔系数的加权和，权重是组合中各资产的市场价值相对于投资组合的市场价值的比例，即

$$\beta_P = \sum_{i=1}^{n} \omega_i \beta_i \tag{3-26}$$

特例：当以各种证券的市场价值相对于市场组合的市场价值的比例为权数加权时，所有证券的平均贝塔系数等于 1，即

$$\beta_M = \frac{\sigma_{iM}}{\sigma_M^2} = \sum_{i=1}^{n} \omega_i \beta_i = 1 \tag{3-27}$$

例 3-5 假设有一个投资组合，等权重投资于 10 只股票，其中 5 只股票的贝塔系数为 1.2，剩下的股票的贝塔系数为 1.4。投资组合的贝塔系数是多少？

解答：根据式（3-26），该投资组合的贝塔系数是：$\beta_P = (5 \times 1.2 + 5 \times 1.4)/10 = 1.3$。

因此，投资组合的贝塔系数等于 1.3。

3. 用回归的方法估计贝塔系数

投资者进行投资时会如何判定自己需要的预期回报？我们前面的分析说明，市场组合 M 是一个决定性影响因素。投资者对于某资产所需要的预期回报一定程度上要反映此资产对市场组合的边际风险贡献。

一个较常用的估计贝塔系数的方法是回归法，即通过投资资产的回报及市场组合回报的历史数据得出最佳线性回归关系，如图 3-13 所示。这种线性回归关系式可表达为

$$r_i = \alpha + \beta_i r_M + \varepsilon_i \tag{3-28}$$

式中，r_i 是投资资产的回报；r_M 为市场组合 M 的回报；α 和 β_i 都为常数；ε_i 是一个随机变量，为回归误差。

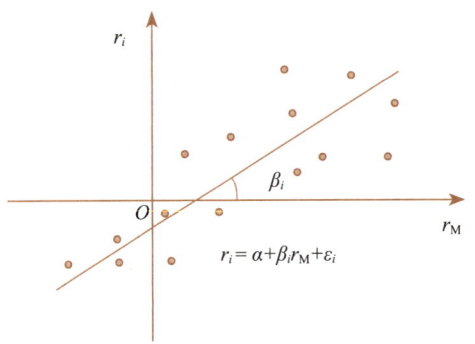

图 3-13 回归法估计贝塔系数

式（3-28）显示，除了常数项 α 以外，投资资产回报有以下两个组成部分：

- 系统性风险：对应于 $\beta_i r_M$，该项是市场组合 M 回报的 β_i 倍。
- 非系统性风险：对应于 ε_i，该项与市场组合 M 的回报无关。

我们称第一部分 $\beta_i r_M$ 为系统性风险，第二部分 ε_i 为非系统性风险。

我们先来看非系统性风险。在不同风险资产的 ε_i 项相互独立的假设下，一个大型投资组合中的非系统性风险几乎被分散殆尽，因此，投资者理论上不应该关心非系统性风险，也就是说，投资者不应该因承担非系统性风险而要求高于无风险利率的风险溢价补偿。

我们再看系统性风险。系统性风险是投资者应该关心的内容，当持有一个大型而风险充分分散的投资组合时，由 $\beta_i r_M$ 表示的系统性风险并没有消失，因此承担这一系统性风险的投资者应要求高于无风险利率的风险溢价补偿。

3.6.3 资本资产定价模型：风险溢价与期望收益的关系

当引入无风险资产后，原来全部由风险资产构成的、弯曲的实曲线表示的有效边界，就

变成了一条连接纵轴上的 r_f 与切点 M 的直线，我们称之为资本市场线。这条线上的任意组合 P 都是由无风险资产和市场组合 M 在不同权重配置下构成的投资组合，如图 3-14 所示。由于市场组合 M 是风险充分分散化的，因此，线上的任意组合 P 也都是一个风险充分分散化的投资组合。

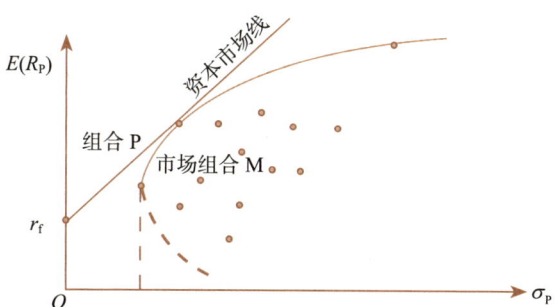

图 3-14　资本市场线上的任意组合 P 都是由无风险资产和市场组合 M 所构成的投资组合

组合 P 的期望收益和风险的线性关系为

$$E(r_P) = r_f + \frac{E(r_M) - r_f}{\sigma_M} \sigma_P \qquad (3-29)$$

假设组合 P 的贝塔系数为 β_P，则根据贝塔系数的定义，$\beta_P = \dfrac{\text{Cov}(R_P, R_M)}{\sigma_M^2}$，而 $\text{Cov}(R_P, R_M) = \rho_{PM} \sigma_P \sigma_M$，在此，$\rho_{PM} = 1$，所以，$\beta_P = \dfrac{\sigma_P}{\sigma_M}$，即

$$\sigma_P = \beta_P \sigma_M \qquad (3-30)$$

把式（3-30）代入式（3-29）得

$$E(r_P) = r_f + \beta_P [E(r_M) - r_f] \qquad (3-31)$$

由式（3-31）可知：对资本市场线上任意一个风险充分分散化的组合 P 来说，我们可以由 β_P 确定组合 P 的期望收益。

该方程背后的经济含义比较容易理解。投资者只能对承担的市场风险要求溢价补偿。当投资者投资市场组合时，市场组合的 $\beta_M = 1$，其获得的溢价补偿为 $[E(r_M) - r_f]$；当投资者投资组合 P 时，他就应该获得 $\beta_P [E(r_M) - r_f]$ 的溢价补偿。

如果上述关系对所有充分分散化的投资组合都成立，它对单只股票也一定成立。投资一只股票，投资者应该获得多少溢价补偿？20 世纪 60 年代，三位经济学家——威廉·夏普、约翰·林特纳和杰克·特里诺用他们提出的**资本资产定价模型**（capital asset pricing model，CAPM）回答了这个问题。

模型的结论简单而令人吃惊。在竞争性市场中，投资的预期风险溢价与其贝塔系数成简单的正比关系。在图 3-15 中，所有的投资必须都在斜线上，这条斜线称为**证券市场线**（security market line，SML）。股票预期的风险溢价和贝塔系数的关系可以写成 $E(r_i) - r_f = \beta_i [E(r_M) - r_f]$，进而整理可得如下公式：

$$E(r_i) = r_f + \beta_i [E(r_M) - r_f] \qquad (3-32)$$

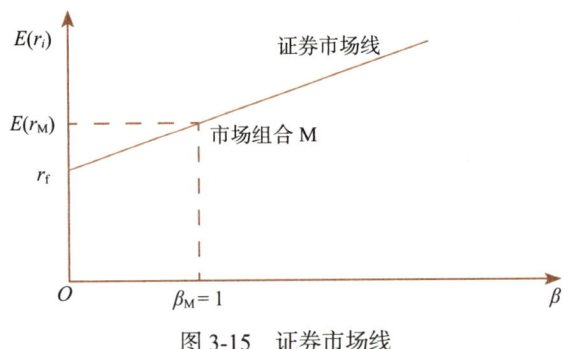

图 3-15 证券市场线

我们可以换个角度理解 CAPM：如果每个人都持有市场组合，用贝塔系数度量每只证券对市场组合风险的边际贡献，那么投资者要求的风险溢价与贝塔系数成正比，就一点不奇怪了。这就是 CAPM 的内容。

例 3-6 假设国库券的收益率为 4%，市场组合的期望收益率为 12%，利用 CAPM 计算①市场组合的风险溢价是多少？②贝塔系数为 1.5 的投资，要求的收益率是多少？

解答：根据题意易知，市场组合的风险溢价为：$E(r_M) - r_f = 12\% - 4\% = 8\%$。

根据 CAPM 公式，$E(r_i) = r_f + \beta_i [E(r_M) - r_f] = 4\% + 1.5 \times 8\% = 16\%$。

3.6.4 CAPM 的应用

1. 投资决策

想象一下，如果有人向你推荐图 3-16 中的股票 B，你会买吗？我相信如果你认真学习了前面的内容，你一定不会。因为股票 B 的贝塔系数和市场组合 M 的贝塔系数一样，都等于 1，投资市场组合，你得到的期望收益率要比投资股票 B 高。如果市场中的所有投资者都这样想，那么股票 B 的价格一定会下跌，期望收益率会上涨，直到它的期望收益率跟市场上其他相同市场风险的投资资产的期望收益率一致为止。也就是说，直到股票 B 的期望收益率回到证券市场线上为止。

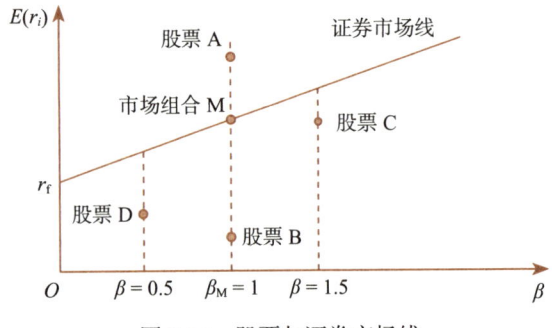

图 3-16 股票与证券市场线

然后，我们再来看股票 A。如果你发现市场上有这么一只股票，你会不会投资呢？当然，我希望你能做出肯定的答复，并且迅速行动，因为机会稍纵即逝。在与市场组合 M 具有相同的市场风险（贝塔系数都等于 1）的情况下，股票 A 的期望收益率高于市场组合的期望收益率，也就是说，股票 A 的价格低于它的价值。如果市场中的投资者都看到了这一机会，股票 A 的价格将迅速攀升，期望收益率会下降，直到股票 A 的期望收益率回落到证券市场线上为止。

股票 C 的高收益率会吸引你去投资吗？如果你足够聪明的话，就不会投资股票 C。因为你可以借入自有资金的一半，然后把全部资金都投资于市场组合，这样同样的贝塔系数，却可以得到更高的期望收益率。如果市场上每个投资者都同意你的观点的话，股票 C 的价格也无法维持现状，它会持续下跌，而期望收益率会上涨，直到等于借入资金并投资于市场组合的期望收益率为止。

你同样不会投资股票 D。因为，如果你想投资贝塔系数等于 0.5 的投资组合，那么你可以将一半资金投资国库券，另外一半投资市场组合，这样你的投资组合的贝塔系数就是 0.5，但是你能够得到更高的期望收益率。同样，股票 D 的价格将下降，期望收益率上升，直到回到证券市场线上。

投资者持有市场组合和无风险资产的组合，总是能够获得预期风险溢价 $\beta[E(r_M)-r_f]$。在完善的资本市场中，没有人愿意持有预期风险溢价小于 $\beta[E(r_M)-r_f]$ 的股票。因此，均衡市场状态下，没有股票会位于证券市场线的上方或者下方，每一只股票都必须位于证券市场线上，其预期风险溢价为 $E(r_i)-r_f=\beta_i[E(r_M)-r_f]$。

2. 业绩评价

CAPM 强调应该关心期望收益率，可现实中我们只能观察到实际收益率。实际收益率确实反映了投资者的预期，但还是包含了很多不断出现的意外，这在一定程度上影响了对于投资者是否得到了期望收益率的判断。尽管如此，CAPM 还是被很多投资组合经理作为投资组合管理的强有力的管理工具。同时，根据 CAPM 计算的期望收益率经常被用来当作检验投资好坏的标准，来对投资组合经理的业绩进行评价。

如果现实中投资组合的实际收益率大于根据 CAPM 得到的期望收益率，即

$$R_P > E(R_P) = R_f + \beta[E(R_M) - R_f]$$

式中，R_P 是投资组合的实际收益率，$E(R_P)$ 是投资组合的期望收益率；R_f 是无风险收益率；$E(R_M)$ 是市场的期望收益率，β 是投资组合的贝塔系数。

我们就说，针对投资组合的贝塔系数来说，投资组合经理产生了超额回报，超额回报 α 为

$$\alpha = R_P - R_f - \beta[E(R_M) - R_f] \qquad (3-33)$$

这个超额回报通常被称为由投资组合经理产生的阿尔法。因此，**阿尔法（α）**通常被用来衡量投资组合高于由 CAPM 确定的期望收益的超额部分。

例 3-7 某公司有两个对冲基金经理。经理甲管理的投资组合的回报为 11%（该投资组合的贝塔系数为 1.6）。经理乙管理的投资组合的回报为 10%（该投资组合的贝塔系数为 0.6）。假设去年的市场回报为 10%，无风险利率为 5%。请你对这两个基金经理的业绩进行评价。

解答：经理甲管理的投资组合的期望收益率为

$$E(R_P) = R_f + \beta[E(R_M) - R_f] = 5\% + 1.6 \times (10\% - 5\%) = 13\%$$

经理甲产生的阿尔法为

$$\alpha = R_P - E(R_P) = 11\% - 13\% = -2\%$$

经理乙管理的投资组合的期望收益率为

$$E(R_\mathrm{p}) = R_\mathrm{f} + \beta[E(R_\mathrm{M}) - R_\mathrm{f}] = 5\% + 0.6 \times (10\% - 5\%) = 8\%$$

经理乙产生的阿尔法为

$$\alpha = R_\mathrm{p} - E(R_\mathrm{p}) = 10\% - 8\% = 2\%$$

所以，经理乙的业绩表现比经理甲好。

阿尔法代表了投资组合管理所带来的超额回报是否得当，当然我们也不否认运气好也能产生超额回报。投资组合经理会不断地努力来产生正的阿尔法，一个投资者获得正的阿尔法，一定建立在另外一个投资者得到负的阿尔法的代价之上，所有投资者的阿尔法的加权平均为零。

3.6.5　CAPM 的假设和对 CAPM 的批评

以上分析带来的结论是，所有投资者都想持有市场组合，这个结论在现实中显然并不成立。因为如果这个结论成立，投资者之间将不会进行交易，市场也会停止运作。现实中的情况是：不同投资者对股票及其他风险资产有着不同的看法。正因如此，投资者之间才会相互进行交易，从而促进了市场价格的产生。在前面的分析中，我们采用了多个隐含的假设，正是这些假设造成了结论和现实世界之间的出入，引发大家对模型的质疑和批评。

1. CAPM 的假设

第一，模型假设所有的投资者只关心他们投资组合回报的期望值及标准差，换句话讲，投资者只关心回报分布中的前两阶矩。如果回报服从正态分布，投资者这么做确实合理，但是，我们知道许多投资组合的回报并非服从正态分布。

第二，模型假设在式（3-28）中，对应于不同投资的 ε_i 项相互独立，这相当于假设投资回报的相关性完全取决于该投资与市场组合的相关性，这一假设显然不成立。比如，福特汽车公司和通用汽车公司同属于汽车行业，两家公司股票一定有相关性，这一相关性并非来自它们与市场的相关性。也就是说，对应于不同投资的 ε_i 项在现实中并非相互独立。

第三，假设所有的投资者都不考虑不同投资期的情况，只计划持有一个相同的周期。换句话说，我们假定投资者只关心某一特定时段的投资回报，而且假定不同投资者所选定的时段均相同，这一假设显然不成立。比如，养老基金的投资期限很长，而有些当日交易员的投资期限就很短。

第四，假设所有的投资者都可以以相同的无风险利率借入或借出资金。这种情况对那些小投资者来说几乎不成立。当然，对正常市场条件下信誉好的大型金融机构而言，该假设近似成立。

第五，在分析过程中，模型认为市场环境是无摩擦的，即无税和无交易成本。这一点和现实相去甚远。首先，不是所有投资者均受约于同一税率；其次，不同产品适用的税收政策和税收优惠不同；最后，现实中投资者投资时一定会将税收情况考虑在内。例如，对免税的养老基金适用的投资可能并不适用于需要支付很高税率的投资者，这一说法反过来也成立。

第六，分析过程中我们提出了同质预期假设，即假定所有投资人对任意给定的投资资产回报的期望值、标准差的估算，以及对投资产品之间的相关系数的估算相同。这显然不成立。事实上，在同质预期假设的世界里不会出现交易行为。

2. 对 CAPM 的批评

正如我们在前面介绍的那样，投资者对 CAPM 的质疑和批评主要围绕模型的假设条件太苛刻。比如模型假设投资者只关心均值及方差。事实上，许多投资组合的分布具有偏度以及超额峰度（excess kurtosis）特性。偏度与分布的第三阶矩有关；峰度与分布的第四阶矩有关。与正态分布相比，具有正偏的分布会产生更多的高回报和更少的低回报；具有负偏的分布会产生更多的低回报和更少的高回报。超额峰度分布产生高回报和低回报的机会均会多于正态分布。许多投资者对出现极端负回报的可能性会非常担心，他们更愿意在具有正偏度或具有超额峰度的投资组合里得到更高的预期回报。另外，模型假设金融市场是完美的，即所有的资产都可以交易，市场无摩擦，信息完全对称，可以自由借贷等。

在现实世界中，除贝塔系数外的其他因素，如公司规模、账面价值与市场价值比，也影响股票的期望收益率（Fama&French，1992）。另外，市场组合不可能包含所有的风险资产。最后，现实中对借款有诸多的限制。

3.7 套利定价理论

CAPM 从分析投资者如何构造有效投资组合开始，而斯蒂芬·罗斯的**套利定价理论**（arbitrage pricing theory，APT）则完全是另起炉灶。APT 不关心哪个投资组合是有效投资组合，而是一开始就假设股票收益率主要受两类风险源的影响。

一类风险源来自普遍宏观经济的影响，被称为"因素"，是通过分散化不能消除的。这些因素除了可能是前面讨论的市场组合外，还有可能是国民生产总值、石油价格、利率以及通货膨胀率等。因此，APT 中有多种因素决定投资的回报，其中的任何一个因素都分别决定了某一个系统性风险。而在 CAPM 中，我们假设股票的投资回报只和市场组合 M 这一个系统性风险因素相关，因此，CAPM 也常被称为单因素模型。另外，在式（3-28）中，我们假设风险资产的 ε_i 相互独立，这个假设也说明 CAPM 中的市场组合 M 决定了投资的预期回报，也就是说，只有市场风险这一个系统性风险因素。因此，本书在讨论 CAPM 时，系统性风险和市场风险不加区别地使用。

另一类风险源来自公司可能发生的事件，俗称"噪声"，是对某家公司来说独特的事件［见式（3-28）中的 ε_i］，也称公司特殊风险、非系统性风险。特殊风险是与以上多种因素无关的风险，通过分散化可以消除，因此也称可分散风险。股票的预期风险溢价只受宏观经济风险的影响，不受公司特殊风险的影响，分散化投资者不管是买入还是卖出股票，都可以忽略掉特殊风险。

在 APT 中，每只股票对投资组合风险的贡献，由股票收益率对宏观经济因素非预期变化的敏感性决定。通过构造与这些"因素"成中性的投资组合，APT 展示了风险资产的预期回报同这些因素呈某种线性关系。

❖ 本章小结

投资者倾向于选择那些具有高期望收益率同时伴随着低标准差（即波动性小）特征的股票。在投资领域中，那些在给定的期望收益率下标准差最小，或者在给定的标准差水平下期望收益率最高的普通股投资组合，被视作有效投资组合。

当投资者拥有以无风险收益率进行借贷的能力时，一个特定的投资组合，市场组合 M，会成为优于其他有效投资组合的选择。这是因为市场组合通常具有最高的夏普比率，即它能在给定的风险水平下提供最高的超额回报。对于风险厌恶型的投资者而言，他们可能会将部分资金投入市场组合，而将剩余的资金配置于无风险资产。而对于风险承受能力较强的投资者，他们可能会选择将所有资金都投入市场组合，甚至一些风险偏好更高的投资者还会通过借款来增加对市场组合的投资。

单只股票对投资组合整体风险的影响，主要取决于该股票对投资组合价值变动的敏感性，这一敏感性通常用贝塔系数来衡量。贝塔系数不仅反映了股票对投资组合风险的贡献程度，还体现了股票相对于市场组合风险的边际贡献。

CAPM 为项目估值提供贴现率，为业绩评价提供参考基础。通过贝塔系数，投资者能了解资产市场波动性，优化决策。但 CAPM 有局限性，如理想化假设难以完全实现，且贝塔系数基于历史数据，预测未来有局限。因此，投资者需结合其他工具和信息进行全面决策。尽管如此，CAPM 仍是金融经济学的重要基础，有效助力投资者评估资产风险与收益。

本章的**重点**和**难点**：①深入掌握投资组合方差的计算方法，理解其在衡量组合风险中的作用；②学习如何通过组合投资分散非系统性风险，并计算投资者为承担系统性风险所要求的风险溢价补偿；③探讨市场组合在资产定价中的核心地位，以及贝塔系数在衡量个别资产系统性风险中的重要性；④熟练应用 CAPM，分析资产的预期收益与市场风险之间的关系；⑤掌握 APT 的框架，理解其在多因素资产定价中的理论基础和实际应用。

❖ 关键概念

投资组合	期望收益	组合方差	矩阵法
最小方差点	组合边界（前沿）	有效边界（前沿）	系统性风险
非系统性风险	市场均衡	资本配置线（CAL）	夏普比率
资本市场线（CML）	市场组合	贝塔系数	资本资产定价模型（CAPM）
证券市场线（SML）	阿尔法	套利定价模型（APT）	

❖ 练习题

1. 判断正误：
   (1) 投资者喜欢公司分散化经营，因为能够降低公司的风险。
   (2) 如果股票完全正相关，分散化将不能降低风险。
   (3) 投资很多资产的分散化组合可以完全消除风险。
   (4) 只有资产不相关时，分散化才有用。
   (5) 标准差低的股票对投资组合风险的贡献比标准差高的股票小。
   (6) 一只股票对充分分散化的投资组合的风险的贡献，取决于其市场风险。
   (7) 贝塔系数等于 2.0 的充分分散化的投资组合的风险是市场组合的两倍。
   (8) 贝塔系数等于 2.0 的没有分散化的投资组合的风险，小于市场组合的风险的两倍。

2. 以下哪种情况下，投资两只股票使风险降低的程度更大？
   A. 两只股票完全相关
   B. 两只股票不相关

C. 两只股票中等程度负相关

D. 两只股票完全负相关

3. 在下面每对投资（假设是投资者唯一可以进行的投资）中，理性投资者总是更喜欢哪项投资？

   A. 投资组合 A：$r=18\%$，$\sigma=20\%$

   　　投资组合 B：$r=14\%$，$\sigma=20\%$

   B. 投资组合 C：$r=15\%$，$\sigma=18\%$

   　　投资组合 D：$r=13\%$，$\sigma=8\%$

   C. 投资组合 E：$r=14\%$，$\sigma=16\%$

   　　投资组合 F：$r=14\%$，$\sigma=10\%$

4. 假设市场收益率的标准差是 20%。

   （1）充分分散化的投资组合，贝塔系数等于 1.3，其收益率的标准差是多少？

   （2）充分分散化的投资组合，贝塔系数等于 0，其收益率的标准差是多少？

   （3）充分分散化的投资组合，标准差为 15%，其贝塔系数是多少？

   （4）分散化不充分的投资组合，标准差为 20%，关于其贝塔系数，你怎么看？

5. 下表列出了五只股票在市场收益率分别为 ±10% 时的股票收益率，请计算每只股票的贝塔系数。

股票	股票收益率（%，市场收益率为 −10%）	股票收益率（%，市场收益率为 +10%）
A	0	+20
B	−20	+20
C	−30	0
D	+15	+15
E	+10	−10

6. 你可以用两项资产 A 和 B 组成一个投资组合，这两项资产的特征如下。

资产	期望收益率	标准差	相关系数
A	10%	20%	0.5
B	15%	40%	

如果你要求的期望收益率为 12%，投资组合中两项资产的权重分别是多少？投资组合的标准差是多少？

7. 考虑一个投资组合，其中的 40% 投资于资产 X，60% 投资于资产 Y。X 的期望收益率和方差分别为 0 和 25%，Y 的期望收益率和方差分别为 1% 和 121%，资产 X 和 Y 之间的相关系数为 0.3，该投资组合的波动率为多少？

8. 假设投资组合 X 具有 8% 的期望收益率、20% 的波动率和 0.5 的贝塔系数。假设市场具有 10% 的期望收益率和 25% 的波动率。假设无风险利率为 5%。请问：投资组合 X 的阿尔法是多少？

9. 一个 CAPM 研究机构的分析师正在设计一项收益率为 21% 的投资组合。市场风险溢价为 11%，市场组合的波动率为 14%，无风险利率为 4.5%。投资组合 A 的贝塔系数为 1.5。根据 CAPM，下列哪一个说法是正确的？

   A. 投资组合 A 的期望收益率比市场组合的期望收益率高

   B. 投资组合 A 的期望收益率比市场组合的期望收益率低

   C. 投资组合 A 的波动率比市场组合的波动率低

   D. 投资组合 A 的期望收益率与市场组合的期望收益率相等

10. 关于有效投资组合的讨论。

    （1）在一张图上画出以下投资组合。

	组合 A	组合 B	组合 C	组合 D	组合 E	组合 F	组合 G	组合 H
期望收益率（r, %）	10	12.5	15	16	17	18	18	20
标准差（σ, %）	23	21	25	29	29	32	35	45

（2）以上投资组合中，有 5 个是有效投资组合，有 3 个不是，哪些是无效投资组合？

（3）假如你可以按照 12% 的利率借入或者贷出资金。以上哪个投资组合的夏普比率最高？

（4）假设你愿意承担的标准差为 25%，如果不能借入或者贷出资金，你可以得到的期望收益率最高的投资组合是哪个？

（5）如果可以自由借入或者贷出资金，你愿意承担的标准差为25%，最优投资策略是什么？在这样的风险水平下，你获得的最高期望收益率是多少？

案例专栏

中国证券投资基金业协会发布《公开募集证券投资基金投资者教育工作指引（试行）》

2023年，中国证券投资基金业协会（以下简称"基金业协会"）正式颁布了《公开募集证券投资基金投资者教育工作指引（试行）》，此举标志着投资者教育工作迈入了一个崭新的阶段。近年来，我国证监会亦高度重视并持续推进投资者教育，为此发布了一系列具有里程碑意义的政策文件。其中，《关于加强证券期货投资者教育基地建设的指导意见》（证监会公告〔2015〕23号）尤为突出，该文件旨在标准化并推广投资者教育基地（投教基地）的建设，以期全面提升投资者教育的服务质量与效率。

紧随其后，证监会还精心规划并发布了多轮次的投教基地申报指南，特别是2018年与2020年分别推出的第三批和第四批申报工作指引，进一步细化了申报流程与标准。在此基础上，证监会还积极倡导将投资者教育融入国民教育体系之中，成效显著，已惠及超过5 000所学校及6 000万名学子。一系列广泛且深入的投资者教育活动，不仅有效提升了公众的金融素养与法治意识，更为构建成熟理性的投资文化奠定了坚实基础。

证监会与基金业协会等机构所发布的这一系列投资者教育相关政策，不仅是对金融市场监管体系的深度完善，更是对广大中小投资者权益保护的深切关怀。这些政策的出台，彰显了监管部门在增强市场透明度、促进市场健康稳定发展方面的坚定立场与不懈努力。它们不仅体现了金融行业在追求经济效益的同时，对社会责任的主动担当，也彰显了金融行业对诚信经营原则的执着坚守。通过深入学习与理解这些政策背景，学生们能更加清晰地认识到金融行业在服务实体经济、推动社会全面进步中的关键作用与不可替代的价值。

资料来源：[1] 李树超，"具有里程碑式意义"！又一纲领性文件，中国基金报，2023年9月2日。
[2] 张燕北，投教新要求，引领行业行动！中国基金报，2023年9月10日。
[3] 方丽，曹雯璟，2024年基金投教"忙起来"，中国基金报，2024年1月7日。

案例讨论题

1. 请查阅《公开募集证券投资基金投资者教育工作指引（试行）》文件全文，并分析该政策对中国证券投资基金业可能产生的影响。
2. 结合证监会与基金业协会等机构发布的投资者教育相关政策，谈谈金融行业在追求经济效益的同时，如何体现对社会责任的主动担当？

第3章 案例讨论题参考答案

第 4 章
CHAPTER 4

在险价值 VaR

§ 学习目标

1. 掌握 VaR 的定义，能计算基于不同分布假设下资产组合的 VaR。
2. 学会计算边际 VaR、递增 VaR 和成分 VaR。
3. 理解预期亏损的概念，并掌握其计算方法。
4. 掌握不同风险类型对 VaR 计算中参数设置的具体要求。
5. 探究 VaR 作为新兴风险度量工具的历史发展背景，培养在风险管理领域勇于突破传统局限、持续创新的思维能力。

4.1 测度风险：一个历史视角

从历史视角看，风险测度方法经历了相当长时间的演变和发展过程。最开始是使用一些非常简单的指标，比如一个证券的面值或名义价值，然后慢慢开始使用稍微复杂一点的价格敏感性测度指标，比如债券的久期和凸性。目前主要使用的风险测度方法是 VaR（value at risk，在险价值）方法。各种风险测度方法最初主要针对单个证券，然后进一步发展到用来测度那些含有衍生品的复杂资产组合的风险。传统测度风险的方法如图 4-1 所示。

每次市场动荡都会揭示出，即便是最精巧的市场风险测度方法也存在一定的局限性。因此，业界要求开发出更好或更准确的风险测度方法的呼声一直没有停止。实践表明，在正常的市场条件下，VaR 是测度短期内（比如 10 天）交易组合暴露的总体风险的最有效的方法。该方法的优点在于它能以一个数字来反映市场风险的所有组成部分，如收益率曲线风险、基差风险和波动性风险等。比如，在利率上升时，债券价格会按一个非线性关系下降，在市场收益波动以及相关性既定的情况下，投资者可以用一个 VaR 值来反映该债券资产组合的市场风险。

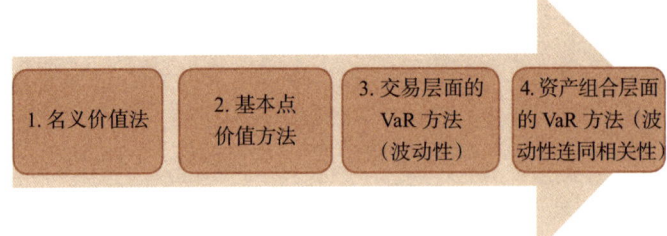

图 4-1　传统测度风险的方法

遗憾的是，在较长期限内，VaR 方法表现得不是那么可靠。因为一些未预期到的市场冲击⊖相当危险，它常常会伴随着市场流动性的急剧下降。这种未预期到的市场冲击对模型的影响，只能通过辅助性的方法，比如压力测试和情景分析，才能加以控制和管理。

4.1.1　名义价值法

过去很长一段时间内，主要银行的交易部门都是按名义价值法进行经济资本配置的。**名义价值法**是按证券的面值或持有的资产组合的名义价值测度市场风险。这种方法的缺陷在于：

- 没有区分多头和空头。
- 没有反映价格的波动和价格间的相关性。

另外，对于场外市场（over-the-counter，OTC）的衍生品的风险暴露来说，该暴露的实际价值和名义价值之间的差异往往很大，实际价值通常很小，而名义价值通常较大。比如，标的资产相同的两个看涨期权的名义价值和到期日都相同，其中一个期权处于赚钱状态，另外一个期权处于赔钱状态，那么这两个期权的市场价值和风险暴露就有很大不同。

另外一个例子：假设一个金融机构和很多不同的交易对手签订了利率互换合约，但是其中的部分合约是用来为其他合约产生的风险暴露进行套期保值的，在这种情况下，简单地将这些交易的名义价值相加就会导致对资产组合市场风险的错误估计，虽然这些数据提供了一些关于总体信用风险暴露的信息。

4.1.2　风险因子敏感性测度

风险因子敏感性测度是考虑一个风险资产或资产组合价值对主要风险因子变化的敏感程度，如利率、到期收益率、波动性、股票价格和股票指数等。对固定收益证券来说，交易者经常使用的一个风险测度方法是 DV01，它是一个风险因子敏感性测度工具。DV01 是一个基

⊖ 未预期到的市场冲击是指和风险因子分布假设不一致的价格和利率变化。比如在假定利率变化服从标准正态分布的情况下，利率和历史均值相差 10 个标准差。利率的这种"跳跃"与正态分布假设前提不一致，这是因为在正态分布假设下，这种情况发生的概率几乎为 0。

本点的美元价值，它刻画了证券的价格对收益率曲线平移一个基本点的敏感程度，这种测度和传统债券的麦考利久期和修正久期等的分析是一致的，我们将在后面的债券风险管理章节学习。

4.1.3 其他价格敏感性测度——希腊字母

衍生品的从业者也开发出了很多风险测度方法。他们利用一系列以希腊字母命名的指标来表示金融衍生品对各种风险因子的敏感性，这套指标被统称为希腊字母体系。

我们以股票看涨期权为例。股票看涨期权价值公式中的标的资产股票价格（S）和债券价值公式中的收益率（y）所起的作用是一样的。看涨期权对标的资产价格的敏感性被称为德尔塔（Delta，Δ，一阶风险度量）或伽马（Gamma，Γ，二阶风险度量）。金融衍生品的 Delta 风险和 Gamma 风险分别类似于债券的久期风险和凸性风险。当然，金融衍生品的敏感性指标要比债券的多一些，因为衍生品的价格还受其他因素的影响，比如标的资产价格波动性、市场无风险利率、剩余到期时间等（我们将在后面的金融衍生品风险管理章节学习）。

希腊字母体系得出的每种敏感性只提供了对金融风险的部分测量，它们不能加总得出资产组合或风险暴露的总体风险测度，特别地：

- 不同类型风险的敏感性不能相加，比如同一个风险暴露的 Delta 风险和 Gamma 风险不能相加。
- 不同市场的敏感性也不能相加，比如不能将一个看涨期权的 Delta 风险和股票指数看涨期权的 Delta 风险相加。

因为这些敏感性指标不能相加，所以不能用这些指标估计风险因子变化所导致的总体风险。一方面，不能直接用敏感性指标测度风险资本额；另一方面，敏感性指标不容易转化为"可接受的最大损失"。因此，它对风险管理的帮助不大，这也说明还需要更精巧的方法来测度一个风险资产或资产组合的风险。下面要学习的 VaR 方法就是这样的一种方法。

4.2 VaR 的定义

就像上面介绍的，过去度量风险的方法种类繁多，但几乎没有令人非常满意的。这其中就包括名义价值法和敏感性测度方法等，尽管这些方法可以提供关于风险的直观理解，但是它们没有考虑市场之间波动率的差异、风险因素发生不利变动的概率以及风险因子之间的相关性，因而无法度量出总体资产组合在不利情况下的潜在损失。比如，投资者做了一项浮动债券投资，这项投资对于利率波动非常敏感。利率发生变动，现金流和贴现率将同时发生变动，那么，现金流和贴现率的联合作用将使债券的价格发生剧烈变动。现在的问题是，在一个特定时期内，投资者在这项投资上的最大损失是多少？

名义价值法只能提供一个潜在的损失指标，而敏感性测度方法也有缺陷。比如久期，久期虽然可以度量债券对利率变化的敏感程度，但是无法了解利率发生不利变化的可能性有多大。同时，它也忽略了债券价格和收益率之间的非线性关系。此外，更关键的问题是，敏感性测度方法无法综合考虑各个不同市场中的风险。比如，对于一个持有以美元计价的国内债券投资者来说，市场利率发生变动，它的风险是增加了还是分散了？这时候还需要考虑利率变动对汇率波动的影响。

而 VaR 方法的魅力在于它可以对所有类似问题给出一个漂亮的答案。VaR 方法使用了一个与概率相关联的风险度量，通过一个数字反映整个投资组合所面临的风险状况。

那么，何为 VaR？简单地按字面意思看，VaR 就是"在险价值"。一个较为正式的定义是：**VaR 是指在正常的市场环境下，在给定时间区间和置信水平下，某一金融资产或证券组合价值在未来的最大可能损失。**

当使用 VaR 来计量风险时，我们是在陈述如下事实：我们有 $X\%$ 的把握，在 T 时间段内，资产组合的最大损失是 V。这里的变量 V 就是资产组合的 VaR。其数学表达式为

$$P(L \leqslant \text{VaR}) = X\%，\text{或 } P(L > \text{VaR}) = 1 - X\% \tag{4-1}$$

式中，L 表示资产组合的损失。

VaR 方法是依据随机理论而建立的可靠技术，也是为风险管理者提供的一种关于金融风险度量的综合性方法。例如，某家金融机构报告的每天各类证券组合交易的 VaR 在 99% 置信水平下为 3 000 万元。这意味着在正常市场环境下，该机构进行 100 天同样的交易，损失超过 3 000 万元的只有 1 天。我们可以看到，仅仅通过这样一个数字，就可刻画出该金融机构所面临的市场风险的大小及其发生的可能性。因此，它可以作为金融机构测度风险的底线，股东及经营者可以根据某一风险水平是否合理而做出决策。如果他们对某一风险水平不能容忍，他们可以在估计 VaR 时抉择哪些是需要调整的风险。

VaR 可由所持有资产（或资产组合）在 T 时间内的收益概率分布获取，也可通过资产（或资产组合）的损失概率分布而获得（实际上，损失就是负收益，收益就是负损失）。比如，当 T 为 10 个交易日，$X = 99$ 时，某资产的 VaR 就是 10 天后收益分布中第 1 个分位数所对应的损失；或者说，VaR 为在 10 天后损失分布中第 99 个分位数所对应的损失。

注意： VaR 一般以损失的正数来报告。另外，这种方法并不意味着实际损失将超过 VaR 多少，它只是说明实际损失超过 VaR 的可能性有多大。

VaR 的定义有两种，一种是均值 VaR，另一种是绝对 VaR。

均值 VaR 是指用资产组合在特定时间内的预期价值来度量在 99% 置信水平下可能遭受的最大损失，即均值 VaR($\text{VaR}_{均}$) = 期望收益 − 在 99% 置信水平下最糟糕的收益。**绝对 VaR** 是指在 99% 置信水平下可能遭受的最大损失，即绝对 VaR ($\text{VaR}_{绝}$) = 在 99% 置信水平下可能遭受的最大损失，如图 4-2 所示。

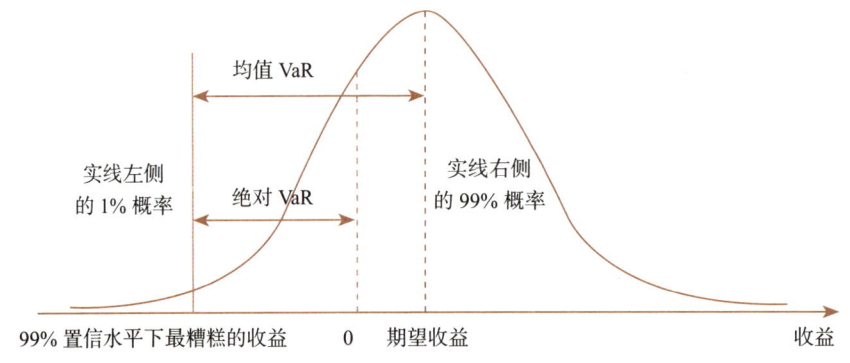

图 4-2 均值 VaR 与绝对 VaR

当期望收益/损失为零时，均值 VaR 与绝对 VaR 在数值上相等。但是二者的经济含义并不相同。在度量市场风险时，期望收益经常被假设为零，因此经常使用绝对 VaR。而在度量信用风险时，不能假设期望收益为零，所以常常使用均值 VaR。

只有均值 VaR 才是与经济资本分配和 RAROC（风险调整资本回报率）计算相一致的，实际上，在 VaR 模型中，期望收益/损失已经被考虑并计入了收益的计算中，资本为未预期到的损失提供了一种缓冲。

4.3 VaR 的计算：基于连续分布

事实上，VaR 可以用节点来解释事件发生的可能性不会大于某个概率的损失。因此，VaR 本质上是一个分位数。

在介绍 VaR 计算之前，我们先来看一个概念：分位数。**分位数**是指连续分布函数中的一个点，这个点在节点 x 左侧的概率为 p，即随机变量 X 小于等于 x 的概率为 p，p 也被称为**左尾概率**。定义这个分位数为 $Q(X, p)$：

$$Q(X,p) = P(X \leq x) = F(x) = \int_{-\infty}^{x} f(u)\mathrm{d}u = p \tag{4-2}$$

因为所有概率的和为 1，所以随机变量大于 x 的概率为 $c = 1 - p$，c 也被称为右尾概率。

为了得到一个投资组合中的 VaR，我们首先考虑投资组合的收益是一个连续随机变量的情况。假设该收益率的概率密度函数为 $f(x)$，如果在给定的置信水平 c 下，投资组合的损失不会超过 VaR，那么有：

$$\int_{-\infty}^{\mathrm{VaR}} f(x)\mathrm{d}x = 1 - c \tag{4-3}$$

换一种说法，投资组合的收益超过 VaR 的概率为 c：

$$\int_{\mathrm{VaR}}^{+\infty} f(x)\mathrm{d}x = c \tag{4-4}$$

现实中经常假设收益这一金融变量服从正态分布，而 VaR 在正态分布情形下，可以大大简化计算。时间 T 内交易组合的收益概率分布如图 4-3 所示。

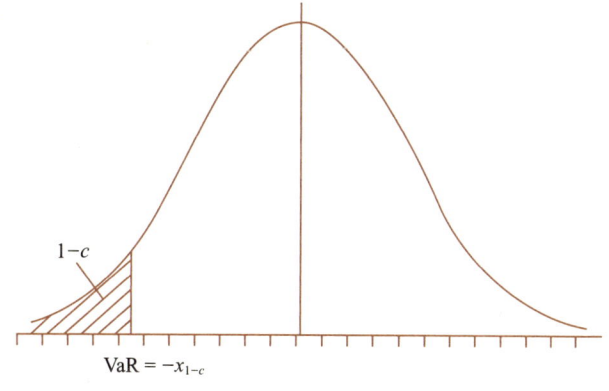

图 4-3　时间 T 内交易组合的收益概率分布

假设投资组合的收益（R）服从正态分布，即 $R \sim N(\mu, \sigma^2)$，μ 是期望收益 $[\mu = E(R)]$，σ 是标准差，收益的概率密度函数为 $f(R)$，R^* 代表在既定置信水平 c（比如 99%）下的最糟

糕的收益，则有

$$P(R \leqslant R^*) = \int_{-\infty}^{R^*} f(R) dR = P\left(Z \leqslant \frac{R^* - \mu}{\sigma}\right) = 1 - c \quad (4-5)$$

$Z = \frac{R - \mu}{\sigma}$ 是一个服从标准正态分布 $[N(0,1)]$ 的变量。在收益服从正态分布的情况下，R^* 的推导将变得非常简单，我们只需要参考标准累积正态函数表就可以。表 4-1 给出了常用置信水平函数的临界值 α。

表 4-1 常用置信水平函数的临界值 α

c	$Z = \frac{R^* - \mu}{\sigma}$
95%	-1.65
99%	-2.33
99.97%	-3.43

由表 4-1 可知，R^* 可以表示为

$$R^* = \mu + \alpha\sigma \quad (4-6)$$

在正态分布假设下，均值 VaR 的数学表达为 $\text{VaR}_{均} = -\alpha\sigma$，绝对 VaR 的数学表达为 $\text{VaR}_{绝} = 0 - R^* = -(\mu + \alpha\sigma)$，如图 4-4 所示。

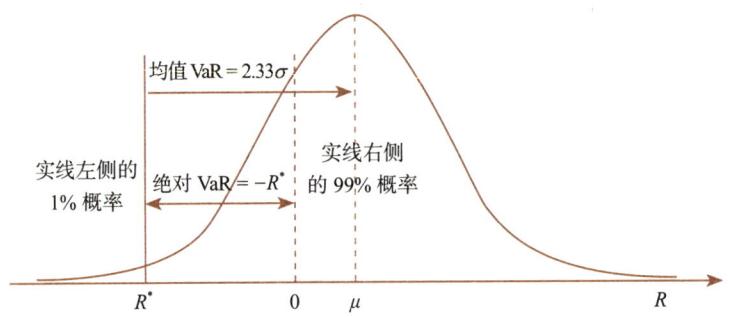

图 4-4 正态分布假设下变量的均值 VaR 与绝对 VaR

例 4-1 假定一个信贷交易组合在 6 个月内的收益服从正态分布，分布的均值为 200 万元，标准差为 1 000 万元。问：对于 6 个月展望期，在 99% 置信水平下的 VaR 为多少？

解答：假设交易组合的收益为 R（万元），由题意知，$R \sim N(200, 1\,000^2)$，假设 6 个月展望期内，投资组合在 99% 置信水平下的最糟糕的收益为 R^*，则：

$$P(R \leqslant R^*) = P\left(\frac{R - \mu}{\sigma} \leqslant \frac{R^* - \mu}{\sigma}\right) = 1\%$$

即 $N\left(\frac{R^* - \mu}{\sigma}\right) = 1\%$，由表 4-1 可知，$\alpha = \frac{R^* - \mu}{\sigma} = -2.33$，所以

$$R^* = \mu + \alpha\sigma = 200 + 1\,000 \times (-2.33) = -2\,130 \text{（万元）}$$

在该例中，交易组合最糟糕的收益为 $-2\,130$ 万元，也就是损失 2 130 万元。因为 VaR 代表的是损失，所以在 6 个月展望期内，99% 置信水平下的绝对 VaR 为 2 130 万元，均值 VaR

为 2 330 万元。

例 4-2 假定一个 1 年期的项目的最终结果介于 5 000 万元损失和 5 000 万元收益之间，5 000 万元损失和 5 000 万元收益之间的任意结果具有均等的可能。问对于 1 年的持有期，在 99% 置信水平下的 VaR 为多少？

解答： 假设用 X 来表征项目的收益，它服从均匀分布，X^* 为 1 年持有期内的最糟糕收益，则依题意知 $P(X \leq X^*) = 1 - 0.99 = 0.01$，即

$$\int_{-5\,000}^{X^*} \frac{1}{10\,000} \mathrm{d}x = 0.01 \Rightarrow X^* = -4\,900 \text{（万元）}$$

最糟糕的收益为 $-4\,900$ 万元，即损失为 4 900 万元，所以对于 1 年的持有期，在 99% 的置信水平下的 VaR 为 4 900 万元。

4.4　VaR 的计算：基于离散分布

因为 VaR 本质上是分位数，那么离散情况下，资产组合的 VaR 应满足 $\sum_{L \leq \mathrm{VaR}} P(L) = c$。为了更好地了解这一概念，我们看下面的例子。

例 4-3 假定一个 1 年期的项目有 98% 的概率收益为 200 万元，1.5% 的概率损失为 400 万元，0.5% 的概率损失为 1 000 万元。请问：

（1）99% 的置信水平下的 VaR 为多少？

（2）99.5% 的置信水平下的 VaR 为多少？

解答： 如图 4-5 所示，由题意知，项目的损益为离散随机变量，在持有期 1 年内，对应于累积概率 99% 的损益点是 -400 万元。因此，对于 1 年的持有期，99% 的置信水平下的 VaR 为 400 万元。

但是对应于累积概率 99.5% 的损益点为介于 -400 万元与 $-1\,000$ 万元间的任意一点，也就是说，在区间 $[-1\,000, -400]$ 中的任意值，损失超过 VaR 的概率均为 0.5%。对于这一区间的任意数值 V，损失超出 V 的概率均为 0.5%，那在这一情形下不具有唯一性，一个合理的选择是将 VaR 设定为这一区间的中间值，这意味着在 99.5% 置信水平下的 VaR 为 700 万元。

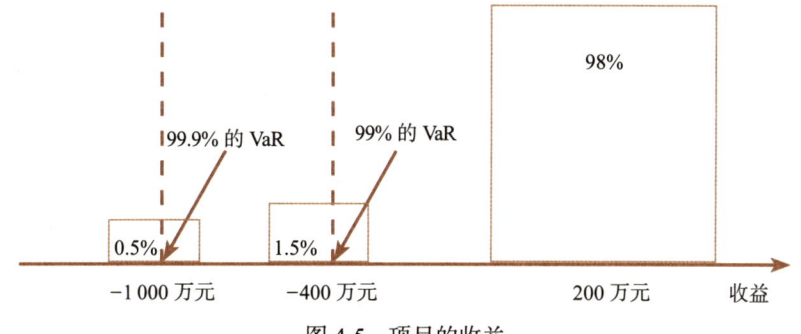

图 4-5　项目的收益

VaR 的计算小结： 第一步，将资产或资产组合表示为市场风险因子的函数，并预测市场风险因子的波动性。第二步，根据市场风险因子的波动，估计资产或资产组合的价值变化和

概率分布。第三步，确定置信水平和持有期，最终得出 VaR。

4.5 边际 VaR、递增 VaR 和成分 VaR

为了理解 VaR，风险管理师通常需要计算多种风险度量。其中，**边际 VaR**（marginal VaR，M-VaR）、**递增 VaR**（incremental VaR，I-VaR）和**成分 VaR**（component VaR，C-VaR）是风险管理中的三种重要的工具，它们常用于分析组合风险。

假定某个资产组合由若干个组成成分，这里的组成成分可以是风险资产，也可以是不同种类风险资产构成的子组合（subportfolio），每个子组合对应不同的资产类别，比如国内股票、国外股票、固定收益和衍生品等。它们可能对应着银行的零售银行、投资银行和自营交易等不同的业务部门，它们甚至还可能对应着一笔独立的交易。风险管理师有时需要计算每个子组合的 VaR 度量。

1. 边际 VaR

假设某资产组合是由 n 个收益率均服从正态分布的风险资产或子组合构成，这里，令 R_P 为资产组合的收益率，σ_P 为资产组合的标准差，V_P 为资产组合的市场价值，r_i 为资产组合中第 i 个资产或子组合的收益率，令 N 表示正态分布，$\alpha = N^{-1}(X\%)$ 表示置信水平为 $X\%$ 所对应的分位数。假设对第 i 个子组合的投资额为 x_i，这里，$x_i = \omega_i V_P$，ω_i 是对第 i 个子组合的投资权重。

则交易组合对第 i 个子组合的边际 VaR 是指交易组合的 VaR 对第 i 个子组合的价值变化的敏感度，即

$$\text{M-VaR} = \frac{\partial \text{VaR}}{\partial x_i} \tag{4-7}$$

这里，要估算边际 VaR，我们可以将 x_i 增加一个小的数额 Δx_i，得到 $x_i + \Delta x_i$，然后重新计算组合的 VaR。假设 ΔVaR 为 VaR 的增量，则我们估计的边际 VaR 为 $\frac{\Delta \text{VaR}}{\Delta x_i}$。

换一种视角，根据前文假设，我们有：$r_i \sim N(\mu, \sigma^2)$，组合在一定持有期和置信水平 $X\%$ 下的 $\text{VaR} = N^{-1}(X\%)\sigma_P V_P = \alpha \sigma_P V_P$，根据式（4-7）易知：

$$\text{M-VaR} = \frac{\partial \text{VaR}}{\partial x_i} = \frac{\partial(\alpha \sigma_P V_P)}{\partial(\omega_i V_P)} = \alpha \frac{\partial \sigma_P}{\partial \omega_i} \tag{4-8}$$

要得到边际 VaR，我们需要计算 $\frac{\partial \sigma_P}{\partial \omega_i}$。根据第 3 章的内容，组合的风险为

$$\sigma_P^2 = \sum_{i=1}^{n}\sum_{j=1}^{n}\omega_i \omega_j \text{Cov}(r_i, r_j) = \sum_{i=1}^{n}\omega_i^2 \sigma_i^2 + \sum_{j=1}^{n}\sum_{j \neq i}\omega_i \omega_j \text{Cov}(r_i, r_j) \tag{4-9}$$

组合的方差对权重求导，得到：

$$\frac{\partial \sigma_P^2}{\partial \omega_i} = 2\omega_i \sigma_i^2 + 2\sum_{j=1, j \neq i}^{n}\omega_j \text{Cov}(r_i, r_j) = 2\text{Cov}(r_i, R_P) \tag{4-10}$$

由式（4-10）易得：

$$\frac{\partial \sigma_P}{\partial \omega_i} = \frac{\text{Cov}(r_i, R_P)}{\sigma_P} \tag{4-11}$$

引入风险资产的贝塔系数，由式（4-8）和式（4-11）可知，组合的边际 VaR 可以写成如下等式：

$$\text{M-VaR} = \frac{\partial \text{VaR}}{\partial x_i} = \alpha \frac{\partial \sigma_P}{\partial \omega_i} = \alpha \frac{\text{Cov}(r_i, R_P)}{\sigma_P} = \alpha \frac{\text{Cov}(r_i, R_P)}{\sigma_P^2} \sigma_P = \alpha \beta_i \sigma_P = \frac{\text{VaR}}{V_P} \beta_i \quad (4\text{-}12)$$

由式（4-12）可知，对于一个充分分散化的资产组合，边际 VaR 同 CAPM 中的贝塔系数有密切关系。当一个资产的贝塔系数较大时，这个资产所对应的边际 VaR 往往也较高；当一个资产的贝塔系数较小时，这个资产所对应的边际 VaR 会较低。这与我们的经济学直觉是一致的。如果某资产的边际 VaR 为负，则说明增加这一资产的权重，会降低整个投资组合的风险。

2. 递增 VaR

第 i 个子组合的递增 VaR 是指该子组合对组合 VaR 的递增效应，即资产组合包含子组合的 VaR 与不包含该子组合的 VaR 的差。金融机构通常对新交易的递增 VaR 很感兴趣。

假设资产组合所用的头寸为 p，此时的在险价值为 VaR_p。对原有的资产组合进行头寸调整，调整后的头寸为 $p+a$，在险价值表示为 VaR_{p+a}。则有：

$$\text{I-VaR} = \text{VaR}_{p+a} - \text{VaR}_p \quad (4\text{-}13)$$

递增 VaR 的符号表示新的资产组合风险变化的方向，递增 VaR 小于零表示风险的降低，反之则表示风险的增加。

3. 成分 VaR

第 i 个子组合的成分 VaR 表示资产组合中剔除第 i 个子组合 x_i 时，资产组合 VaR 的变化量。即

$$\text{C-VaR} = \frac{\partial \text{VaR}}{\partial x_i} x_i \quad (4\text{-}14)$$

要计算成分 VaR，我们可以对第 i 个子组合的投资额（x_i）进行一个相对变化，令 $y_i = \frac{\Delta x}{x_i}$，然后重新计算 VaR。假设 ΔVaR 是 VaR 的增量，则成分 VaR 就可以近似为 $\frac{\Delta \text{VaR}}{y_i}$。很多情况下我们可以认为这个近似是合理的。因为如果组合中的一个子组合的规模相对整个资产组合很小，我们可以认为边际 VaR 在 x_i 减少到 0 的过程中保持不变。基于这个假设，x_i 减少到 0 的影响就是 x_i 与边际 VaR 的乘积，即成分 VaR。

如果一个子组合的规模相对整个资产组合的规模很小，它可近似表达为

$$\text{C-VaR} \approx \frac{\Delta \text{VaR}}{\Delta x_i} x_i \quad (4\text{-}15)$$

4.6 VaR 与预期亏损

由于 VaR 方法具有很大的优势，金融机构、监管部门等广泛采用此方法衡量金融风险。随着金融市场和风险度量技术的发展，VaR 不仅适用于度量市场风险，也能测度金融机构面临的其他类型的金融风险，比如信用风险、操作风险等。而监管部门对金融机构的谨慎监管

原则，就是要求金融机构维持一个最低水平的资本以防止金融风险。总之，任何机构都可采用 VaR 方法管理所面临的金融风险。

VaR 的概念易于理解，事实上，人们在使用 VaR 时关心一个问题即可，即"最坏的情况会是什么样的"，这一问题是所有的高级风险管理人员都应该关心的问题。在回答这一问题时，VaR 把各种对于不同种类的市场变量的敏感度压缩成一个数字，使管理人员的工作变得更容易。另外，VaR 也比较容易进行回顾测试。

本质上，VaR 度量就是损益分布的分位数。这个数值对分布是非常简捷的概括，但是这种简捷也造成了隐患。比如，如果一家商业银行限定某交易员的交易组合在一定展望期的 99% 置信水平下的 VaR 为 1 000 万元。交易员可以构造这样一个交易组合，该组合有 99.1% 的可能每天的损失是 1 000 万元，但是有 0.9% 的可能损失 5 000 万元。很明显这一交易员满足了该银行设定的限额要求，但是他却让银行承担了不可接受的风险。

现实中这种情况并不少见，因为很多交易员为了得到更高的回报，喜欢承担更大的风险。如果交易员能够在没有超出额度限定的范围内承担更大的风险，他们往往愿意这么做。某交易员曾说过这样一句话："我还从来没有碰到过一种风险控制系统会使我的交易无法进行。"交易员追求的概率分布形式如图 4-6 所示，图 4-6 所示的 VaR 和图 4-3 所示的 VaR 相同，但是由于图 4-6 所示的分布出现较大损失的可能性更大，因此，图 4-6 所对应的风险要远大于图 4-3 所对应的风险。

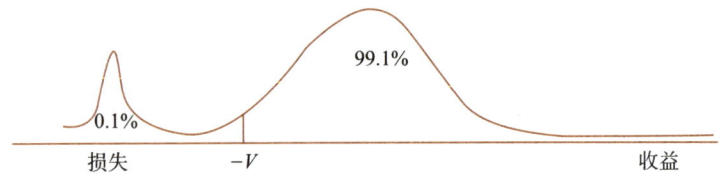

图 4-6　时间 T 内某交易组合的收益概率分布

还有一种情况，一个资产组合的 VaR 可能会大于它的各个组成部分的 VaR 之和。如果这个结论成立的话，那就意味着组合投资增加了风险而不是减少了风险。为此，我们现在学习另一个风险度量：预期亏损。

预期亏损（expected shortfall，ES）是指在 T 时间段的损失超出了第 c 分位数的条件下的损失的期望值。也就是说，在给定置信水平的条件下，超过 VaR 的损失的均值。预期亏损给出当市场条件变糟而触发损失时，损失的期望值为多大。将 VaR 定义为 $-q$（切记：VaR 是损失），那么超过 VaR 的损失的期望值可以表示为下式的负值。

$$E(X\mid X<q)=\int_{-\infty}^{q}xf(x)\mathrm{d}x\bigg/\int_{-\infty}^{q}f(x)\mathrm{d}x \tag{4-16}$$

这个数值就是预期亏损，有时也被称为条件 VaR（conditional VaR）或条件尾部期望（tail conditional expectation）。预期亏损表示组合损失超过 VaR 的平均损失，它是针对下面这个问题的答案：当市场条件变糟糕而触发损失时，我的损失的期望值是多大？

和 VaR 一样，预期亏损也是两个变量的函数：展望期（T）和置信水平（$X\%$）。我们以图 4-6 所示的某交易组合为例，这个交易组合在一天内损失超过第一个分位数的条件下的平均损失为 4 600 万元。

$$ES = \frac{0.1\%}{1\%} \times 1\,000 + \frac{0.9\%}{1\%} \times 5\,000 = 4\,600 \text{（万元）}$$

4.7　一致性风险度量

假设在 1 年持有期内 99.9% 置信水平下，某资产组合的 VaR 为 5 000 万美元，这表明金融机构理论上每 1 000 年才可能遭受 5 000 万美元的损失，而其在极端条件下一年内损失可能会超过 5 000 万美元。也就是说，如果金融机构持有 5 000 万美元的资本金，我们会有 99.9% 的把握，金融机构不会在 1 年内完全损失自身持有的资本金。

VaR 作为测度风险的重要工具，是不是度量风险的最好选择？风险度量的目的是将绝对收益 R 的整体分布用一个数字 $\rho(R)$ 来总结，Artzner 等（1999）列出了资本充足率目的下的风险度量的四条基本性质，我们称之为一致性风险度量。

令两个资产组合的绝对收益分别为 R_1 和 R_2，如果它们的风险测度 $\rho(R)$ 满足以下的性质，则称其具有一致性。

（1）**单调性（monotonicity）**：如果 $R_1 \leq R_2$，则有 $\rho(R_1) \geq \rho(R_2)$。也就是说，如果第一个资产组合的收益 R_1 系统性地低于第二个资产组合的收益 R_2，那么，在任何状态下，第一个组合的风险一定大于第二个组合的风险。

（2）**平移不变性（translation invariance）**：$\rho(R+k) = \rho(R) - k$。如果在资产组合中增加数量 k 的现金，资产组合的风险相应减少 k。和 R 一样，k 也是绝对度量，不是相对度量。

（3）**同质性（homogeneity）**：$\rho(hw) = h\rho(w)$，$h > 0$。假定一个资产组合中所包含的资产品种和相对比例不变，如果资产组合的价值增至原来的 h 倍，那么它的风险也增加为原来的 h 倍。

（4）**次可加性（subadditivity）**：$\rho(R_1 + R_2) \leq \rho(R_1) + \rho(R_2)$。换句话说，资产组合的风险小于或等于资产组合各部分风险的和。次可加性意味着多个资产组合在一起时，风险将被分散或至少保持不变。

一致性风险度量是衡量风险度量好坏的标准，特别是次可加性尤其重要，它表示风险分散可以降低风险，即将多个资产组合叠加在一起，新的资产组合的风险应该减少，或至少保持不变。VaR 满足一致性风险度量的前 3 个条件，但 VaR 并不总是满足第四个次可加性条件。我们通过下面的例子来说明。

例 4-4 假定两个独立贷款项目在 1 年内均有 0.02 的概率损失 1 000 万元，同时均有 0.98 的概率损失 100 万元。

（1）任意一个单笔贷款在展望期为 1 年，97.5% 的置信水平下的 VaR 为多少？
（2）两个贷款叠加产生的资产组合的 VaR 为多少？
（3）单笔贷款的 1 年期、97.5% 置信水平下的预期亏损是多少？
（4）贷款组合的 1 年期、97.5% 置信水平下的预期亏损是多少？

解答：（1）因为 VaR 是一个分位数，所以，任意一个单笔贷款在展望期为 1 年、97.5% 的置信水平下的 VaR 为 100 万元。

（2）将两个贷款叠加产生一个资产组合，组合有 $0.02 \times 0.02 = 0.000\,4$ 的概率损失 2 000 万元，并且有 $2 \times 0.02 \times 0.98 = 0.039\,2$ 的概率损失 1 100 万元，有 $0.98 \times 0.98 = 0.960\,4$ 的概率损失

200万元。在展望期为1年、97.5%的置信水平下,组合的VaR为1 100万元,单笔贷款所对应VaR的和为200万元,贷款组合的VaR比单笔贷款VaR的总和高900万元,这违反了次可加性。

(3)为了计算单笔贷款在97.5%的置信水平下的预期亏损,我们注意到,在2.5%的尾部分布中,有2%的概率损失为1 000万元,有0.5%的概率损失为100万元(注意,其他的97.5%的分布所对应的损失也为100万元),2.5%的尾部分布有80%(=2%/2.5%)的概率损失为1 000万元,有20%(=0.5%/2.5%)的概率损失为100万元,因此,损失的期望值,即预期亏损 = 0.8×1 000万元 + 0.2×100万元 = 820万元。

(4)将两个贷款项目结合到一起时,在2.5%的尾部分布中,有0.04%的概率损失为2 000万元,有2.46%的概率损失为1 100万元,在2.5%的尾部分布的范围内,损失的期望值,即预期亏损 = $\frac{0.04\%}{2.5\%}$×2 000万元 + $\frac{2.46\%}{2.5\%}$×1 100万元 = 1 114.4 万元。

因为 820 + 820 > 1 114.4(以万元计),我们得出预期亏损满足次可加性条件。

4.8 谱风险测度

风险测度可以通过其分配给损失分布的分位数的权重来描述。VaR 对第 X 个分位数设定了 100% 的权重,而对其他分位数设定了 0 权重;预期亏损对高于第 X 个分位数的所有分位数设定了相同权重,而对低于第 X 个分位数的分位数设定了 0 权重。我们可以对分布中的其他分位数设定不同的比重,并以此定义出**谱风险测度**(spectral risk measure)。

当谱风险测度分配给第 q 个分位数的权重为 q 的非递减函数时,该测度一定满足一致性条件(这种测度满足次可加性条件)。预期亏损满足以上要求,但 VaR 并不总是满足以上要求,因为 VaR 对于高于 X 的分位数所设定的权重小于对于第 X 个分位数所设定的权重。研究人员提出了其他形式的风险测度,在这些测度中,第 q 个分位数的权重随着 q 的改变而有较大的变化,其中一种想法是使得第 q 个分位数所对应的权重与 $e^{-(1-q)/\gamma}$ 成比例,这里的 γ 为常数,这种权重设定所对应的测度被称为**指数谱风险测度**(exponential spectral risk measure)。

4.9 VaR 的参数选择

在计算 VaR 时,持有期和置信水平是两个重要的参数。置信水平越低,持有期越短,VaR 越小,反之亦然。因此,在给定两个参数的情形下,计算和讨论 VaR 才有意义,下面我们探讨确定这两个参数的重要影响因素。

1. 持有期的选择

在使用 VaR 方法时,金融机构依据不同目的确定持有期。金融机构所持有的头寸受到资产流动性的影响,当流动性较好,并且交易活跃时,则采用较短的持有期(可能仅一天或者更短)比较合理。现实中有些资产的交易需要长时间才能找到交易对手,这时选择的持有期较长。由于不同市场的交易规则限制,金融机构要根据持有的资产头寸和风险状况,及时调整所持有资产的时间,尽可能选择一个合适的持有期。一般而言,金融机构依据资产组合中比重最大的头寸的流动性来决定持有期的长短。

由于资产组合的波动性与时间长短成正向关系，VaR 亦随着时间的增加而增加。金融机构通常选择的持有期有一天、一周、一个月，也可能选择一个季度或者一年。如果选择一天的 VaR，则 T 时间段的 VaR[①]为

$$T \text{ 天的 VaR} = 1 \text{ 天 VaR} \times \sqrt{T} \tag{4-17}$$

在计算 VaR 时，我们通常假设收益的分布服从正态分布，并且不同时间的变化相互独立，同时假设多个相互独立的正态分布的代数和仍为正态分布。金融经济学的实证表明，时间间隔越短，资产组合的实际收益分布越接近正态分布。因此，在实际应用中，计算 VaR 时我们通常假设正态分布。

2. 置信水平的选择

置信水平的选择与多个因素相关，比如验证 VaR 的有效性、风险资本的需要、选择的分布、监管的需要以及不同机构间的比较等。假定某金融机构想要保持自身 AAA 的信用评级，该金融机构需要计算出在 1 年持有期内，99.97% 的置信水平下所需的资本金。如果金融机构在 1 年持有期的 99.97% 置信水平下的 VaR 为 100 亿美元，这意味着金融机构拥有 100 亿美元的资本金，在 1 年内破产的可能性只有 0.03%。金融机构将这一信息传递给评级机构，使得评级机构对该金融机构维持原来的评级。

我们可以将对应于不同置信水平的 VaR 进行转换。例如，假定某投资组合价值变化标准差为 σ，其分布的均值为 0，则置信水平为 X 下的 VaR 为

$$\text{VaR}(X) = \sigma N^{-1}(X) \tag{4-18}$$

由于上式对于不同的置信水平 X 都成立，可以获知在置信水平 X^* 的 VaR。换言之，不同置信水平下的 VaR 可转换成同一置信水平下的 VaR 进行比较，从而评价不同金融机构风险管理的好坏。由此可知：

$$\text{VaR}(X^*) = \text{VaR}(X) \frac{N^{-1}(X^*)}{N^{-1}(X)} \tag{4-19}$$

实际应用中，在关注 VaR 计算结果的有效性时，不应选择较高的置信水平。因为在较高的置信水平下，损失超过 VaR 的可能性越小，需要验证有效性时所需的数据量就越大，而现实中的数据无法满足这种需要。

金融机构自身对风险的厌恶程度决定其选择何种置信水平。如果金融机构的目标是追求较高的利润，那么，它将选择较低的置信水平，内部留存的风险资本也相对减少。金融监管者与金融机构的视角不同，监管者更多考虑的是整个金融系统的稳定性，因此，它从审慎监管的角度要求金融机构选取较高的置信水平。

所以，应针对不同的目的选择不同的置信水平。在验证 VaR 是否有效时，金融机构通常选择较低的置信水平；而在满足内部风险资本要求和外部监管要求时，金融机构需要选择较高的置信水平。另外，在满足统计和比较的需要时，金融机构可以选择中等或较高的置信水平。

金融监管者在确定资本金持有量时，对于市场风险的资本金计算，监管者要求金融机构采用 10 天展望期和 99% 的置信水平，对于信用风险和操作风险的资本金计算，监管者要求金融机构采用 1 年展望期和 99.9% 的置信水平。

---

① 这是时间的平方根法则，我们在下一章详细介绍。

本章小结

历史上有很多度量风险的方法，比如大家比较熟悉的名义价值法和敏感性测度方法等，但是这些方法并不总是令人满意，原因在于要么风险度量不够确切，要么只考虑了个别风险因子波动带来的风险，它们都不能准确地回答以下问题：在一定持有期、一定置信水平下，交易组合的最大损失是多少？而 VaR 方法的魅力在于它对这个问题给出了一个漂亮的答案，它用一个数字来反映整个资产组合所面临的风险。

VaR 的概念易于理解，事实上，人们在使用 VaR 时关心一个问题即可，即"最坏的情况会是什么样的"，这一问题是所有的高级风险管理人员都应该关心的问题。在回答这一问题时，VaR 把各种对于不同种类的市场变量的敏感度压缩成一个数字，使管理人员的工作变得更容易。VaR 的计算非常简捷，但是这种简捷也造成了隐患，在某种情况下，一个资产组合的 VaR 可能会大于它的各个组成部分的 VaR 之和，这就意味着组合投资增加了风险而不是减少了风险。为此，本章给出了另一个风险度量：预期亏损。本章的一致性风险度量标准显示，VaR 作为测度风险的重要工具，在某些情况下，它不满足次可加性，预期亏损相比 VaR，具有更好的性态。

边际 VaR 是指资产组合中某项资产或某个资产组合增加 1 个单位引起的资产组合 VaR 的变化值。它衡量资产组合 VaR 对子组合的价值变化的敏感度。递增 VaR 是指资产组合包含子组合的 VaR 与不包含该子组合的 VaR 的差。成分 VaR 表示资产组合剔除某一项资产或某子组合 x_i 时，资产组合 VaR 的变化量。

本章的**重点**和**难点**：①VaR 背后的经济学内涵；②在市场变量遵循不同分布假设的情况下，计算单一投资工具或资产组合的 VaR；③预期亏损的属性与定量分析；④一致性风险度量与 VaR 的局限性。

关键概念

| 在险价值 VaR | 边际 VaR | 递增 VaR | 成分 VaR |
| 预期亏损 | 一致性风险度量 | 次可加性 | 谱风险测度 |

练习题

1. 某基金经理的公告阐明，其管理的基金在一个月展望期内、95% 置信水平下的 VaR 等于资产组合价值的 5%。如果你在该基金中有 100 万元的投资，你将如何理解该基金经理的公告？

2. 区分 VaR 与预期亏损的概念，二者有哪些不同？

3. 某基金经理的公告阐明，其管理的基金在一个月展望期内的 95% 置信水平下的预期亏损等于资产组合价值的 5%。如果你在该基金中有 100 万元的投资，你将如何理解该基金经理的公告？

4. 一个关于某银行的报告称，该银行的每月 VaR 在 95% 的置信水平下为 1 000 万元。下列哪一项是关于这份报告最恰当的解释？

   A. 如果我们收集该银行 100 个月的损益数据，那么我们总是看到有大约 5 个月的损失会超过 1 000 万元

   B. 该银行有 95% 的概率在一个月内的损失值小于 1 000 万元

C. 该银行有 5% 的概率在一个月内的收益值小于 1 000 万元

D. 该银行有 5% 的概率在一个月内的损失值小于 1 000 万元

5. 假设某资产组合是由若干资产组成的，请解释边际 VaR、递增 VaR 和成分 VaR 的不同。

6. 一个市场风险经理使用 1 000 天的收益/损失历史信息计算 99% 分位数的 VaR 为 800 万美元。超过 99% 分位数的损失观测值被用来估计预期亏损，如果超过 VaR 水平的损失依次为 900 万美元、1 000 万美元、1 100 万美元、1 300 万美元、1 500 万美元、1 800 万美元、2 100 万美元、2 400 万美元和 3 200 万美元，那么该风险经理的预期亏损为多少？

案例专栏

美国长期资本管理公司的失败与 VaR 的应用

美国长期资本管理公司（Long-Term Capital Management，以下简称"LTCM"），成立于 1994 年 2 月，坐落于美国康涅狄格州的格林威治，是一家专门从事固定收益证券套利的对冲基金机构。LTCM 汇集了一批华尔街顶尖金融人才，包括 1997 年因期权定价模型而获得诺贝尔经济学奖的罗伯特·默顿（Robert Merton）和迈伦·斯科尔斯（Myron Scholes）、美国财政部前副部长及美联储前副主席戴维·穆利斯（David Mullis）、前所罗门兄弟银行债券交易部主管罗森菲尔德（Rosenfeld）等。然而，1998 年 LTCM 的崩溃成为金融史上的一个标志性事件，其失败案例对全球金融行业产生了深远的影响。

LTCM 的投资策略是"市场中性套利"，即买入被低估的有价证券，卖出被高估的有价证券。他们利用计算机处理大量历史数据，通过连续而精密的计算得到两种不同金融工具间的正常历史价格差，然后结合市场信息分析它们之间的最新价格差，从而进行套利操作。在 1994 年至 1997 年间，LTCM 的业绩辉煌，资产净值从最初的 12.5 亿美元迅速上升到 1997 年年末的 48 亿美元，每年的投资回报率都非常高。

LTCM 的失败过程可以总结为三个阶段。首先是初期亏损阶段。1998 年 5 月，随着俄罗斯经历第三次金融大风波，LTCM 遭受了首次亏损。这一时期，市场动荡导致 LTCM 的投资策略失效，亏损开始显现。其次是全面溃败阶段。随着市场继续动荡，LTCM 的亏损持续扩大。到了 1998 年 9 月，LTCM 的资产净值急剧下降了 90%，从年初的 48 亿美元急剧缩水至仅几亿美元，公司濒临破产。最后是政府介入与接管阶段。为了避免 LTCM 倒闭可能引发的全球金融系统连锁反应，美联储介入并组织了多家国际银行组成财团，向 LTCM 注资 37.25 亿美元，购买了其 90% 的股权，从而共同接管了 LTCM，防止了潜在的系统性风险。

LTCM 失败的主要原因可以归纳为以下几点：高杠杆操作、市场预测失误、忽略小概率事件、流动性风险管理不当、风险管理存在缺陷。

LTCM 失败的启示可以概括为以下几点。一是风险管理至关重要。LTCM 的失败案例强调了风险管理在金融投资中的核心地位。即便是顶尖的投资团队和策略，也需持续监控市场风险，并实施有效的风险控制措施。二是历史数据具有局限性。历史数据虽为投资分析提供重要参考，但存局限性。投资者需结合市场动态、政策变化等多元因素，进行全面分析，以制定更为精准的投资策略。三是杠杆是把双刃剑。杠杆能放大投资回报，也会增加风险。

投资者应审慎评估自身风险承受能力与市场趋势，避免过度杠杆化引发的严重亏损。

LTCM 的失败提醒金融市场中的参与者必须时刻保持警觉、强化风险管理、避免完全依赖历史数据，以及审慎使用杠杆，以维护金融稳定和投资安全。

资料来源：[1] 张陶伟. 长期资本管理公司的兴衰及启示 [J]. 国际金融研究，1999（1）：39-43.

[2] 以史为鉴：回眸美国知名对冲基金公司 LTCM 的陨落，个人图书馆，2020 年 3 月 21 日。

案例讨论题

1. 分析 LTCM 投资策略的核心及其在市场中的具体应用方式，并讨论其为何在初期能够取得巨大成功。
2. 详细阐述 LTCM 失败的主要原因，并讨论这些原因如何相互作用导致了公司的崩溃？
3. 从 LTCM 的失败案例中，我们可以汲取哪些关于金融市场风险管理、道德责任以及国家金融安全的教训？

第 4 章　案例讨论题参考答案

第 5 章
CHAPTER 5

风险因子建模

§ 学习目标

1. 能够运用时间的平方根法则来预测和解释风险水平随时间的变化。
2. 掌握自相关性对计算 VaR 所产生的影响。
3. 能够运用 EWMA 模型和 GARCH(1,1) 模型分析金融时间序列数据，评估风险并做出决策。
4. 理解风险随时间累积的特性，培养长远规划的习惯，促进个人与社会的可持续发展。

5.1 定义波动率

某个变量的**波动率**（σ）被定义为这一变量在单位时间内连续复利回报率的标准差。当波动率用于期权定价时，时间单位通常为一年，因此波动率就是一年的连续复利回报率的标准差。但当波动率用于风险控制时，时间单位通常是一天，此时的波动率对应于连续复利日回报率的标准差。

定义 S_t 为一个变量在时期 t 结束时的值，则该变量连续复利的日回报率，即对数收益率为

$$R_t = \ln \frac{S_t}{S_{t-1}} \quad (5\text{-}1)$$

也可以写成：

$$R_t = \ln\left(1 + \frac{S_t - S_{t-1}}{S_{t-1}}\right) = \ln(1 + r_t) \quad (5\text{-}2)$$

式中，r_t 是即期收益率。根据高等数学知识可知，当 x 无限趋向零时，

$\ln(1+x)$ 可以近似等于 x。所以在收益率很小时，R_t 就近似等于 r_t。因此，日波动率的另外一种定义是变量的日相对变化的标准差。这个定义也是风险管理中常用的定义。

例 5-1 假定一个资产的价格是 100 美元，日波动率为 1%。这意味着一天中资产价格出现的一个标准差的变化等于 100 美元 ×0.01，即 1 美元。如果我们假设资产价格变化服从正态分布，我们有 95% 的把握确信，在一天结束时，资产的价格将在 100 美元 −1.96×1 美元 = 98.04 美元和 100 美元 + 1.96×1 美元 = 101.96 美元之间。

这就是风险经理的工作，他主要是评估交易头寸中潜在收益的范围。

5.2 时间的平方根法则

时间的平方根法则是指，如果我们假设每日的回报率是**独立同分布**（independent and identically distribution，IID）的，即 R_t 是相互独立的且具有相同的方差，那么，T 天回报的方差就是 T 与每日回报的方差的乘积。这意味着，T 天回报的标准差是日回报标准差的 $\sqrt{T}$ 倍。这和"不确定性随时间长度的平方根增加"这一法则是一致的。

在推导时间的平方根法则前，我们需要先介绍**时间加总**（time aggregation）的概念。简单来说，时间加总是将参数从一个给定的时期转到另一个时期，例如，我们可以根据每日收益率的原始数据来计算每日的波动率，并把它拓展为每月的波动率，这就是时间加总问题。

通过学习什么是时间加总后，在实际操作过程中，我们不可避免地会遇到一个问题，即由于独立的观测值具有非常优良的性质，我们可否假设 r_t 序列为独立的观测值呢？事实上，许多很好的经济学理论使我们相信金融产品价格的变化率接近于独立。例如，我们在"金融学基础"等一些课程中学过的有效市场（efficient market）假设、随机游走（random walk）假设等。

我们以两天的收益率为例。假设 $R_{t-2,t}$ 代表从第 $t-2$ 天到第 t 天的收益率，下标 t 代表第 t 天，则：

$$R_{t-2,t} = \ln \frac{S_t}{S_{t-2}} = \ln \frac{S_t}{S_{t-1}} + \ln \frac{S_{t-1}}{S_{t-2}} = R_t + R_{t-1} \tag{5-3}$$

则该收益率的期望收益率为

$$E(R_{t-2,t}) = E(R_t) + E(R_{t-1}) \tag{5-4}$$

该收益率的方差为

$$\mathrm{Var}(R_{t-2,t}) = \mathrm{Var}(R_t) + \mathrm{Var}(R_{t-1}) + 2\mathrm{Cov}(R_{t-1}, R_t) \tag{5-5}$$

假设每天的收益率不相关，且具有相同的分布，我们就可以得到：

$$E(R_{t-2,t}) = 2E(R_t) \tag{5-6}$$

$$\mathrm{Var}(R_{t-2,t}) = 2\mathrm{Var}(R_t) \tag{5-7}$$

以此类推，我们推广到 T 天，T 天的期望收益率和波动率分别为

$$\mu_T = \mu T \tag{5-8}$$

$$\sigma_T = \sigma \sqrt{T} \tag{5-9}$$

式中，μ_T 表示 T 天的期望收益率，μ 表示日收益率的期望值，σ_T 表示 T 天的收益率的波动率，σ 表示日收益率的标准差。

从式（5-9）可以看出，在收益率序列不相关的情况下，当时间变长时，波动率随时间的平方根增加。

在这种情况下，我们就可以对 1 天和 T 天的收益率使用相同的乘数 α，得到 T 天的 VaR_T：

$$\text{VaR}_T = \alpha(\sigma\sqrt{T})V = \sqrt{T} \times \alpha\sigma V = \sqrt{T} \times \text{VaR}_1 \tag{5-10}$$

这就是从单期拓展到多期时遵循的时间的平方根法则。概括起来，我们可以在下面这些条件下应用时间的平方根法则：

1）各期分布相同，即期望收益率和风险没有可预计的时间变化。
2）各期收益率不相关。
3）1 期或 T 期的分布相同，或者在增量下是稳定的，例如正态分布。

例 5-2 假设资产的价格是 100 美元，日波动率为 1%，则 5 天的连续复利回报率的标准差为 $\sqrt{5} \times 1\% = 2.24\%$。因为 5 天是一个较短的时间，我们可以认为这 5 天来每天价格相对变化的标准差相等。一个标准差的移动对应的价格变化为 100 美元 ×2.24% = 2.24 美元。如果我们假设，资产价格的变化服从正态分布，则我们有 95% 的把握确信，在第 5 天结束时，资产的价格位于 100 美元 −1.96×2.24 美元 = 95.61 美元和 100 美元 + 1.96×2.24 美元 = 104.38 美元之间。

在计算波动率时，会产生以下的问题：我们应该采用日历天数还是交易天数？如业界事例 5-1⊖ 所述，研究人员已经证明，交易所开盘交易时的波动率比交易所关闭时的波动率要大很多，因此当用历史数据估计波动率时，分析员常常忽略交易所关闭的天数，在计算时通常的假定是每年有 252 个交易日。

设 σ_{year} 为某一资产的年波动率，σ_{day} 为相应的日波动率。假设连续交易日的回报是独立的，并有相同的标准差，这意味着

$$\sigma_{\text{year}} = \sigma_{\text{day}}\sqrt{252} \tag{5-11}$$

或者

$$\sigma_{\text{day}} = \frac{\sigma_{\text{year}}}{\sqrt{252}} \tag{5-12}$$

以上关系式说明，日波动率大约是年波动的 6%。

例 5-3 假设某银行在 99% 置信水平下 1 天的 VaR 为 1 000 万元。问：99% 置信水平下一年的 VaR 是多少？

解答：99% 置信水平下一年的 VaR 为 $\text{VaR}_{\text{年}} = \sqrt{252} \times 1\,000$ 万元 $=15\,874.5$ 万元。

例 5-4 假设我们用日 VaR 数据计算一个天然气头寸的周 VaR，使用时间的平方根法则计算。现在我们假设实际的天然气价格有均值回归的趋势，然后重新计算 VaR。你认为重新计算的 VaR 与原始 VaR 之间的关系是什么？

⊖ 请参见约翰·赫尔的《风险管理与金融机构》（原书第 4 版）的"业界事例 5-1 什么因素触发了波动"。

分析：在均值回归的趋势下，波动率比时间的平方根增长要慢。故重新计算的 VaR 比原始 VaR 小。

5.3 自相关性对 VaR 的影响

如果收益率不独立，在某些情况下我们可以描述风险的特征。例如，收益率遵循一个一阶自回归过程。如下式：

$$R_t = \rho R_{t-1} + \mu_t \tag{5-13}$$

其中，$\text{Cov}(\mu_t, R_{t-1}) = 0$，此处，$\rho$ 为自相关系数（auto-correlation coefficient），或者序列自相关系数（serial auto-correlation coefficient）。以上一节的为期两天的收益率（$R_{t-2,t}$）为例，如果收益率遵循一个一阶自回归过程，其方差 $[\text{Var}(R_{t-1} + R_t)]$ 表示为

$$\begin{aligned}\text{Var}(R_{t-1} + R_t) &= \text{Var}(R_{t-1}) + \text{Var}(R_t) + 2\text{Cov}(R_{t-1}, R_t) \\ &= \text{Var}(R_{t-1}) + \text{Var}(R_t) + 2\text{Cov}(R_{t-1}, \rho R_{t-1} + \mu_t)\end{aligned}$$

即

$$\text{Var}(R_{t-1} + R_t) = \sigma^2 + \sigma^2 + 2\rho\sigma^2 \tag{5-14}$$

或者

$$\text{Var}(R_{t-1} + R_t) = \sigma^2 \times 2(1+\rho) \tag{5-15}$$

那么两天的在险价值 VaR 可以表示为

$$\text{VaR}(2) = \sqrt{2(1+\rho)} \times \text{VaR}(1) \tag{5-16}$$

一阶自相关假设下，T 天收益的方差可以表示为

$$\begin{aligned}\text{Var}(R_{0T}) &= \text{Var}(R_{01} + R_{12} + R_{23} + \cdots + R_{T-1,T}) \\ &= \text{Cov}(R_{01} + R_{12} + R_{23} + \cdots + R_{T-1,T}, R_{01} + R_{12} + R_{23} + \cdots + R_{T-1,T}) \\ &= \sigma^2[T + 2(T-1)\rho + 2(T-2)\rho^2 + \cdots + 2\rho^{T-1}]\end{aligned} \tag{5-17}$$

注意：这里的 Var 是指方差 variance 的缩写，请区分其与在险价值 VaR（value at risk）。

推广到 T 天，当存在一阶自相关性时，T 天的 VaR(T) 与一天的 VaR(1) 的关系为

$$\text{VaR}(T) = \sqrt{T + 2(T-1)\rho + 2(T-2)\rho^2 + \cdots + 2\rho^{T-1}} \times \text{VaR}(1) \tag{5-18}$$

由表 5-1 可得出，当相关系数为 0，即收益率不存在自相关时，或者我们假设独立的时候，T 天的 VaR 就是 1 天的 VaR 的 $\sqrt{T}$ 倍。我们已经知道了相同置信水平下，T 天的 VaR 和 1 天的 VaR 的差异在于波动率。既然独立同分布下波动率服从时间的平方根法则，那么这里的 VaR 也有这个特性。

表 5-1 存在一阶自相关性时 T 天的 VaR 和 1 天的 VaR

	$T=1$	$T=2$	$T=5$	$T=10$	$T=50$	$T=250$
$\rho = 0$	1.0	1.41	2.24	3.16	7.07	15.81
$\rho = 0.05$	1.0	1.45	2.33	3.31	7.43	16.62
$\rho = 0.1$	1.0	1.48	2.42	3.46	7.80	17.47
$\rho = 0.2$	1.0	1.55	2.62	3.79	8.62	19.35

我们再来看 $T=10$ 这一列，当相关系数从 0 增加到 0.2 时，10 天的 VaR 与 1 天的 VaR 的比率从 3.16 倍逐步增长到 3.79 倍。也就是说，VaR 随着相关系数的增大呈现增长的趋势。

除了 $\rho=0$ 这一行，我们再看其他各行，在相同的相关系数下，随着期数 T 的增加，T 天的 VaR 和 1 天的 VaR 的比率在逐步增加。另外，相同期数下，各行的数据都比 $\rho=0$ 这一行的数据大。长期的波动率比用时间的平方根法则得到的波动率要大。

除了 $T=1$ 这一列，我们再看其他各列，在相同的期数下，随着相关系数增加，T 天的 VaR 和 1 天的 VaR 的比率在逐步增加。

实际上，根据这些数据，我们可以得到一个结论：只要相关系数为正，T 天的 VaR 比用时间的平方根法则得到的 VaR 要大。换句话说，T 天的波动率比用时间的平方根法则得到的波动率要大。

另外，两个变量存在相关关系，既可能是正相关，也有可能是负相关。我们推广一下这个结论：

ρ 为正值意味着第一天的价格变动方向与第二天的价格变动方向相同。正如表 5-1 所示，一个正的自相关系数表示一个**趋势**（trend）的信号。在这种情况下，长期波动率比用时间的平方根法则得到的波动率要大。

ρ 为负值意味着第一天的价格变动方向与第二天的价格变动方向相反。因此价格有回归到均值的趋势。一个负的自相关系数表示一个**均值回归**（mean reversion）的信号。在这种情况下，长期波动率比用时间的平方根法则得到的波动率要小。

例 5-5 假定某交易组合在 10 天的展望期内价值变化服从正态分布，分布的期望值为 0，标准差为 2 000 万元，10 天展望期的 99% 置信区间下的 VaR 为多少？

分析：根据时间的平方根法则，可知 10 天展望期的 99% 置信区间下的 VaR 为 $2.33 \times 2\,000$ 万元 = 4 660 万元。

5.4 风险的时间序列与 ARCH（m）模型

5.4.1 金融变量的每日变化量是否服从正态分布

在通过波动率来计算市场变量变动的置信区间时，我们经常会假设市场变量服从正态分布。在实际中，大多数的金融变量的值发生较大变化的可能性比正态分布所给出的可能性要大。我们看表 5-2。表 5-2 采用 2005 年至 2015 年这 10 年期间 10 种不同汇率的日变化量来检验其是否服从正态分布。表 5-2 展示了价格百分比变化大于 1～6 个标准差的天数占全部观察日的比例。生成这个表格的第一步是计算每一个汇率的日百分比变化的标准差，第二步是计算有多少百分比变化超出 1 个标准差、2 个标准差等，然后将这些数字与正态分布上相应的数字进行比较。

由表 5-2 可知：每天价格百分比变化超过 3 个标准差的个数占所有观察数据的比例为 1.30%，而正态分布所对应的比例只是 0.27%。每天价格百分比变化超过 4 个、5 个以及 6 个标准差的天数占整个观察数据的比例分别为 0.49%、0.24% 以及 0.13%，而正态分布认为这些事件几乎不可能发生。因此，表 5-2 提供了现实世界中的汇率变化比正态分布的预测存在更肥大尾部的证据。

表 5-2 价格百分比变化大于 1～6 个标准差的天数占全部观察日的比例 （单位：%）

	现实世界	正态分布模型
> 1SD	23.32	31.73
> 2SD	4.67	4.55
> 3SD	1.30	0.27
> 4SD	0.49	0.01
> 5SD	0.24	0.00
> 6SD	0.13	0.00

资料来源：John C. Hull, Risk Management and Financial Institutions (Fifth Edition).
注：这里，SD 代表价格百分比变化的标准差。

当对回报采用连续复利时，多日的回报等于其中每日回报之和。如果每日回报服从相同的非正态概率分布，统计学上的中心极限定理给出的结论是，多日的回报的和服从正态分布。但实际上，连续多天的回报并不服从同一个分布，其中一个原因是，波动率并不是常数。这个后面我们会讨论。因此，较长观察期内的回报以及每日回报的分布都会呈现肥大的尾部。

正态分布最严重的问题是它的尾部"消失"得太快了，至少比金融数据中实际观察到的要快。我们通常能够观测到所有的市场每年出现一次或多次 4 个标准差或者更大幅度的单日变动。在任何一年内，通常至少有一个市场会出现大于 10 个标准差的单日变动。这样的频率与正态分布不一致。在正态分布下，这种情况在一天中出现的概率为 0.003 2%，这个频率意味着每 125 年才出现一次。1 年 252 个交易日，共计 125 × 252 = 31 500（天）。

当然，学者对这种经验观察结果给出了很多解释。比如，真实的分布有更肥的尾部，例如学生（t）分布等。因此，较长观察期内的回报以及每日回报的分布都会呈现肥大的尾部。

图 5-1 比较了一个典型的肥尾分布与一个具有同样期望值及标准差的正态分布。我们可以看到，这两种分布有 3 处不同，分别是中间部分、尾部以及介于中间及尾部的过渡部分。肥尾分布比正态分布峰值要高。从正态分布转移到肥尾分布时，概率密度图形的腰部向中央及两尾部移动。我们在考虑市场变量的百分比变化时，肥尾分布所对应的极大及极小变化事件的数量要比在正态分布中相应的数量多，而相应过渡部分的事件数量会少。

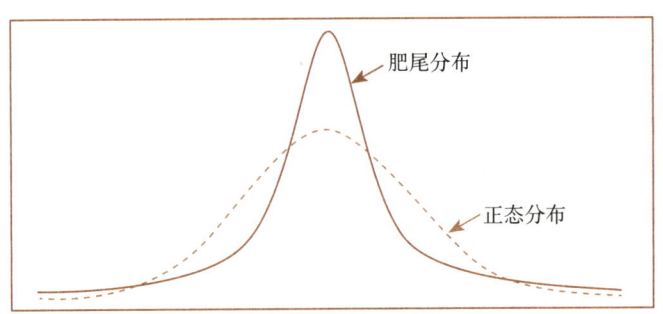

图 5-1 正态分布与某肥尾分布的比较

肥尾还可能发生在风险因子分布的波动率随时间变化的情况下。处理肥尾问题，我们可以使用一种被称为幂律（power law）的方法。

幂律认为实践中的很多变量，比如变量 v，当变量 x 很大时，二者存在以下关系：

$$P(v>x) = Kx^{-\alpha} \tag{5-19}$$

这个关系式已经被证明在许多情况下都成立。上式中的 K 和 α 均为常数。

例 5-6 假设某投资组合半年内损失超过 1 000 万元的概率为 5%，假设该投资组合的价值变化服从正态分布，均值为 0，问：

（1）半年内该投资组合的置信水平为 99% 的 VaR 为多少？

（2）在 $\alpha=3$ 的幂律假设下，半年持有期置信水平为 99% 的 VaR 为多少？

解答：（1）如果投资组合的价值变化服从正态分布，那么根据题意，半年持有期内 95% 置信水平下的 VaR $=1000=1.65\sigma$，所以，该投资组合的标准差为：$\sigma=1000/1.65$。因此，半年持有期内 99% 置信水平下的 VaR $=2.33\sigma=2.33\times\dfrac{1000}{1.65}=1412.1$（万元）。

（2）如果投资组合的价值变化没有服从正态分布这一假设，我们就使用幂律方法。假设 v 是组合损失，这里 99% 的 VaR 就是幂律公式中的 x，我们求出 x 即可。

根据题意，损失超过 99% 的 VaR 的概率为 1%，即 $P(v>x)=Kx^{-\alpha}=1\%$。已知 $\alpha=3$，我们还不知道常数 K 为多少，但是我们知道这个投资组合半年内损失超过 1 000 万元的概率为 5%，根据公式 $P(v>x)=Kx^{-\alpha}$，我们可以找到 K。这里 $\alpha=3$，最大损失为 1 000 万元的概率为 5%，即 $x=1000$（万元），即 10（百万元），由 $P(v>10)=K\times 10^{-3}=5\%$，易得 $K=50$。

于是，$P(v>\text{VaR})=50\times \text{VaR}^{-3}=1\%$，解之，易得半年持有期内 99% 置信水平下的 VaR 为 1 710 万元。

5.4.2 风险的时间序列

如果没有分布假设，能不能根据历史数据来估计投资组合的波动率？当然可以，我们下面看怎么实现。考虑一个传统问题：一个风险经理观察 T 期的收益率序列为 r_t，希望估计它的波动率。

第一步：定义 S_i 为市场变量（股价或投资组合的价值）在第 i 天的市场价值，定义 u_i 为市场变量第 i 天连续复利收益率（第 $i-1$ 天末至第 i 天末的收益），有下式成立：

$$u_i = \ln\frac{S_i}{S_{i-1}} \tag{5-20}$$

第二步：定义 σ_n 为第 $n-1$ 天所估计的市场变量在第 n 天的波动率，相应的方差为 σ_n^2。一种估计 σ_n 的方法是令其等于 u_i 的标准差。利用最近 m 天的观察数据和标准差的一般公式，我们可以得到：

$$\sigma_n^2 = \frac{1}{m-1}\sum_{i=1}^{m}(u_{n-i}-\bar{u})^2 \tag{5-21}$$

其中，$\bar{u}$ 为 u_i 的平均值，即

$$\bar{u} = \frac{1}{m}\sum_{i=1}^{m}u_{n-i} \tag{5-22}$$

例 5-7 表 5-3 展示了用来计算波动率的数据，这些数据是股票的一个可能的序列。假设我们希望根据前 20 天对 u_i 的观察数据来估计第 21 天的波动率，即 $n=21$，$m=20$。在本

例中，$\bar{u}=0.00074$，根据式（5-21）计算得出的日回报率的标准差的估计值为 1.49%。

这个方差计算公式用起来不太方便，在风险管理实践中，风险经理经常在一些假设前提下，使用一个简化的公式来计算。这些假设如下。

（1）u_i 被定义为市场变量在第 $i-1$ 天天末与第 i 天天末的价格百分比变化，如下式：

$$u_i = \frac{S_i - S_{i-1}}{S_{i-1}} \quad (5\text{-}23)$$

这是一个即期收益率。这种计算方式与前面计算 u_i 的复利收益率的结果差别不大。这一点我们在 5.1 节定义波动率的时候就已经介绍过。我们依据的是高等数学的一个证明结果。

表 5-3 用来计算波动率的数据

天数	股票收盘价（美元）	S_i/S_{i-1}	$u_i=\ln(S_i/S_{i-1})$
0	20	—	—
1	20.10	1.005 00	0.004 99
2	19.90	0.990 05	−0.010 00
3	20.00	1.005 03	0.005 01
4	20.50	1.025 00	0.024 69
5	20.25	0.987 80	−0.012 27
6	20.90	1.032 10	0.031 59
7	20.90	1.000 00	0.000 00
8	20.90	1.000 00	0.000 00
9	20.60	0.985 65	−0.014 46
10	20.50	0.995 15	−0.004 87
11	21.00	1.024 39	0.024 10
12	21.10	1.004 76	0.004 75
13	20.70	0.981 04	−0.019 14
14	20.50	0.990 34	−0.009 71
15	20.70	1.009 76	0.009 71
16	20.90	1.009 66	0.009 62
17	20.40	0.976 08	−0.002 421
18	20.50	1.004 90	0.004 89
19	20.60	1.004 88	0.004 87
20	20.30	0.985 44	−0.01467

资料来源：John C. Hull, Risk Management and Financial Institutions (Fifth Edition).

（2）u_i 的期望值被假设为 0，即 $\bar{u}=0$。这种假设的前提是每一天市场变化的期望值远远小于市场变化的标准差。即便在我们所观察的 m 天内，变量值增大或减小的速度非常快，这一假设基本上也是成立的。我们来看这个假设的合理性。

第一，我们经常听到一句话：股市有风险，投资需谨慎。这个风险既可以让投资者赚取收益，也可以让投资者遭受损失。如果没有特殊信息，正常情况下，收益和损失的概率都是 50%。这种分布下，它的期望值肯定是 0 了。

第二，我们换一种逻辑，取最近的 100 个交易日的市场数据。假设 100 天内，市场共下降了 25%，那么，平均每天下降了 0.25%。如果我们把 $\bar{u}=-0.25\%$ 代入 σ_n^2 这个方差公式，就意味着市场参与者知道这个数据下降了,并且数据围绕每天 −0.25% 上下波动。实际上这是不可能的。因为我们知道数据下降是完全不可预测的,所以假设期望值为 0,逻辑上才行得通。

再提供一种方法:考虑较长期限,比如一年期。假设一年的回报率的均值为 12%,这个回报率已经相当大了。一年有 252 个交易日,换算成每天的回报率大概就是 0.048%,也就是每天 4.8 个基本点。这个数据非常小,近似为 0。所以,我们假设每日回报率的期望值为 0 是合理的。

(3)用 m 替代 $m-1$。这个做法是将波动率从无偏估计转换为最大似然估计(具体解释请参见本章附录)。

根据上面三种假设对式(5-21)做简化处理,就可以得到风险管理实践中方差公式的简化形式:

$$\sigma_n^2 = \frac{1}{m} \sum_{i=1}^{m} u_{n-i}^2 \qquad (5\text{-}24)$$

上式中每个变量的权重都是 $\frac{1}{m}$,因此,式(5-24)也被称为一个简单的移动平均。

例 5-8 再次考虑例 5-7,当 $n=21$,$m=20$ 时:

$$\sum_{i=1}^{m} u_{n-i}^2 = 0.004\,24$$

由式(5-24)计算可得:

$$\sigma_n^2 = \frac{0.004\,24}{20} = 0.000\,212$$

$\sigma_n = 1.46\%$。与例 5-7 相比变化很小。

然而简单移动平均虽然运用起来简单方便,但是由于其赋予所有 u_i^2 相同的权重,使用它会存在较大问题。因为我们的目标是估计当前波动率的水平,所以使用平均权重有弊端。我们来看图 5-2,就能明白对所有数据简单地赋予平均权重的弊端所在。

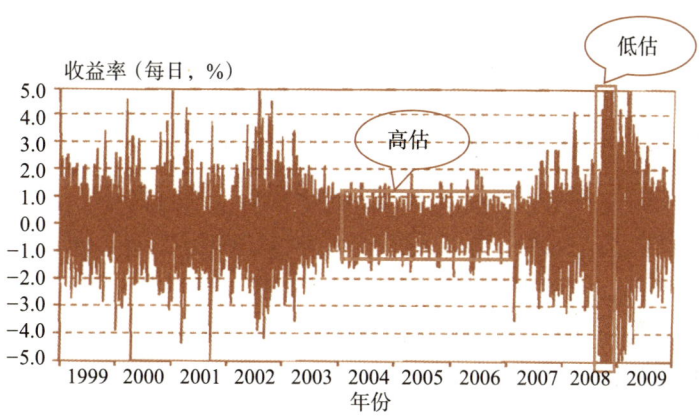

图 5-2 标准普尔 500 指数的每日收益率

资料来源:《金融风险管理师考试手册》(第 6 版)。

图 5-2 描绘了标准普尔 500 指数的每日收益率,我们看到了密集聚类的波动率。在一段

时期内，波动显得特别剧烈。例如在 2008 年 9 月雷曼兄弟破产之后，收益率有了显著的增加，不管是正还是负。在其他时期，例如 2004 年到 2006 年，收益率就显得比较平缓。所以，简单地将整个时期的波动率进行平均计算会低估 2008 年的风险，而高估 2004 年到 2006 年的风险。

5.4.3 加权权重模型和 ARCH（m）模型

如何处理式（5-24）中包含的 $u_{n-1}^2, u_{n-2}^2, \cdots, u_{n-m}^2$ 等的权重，是估计波动率的重点。考虑一个现实：对明天的市场波动会产生重要影响的，一定是今天的市场波动情况，而不是一个月或一年前的市场情况。也就是说，越新的数据，它的重要性越大，越旧的数据，它的重要性越小。这个理念大家应该都能接受。那么基于这个观点，我们需要对平均权重 $1/m$ 进行修正，如图 5-3 所示。这里，每个变量都被赋予了不同的权重，它是一种加权权重模型，如下式：

$$\sigma_n^2 = \sum_{i=1}^m \alpha_i u_{n-i}^2 \tag{5-25}$$

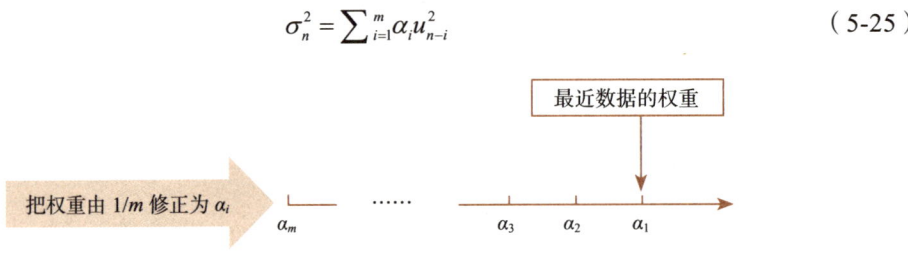

图 5-3 加权权重模型加权方式

变量 α_i 为第 i 天前的观测值所对应的权重，所有的 α_i 均为正。当选择这些变量时，我们需要保证在 $i<j$ 时，$\alpha_i>\alpha_j$。也就是说，我们需要将更小的权重施予更旧的数据上，当然，权重之和必须等于 1，即

$$\sum_{i=1}^m \alpha_i = 1$$

对于式（5-25）的思想，还可以做进一步的推广。假设存在某一长期平均方差，在考虑分配权重时，也应该将此均值考虑在内。这种推广对应以下模型：

$$\sigma_n^2 = \gamma V_L + \sum_{i=1}^m \alpha_i u_{n-i}^2 \tag{5-26}$$

式中，V_L 是长期方差；γ 是 V_L 所对应的权重，因为权重之和仍为 1，所以有：

$$\gamma + \sum_{i=1}^m \alpha_i = 1$$

此模型最早由恩格尔（Engle）提出，被称为自回归条件异方差（auto-regressive conditional heteroscedasticity）模型，简称 ARCH（m）模型。在这一模型中，方差的估计值与长期平均方差以及观察值的个数 m 有关，观察的数据越陈旧，所对应的权重应该越小。令 $\omega = \gamma V_L$，则可以将式（5-26）写为

$$\sigma_n^2 = \omega + \sum_{i=1}^m \alpha_i u_{n-i}^2 \tag{5-27}$$

在接下来的一节中，我们将讨论两种测算波动率的重要方法，这两种方法均采用了式（5-25）和式（5-26）中的思想。

5.5 EWMA 模型和 GARCH（1,1）模型

5.5.1 EWMA 模型

EWMA（exponentially weighted moving average）称为指数加权移动平均，是式（5-25）的一种特殊形式，它的权重 α_i 随着回望时间加长而按指数速度递减。

这一模型的特殊之处在于每一项权重是前一项权重与 λ 的乘积，即

$$\alpha_{i+1} = \lambda \alpha_i \tag{5-28}$$

式中，λ 是介于 0 和 1 之间的某一常数，参数 λ 也被称为衰减因子。

在以上特殊假设下，更新的波动率的公式将变得非常简洁，如下式：

$$\sigma_n^2 = \lambda \sigma_{n-1}^2 + (1-\lambda) u_{n-1}^2 \tag{5-29}$$

第 n 天的波动率 σ_n（在第 $n-1$ 天天末估算）由第 $n-1$ 天的波动率 σ_{n-1}（在第 $n-2$ 天天末估算）及最近一天的价格变化率 u_{n-1} 的数据来决定。

为了说明式（5-29）的权重以指数速度下降，我们将根据式（5-29）所推算出的 σ_{n-1}^2 再代回到式（5-29）之中，如下式：

$$\sigma_n^2 = \lambda [\lambda \sigma_{n-2}^2 + (1-\lambda) u_{n-2}^2] + (1-\lambda) u_{n-1}^2$$

即

$$\sigma_n^2 = (1-\lambda)(u_{n-1}^2 + \lambda u_{n-2}^2) + \lambda^2 \sigma_{n-2}^2$$

代入 σ_{n-2}^2 项，可以进一步得到：

$$\sigma_n^2 = (1-\lambda)(u_{n-1}^2 + \lambda u_{n-2}^2 + \lambda^2 u_{n-3}^2) + \lambda^3 \sigma_{n-3}^2$$

以此类推可以得出：

$$\sigma_n^2 = (1-\lambda) \sum_{i=1}^{m} \lambda^{i-1} u_{n-i}^2 + \lambda^m \sigma_{n-m}^2 \tag{5-30}$$

当 m 很大时，λ^m 将趋于无穷小，因此，$\lambda^m \sigma_{n-m}^2$ 项小到可以忽略不计，所以当 $\alpha_i = (1-\lambda)\lambda^{i-1}$ 时，式（5-29）与式（5-25）等价。对应于 u 的权重以 λ 速度递减，每一项权重是前一项权重与 λ 的乘积。

例 5-9 假如 λ 为 0.9，对应于第 $n-1$ 天由市场变量所估测的波动率为每天 1%。在第 $n-1$ 天，市场变量增加了 2%，这意味着 $\sigma_{n-1}^2 = 0.01^2 = 0.0001$ 以及 $u_{n-1}^2 = 0.02^2 = 0.0004$。由式（5-29）可得：

$$\sigma_n^2 = 0.9 \times 0.0001 + (1-0.9) \times 0.0004 = 0.00013$$

因此，第 n 天的波动率 σ_n 的估计值为 $\sqrt{0.00013}$，即每天 1.14%。这里，u_{n-1}^2 的期望值为 σ_{n-1}^2，也就是 0.0001。在这个例子中，u_{n-1}^2 对应的实际值比期望值要大，因此我们估计的波动率的数值增大。当 u_{n-1}^2 的实际值小于期望值时，波动率的估计值将会减小。

EWMA 模型的一个非常好的特性是它需要的数据相对较少。对于任一时刻，只需要对当前方差的估计以及市场变量的最新观察值。当得到市场变量的最新观察值后，就可以计算每天价格变动的比例，然后根据式（5-29）来更新之前对方差的估计，这时更早的方差估计以

及更早的市场变量数据就可以被舍弃。

EWMA 模型的出发点是对波动率进行跟踪监测。假定市场在第 $n-1$ 天发生了较大变化，那么，u_{n-1}^2 的数值将变大，由式（5-29）可知，这时，对当前波动率的估计值会增加。

另外，由式（5-29）可知，较小的 λ 对应着 u_{n-1}^2 项的较大的权重，在这种情形下，未来几天的波动率估计将随着市场变量的变动而发生较大波动。而当 λ 较大时（接近于 1），估算出的波动率对于最新市场变量的变动反应将变得不敏感。因此，数值 λ 决定了当前估计的日波动率对最新市场变量日百分比变化的灵敏度。

根据 J. P. 摩根公司在 1994 年发布的 RiskMetrics 数据库，它使用 $\lambda=0.94$ 来更新每天的波动率估计。摩根公司发现，这一选定的 λ 值对许多市场变量生成的方差预测值与实际方差非常接近。2006 年以后，RiskMetrics 更换了模型，转而采用一个长记忆模型（long memory model）。相比 EWMA 模型，在新模型中，随着 i 的增大，赋予 u_{n-1}^2 项的权重衰减得要慢。

5.5.2 GARCH（1,1）模型

GARCH（1,1）模型是学者波勒斯勒夫（Bollerslev）在 1986 年发表在 *Journal of Economics* 上的一篇文章中提出来的。GARCH（1,1）模型与 EWMA 模型的不同类似于式（5-25）和式（5-26）的不同。

GARCH（1,1）模型为长期平均方差赋予一定的权重，第 n 天的方差估计由长期平均方差 V_L、第 $n-1$ 天的波动率 σ_{n-1} 和最近一天市场变量的变化率 u_{n-1} 确定。GARCH（1,1）的表达式为

$$\sigma_n^2 = \gamma V_L + \alpha u_{n-1}^2 + \beta \sigma_{n-1}^2 \tag{5-31}$$

式中，γ、α、β 分别为 V_L、u_{n-1}^2、σ_{n-1}^2 的权重，因为权重和为 1，所以有：

$$\gamma + \alpha + \beta = 1$$

EWMA 模型是 GARCH（1,1）模型对应于 $\gamma=0$，$\alpha=1-\lambda$，$\beta=\lambda$ 的特例。

到目前为止，GARCH（1,1）模型是最流行的一种 GARCH 模型。GARCH（1,1）模型的"（1,1）"代表 σ_n^2 是基于最近的 u^2 的观测值以及最近的方差估计而得到的。这里不讨论广义模型 GARCH（p,q）。

令 $\omega = \gamma V_L$，就可以将 GARCH（1,1）模型写成：

$$\sigma_n^2 = \omega + \alpha u_{n-1}^2 + \beta \sigma_{n-1}^2 \tag{5-32}$$

式（5-32）的表达方式是为了估计参数 ω、α、β，当它们被估算出来后，就可以根据 $\gamma = 1-\alpha-\beta$ 来计算 γ，据此找到 $V_L = \dfrac{\omega}{\gamma}$。为了保证 GARCH（1,1）模型的稳定，要求 $\alpha+\beta<1$，否则对应于长期方差的权重会为负值。

例 5-10 假设某一个由每天观测数据估算出的 GARCH（1,1）模型为

$$\sigma_n^2 = 0.000\,002 + 0.13 u_{n-1}^2 + 0.86 \sigma_{n-1}^2$$

首先找出模型隐含的长期平均方差，这个模型所对应的参数分别为 $\alpha=0.13$，$\beta=0.86$，$\omega=0.000\,002$。因为 $\gamma=1-\alpha-\beta=0.01$，$\omega=\gamma V_L$，所以，长期日平均方差 $V_L=0.000\,2$。换句话

说，对应的波动率为 $\sqrt{0.0002}=0.014$，即日波动率为 1.4%。

假设对应于第 $n-1$ 天的日波动率估计值是 1.6%，因此 $\sigma_{n-1}^2 = 0.016^2 = 0.000256$，又假设第 $n-1$ 天的市场价格降低 1%，即 $u_{n-1}^2 = 0.01^2 = 0.0001$，那么：

$$\sigma_n^2 = 0.000002 + 0.13 \times 0.0001 + 0.86 \times 0.000256 = 0.00023516$$

对于最新波动率的估计为 $\sqrt{0.00023516} = 0.01533$，即日波动率为 1.53%。

同样，在 GARCH（1,1）模型中，u_{n-i}^2 的权重也是以指数速度下降的。为了明确这一点，我们对式（5-32）中的 σ_{n-1}^2 进行替换，得到：

$$\sigma_n^2 = \omega + \alpha u_{n-1}^2 + \beta(\omega + \alpha u_{n-2}^2 + \beta \sigma_{n-2}^2)$$

即 $\sigma_n^2 = \omega + \beta\omega + \alpha u_{n-1}^2 + \alpha\beta u_{n-2}^2 + \beta^2\sigma_{n-2}^2$，再将 σ_{n-2}^2 代入上式，可以得到：

$$\sigma_n^2 = \omega + \beta\omega + \beta^2\omega + \alpha u_{n-1}^2 + \alpha\beta u_{n-2}^2 + \alpha\beta^2 u_{n-3}^2 + \beta^3\sigma_{n-3}^2$$

从上式可以看出，对应于 u_{n-i}^2 的权重为 $\alpha\beta^{i-1}$，即 u_{n-i}^2 的权重是以 β 指数速度下降的。这里，参数 β 可被解释为衰减速度（decay rate），它与 EWMA 模型中的 λ 系数近似。在最新方差估计时，参数 β 决定了不同 u_i 的重要性。例如，如果 $\beta = 0.8$，说明 u_{n-2}^2 的重要性只是 u_{n-1}^2 的重要性的 80%，u_{n-3}^2 的重要性只是 u_{n-1}^2 的重要性的 64%，以此类推。

小结：GARCH（1,1）模型与 EWMA 模型类似，其不同之处是在对过去的 u^2 赋予指数衰减权重的同时，对长期平均方差也赋予了某种权重。

5.5.3 采用 GARCH（1,1）模型来预测波动率

采用 GARCH（1,1）模型，在第 $n-1$ 天结束时所估算的第 n 天的方差为

$$\sigma_n^2 = (1-\alpha-\beta)V_L + \alpha u_{n-1}^2 + \beta\sigma_{n-1}^2$$

因此：

$$\sigma_n^2 - V_L = \alpha(u_{n-1}^2 - V_L) + \beta(\sigma_{n-1}^2 - V_L)$$

在将来第 $n+t$ 天，有：

$$\sigma_{n+t}^2 - V_L = \alpha(u_{n+t-1}^2 - V_L) + \beta(\sigma_{n+t-1}^2 - V_L)$$

因为 u_{n+t-1}^2 的期望值为 σ_{n+t-1}^2，因此：

$$E(\sigma_{n+t}^2 - V_L) = (\alpha+\beta)E(\sigma_{n+t-1}^2 - V_L)$$

连续使用该式，可以得到 $E(\sigma_{n+t}^2 - V_L) = (\alpha+\beta)^t(\sigma_n^2 - V_L)$
或者

$$E(\sigma_{n+t}^2) = V_L + (\alpha+\beta)^t(\sigma_n^2 - V_L) \tag{5-33}$$

由式（5-33）可知，此处采用了在第 $n-1$ 天结束时的所有数据来预测第 $n+t$ 天的波动率。

因为在 EWMA 模型中，$\alpha+\beta=1$，所以，根据式（5-33）可以得到将来方差的期望值与当前方差相等这一结论。而在 GARCH（1,1）模型中，如果 $\alpha+\beta<1$，那么，式（5-33）中的最后一项将随时间的增加而逐渐减小。

图 5-4 显示了当 $\alpha+\beta<1$，并且当前方差与 V_L 不同时，预测的未来方差的变动路径。

- 如果当前方差大于 V_L，预测的未来方差会随着展望时间的延长逐步降低并趋近于 V_L。
- 如果当前方差小于 V_L，预测的未来方差会随着展望时间的延长逐步增加并趋近于 V_L。

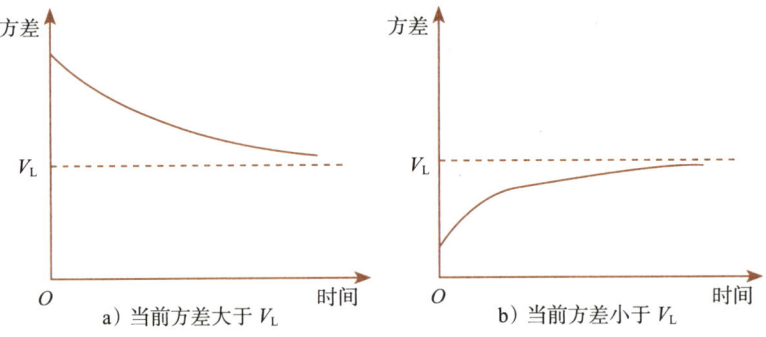

图 5-4　两种不同情形下预测的未来方差

这就是方差预测的均值回归特性，此时，均值回归水平为 V_L，回归的速度是 $1-\alpha-\beta$。因此，为了保证 GARCH（1，1）模型的稳定，必须强调 $\alpha+\beta<1$ 这一条件。

当 $\alpha+\beta>1$ 时，对应于 V_L 的权重 $\gamma(=1-\alpha-\beta)$ 将为负值，这时方差不具备均值回归特性。此时模型具有**均值逃离**（mean fleeing）特性。

例 5-11 假定 $\alpha+\beta=0.9935$，$V_L=0.0002075$，并且我们对于当前方差的估计为 0.0003（对应于日波动率为 1.732%），10 天之后的方差期望值为

$$0.0002075 + 0.9935^{10} \times (0.0003 - 0.0002075) = 0.0002942$$

预测的日波动率为每天 $\sqrt{0.0002942}=1.72\%$，这一数值仍然高于长期日平均波动率 $\sqrt{0.0002075}=1.44\%$，但是 500 天后的方差期望值为

$$0.0002075 + 0.9935^{500} \times (0.0003 - 0.0002075) = 0.0002110$$

这时，预测的日波动率为 $\sqrt{0.0002110}=1.45\%$，它和长期日平均波动率 1.44% 已经非常接近了。

◆ 本章小结

某个变量的波动率被定义为该变量在单位时间内连续复利回报率的标准差。在期权定价中，时间单位通常设定为一年，此时波动率代表一年的连续复利回报率的标准差；而在风险控制中，时间单位则通常是一天，波动率则对应于连续复利日回报率的标准差。本章所讨论的波动率是指连续复利日回报率的标准差，时间单位为一天。

我们根据每日收益率的原始数据来计算每日的波动率，然后将这些日波动率拓展为月或年等更长时期的波动率，这涉及时间加总问题。在收益率序列不相关且同分布的情况下，随着时期变长，波动率会按照时间的平方根法则增加。

在假设收益率服从特定分布的情况下，如果收益率序列是独立的，我们可以应用时间的平方根法则来估计波动率；如果收益率序列不独立，则应在考虑一阶自相关假设的基础上进行波动率估计。

若收益率序列没有明确的分布假设，我们可以依据历史数据来估计波动率。本章介

绍了两个基于 ARCH（m）模型的波动率估计模型：EWMA 模型和 GARCH（1,1）模型。EWMA 模型（指数加权移动平均模型）通过指数递减的权重对回望时间内的数据进行加权平均。EWMA 模型的吸引力在于其所需数据量相对较少，并且旨在跟踪监测波动率。GARCH（1,1）模型与 EWMA 模型的主要区别在于，GARCH（1,1）模型在计算方差时考虑了长期平均方差、前一天的方差以及最新市场数据。

本章的**重点**和**难点**：①时间的平方根法则的应用；②一阶自相关性对 VaR 的影响；③实践中波动率的估计；④ ARCH（m）模型、EWMA 模型和 GARCH（1,1）模型在金融市场波动率预测中的应用。

关键概念

波动率	时间的平方根法则	自相关性	均值回归
ARCH（m）模型	EWMA 模型	GARCH（1,1）模型	均值逃离

练习题

1. 考虑一个为期 1 天的 100 万元 VaR 的投资组合。假定市场以 0.1 的自相关系数趋势变动。在这一情景下，你预期 2 天的 VaR 是多少？

2. 一个风险经理用基于每日收益率 r_t 的 GARCH 模型来估计每日波动率：$\sigma_t^2 = \alpha_0 + \beta\sigma_{t-1}^2 + \alpha_1 r_{t-1}^2$，其中 $\alpha_0 = 0.005$，$\alpha_1 = 0.04$，$\beta = 0.94$。请问：每年的长期平均波动率近似为多少？

3. 一家银行使用 $\lambda=0.9$ 的 EWMA 模型对证券的每日波动率进行建模。当前的每日波动率为 1.5%。证券昨天的价格为 20 美元，今天的价格为 18 美元。使用连续复利收益率，更新以后的波动率估计是多少？

4. 使用 $\lambda=0.95$ 的 RiskMetrics 的 EWMA 模型来预测条件方差，赋予往前推第 4 天的收益率的权重是多少？

5. 下列关于模型预测波动率的说法，哪一项是不正确的？

   A. 在 EWMA 模型中，正的权重分配给长期均衡方差
   B. 在 EWMA 模型中，分配给观测值的权重随着观测值的顺序指数递减
   C. 在 GARCH 模型中，正的权重分配给长期均衡方差
   D. 在 GARCH 模型中，分配给观测值的权重随着观察值的顺序指数递减

6. 考虑一个遵循随机游走假设的股票日收益率，年波动率为 34%。估计该股票收益率的周波动率，假设一年有 52 个星期。

7. 假定某交易组合的每天价值变化服从正态分布，分布的期望值为 0，标准差为 200 万元。
   （1）1 天展望期的 97.5% 的 VaR 是多少？
   （2）5 天展望期的 97.5% 的 VaR 是多少？
   （3）5 天展望期的 99% 的 VaR 是多少？

案例专栏

波动率监管与《巴塞尔协议Ⅲ》

波动率作为金融市场不可或缺的晴雨表，深刻揭示了资产价格波动的内在不确定性。《巴塞尔协议Ⅲ》通过强化资本充足率标准、深化流动性管理机制及杠杆率监管框架，对市场波动性产生显著约束作用，使得波动率这一市场风险的核心度量指标受到了前所未有的监管重视。

首先，高质量的资本如同坚实的盾牌，能够有效抵御市场波动带来的冲击与损失。《巴塞尔协议Ⅲ》通过提升资本质量门槛，确保了银行业在市场动荡之际拥有充足的资本缓冲，以应对潜在的资本损耗，从而增强了系统的韧性。

其次，协议中的流动性覆盖率与净稳定资金比率指标，要求银行在各类市场环境中维持充足的流动性资源，这一举措确保了即便在市场波动性加剧的背景下，银行也能持续稳健运营，有效防范因流动性枯竭而触发的系统性风险。

最后，杠杆率监管的加强为银行过度借贷行为设置了边界，有效降低了因高杠杆操作而加剧的市场波动风险。在市场下行周期，高杠杆机构往往面临更为严峻的流动性挑战与破产风险，而《巴塞尔协议Ⅲ》通过杠杆率限制，有效减轻了这一风险敞口。

《巴塞尔协议Ⅲ》的全球实施，对银行业监管体系产生了革命性的影响。众多国家和地区以此为基准，对本国金融监管架构进行了适应性调整，旨在提升银行体系的整体稳健性。中国作为协议的重要参与国，推出了"中国版《巴塞尔协议Ⅲ》"，在资本监管、流动性管理、杠杆率控制等方面实施了更为严格的监管标准，不仅增强了中国银行业的国际竞争力，还显著提升了其应对外部冲击的能力。

实践中，LTCM 的 VaR 模型在常态市场中表现卓越，为投资组合风险管理提供了有力支持。然而，极端市场情境下，该模型因未能充分预估波动率的尾部风险（即低概率高影响事件）而失效，凸显了其在非正态分布市场波动面前的局限性，提示我们需不断完善风险管理模型，以更好地适应市场的多变性与不确定性。

资料来源：[1] 孙若鹏.《巴塞尔协议Ⅲ》最终版的背景、变化及对中国银行业的影响 [J]. 金融监管研究，2018（10）：33-48.

[2] 杨凯生，刘瑞霞，冯乾.《巴塞尔Ⅲ最终方案》的影响及应对 [J]. 金融研究，2018（2）：30-44.

案例讨论题

1.《巴塞尔协议Ⅲ》如何通过强化资本充足率标准、深化流动性管理机制及杠杆率监管框架来约束市场波动性？
2. LTCM 的 VaR 模型在极端市场情境下失效的原因是什么？这对风险管理有何启示？
3. 结合《巴塞尔协议Ⅲ》的实施与我国金融监管体系的改革，谈谈如何在全球金融一体化背景下加强我国金融安全？

第 5 章　案例讨论题参考答案

附录5A 最大似然估计法

现在来讨论如何应用历史数据来估计本章模型的参数,将要讨论的方法被称为最大似然估计法(maximum likelihood estimation method)。在参数估算过程中,这一方法会涉及选择合适的参数,以使得所观测到的数据的概率达到最大。

为了解释这个方法,我们引用一个简单的例子:随机地抽取某一天10只股票的价格,发现其中1只股票的价格在这一天下降了,而其他9只股票的价格或有所增加或至少没有下跌,这里我们要问,当天1只股票价格下降的概率最好估计为多少?自然的回答是0.1,让我们看一下这一结果是否就是最大似然估计法所给出的结果。

将任意股票价格下降的概率计为 p,对应只有1只股票价格下降,而其他股票价格不下降的概率为 $p(1-p)^9$(其他9只股票中任意一只股票不下降的概率为 $1-p$)。应用最大似然估计法,最好的估计值 $p = \hat{p}$ 时会使得 $p(1-p)^9$ 取得最大值。将以上表达式对 p 求导,并令导数为0,我们得出 $p = 0.1$ 时会使得表达式取得最大值,这说明最大似然估计值正如期望的那样为0.1。

估计常数方差

在下一个有关最大似然估计法的例子中,我们考虑如何用服从正态分布,并且期望值为0的变量 X 的 m 个观察值来估计这一变量的方差。假定观察值为 $u_1, u_2, \cdots, u_m$,其对应的期望值为0,将方差记为 v。观察值出现在 $X = u_i$ 的概率等于 X 的概率密度函数在 u_i 的取值,即

$$\frac{1}{\sqrt{2\pi v}} \exp\left(\frac{-u_i^2}{2v}\right)$$

m 个观察值正好为 $u_1, u_2, \cdots, u_m$ 的概率为

$$\prod_{i=1}^{m} \left[\frac{1}{\sqrt{2\pi v}} \exp\left(\frac{-u_i^2}{2v}\right) \right] \tag{5-34}$$

应用最大似然估计法,v 的最好估计使得以上表达式达到最大值。

以上表达式的最大化与其对应的对数最大化等价,对式(5-34)取对数并且忽略常数项,我们得出被最大化的目标函数为

$$\sum_{i=1}^{m} \left[-\ln v - \frac{u_i^2}{v} \right] \tag{5-35}$$

或

$$-m \ln v - \sum_{i=1}^{m} \frac{u_i^2}{v} \tag{5-36}$$

将以上表达式对 v 求导,并令导数为0,我们可以看到 v 的最大似然估计值为

$$\frac{1}{m} \sum_{i=1}^{m} u_i^2 \tag{5-37}$$

最大似然估计值正是式(5-24)的估计值,而获得无偏差估计值只需要将 m 替换为 $m-1$。

第 6 章
CHAPTER 6

债券风险管理

§ 学习目标

1. 掌握即期利率和到期收益率的概念，并用以评估债券价值。
2. 能够利用泰勒展开式和价格导数（一阶和二阶）评估债券对收益率变动的敏感性。
3. 学会计算债券的久期和凸性，并理解它们在利率风险衡量和管理中的作用。
4. 能够设计免疫策略，保护债券组合免受利率波动的影响。
5. 认识到债券市场在国家金融体系中的关键作用，及其波动对经济稳定与发展的影响。

6.1 债券的价值评估

6.1.1 债券的含义与类型

1. 债券的含义

风险管理虽然源于定价，但目的不是定价。风险管理是通过资产的价值评估，发现影响该资产价值的风险因子，同时观察这个风险因子的波动给资产价值带来的影响。所以，它比定价更进一步。这一章涉及的金融产品是债券，债券是最简单的固定收益类产品。套用"国债利率是国债的灵魂"这一说法，债券是一种典型的利率产品。（当然，公司债券除了利率风险外，还有后面章节介绍的信用风险。）

拥有一只债券，投资者就拥有定期获得利息（或者息票）和到期时获得债券面值（本金）的权利。每只债券都包含如下几个基本要素。

- **息票**（coupon）或**息票利率/票面利率**（coupon rate）。
- **债券面值**（principal，par value，face value）。
- **利息支付方式**，比如半年支付一次、一年支付一次等。
- **期限**（maturity）。

2. 债券的类型

由本国发行并以国内货币计价的债券称为国内债券，债券是政府或公司的重要的债务融资方式之一。根据发行人的不同，国内债券一般分为如下几类。

（1）政府债券。政府债券是指由一国中央政府发行的债券，也被称为主权债券。以美国国债为例，美国财政部会定期拍卖新债券来融资。国库券是美国财政部发行的1年或1年之内到期的债券。中期国债（note）是政府发行的到期期限在1年以上10年以下的债券。有些债券20年或30年才到期，这种债券称为长期国债（bond）。长期国债的到期期限一般在10年以上。长期国债、中期国债和国库券都在固定收益市场（fixed-income market）交易。

（2）政府机构担保债券。政府机构担保债券是指由中央政府提供担保的机构发行的债券，如房利美发行的债券。

（3）金融债券。金融债券是指由金融机构，包括银行、保险公司或资产抵押证券发行者发行的债券，如花旗银行发行的债券。

（4）公司债券。公司债券是指由非金融公司发行的债券，包括企业和公共事业单位发行的债券等。

根据付息方式的不同，最常见的债券有如下几种类型。

（1）付息债券。付息债券的发行人定期按照固定的本金比例支付利息，而本金作为最后一笔大额款项在到期日一次性支付。

（2）零息债券。零息债券的发行人不支付利息，仅在到期日支付本金。它的回报源于价格的增值，即低买高卖。

（3）**永续债券**（perpetual bond）。永续债券也称为统一公债，它没有到期日，其回报仅源于利息的支付。

（4）**年金**（annuity）。它是指在整个有效期内每年支付固定数额的款项，包括利息以及分期偿还的本金。

除此之外，有些债券隐含着期权的特点，比较常见的含权债券如下。

（1）**可转换债券**（convertible bond）。债券持有人可以在特定的日期以特定的价格将债券转换成公司的普通股。这样原债券持有人由债权人变成了股东，可参与公司的股利分配。

（2）**可赎回债券**（callable bond）。债券的发行人有权利在特定的日期以特定的价格赎回该债券。可赎回债券可以帮助发行人降低发债的成本，因为在利率下行期间，发行新债的成本低于当前债券支付的利息。

（3）**可卖回债券**（putable bond）。债券持有人有权利在特定的日期以特定的价格将债券卖回给债券发行人。当利率处于上升通道时，债券的价值就会下跌。

6.1.2 即期利率与债券估值

1. 即期利率

即期利率（spot rate）可以理解为零息债券的到期收益率，它是一个和即期合约相联系的利率。即期合约一旦签订，现金流会立即从借出方流入借入方。然后在未来某一约定时点，更多的现金流（本金加利息）再回流到借出方。这个即期合约中载明的利率，就是即期利率。我们用一个例子来阐释即期利率。

假设现在有期限不同的三种债券。投资 1 年期债券 A 的投资者到期时将得到 1 000 元。类似地，投资 2 年期债券 B 的投资者在到期时也会得到 1 000 元。债券 C 是 2 年期附息债券，票面利率为 2.25%，一年支付一次利息。三种债券目前的市场价格是：债券 A 是 975.5 元、债券 B 是 945 元、债券 C 是 988.2 元。

债券 A 和债券 B 是零息债券，投资者都只能从卖方那里获得一次性 1 000 元的现金支付。初始投资 975.5 元，期末收入 1 000 元，因此，债券 A 的投资者的收益率为 $\frac{1\,000-975.5}{975.5}=2.51\%$，那么，1 年期的即期利率为 2.51%。类似地，债券 B 的 2 年期即期利率为 2.87%。

一般来说，假设 t 年期的即期利率为 r_t，那么，它就是下式所列方程的解：

$$P=\frac{F}{(1+r_t)^t} \tag{6-1}$$

式中，P 是 t 年期零息债券的当前市场价格；F 是债券的面值。例如，对债券 B 来说，$t=2$，P 及 F 分别为 945 元和 1 000 元。

零息债券一般都是短期债券，市场上期限较长的债券多是附息债券，这时我们可以用另外一种方式来确定即期利率。

一般情况下，我们可以用 1 年期的零息债券计算 1 年期的即期利率 r_1，所以，1 年期即期利率一般是已知的。假设市场上目前没有 2 年期的零息债券，但是有 2 年期的附息债券可供投资，该债券的市场价格为 P，息票为 C。那么 2 年期的即期利率 r_2 为式（6-2）的解：

$$P=\frac{C}{(1+r_1)}+\frac{C+F}{(1+r_2)^2} \tag{6-2}$$

我们还引用上例，假设市场上没有债券 B，只有债券 A 和债券 C。那么，由债券 A，我们可知 1 年期即期利率 $r_1=2.51\%$。债券 C 的价格 P 为 988.2 元，利息为 22.5 元，面值为 1 000 元，那么根据式（6-2）我们可以确定 2 年期的即期利率为下式的解：

$$988.2=\frac{22.5}{(1+2.51\%)}+\frac{1\,022.5}{(1+r_2)^2}$$

解之得 $r_2=2.87\%$，即 2 年期的即期利率为 2.87%，这个结果和基于零息债券 B 计算得到的即期利率相同。

实际上，在一个无套利市场上，无论即期利率是直接地由债券 B 计算，还是间接地由债券 C 和债券 A 来计算，结果都应该近似相等。不过，类似于本例中的两种计算方式得到的即期利率完全相等的情况在现实中也并不总是发生，二者之间总有差异，但并不明显。

如果市场上有一个 2 年期债券，票面利率为 5%，息票每年支付一次，期末再支付本金

1 000 元。目前市场上 1 年期和 2 年期的即期利率分别为：r_1=3%，r_2=4%，那么根据贴现现金流（DCF）方法，该 2 年期债券的价值为

$$PV = \frac{50}{1.03} + \frac{50+1000}{1.04^2} = 1019.3（元）$$

这种方法是用**即期利率为债券定价**。专业人士通常需要先确定即期利率，然后使用即期利率对对应时期得到的现金流进行贴现，从而得到债券的价值，据此为债券报价。投资者根据市场上的债券报价，计算债券持有期的到期收益率。所以，即期利率经常发生在到期收益率的前面。换个视角看，到期收益率是即期利率的某种复杂的平均值。

2. 贴现因子

考虑一个年末支付 1 元现金流的简单项目，为了得到这笔现金流的现值，投资者需要用 1 年期即期利率 r_1 来贴现，这笔现金流的价值为 $PV = \frac{1}{1+r_1}$，其中 $\frac{1}{1+r_1}$ 被称为 1 年期贴现因子。

为得到两年后 1 元现金流的现值，投资者需要用 2 年期即期利率 r_2 对其贴现，这个现金流的价值为 $PV = \frac{1}{(1+r_2)^2}$，其中 $\frac{1}{(1+r_2)^2}$ 是 2 年期贴现因子。

以此类推，t 年后 1 元现金流今天的价值为 $PV = \frac{1}{(1+r_t)^t}$，其中 $\frac{1}{(1+r_t)^t}$ 是 t 年期的贴现因子。

根据货币的时间价值规律易知，资金的等待时间 t 越长，其价值越低，贴现因子越小。

短期利率和长期利率之间的关系称为**利率期限结构**。即期利率系列 r_1，r_2，…，r_t 刻画了利率期限结构。

3. 一价定律

在完善的市场中，同样的商品应该以同样的价格出售。所有同一日期的无风险的现金流应该用同样的即期利率来贴现，这就是一价定律。

我们使用 3 只期限分别为 2 年、3 年和 4 年的国债为例，了解基于一价定律的债券定价。假设市场上 1 年期、2 年期、3 年期和 4 年期即期利率分别为 3%、4%、5% 和 6%。3 只债券的票面利率均为 8%，债券的面值为 1 000 元。

一价定律的意思是投资者对无风险的 1 元现金流给予同样的价值，不管这个现金流是来自 2 年期的债券 D、3 年期的债券 E 还是 4 年期的债券 F。所以 3 只债券在第 1 年年末支付的 80 元利息的现值都是 $80 \times \frac{1}{1+3\%} = 80 \times 0.9709 = 77.67$（元）。

同理，第 2 年年末的现金流使用 2 年期贴现因子，以此类推，可以得到每期现金流的现值，现值加总就是债券的价值。当然，根据债券的价值，我们就可以倒推出每只债券的到期收益率。具体计算过程见表 6-1。

表 6-1 一价定律前提下债券的价值和到期收益率

	第 1 年年末	第 2 年年末	第 3 年年末	第 4 年年末	债券的价值（PV）	到期收益率（y，%）
即期利率	0.03	0.04	0.05	0.06		
贴现因子	0.970 9	0.924 6	0.863 8	0.792 1		
债券 D						

(续)

	第1年年末	第2年年末	第3年年末	第4年年末	债券的价值（PV）	到期收益率（y, %）
现金流	80.00	1 080.00				
现金流现值	77.67	998.52			1 076.19	3.96
债券 E						
现金流	80.00	80.00	1 080.00			
现金流现值	77.67	73.96	932.94		1 084.58	4.90
债券 F						
现金流	80.00	80.00	80.00	1 080.00		
现金流现值	77.67	73.96	69.11	855.46	1 076.20	5.81

这里的即期利率的期限结构是向上倾斜的，因为到期收益率是即期利率的一种平均（比如，4年期到期收益率为5.81%，它介于1年期即期利率和4年期即期利率之间），所以收益率的期限结构也是向上倾斜的（这里，2年期、3年期和4年期到期收益率分别为3.96%、4.90%和5.81%）。

财务经理们想对利率有个快速而概括性的了解的话，通常绕过即期利率，而去看财经媒体报道的到期收益率。他们参考收益率曲线而不是利率的期限结构。收益率曲线描述的是收益率和到期时间的关系，而期限结构是不同时期的即期利率的曲线。

6.1.3 到期收益率和债券估值

1. 到期收益率

任何固定收益证券的到期收益率都是一个全期利率，也就是在整个证券有效期内的收益率。考察债券的到期收益率有一个假设前提，即债券没有违约风险。也就是说，投资者对按时得到债券的本金和利息有完全的信心。

确定一个债券的到期收益率是一件十分简单的事。我们还以上一节的三个债券为例。投资债券 A 需要支出 975.5 元，投资者一年后得到 1 000 元的面值。如果该债券的到期收益率用 r_A 表示，则债券 A 的到期收益率满足等式 $975.5\times(1+r_A)=1000$，两边同除以 $(1+r_A)$ 可得 $975.5=\dfrac{1000}{1+r_A}$，解之得到 $r_A=2.51\%$。

投资零息债券 B 需要支付的价格为 945 元，假设两年期的年利率为 r_B，那么，945 元的初始投资在两年后的价值应为 $945\times(1+r_B)\times(1+r_B)$，这个价值等于 1 000 元。换言之，债券 B 的到期收益率 r_B 由下式解得：$945\times(1+r_B)\times(1+r_B)=1000$，两边同除以 $(1+r_B)^2$ 可得 $945=\dfrac{1000}{(1+r_B)^2}$，解之得 $r_B=2.87\%$。

对于债券 C，考虑一个投资 988.2 元的账户，在第一年年末，账户增值至 $(1+r_C)\times 988.2$ 元。然后，投资者将取出 22.5 元，银行剩下的债务为 $[(1+r_C)\times 988.2 - 22.5]$ 元。在第二年年末，账户额度将增至 $(1+r_C)\times[(1+r_C)\times 988.2 - 22.5]$ 元，则债券 C 的到期收益率是使得期末投资账户总额等于 1 022.50 元的 r_C。其式为 $(1+r_C)\times[(1+r_C)\times 988.2-22.5]=1022.50$，两边同除以 $(1+r_C)^2$ 并整理后得 $988.2=\dfrac{22.5}{1+r_C}+\dfrac{1022.5}{(1+r_C)^2}$，解之得 $r_C=2.865\%$。

至此，我们已知：**到期收益率**（yield to maturity，YTM）就是使得未来现金流量现值和等于债券当前市场价格的贴现率，换句话说，我们可以用到期收益率作为贴现率对债券进行估值。

2. 用到期收益率为债券估值

使用到期收益率作为贴现率，我们可以写出债券的现值公式：

$$PV = \sum_{t=1}^{T} \frac{CF_t}{(1+y)^t} \tag{6-3}$$

式中，CF_t 是第 t 个时期的现金流（息票或本金）；t 代表每次支付的时期数；T 是最后到期的时期数；y 是每个时期的贴现率，也是每期的收益率。

对债券来说，如果用 c 表示票面利率，用 F 表示票面价值，即本金，那么一个典型的现金流模式是由定期的利息支付和到期的本金构成的，那么，到期前每期末的现金流为 $CF_t = cF$，$t < T$，到期时的现金流为 $CF_T = cF + F$。

根据债券发行价格和面值的关系，债券可分为平价债券、溢价债券和折价债券三种。

- **平价债券**（par bond）：当票面利率与收益率刚好相等时，如果使用相同的复利计算频率，债券的价值将等于面值，这时该债券将按面值发行。
- **溢价债券**（premium bond）：当票面利率大于收益率时，债券的价值将大于面值，此时该债券将以高于面值的价格发行。
- **折价债券**（discount bond）：当票面利率小于收益率时，债券的价值将小于面值，此时该债券将以低于面值的价格发行。零息债券就是一种折价债券。

式（6-3）描述了收益率和债券的价值之间的函数关系。换句话说，债券的价值也可以写成收益率的非线性函数：

$$PV = f(y) \tag{6-4}$$

反过来，我们也可以根据债券的市场价格，用公式倒推出收益率。定义 PV 为债券目前的市场价格，假设投资者按照这个价格进行债券投资并持有至到期，将会获得该债券未来一系列的利息和到期本金的支付。在这种现金流模式下，由式（6-4）可以倒推出该债券的"隐含"收益率，即到期收益率，也是债券的**内部收益率**（internal rate of return，IRR）。

例 6-1 法国政府于 2014 年 10 月发行了一只票面利率为 4.25% 的 4 年期债券，该债券的面值为 100 欧元，每年支付一次利息。请计算该债券的价格。假设当时市场上其他中期法国国债的收益率为 0.15%。

解答：因为当时市场上其他中期法国国债的收益率为 0.15%，因此，投资者购买票面利率为 4.25% 的法国国债所放弃的收益率是 0.15%，即投资者的资本的机会成本为 0.15%，因此，应该用 0.15% 对债券的现金流进行贴现，即

$$PV = \frac{4.25}{1+0.15\%} + \frac{4.25}{(1+0.15\%)^2} + \frac{4.25}{(1+0.15\%)^3} + \frac{104.25}{(1+0.15\%)^4} = 116.34（欧元）$$

债券价格反映了债券的价值。债券价格通常以面值的百分比表示，因此投资者投资的票面利率为 4.25% 的法国国债，其价格也可以表示为 116.34%。

实际上我们也可以用更简便的方法来计算这只债券的价格。该法国国债本质上就是两项投资的组合：第一项投资是投资者 4 年期间每年收到 4.25 欧元的利息，这个现金流系列可以看作一个年金；第二项投资是到期时获得 100 欧元的本金，这可以看作一项零息债券。那么，该债券的现值就是年金（即息票）的现值和零息债券（即本金）的现值之和。

$$PV(债券) = PV(息票支付) + PV(本金偿还)$$

$$PV = \frac{4.25}{1+0.15\%} + \frac{4.25}{(1+0.15\%)^2} + \frac{4.25}{(1+0.15\%)^3} + \frac{4.25}{(1+0.15\%)^4} + \frac{100}{(1+0.15\%)^4}$$

$$= 16.93 + 99.40 = 116.34 (欧元)$$

因此，可以把债券看作一个年金（息票支付）和到期后的单笔支付（本金偿还）的组合，对这个组合进行估值就可以了。㊀

现在我们把估值问题倒过来：如果投资者知道了债券的价格为 116.34%，如果投资者购买了这只国债并持有至到期，那么他得到的收益率是多少？要回答这个问题，我们需要找到使下面的等式成立的变量 y 的值：

$$116.34 = \frac{4.25}{1+y} + \frac{4.25}{(1+y)^2} + \frac{4.25}{(1+y)^3} + \frac{104.25}{(1+y)^4}$$

这里的 y 就是债券的到期收益率，也是投资的内部收益率。我们已经知道，面值为 100 欧元的债券的现值是 116.34 欧元，贴现率是 0.15%，因此，到期收益率一定是 0.15%。如果以 116.34% 的价格购买债券并持有至到期，将获得 0.15% 的年收益率。

为什么到期收益率会低于息票利率 4.25%？因为面值 100 欧元的债券，投资者却支付了 116.34 欧元来购买，4 年投资期内，投资者将损失价格差 16.34 欧元，这是债券投资的资本利得（损失）。

除资本利得（损失）外，债券投资还有利息收入。当期的利息收入与期初债券价值之比为**当期收益率**（current yield）。债券的当期收益率不同于到期收益率。

以 30 年期、票面利率为 8%、当前售价为 1 276.76 美元的每半年支付一次息票的某美国债券为例。容易计算得知：该债券的当期收益率为 80/1 276.76=0.062 7 或 6.27%，假设年到期收益率为 y，则下式成立：

$$1276.76 = \frac{40}{1+y} + \frac{40}{(1+y)^2} + \cdots + \frac{40}{(1+y)^{59}} + \frac{1040}{(1+y)^{60}}$$

解之得 $y = 6.09\%$。

对该溢价出售的债券而言，票面利率 8% 超过了当期收益率 6.27%，当期收益率超过了到期收益率 6.09%。票面利率之所以超过当期收益率，是因为票面利率等于利息支付除以债券面值 1 000 美元，不是债券的价格 1 276 美元。当期收益率超过到期收益率，原因在于到期收益率包含了债券的潜在资本损失（276.76 美元 = 1 276.76 美元 − 1 000 美元）。

人们谈论债券收益，通常是指到期收益率。债券投资的到期收益率是当期收益率和资本利得率之和，即

㊀ 也可看作每年 4.25 欧元的 3 年期年金和 104.25 欧元的到期后的单笔支付。

$$到期收益率 = \frac{息票收入+价格变动}{投资额} = 当期收益率 + 资本利得率 \quad (6-5)$$

在例 6-1 中，投资者得到了四笔 4.25 欧元的现金支付（这笔投资的当期收益率为 4.25/116.34=0.0365，即 3.65%）。在剩余的期限内，息票支付带来收益，而债券价值却随着到期日的临近逐步减少，到期收益率是当期收益率和资本利得率二者之和，见表 6-2。

表 6-2 到期收益率是当期收益率和资本利得率二者之和

年份 (t)	利息收入	债券在第 t 期期末的价值	每期的资本利得（期末价值－期初价值）	当期收益率（＝当期利息/债券的期初价值）	资本利得率[（期末价值－期初价值）/期初价值]	到期收益率（当期收益率＋资本利得率）
0	0	116.34				
1	4.25	112.26	−4.08	3.65%	−3.50%	0.15%
2	4.25	108.18	−4.08	3.79%	−3.64%	0.15%
3	4.25	104.09	−4.09	3.93%	−3.78%	0.15%
4	104.25	100.00	−4.09	4.08%	−3.93%	0.15%

总结： 如果债券以高于面值的价格出售，我们就称之为**溢价出售**，例如前面的法国国债。投资者购买溢价债券，在债券的有效期内面临**资本损失**，因此票面利率高于当期收益率，当期收益率高于到期收益率。如果债券以低于面值的价格出售，则称为**折价出售**。投资者购买折价债券，在债券的有效期内有望得到**资本利得**，因此票面利率低于当期收益率，当期收益率低于到期收益率。

计算到期收益率，通行的办法是采用试错法。我们可以先估计一个利率，并据此计算债券的现值，如果现值高于实际价格，说明这个利率估计得太小了，然后再试一个略大一点的利率，以此类推，逐步逼近实际利率。还有一种更实际的解决方法，我们可以利用电子表格程序或者特殊编程计算器来计算到期收益率，比如 Excel 里的财务函数就非常好用。

6.1.4 价值与收益率的关系

到期收益率是用来度量债券利率的，定义为债券的价值所对应的贴现率。一旦收益率发生变化，债券的价值也将跟着变化。我们仍以前面的法国国债为例。

如果债券发行时，市场上其他中期法国国债的收益率上涨到 0.20%，那么该债券的价值为

$$PV = \frac{4.25}{1+0.20\%} + \frac{4.25}{(1+0.20\%)^2} + \frac{4.25}{(1+0.20\%)^3} + \frac{104.25}{(1+0.20\%)^4} = 116.12 \text{（欧元）}$$

如果债券发行时，市场上其他中期法国国债的收益率下跌到 0.10%，那么该债券的价值为

$$PV = \frac{4.25}{1+0.10\%} + \frac{4.25}{(1+0.10\%)^2} + \frac{4.25}{(1+0.10\%)^3} + \frac{104.25}{(1+0.10\%)^4} = 116.56 \text{（欧元）}$$

由该例可见，当收益率由 0.15% 上涨到 0.20% 时，债券的价值从 116.34 欧元下跌到 116.12 欧元。当收益率由 0.15% 下跌到 0.10% 时，债券的价值从 116.34 欧元上涨到 116.56 欧元。当收益率（也就是到期收益率）上升时，债券的价值下降。当收益率为 4.25% 时，债券的价值就是其面值。当收益率下降时，债券的价值上升。债券的价值和收益率呈相反方向变动，如图 6-1 所示。

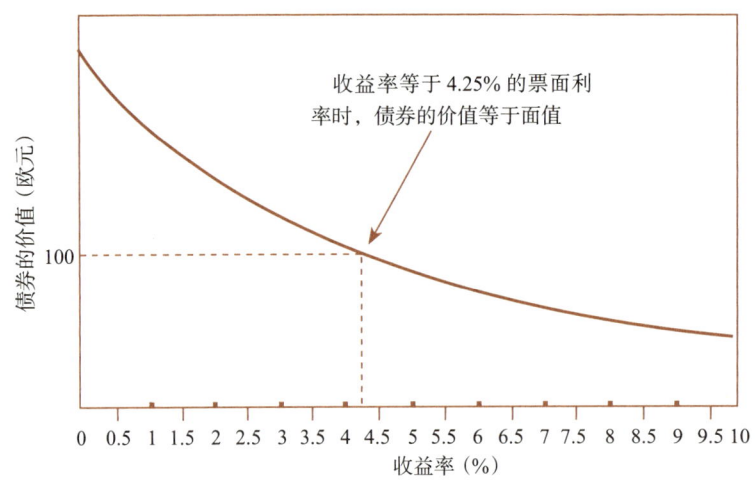

图 6-1 债券价值与收益率的函数关系图

从风险管理的视角来看，这就是资产价值与风险因子的变动关系。收益率越高意味着债券的价值越低。

从更广泛的视角来看，债券的价值与收益率表现为高度的非线性关系。比如，当收益率为 0 时，债券的价值就是现金流的简单相加，在法国国债例中为 117 欧元。当收益率趋于很大的数值时，债券的价值趋于 0。然而，当收益率在初始值 0.15% 周围小范围变动时，债券的价值与收益率的关系近似为线性关系。

对于永续债券来说，债券的价值和收益率之间的关系更简单。这种债券的特点是定期支付利息，但不偿还本金，到期时间为无穷年。根据式（6-3），我们很容易得到永续债券的价值公式，可简化为

$$\mathrm{PV} = \sum_{t=1}^{+\infty} \frac{cF}{(1+y)^t} = \frac{c}{y}F \tag{6-6}$$

债券的价值与收益率的倒数成正比。收益率越高导致债券的价值越低，反之亦然。

例 6-2 考虑一个年票面利率为 6% 的 10 年后支付 100 美元的债券，假设下一次利息支付恰好在一年后。如果收益率为 6%，那么债券的价值是多少？如果收益率下降到 5% 呢？

解答：在收益率为 6% 时，债券的价值为

$$\mathrm{PV} = \frac{6}{1+6\%} + \frac{6}{(1+6\%)^2} + \cdots + \frac{6}{(1+6\%)^9} + \frac{106}{(1+6\%)^{10}} = 100.18 \text{（美元）}$$

在收益率为 5% 时，债券的价值为

$$\mathrm{PV} = \frac{6}{1+5\%} + \frac{6}{(1+5\%)^2} + \cdots + \frac{6}{(1+5\%)^9} + \frac{106}{(1+5\%)^{10}} = 107.37 \text{（美元）}$$

6.2 债券价格如何随利率变动

我们再回到上一节的法国国债的例子。我们发现当市场中其他中期法国国债的收益率从 0.15% 上升到 0.20% 时，债券价格由 116.34 欧元下跌到 116.12 欧元；当收益率下跌到 0.10% 时，债券价格上涨到 116.56 欧元，具体见表 6-3。

表 6-3　某法国国债的价格随收益率变动情况

市场中其他中期法国国债的收益率	某法国国债的价格（欧元）
0.10%	116.56
0.15%	116.34
0.20%	116.12

也就是说，市场中其他中期法国国债的收益率上升或下跌，直接影响了所购国债的价格，两者关系如下。

- 更高的市场收益率产生更低的债券价格。
- 更低的市场收益率产生更高的债券价格。

如果债券的现金流保持不变，那么债券的价值将随市场利率的变动而变动：当利率上升时，债券中仍未清偿的现金流的现值会降低，债券将变得不像原来那么值钱。现在大家明白了为什么债券投资者担心市场利率上升了。因为一个客观事实是：市场上的利率总是不以人的意志而发生改变。

一个重要的结论：**利率是债券价格波动的主要风险因素**。

如前所述，债券价格和收益率表现为高度的反向变动的非线性关系。当收益率为 0 时，债券价格就是现金流的简单相加。当收益率趋于很大时，债券价格趋于 0，也就是没有任何价值的废纸一张。但是当收益率在初始值周围小范围变动时，价格和收益率的关系近似为线性关系。这时候曲线的斜率就会有很大用途。

这个斜率有什么经济含义？当利率发生微小变化时，债券的价格将如何变化？也就是收益率变动一个微量 Δy，它会如何影响债券的价格变动 ΔP？我们将在下一节介绍。

6.3　泰勒展开式与价格导数

我们通过一个例子来看收益率变动对债券价格的影响。

假设有一个面值为 100 元，票面利率为 10% 的 3 年期债券，每 6 个月付息一次。该债券连续复利的年收益率为 12%。如果年收益率增加了 10 个基本点，那么债券的价格变动多少？

这个问题正常的解决思路是这样的，当市场利率变动一个微量 Δy，即由 y_0 变为 $y_0 + \Delta y$ 时，债券的价格变动为

$$\Delta P = P(y_0 + \Delta y) - P(y_0)$$

也就是说，应该先分别计算不同收益率下的债券价格，然后相减，得到债券的真实价格变动。

连续复利下，债券的价格公式为

$$P = \sum_{i=1}^{n} \mathrm{CF}_i e^{-yt_i}$$

式中，CF_i 是第 i 期的现金流；t_i 是期限。

第一步，计算连续复利情况下年收益率为 12% 时债券的价格 P_0。

$$P_0 = 5e^{-0.12 \times 0.5} + 5e^{-0.12 \times 1} + 5e^{-0.12 \times 1.5} + 5e^{-0.12 \times 2} + 5e^{-0.12 \times 2.5} + 105e^{-0.12 \times 3} = 94.213 \text{（元）}$$

第二步，假设收益率增加了 10 个基本点，计算连续复利情况下年收益率为 12.1% 时债券的价格 P_1。

$$P_1 = 5e^{-0.121 \times 0.5} + 5e^{-0.121 \times 1} + 5e^{-0.121 \times 1.5} + 5e^{-0.121 \times 2} + 5e^{-0.121 \times 2.5} + 105e^{-0.121 \times 3} = 93.963 \text{（元）}$$

第三步，计算收益率变动带来的债券价格变动。

$$\Delta P = P_1 - P_0 = -0.25 \text{（元）}$$

也就是说，收益率增加了 10 个基本点，债券价格由 94.213 元下跌到 93.963 元，价值下跌了 0.25 元，即 $\Delta y = 0.1\%$ 时，$\Delta P = -0.25$ 元。这是传统的度量方法，也是债券的真实价格变动，计算过程见表 6-4。

表 6-4　收益率变动 10 个基本点的债券价格变动

期限（年）	现金流（元）	现值（元，收益率为 12% 时）	现值（元，收益率为 12.1% 时）
0.5	5	4.709	4.706
1.0	5	4.435	4.430
1.5	5	4.176	4.170
2.0	5	3.933	3.925
2.5	5	3.704	3.695
3.0	105	73.256	73.037
合计		94.213	93.963
ΔP（元）		−0.25	

依据传统方法来计算太复杂，现实中的可操作性也差。因为同其他市场变量相比，如股价、汇率及实物资产价格等，利率风险更加难以管理。利率风险之所以复杂，是因为对应于任何一种货币，往往会有几种不同的利率。虽然这些利率一般会同时变动，但这些利率的变动幅度并不完全相同。另一个造成利率风险复杂的原因是我们不能仅仅只用一个数字来描述利率，我们需要用一个与期限相关的函数来描述利率。这种函数关系就是我们在本章第一节介绍过的利率期限结构，或者称为收益率曲线。

是否有捷径能帮助我们来处理这样的问题？答案是肯定的。我们来回顾下在高等数学里面学习过的泰勒展开式。

考虑函数 $P = f(y)$，假定自变量 y 变动一个微量 Δy，从 y_0 变为 $y_0 + \Delta y$，因变量 P 也会随之有一个小的变化 ΔP。ΔP 与 Δy 之间的近似函数关系可以用泰勒展开式表达。

完整的泰勒展开表达式为

$$P_1 = P_0 + f'(y_0)\Delta y + \frac{1}{2}f''(y_0)(\Delta y)^2 + \cdots \tag{6-7}$$

式中，$f' = \dfrac{dP}{dy}$ 是函数 $f(y)$ 的一阶导数；$f'' = \dfrac{d^2 P}{dy^2}$ 是二阶导数，以此类推。它们的值由初始点确定。这是英国数学家布鲁克·泰勒于 1715 年发表的成果，人们以他的名字来命名。

如果增量 Δy 非常小，第二项以及后面的各项都是高阶无穷小，我们可以忽略不计。我们就可以用 $\Delta P = P_1 - P_0 \approx f'(y_0)\Delta y$ 来近似计算利率变动一个微量所带来的债券价格的变动。

事实上，对于债券来说，仅前两项被金融从业者使用。函数的一阶导数对应着久期的度量，二阶导数对应着凸性的度量。将一阶导数和二阶导数放在一起，我们就得到了债券价格变动的泰勒展开式（我们只考虑二阶以内的）：

$$\Delta P = -D^* P_0 \Delta y + \frac{1}{2} \times CP_0 (\Delta y)^2 \qquad (6\text{-}8)$$

式中，D^* 是修正久期；C 是凸性。两个变量的具体含义将在后面介绍。

泰勒展开式对于金融风险管理而言是非常基本的。它（或者它的不同形式）被应用于多种金融市场。在本书的后面章节我们将看到，泰勒展开式也被应用于近似金融衍生合约的风险管理，比如期权的希腊字母：Delta、Gamma、Vega 等。

6.4 线性风险管理工具：久期

6.4.1 美元久期

对于债券函数 $P = f(y)$ 来说，其一阶导数非常重要。离散复利下，债券的价格公式为 $P = \sum_{t=1}^{T} \frac{CF_t}{(1+y)^t}$，这里，$CF_t$ 是 t 时刻债券支付的现金流。该函数对收益率求一阶导数，得到：

$$\frac{dP}{dy} = \frac{d}{dy}\left[\sum_{t=1}^{T} \frac{CF_t}{(1+y)^t}\right]$$

整理后得到：

$$\frac{dP}{dy} = \frac{1}{1+y}\sum_{t=1}^{T} \frac{-tCF_t}{(1+y)^t} = -\frac{1}{1+y}\sum_{t=1}^{T} \frac{tCF_t}{(1+y)^t} \qquad (6\text{-}9)$$

这个导数是个负数，为了规避负号，我们定义离散复利下债券的**美元久期**（dollar duration，DD）为

$$DD = -\frac{dP}{dy} = \frac{1}{1+y}\sum_{t=1}^{T} \frac{tCF_t}{(1+y)^t} \qquad (6\text{-}10)$$

美元久期是利率变动一个微量（Δy）所带来的债券价格的变动（ΔP），它的单位是美元。有时候债券的风险会用一个基本点的美元价值来度量，即 **DVBP**（dollar value of a basis point）。

$$DVBP = DD \times \Delta y = D^* P_0 \times 0.0001 \qquad (6\text{-}11)$$

式中，0.000 1 代表一个**基本点**（base point，BP）的利率变化。DVBP（有时候被称为 DV01）能更容易地由整个投资组合的值加总起来。

6.4.2 修正久期

债券风险管理中，最常用的久期概念是**修正久期**（modified duration）。离散复利下修正久期定义为 $D^* = -\dfrac{dP/P}{dy}$，即利率变动一个微量所带来的债券价格变动的百分比。这是一个无量纲的量。

根据式（6-9），我们定义的修正久期为

$$D^* = -\frac{dP/P}{dy} = -\frac{1}{P}\frac{dP}{dy} = \frac{1}{P} \times \frac{1}{1+y}\sum_{t=1}^{T} \frac{tCF_t}{(1+y)^t} \qquad (6\text{-}12)$$

修正久期度量了债券价格对收益率变动的风险暴露或敏感程度，是对利率风险的恰当度量。易知，美元久期与修正久期之间的关系为 $DD = D^* P$。

6.4.3 麦考利久期

麦考利久期（macaulay duration）是麦考利（F. R. Macaulay）在 1938 年首次提出的概念。定义 $\dfrac{\sum_{t=1}^{T} t \dfrac{\text{CF}_t}{(1+y)^t}}{P} = \sum_{t=1}^{T} t\omega_t$ 为麦考利久期（D）。其中 $P = \sum_{t=1}^{T} \dfrac{\text{CF}_t}{(1+y)^t}$，$\omega_t = \dfrac{\dfrac{\text{CF}_t}{(1+y)^t}}{P}$，权重 ω_t 代表现金流 CF_t 的现值在总现值（债券的价值）中所占的比例。

对麦考利久期的经济学解释为，**它代表了等待所有现金流所需要的平均时间**。

零息债券由于只是到期支付一次现金流，它的权重为 1，因此，它的麦考利久期就是它的到期时间。自然，对支付固定息票的附息债券来说，其麦考利久期比到期期限要短。

易知，$D^* = \dfrac{D}{1+y}$。这是离散复利下修正久期与麦考利久期之间的关系式。

6.4.4 美元久期、修正久期与麦考利久期的关系

在美元久期、修正久期和麦考利久期这三个久期工具中，只有修正久期是无量纲的量，它的经济含义是利率变动一个微量所带来的债券价格变动的百分比；而美元久期是利率变动一个微量带来的债券价格的变动额，单位是美元；麦考利久期是平均还款时间，单位是年（或半年）。但是，因为美元久期和修正久期这两种度量都是建立在 $\dfrac{\text{d}P}{\text{d}y}$ 之上的，所以二者之间有一个等量关系，即 $\text{DD} = D^* P$。对离散复利的债券来说，我们对麦考利久期进行一个小的调整，就可以得到修正久期。如果 y 是一年复利一次的利率，我们用麦考利久期除以（$1+y$）就是我们定义的修正久期；在更为广义的前提下，如果 y 是一年复利 m 次的利率，我们需要用麦考利久期除以（$1+y/m$），才能得到我们定义的修正久期。三者之间在数值上的关系如图 6-2 所示。

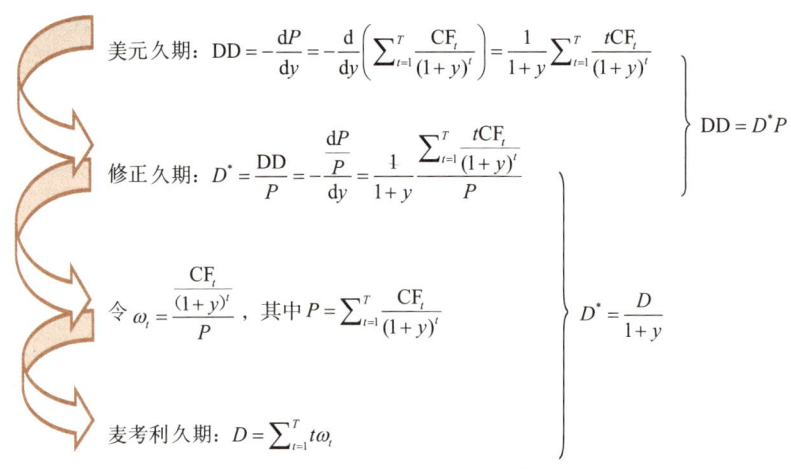

图 6-2 美元久期、修正久期与麦考利久期在数值上的关系

美元久期计算了价格 - 收益率曲线在初始点的切线的（负）斜率。对于小的收益率变动，线性近似对实际价格提供了相当不错的近似（见图 6-3 中的短间断曲线）。根据美元久期的定义，债券的价格变动 $\Delta P = \text{DD} \times \Delta y = D^* P_0 \times \Delta y$。

但是，当收益率发生较大变动时，价格 - 收益率曲线变得更加弯曲，线性近似效果逐渐

变差（见图 6-3 中的长间断曲线）。在这种情况下，二阶近似显然要更好一些。

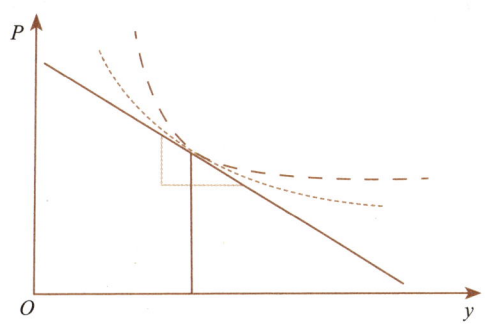

图 6-3　债券的价格 – 收益率曲线图

6.4.5　用久期计算债券的价格变动

如果债券的久期已知，那么，因利率变动（dy）一个微量带来的债券价格变动（dP）的一阶近似值就是式（6-12）的变形：

$$dP = -D^* P_0 dy \tag{6-13}$$

式中，$dy = y_1 - y_0$，y_0 为初始利率，y_1 为上升或下降后的利率。

由式（6-13）易知：

（1）修正久期较大的债券，利率上升（$dy > 0$）造成的债券价格下跌得较多；利率下降（$dy < 0$）造成的债券价格上涨得也较多。

（2）修正久期越小的债券，利率上升（$dy > 0$）造成的债券价格下跌得较少；利率下降（$dy < 0$）造成的债券价格上涨得也较少。

所以，债券久期是衡量债券价格对利率风险因子的敏感度的指标。

6.4.6　连续复利下债券的修正久期与麦考利久期

连续复利下债券的价格公式为 $P = \sum_{i=1}^{n} CF_i e^{-y t_i}$，根据修正久期的定义，连续复利下债券的修正久期为

$$D^* = -\frac{\dfrac{dP}{P}}{dy} = -\frac{\sum_{i=1}^{n} -t_i CF_i e^{-y t_i}}{P} = \sum_{i=1}^{n} t_i \omega_i = D \tag{6-14}$$

式中，$\omega_i = \dfrac{CF_i e^{-y t_i}}{P}$，是权重。

重要结论：连续复利下，修正久期和麦考利久期的度量一致。

例 6-3 面值为 100 元，票面利率为 10% 的 3 年期债券，每 6 个月付息一次。该债券连续复利的年收益率为 12%。请用久期估计债券的价格变动。

解答：以 $t = 0.5$ 时间点为例：$P(t = 0.5) = 5e^{-0.12 \times 0.5} = 4.709$。债券的总价值 = 94.213 元，所以现金流的权重 $\omega_{0.5} = \dfrac{4.709}{94.213} = 0.05$。权重与时间的乘积 $t\omega_{0.5} = 0.5 \times 0.05 = 0.025$。剩余计算过程见表 6-5。

表 6-5　利用久期计算债券价格的变动

期限（年）	现金流（元）	现值（元）	权重	期限 × 权重
0.5	5	4.709	0.050	0.025
1.0	5	4.435	0.047	0.047
1.5	5	4.176	0.044	0.066
2.0	5	3.933	0.042	0.083
2.5	5	3.704	0.039	0.098
3.0	105	73.256	0.778	2.333
合计	130	94.213	1.000	2.653

（1）使用久期度量债券风险。

假设该类债券的收益率增加了 10 个基本点，即 0.1%。此时 $\Delta y = 0.001$。

因为连续复利下修正久期等于麦考利久期，此时债券的价格变动（只考虑一阶导数）为

$$\Delta P = -D^* P_0 \times \Delta y = -2.653 \times 94.213 \times 0.001 = -0.250 \text{（元）}$$

（2）如果收益率调整为每年复利两次，使用久期估计价格变动。

前面的例子中描述的债券，连续复利的年收益率为 12%，假设每年复利两次，我们再来用久期估计价格变动。

12% 所对应的每年复利两次的收益率 y 的计算公式为 $\left(1+\dfrac{y}{2}\right)^2 = e^{12\% \times 1}$，计算得到 $y \approx 12.37\%$。

在新的假设下，$D^* = \dfrac{D}{1+y/2}$，把 $y=12.37\%$ 代入上式得：$D^* = \dfrac{D}{1+y/2} = \dfrac{2.653}{1+0.12367/2} = 2.4985$。

那么，利用久期关系式估计债券的价格变动为 $\Delta P = -D^* P_0 \times \Delta y = -2.4985 \times 94.213 \times 0.001 = -0.235$（元）。新的债券价格为 94.213−0.235=93.978（元）。

这个例子说明：当债券收益率变化较小时，修正久期的计算公式非常精确。

如果利率波动较大，比如超过 100 个基本点，那么我们用久期来估计债券的价格变动就有问题了，此时的估计误差太大，必须要考虑二阶导数——凸性。

6.5　非线性风险管理工具：凸性

如图 6-3 所示，短间断曲线和长间断曲线代表的两个债券在初始点的价格变化百分比（dP/P）相同。但是当收益率的变动 Δy 较大，两个债券的价格变化百分比就有较大的差异。长间断曲线所代表的债券的价格变化百分比明显比短间断曲线所代表的债券的价格变化百分比大。直观地从图形上看，长间断曲线的弯曲程度比短间断曲线的要大。一个被称为**凸性**（convexity）的变量是用来检验曲线的**弯曲程度**（curvature）的，它可以被用来改善使用泰勒展开式估计债券价格变化的近似程度的准确性。

6.5.1　凸性的定义

债券的凸性用 C 表示，凸性是债券价格对收益率的二阶导数除以初始价格 P_0。凸性的定义为

$$C = \frac{1}{P_0}\frac{d^2 P}{dy^2} \tag{6-15}$$

（1）离散复利下，通过对债券的 $P = \sum_{t=1}^{T}\frac{CF_t}{(1+y)^t}$ 求二阶导数，债券凸性的数学表达式推导过程为

$$C = \frac{1}{P_0}\frac{d^2 P}{dy^2} = \frac{1}{P_0}\frac{\sum_{t=1}^{T}t(t+1)CF_t}{(1+y)^{t+2}}$$

$$= \frac{1}{(1+y)^2}\sum_{t=1}^{T}t(t+1)\frac{CF_t/(1+y)^t}{P_0}$$

即

$$C = \frac{1}{(1+y)^2}\sum_{t=1}^{T}t(t+1)\omega_t \tag{6-16}$$

式中，$\omega_t = \dfrac{CF_t/(1+y)^t}{P_0}$，为权重。

（2）对于连续复利的债券来说，$P = \sum_{t=1}^{n}CF_t e^{-yt}$，它的凸性的数学表达式为

$$C = \frac{1}{P_0}\frac{d^2 P}{dy^2} = \frac{\sum_{t=1}^{n}CF_t t^2 e^{-yt_i}}{P_0} = \sum_{t=1}^{n}t^2 \omega_t \tag{6-17}$$

式中，$\omega_t = \dfrac{CF_i e^{-yt_i}}{P_0}$，为权重。

注意：①凸性表达式中量纲采用的是时间的平方。对于半年复利的情形，凸性用半年的平方来计算。②对于具有固定息票的债券来说，凸性一定是正值（债券价格的一阶导数是个负值）。

6.5.2 凸性的性质

凸性是对价格-收益率曲线弯曲度的衡量。对正常支付利息的债券来说，它总是正的，无论价格下降还是上升，凸性越大越有利。凸性越大，对收益率大的波动（上升或下降）都越有利。从图 6-4 可以看出，当收益率上升时，债券价格会下降。对于凸性越大的债券，也就是弯曲程度越大的债券，收益率上升时带来的债券贬值越少。当收益率下降时，债券价格会上升。凸性越大的债券，收益率下降时带来的债券增值越多。

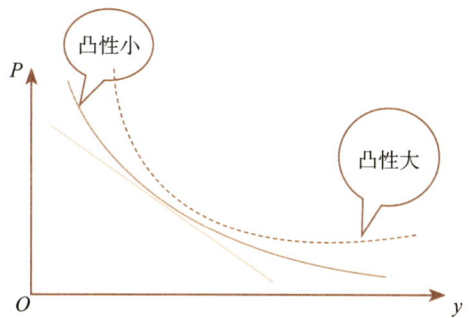

图 6-4　不同凸性债券的价格-收益率曲线

6.5.3 凸性应用示例

我们继续应用例 6-3，面值为 100 元，票面利率为 10% 的 3 年期债券，每 6 个月付息一次。该债券连续复利的年收益率为 12%。假设此时市场上该类债券的收益率上涨到 14%，增加了 2%，请估计收益率变动对债券价格的影响。

注意：此时市场上该类债券的收益率由 12% 上涨到 14%，增加了 2%，即 200 个基本点，我们不能忽略二阶导数项，必须考虑凸性对债券价格变动的影响。

首先，我们选取一个时间点，应用连续复利下凸性的计算公式 [式（6-17）] 计算凸性。我们仍然以 $t = 0.5$ 为例，此时的 $\omega_i = \dfrac{4.709}{94.213} = 0.050$，$t_i^2 \omega_i = 0.5^2 \times 0.050 = 0.012\,5$。然后依次计算出其他五个时间点的 $t_i^2 \omega_i$，加总得到凸性 $C = 7.572\,3$。具体计算过程见表 6-6。

表 6-6　凸性对债券价格的影响的计算过程

期限（年）	现金流（元）	现值（元）	权重	期限²× 权重
0.5	5	4.709	0.050	0.012 5
1.0	5	4.435	0.047	0.047 0
1.5	5	4.176	0.044	0.099 0
2.0	5	3.933	0.042	0.168 0
2.5	5	3.704	0.039	0.243 8
3.0	105	73.256	0.778	7.002 0
合计	130	94.213	1.000	7.572 3

1. 基于久期和凸性估计的债券价格变动

当收益率由 12% 上涨为 14%，如果只考虑久期，估计的债券价格变动就是修正久期、债券价格、收益率的变动三者的乘积。修正久期我们在 6.4 节已经计算出来，为 2.653，债券价格是 94.213 元。此时收益率波动是 200 个基本点，即 0.02。

仅基于久期预计的债券价值的变化为

$$-D^* P_0 \Delta y = -2.653 \times 94.213 \times 0.02 = -4.999 \text{（元）}$$

基于久期和凸性估计的债券价格变动为

$$-D^* P_0 \Delta y + \frac{1}{2} \times C P_0 (\Delta y)^2 = -2.653 \times 94.213 \times 0.02 + \frac{1}{2} \times 7.572\,3 \times 94.213 \times 0.02^2 = -4.856 \text{（元）}$$

2. 债券的实际价格变动

首先，计算收益率为 14% 的债券的价格：

$$P_1 = 5e^{-0.14 \times 0.5} + 5e^{-0.14 \times 1} + 5e^{-0.14 \times 1.5} + 5e^{-0.14 \times 2} + 5e^{-0.14 \times 2.5} + 105e^{-0.14 \times 3} = 89.354 \text{（元）}$$

收益率为 12% 时，债券的价格为 94.213 元，所以收益率上涨 200 个基本点，债券的价格变动为 $\Delta P = 89.354 - 94.213 = -4.859$（元）。

3. 两种计算结果对比

- 债券的实际价格变动为 −4.859 元。
- 仅基于久期估计的债券价格变动为 −4.999 元。

- 基于久期和凸性估计的债券价格变动为 −4.856 元。

毫无疑问,基于久期和凸性的估计结果更接近实际价格变动。

结论:当债券收益率变化较大(比如这里的 2%)时,同时考虑久期和凸性的计算结果比只考虑久期的计算结果要精确得多。

6.6 债券投资组合的风险管理

我们采用久期和凸性来检测单一证券对利率的敏感度。而久期和凸性也可以被推广应用于证券组合,或与利率相关的产品组合。

固定收益投资组合通常包括大量证券,分别考虑每一只证券的行为是不可能的。取而代之的做法是,投资组合的管理者将整个组合的久期和凸性进行加总。而组合的久期和凸性的关系式只适用于收益率曲线的平行移动。

收益率曲线的**平行移动**定义为:将零息收益率曲线的所有点平行移动一个等同的数量。比如 1 年期、2 年期、5 年期与 10 年期债券利率同时增加或减少相同的基本点,如图 6-5 所示。本节内容只涉及收益率曲线平行移动的情形。

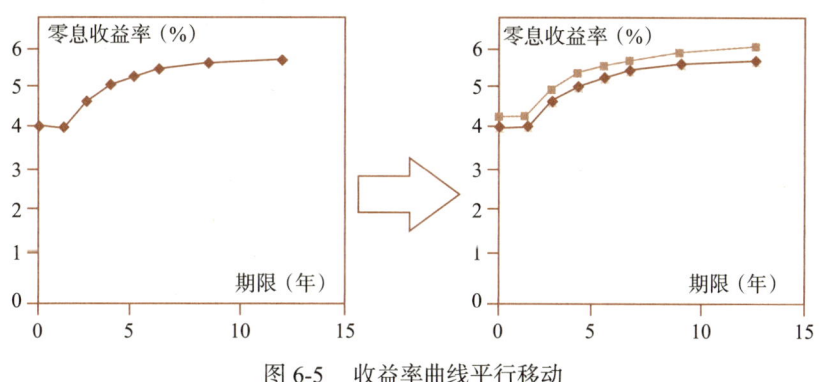

图 6-5 收益率曲线平行移动

6.6.1 组合的久期

假定投资组合是由多种债券资产组成的,第 i 个资产的市场价值用 X_i 标记,P 代表组合的价值。则 $P = \sum_{i=1}^{n} X_i$,第 i 项资产在组合中的权重为 $\omega_i = \dfrac{X_i}{P}$,$i = 1, 2, \cdots, n$。

在零息收益率曲线平行移动的假设下,组合的久期被定义为

$$D = -\frac{1}{P} \frac{\Delta P}{\Delta y} \qquad (6\text{-}18)$$

式中,ΔP 是观察到的相应的价格变化,$\Delta P = \sum_{i=1}^{n} \Delta X_i$;$\Delta y$ 是平行移动的变化量。

式(6-18)可变形为

$$\frac{\Delta P}{P} = -D \times \Delta y \qquad (6\text{-}19)$$

即价格变动的百分比等于组合的久期与收益率变动的乘积。

定义 ΔX_i 为收益率变化 Δy 时 X_i 的相应变化量,我们假定第 i 个资产的久期为 D_i,$D_i =$

$-\frac{1}{X_i}\frac{\Delta X_i}{\Delta y}$，$i=1, 2, \cdots, n$，则：

$$\frac{\Delta X_i}{\Delta y} = -D_i X_i, \quad i=1, 2, \cdots, n \tag{6-20}$$

把式（6-20）代入式（6-18）：

$$D = -\frac{1}{P}\frac{\Delta P}{\Delta y} = -\frac{1}{P}\sum_{i=1}^{n}\frac{\Delta X_i}{\Delta y} = \frac{1}{P}\sum_{i=1}^{n}X_i D_i = \sum_{i=1}^{n}\frac{X_i}{P}D_i = \sum_{i=1}^{n}\omega_i D_i$$

即

$$D = \sum_{i=1}^{n}\omega_i D_i \tag{6-21}$$

式（6-21）说明投资组合的久期是组合中各个构成资产的久期的加权平均，权重等于构成资产与整体组合的市场价值的比率。

例6-4 一个债券组合的组成如下：组合A，价格为90 000美元，修正久期为2.5，8个债券的多头头寸；组合B，价格为110 000美元，修正久期为3，6个债券的空头头寸；组合C，价格为120 000美元，修正久期为3.3，12个债券的多头头寸。利率均为10%。如果利率上涨25个基本点，那么该债券组合的价值会如何变化？

解答：债券组合的美元久期为$D^*P = \sum X_i D_i = 8\times 2.5\times 90\,000 - 6\times 3\times 110\,000 + 12\times 3.3\times 120\,000 = 4\,572\,000$（美元）。债券组合的价值变动为$-D^*P\times\Delta y = -4\,572\,000\times 0.25\% = 11\,430$（美元）。

6.6.2 组合的凸性

凸性的概念也可以像久期一样被推广应用到组合管理中。类似地，投资组合的凸性（C_P^*）也是组合中单个债券凸性（C_i^*）的加权平均，如下式：

$$C_P^* = \sum_{i=1}^{n}\omega_i C_i^* \tag{6-22}$$

式中，$\omega_i = X_i / P$是权重，数值等于构成资产与整体组合的市场价值的比率。

6.6.3 投资组合免疫策略

收益率平行移动对债券组合价值变动的影响同样可以使用泰勒展开式来计算。如果收益率曲线有一个较小的平行移动，可使用近似式$\Delta P \approx -D^*P_0\Delta y$。还有另一个更为精确、在收益率曲线有一个较大的平行移动时仍然成立的关系式：$\Delta P \approx -D^*P_0\Delta y + \frac{1}{2}\times CP(\Delta y)^2$。

损失（ΔP）的发生来自两种因素的组合：对风险因子如美元久期的风险暴露（内部可控变量）和风险因子自身的变动（不可控的外生变量）。

外部变量Δy不可控，但是可以通过控制可控变量（组合的久期）实现风险对冲，在这里，可控变量就是美元久期（D^*P_0）。当组合的美元久期为零（组合的久期是组合中构成资产的久期的加权和）时，无论风险因子Δy如何变化，组合价值变化ΔP都趋于零。债券的风险管理采用对冲策略，其理论基础是投资组合免疫。

免疫策略的基本原理：保证组合的久期为0，可以保证与利率有关的该投资组合价值不受收益率曲线小规模平行移动的影响。保证久期和凸性都为 0，可使投资组合价值不受收益率曲线较大规模平行移动的影响。

例 6-5 假设一个投资组合经理持有一个修正久期为 6.8 的 1 000 万美元的债券组合，该投资组合需要对冲 3 个月。当前的国债期货合约价格是 93-02（这是美国国债报价的习惯，93-02 就是 $93\frac{2}{32} = 93.0625$），名义金额为 100 000 美元，假设它的修正久期是 9.2。计算两个值：①期货合约的价值。②最优对冲的期货合约数量。

解答：期货合约的报价为 93.062 5%。每份期货合约的名义价值为 100 000 美元，所以，一份期货合约的价值为 93.062 5% × 100 000 = 93 062.5（美元）。

当市场利率波动 Δy 时，投资组合经理持有的债券组合的价值变动约为 $\Delta P_A = -6.8 \times 10^7 \times \Delta y$。这里我们用 DV01 来表示，DV01 意味着收益率变动一个基本点，其价值为 DV01 = 6 800（美元）。

用国债的期货合约作为对冲工具，利率波动 Δy 时，一份期货合约的价值变动为 $\Delta P_F = -9.2 \times 93 062.5 \times \Delta y$。其 DV01 约为 85.6 美元。

假设持有 N 份期货合约才能对冲市场利率波动的风险，当市场利率波动 Δy 时，免疫策略下新组合的价值变动应该为零，即 $\Delta P_A + N \Delta P_F = 0$。

则投资组合经理需要持有的期货合约的份数 N 为

$$N = -\frac{\Delta P_A}{\Delta P_F} = -\frac{D_A^* P_A}{D_F^* P_F} = -\frac{6.8 \times 10\,000\,000}{9.2 \times 93\,062.50} = -79.4$$

结论：你需要卖出 79 份国债期货合约。

6.6.4 最优对冲的应用

购买 N 份对冲资产后，市场利率波动带来的新组合的价值变动（用 ΔV 表示）为

$$\begin{aligned}\Delta V &= \Delta P_A + N \Delta P_F = [-D_A^* P_A + N(-D_F^* P_F)]\Delta y \\ &= -[D_A^* P_A + N(D_F^* P_F)]\Delta y\end{aligned} \quad (6\text{-}23)$$

当括号中两项的和为零时，式（6-23）的值为零。此时无论 Δy 多大，都不会影响新组合的价值，这就是免疫的原理。

换句话说，最优对冲就是负的现货的美元久期与对冲工具的美元久期的比值。这个比率也可以用基本点的美元价值来表示：

$$N^* = \frac{\text{DVBP}_P}{\text{DVBP}_F} \text{（或 } N^* = \frac{\text{DV01}_P}{\text{DV01}_F}) \quad (6\text{-}24)$$

但在某些情况下，比如，当我们预计市场利率波动将对我们有益时，就可以调整组合的久期为某个数值。一般来说，如果我们的目标久期是 D_V，就可以使用 N 作为工具来修正投资组合的久期，通过下式达到目的：

$$N^* = \frac{D_V V - D_A^* P_A}{D_F^* P_F} \quad (6\text{-}25)$$

结论：最优久期对冲就是风险头寸的美元久期与对冲工具的美元久期的比值。

6.7 债券的 VaR 度量

尽管久期和凸性都是度量债券风险的工具，有助于我们直观地理解风险，但是由于它们没有考虑市场之间波动率的差异、风险因素发生不利变动的概率以及风险因子之间的相关性，它们仍然无法度量投资组合在不利情况下的总体潜在损失。

债券投资者最关注的问题是在特定时期内、一定置信水平下，投资者在这项投资上可能遭受的最大损失是多少。虽然我们利用久期可以得到结果，但是我们只能通过久期看出这个债券对于利率的变化的敏感程度，我们无法了解利率发生糟糕变化的可能性有多大。同时，它也忽略了债券价格与收益率之间的非线性关系。另外一个普遍存在的问题是，敏感性方法无法综合考虑各个不同市场中的风险。举个例子，一个持有以欧元计价的债券的投资者，他的风险是增加了还是分散了？而 VaR 模型的魅力就在于它可以对所有类似问题给出一个漂亮的答案。一个数字就可以反映整个投资组合所面临的风险，考虑了组合的杠杆和风险分散效应，提供了一个与概率相联系的风险度量。

例 6-6 某投资组合目前的市场价值为 1 亿美元，修正久期为 13.5。风险经理预测，在 95% 置信水平下，明年的收益率最坏的变化为 1.65%，请问：其投资组合的 VaR 为多少？

解答：VaR 是在一定置信水平下、一定持有期内的最糟糕的变化。在收益率发生最坏变动的情况下，投资组合价值也最低，所以，95% 置信水平下一年持有期的 VaR = 市场价值 × 修正久期 × 最坏情况下收益率的变化，即 VaR = 1 亿美元 × 13.5 × 0.016 5 = 2 200 万美元。因此，风险经理利用 VaR 可以简单直观地解释投资的风险。

将久期公式推广到某个置信水平下收益率的最糟糕的变动（Δy），我们得到：

$$\text{最糟糕的 } \Delta P = -D^* P \times \text{最糟糕的 } \Delta y \tag{6-26}$$

式中，D^* 是修正久期。对于债券的多头头寸，最糟糕的收益率变动是收益率上涨了 Δy。收益率上涨将导致相同置信水平下债券价值的下跌。因此，一阶条件下债券 VaR 可以通过下式得到：

$$\text{VaR}(\Delta P) = |-D^* P_0| \times \text{VaR}(\Delta y) \tag{6-27}$$

二阶条件下，债券 VaR 可以通过下式得到：

$$\text{VaR}(dP) = \left|-D^* P_0\right| \times \text{VaR}(\Delta y) - \frac{1}{2} \times CP \times \text{VaR}(\Delta y)^2 \tag{6-28}$$

式（6-28）增加了二阶条件下凸性的衡量，但是二阶项前的符号不同于前面章节，这里它是负的。原因在于凸性大对债券总是有利的，当收益率增加时，凸性大的债券贬值更少。当收益率减少时，凸性大的债券升值更多。但是因为 VaR 衡量的是损失，所以，在度量 VaR 时，必须把凸性带来的变动扣减掉。

例 6-7 一个投资组合包括两个零息债券，当前价值均为 10 美元。第一个债券的修正久期为 1，第二个债券的修正久期为 9。收益率曲线是水平的，收益率均为 5%。假设所有的收益率曲线平行移动。给定每日收益率的波动率为 1%。请预测该投资组合在 95% 置信水平下每日 VaR 的最好估计。

解答：第一步，计算收益率的 VaR(Δy)：$\alpha\sigma = 1.65 \times 0.01$。

第二步，计算组合的修正久期：$1 \times \frac{10}{20} + 9 \times \frac{10}{20} = 5$。

第三步，计算该投资组合的美元久期，它为组合的修正久期与组合价值的乘积：$5 \times 20 = 100$（美元）。

第四步，计算债券组合的 VaR：

$$\text{VaR}(\Delta P) = \left| -D^* P_0 \right| \times \text{VaR}(\Delta y) = 100 \times 1.65 \times 0.01 = 1.65 \text{（美元）}$$

本章小结

即期利率是指零息债券的到期收益率，它是与即期合约直接相关的利率。在不考虑违约风险的情况下，到期收益率是指使未来现金流量现值等于债券当前市场价格的贴现率。因此，我们既可以使用即期利率来评估债券的价值，也可以使用到期收益率来评估债券的价值。

当债券的价格高于其面值时，我们称之为溢价出售。投资者购买溢价债券后，在债券的有效期内可能会面临资本损失，因此其到期收益率通常低于当期收益率。相反，如果债券的价格低于其面值，则称为折价出售。投资者购买折价债券后，在债券的有效期内有望获得资本增值，因此折价债券的到期收益率通常高于当期收益率。

在不考虑信用风险的前提下，利率是债券价格波动的主要风险因素。衡量利率风险常用的工具包括久期和凸性。麦考利久期是现金流发生时间的加权平均，代表了等待所有现金流所需的平均时间。修正久期则是无量纲的，表示债券价格相对于利率波动 1% 时的变动百分比，它与麦考利久期之间存在等式关系。美元久期则计算了价格－收益率曲线在初始点的切线的（负）斜率。凸性则是对价格－收益率曲线弯曲程度的衡量，对于正常支付利息的债券来说，凸性总是正值。当收益率发生较大波动（无论是上升还是下降）时，拥有较大凸性的债券通常更有利。

对于债券投资组合而言，组合的久期是组合中债券久期的加权平均，权重是各债券的市场价值与整个投资组合市场价值的比率。类似地，组合的凸性也是组合中债券凸性的加权平均。

债券的 VaR 衡量了在特定时期内、一定置信水平下，投资者在债券投资上可能遭受的最大损失。它考虑了投资组合的杠杆效应和风险分散效果，提供了一个与概率相关的风险度量指标，反映了整个投资组合所面临的风险水平。

本章的**重点**和**难点**：①即期利率与到期收益率在债券估值中的应用差异；②泰勒展开式和价格导数在债券定价中的作用；③麦考利久期、美元久期和修正久期的三种度量方式及其相互关系；④连续复利与离散复利下久期和凸性的计算及其差异；⑤债券及组合的 VaR 度量。

关键概念

即期利率	价格－收益率曲线	美元久期
到期收益率	泰勒展开式	修正久期
利率的期限结构	价格导数	凸性
当期收益率	麦考利久期	债券的 VaR

练习题

1. 考虑一个年票面利率为6%的10年后支付1 000美元的债券,该债券一年支付一次利息。假设下一次利息支付恰好在一年后。如果收益率为6%,那么债券的市场价格是多少?如果收益率下降到5%,债券的市场价格是多少?

2. 计算证券A、B和C的麦考利久期和修正久期,其现金流如下表所示,利率为8%。

证券	时期1	时期2	时期3
A	40	40	40
B	20	20	120
C	10	10	110

3. 以下三只债券都是10年期债券,其他信息如下表所示。

债券	票面利率(%)	价格(%)
A	2	81.62
B	4	98.39
C	8	133.42

如果利息按年支付,哪只债券的到期收益率最高?哪只债券的到期收益率最低?哪只债券的久期最长?哪只债券的久期最短?

4. 6年期国债,息票利率为5%,每年支付一次利息,目前债券的收益率为3%,假设一年后,债券的收益率仍为3%。那么在这一年中债券投资者的收益率是多少?假设一年后收益率为2%,在这一年中债券投资者的收益率又是多少?

5. 永续债券每年等额支付,且永远持续下去,其久期为(1+收益率)/收益率。
   (1)证明这个结论。
   (2)如果收益率都为5%,永续债券和15年零息债券,哪个久期更长?如果收益率为10%呢?

6. 一个投资组合经理拥有价值1亿美元的债券头寸。这个头寸的修正久期是8,凸性为150,那么当利率上升25个基本点后,债券头寸的价格会有多大的变动?

7. 假设一个3年期债券的面值为1 000美元,年票面利率为10%,目前的收益率为5%。该债券的修正久期是多少?

8. 一个国债的票面利率为6%,半年支付一次,以半年复利计算的收益率为4%。该国债距离到期期限还有18个月。下一次支付利息距离现在6个月。请计算该国债的麦考利久期。

9. A和B是两个永续年金债券,永续即意味着期限是无限的,A的票面利率为4%,B的票面利率为8%。假设两个债券的收益率均相同,下面关于久期的说法哪一个是正确的?
   A. A和B拥有相同的久期
   B. A的久期比B的大
   C. B的久期比A的大
   D. 以上说法均不对

案例专栏

欧洲主权债务危机

欧洲主权债务危机,亦称欧债危机,是自2009年起爆发的一场以主权债务问题为核心的金融危机。这场危机的根源在于国家信用体系的动摇,具体表现为政府资产负债表的失衡。危机首先在希腊浮出水面,随后如野火燎原般迅速扩散至葡萄牙、爱尔兰、意大利、西班牙等国家,这些国家因此被并称为"笨猪五国"(PIIGS)。

欧债危机是一个多维度、跨国家的经济事件,其复杂性不言而喻。它不仅对欧洲经济体系造成了深远的影响,还通过全球金融网络和贸易纽带对全球经济格局产生了剧烈的冲击。

在危机肆虐期间，欧洲债券市场遭遇了前所未有的动荡，投资者对部分国家政府的偿债能力产生了严重的信任危机，这直接导致了相关国家债券价格的暴跌以及信用利差的急剧飙升，市场流动性因此陷入了极度紧缩的状态。通过深入剖析欧债危机的案例，我们能够更加清晰地认识到债券信用风险的复杂多变以及全球金融市场之间的相互依存关系。

回顾欧债危机的演变历程，我们可以清晰地看到其发展的脉络。希腊债务危机作为导火索，于2009年10月正式爆发，当时希腊政府宣布其财政赤字和公共债务占GDP的比例严重超标，这一消息立即引发了市场的恐慌。随后，全球三大评级机构相继下调了希腊的主权信用评级，市场动荡进一步加剧。紧接着，爱尔兰因房地产泡沫的破裂和银行体系的脆弱而陷入困境，于2010年11月向欧盟申请了资金援助。与此同时，葡萄牙、意大利和西班牙等国也因财政赤字和债务问题而备受市场关注，其主权债务收益率不断攀升。

欧债危机的影响是深远且广泛的。在经济层面，危机国家遭受了严重的经济衰退，财政紧缩政策虽然有助于控制赤字，但也抑制了经济的复苏动力。在金融市场方面，银行体系面临着巨大的资本损失风险，政府债券的价值大幅下跌，国际投资信心受到严重打击。由于欧元区在全球经济中的重要地位，欧债危机无疑对全球经济的复苏进程造成了不小的阻碍。

探究欧债危机的背景和成因，我们可以发现以下几点关键因素。第一，欧元区制度设计上存在明显的缺陷。虽然成员国使用统一的货币，但财政政策却由各国自行制定，这导致了货币政策与财政政策严重脱节。第二，部分成员国对本国经济状况的判断存在严重失误，这导致了债务和信贷的过度扩张。例如，葡萄牙长期面临贸易逆差和出口商品单一的问题，这使得其经济体系异常脆弱；爱尔兰和西班牙则因房地产泡沫的破裂而陷入困境，政府不得不投入巨资救助银行体系，从而进一步加重了财政负担。第三，评级机构对希腊等国主权信用评级的下调加剧了市场的恐慌情绪，加速了危机的蔓延。

为了应对欧债危机，欧盟和国际货币基金组织提供了大规模的资金援助以稳定市场情绪并防止危机进一步扩散。同时，危机国家也采取了一系列措施来削减财政赤字并提高竞争力。这些措施包括：实施财政紧缩政策以减少政府支出并提高税收水平；推动经济结构性改革以提高生产效率和创新能力；加强金融监管以防范类似危机的再次发生。

资料来源：王威明，董毅.欧洲主权债务危机的处理方式及对我国的启示[J].金融经济，2018，(24)：5-6. DOI:10.14057/j.cnki.cn43-1156/f.2018.24.003.

案例讨论题

1. 简述欧债危机的起源及其主要影响。
2. 分析欧债危机产生的原因，并探讨其应对措施。
3. 从欧债危机中，我们可以汲取哪些思政教育的启示？

第6章 案例讨论题参考答案

第 7 章
CHAPTER 7

金融衍生品风险管理

§ 学习目标

1. 掌握远期合约、期货合约、互换合约和期权合约的定义及其核心特征。
2. 理解远期合约的定价原理，并能够分析远期合约的潜在价值变动。
3. 理解并掌握希腊字母（Delta、Gamma、Vega、Theta 和 Rho）等期权风险管理的关键指标。
4. 能够运用复制策略来对冲看涨期权空头头寸的风险。
5. 认识到金融衍生工具对全球市场和国家金融安全的影响，承担维护金融安全的责任。

7.1 金融衍生品的概念

金融衍生品是在场外市场上或者有组织的交易所里进行交易的合约（contract）。这些衍生品的价值取决于它们的标的资产的价格。基础金融衍生品包括远期合约、期货合约、互换合约和期权合约。

远期合约（forward contract）是一种比较简单的衍生品，它是交易双方约定在将来某一特定时刻以约定价格买入或卖出一定数量的某项资产的合约。与之相对应的是**即期合约**（spot contract）。即期合约是立刻买入或卖出资产的合约。远期合约通常是金融机构之间或金融机构与其客户之间在场外市场进行的交易。

期货合约（futures contract）与远期合约类似，期货合约也是约定在将来某一指定时刻以约定价格买入或卖出一定数量某一资产的合约。与远期合约不同的是，期货合约交易是在交易所进行的。期货合约的交易双方并不一定知道交易对手，交易所设定了一套机制来保证交易双方履行合约承诺。

场内市场也称交易所市场。芝加哥期货交易所（Chicago Board of Trade，CBOT）于1848年成立，其目的是将农场主和商人联系起来进行农产品交易，其竞争对手芝加哥商业交易所（Chicago Mercantile Exchange，CME）成立于1874年。现在CME和CBOT已经合并为CME集团。国际上还有许多期货交易所。国内的期货交易所包括郑州期货交易所、上海期货交易所、大连期货交易所和中国金融期货交易所（于2006年9月8日在上海成立）。

场外市场上也有许多交易。银行与其他大型金融机构、基金经理以及一些大公司都是衍生品场外市场的主要参与者。衍生品场外市场参与者通常通过电话或电子邮件来联系对方，或者通过经纪人来为自己的交易寻找对手。一旦同意场外交易，双方可以将交易递交到中央对手方（central counterparty，CCP）进行双边清算。

互换合约（swap）是交易双方根据某种特定规则，约定在未来某个时刻交换现金流的合约。一个远期合约可以看作是一个最简单的互换合约。如一个一年后以每盎司800美元的价格购买100盎司黄金的远期合约，就是以现金80 000美元换取数量为$100 \times S$美元的现金流。其中S为一年后黄金的市价。远期合约是在今后某一时间点现金流的互换，而互换合约通常阐明在今后的多个时间点上交换现金流。所以，互换合约一般可以看作远期合约的组合。另外，使用互换合约可以改变一项债务（资产）的性质，如图7-1和图7-2所示。

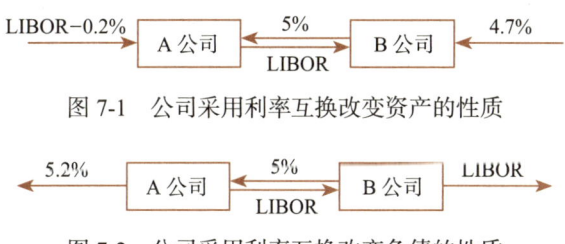

图7-1　公司采用利率互换改变资产的性质

图7-2　公司采用利率互换改变负债的性质

期权合约（option）是一种权利，它给予持有人在确定的到期日或到期日之前以确定的价格购买或出售标的资产的权利。这里的标的资产可以是股票、债券、外汇或大宗商品等。其中，确定的交割价格被称为执行价格（也称敲定价格）。具有购买权利的期权称为**看涨期权**（call option），也称为**认购期权**；具有出售权利的期权称为**看跌期权**（put option），也称**认沽期权**。

根据执行时间的不同，期权可以分成**欧式期权**（European option）和**美式期权**（American option）。欧式期权只能在到期日执行，美式期权可以在到期日或之前的任何时刻执行。

远期合约是给予持有人的购买或出售标的资产的义务，因此远期合约的参与人可能获得收益或遭受损失。与远期合约不同的是，期权给予持有人的是权利而非义务，它们仅在能产生收益时才会被执行，所以期权合约必然是一项有价资产（或者至少具有零价值），这意味着获得一份期权合约需要支付一定的成本，这笔非常类似于保险费的预付款被称为**期权费**（premium）。因此，在考虑期权产生的利润时必须要考虑这个成本（对于多头而言）或收益（对于空头而言）。

假设有一个期权，它的标的资产是某只股票，该股票当前的交易价格为85美元，一年后的交割价格为100美元。如果股票价格一直停留在85美元附近，看涨期权的持有人将不会执行该期权。相反，如果股票价格上涨到120美元附近，持有人将执行期权。根据合约，期权持有人以100美元的价格从期权的出售方手里购买市场价值为120美元的股票100股。这样期权的买方就获得了 $100\times(120-100)=2\,000$（美元）的收益。如果该期权是看跌期权，在股价下跌至100美元以下时，期权的购买人将执行期权。

以看涨期权为例，如果到期时标的资产的即期价格（S_T）高于执行价格（K），该期权被称为**实值期权**（in-the-money）；如果即期价格接近于执行价格，该期权被称为**平值期权**（at-the-money）；如果即期价格低于执行价格，该期权被称为**虚值期权**（out-of-the-money）。期权只有在对持有人有价值时才会被执行，因此，股票看涨期权的持有人希望股票价格上涨至执行价之上，越高越好；而股票看跌期权的持有人则希望股票价格下跌至执行价以下，越低越好。

现实中，期权很少贴个大大的标签告诉别人它是个期权，因此，通常最棘手的是识别期权。当你不确定你正在处理的是看涨期权还是看跌期权，还是它们的复杂组合时，画头寸图是个很好的尝试。

注意：头寸图不是利润图。头寸图显示的只是期权行权时的收益，没有考虑购买期权的初始成本和出售期权的初始收入。

任何一笔期权交易都有两个头寸方：长头寸方（又称买方或多方）和短头寸方（又称为卖方或空方）。因此，期权交易共有4种头寸形式。

（1）看涨期权长头寸（见图7-3a）。欧式看涨期权的长头寸持有人的收益为 $\max(S_T-K,0)$，这反映了在 $S_T>K$ 时，期权会被行使。而在 $S_T\leq K$ 时，期权将不会被行使。

（2）看涨期权短头寸（见图7-3b）。因为期权交易是零和博弈，所以欧式看涨期权的短头寸持有人的收益为 $-\max(S_T-K,0)$。

（3）看跌期权长头寸（见图7-3c）。欧式看跌期权的长头寸持有人的收益为 $\max(K-S_T,0)$。

（4）看跌期权短头寸（见图7-3d）。同理，欧式看跌期权的短头寸持有人的收益为 $-\max(K-S_T,0)$。

图7-3展示了欧式期权的四个头寸图。

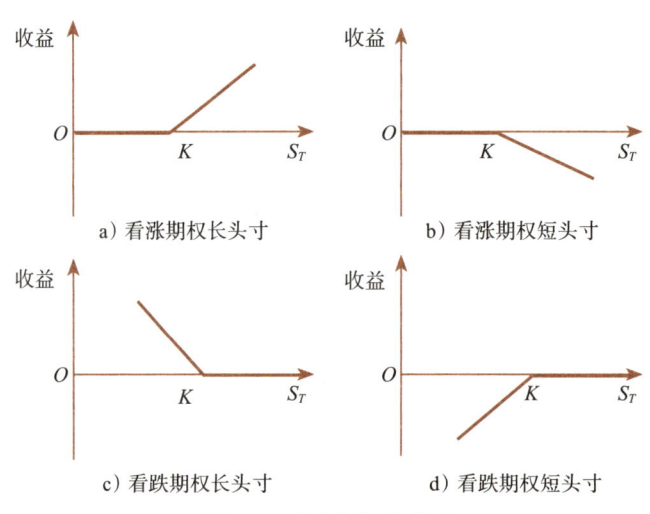

图7-3 欧式期权头寸图

当然，期权交易并不能保证投资者一定会盈利。对于看涨期权，如果在到期日股票价格低于执行价格 100 美元，该期权合约会一文不值，投资者会损失掉期权费。对于看跌期权，如果到期日股票价格高于执行价 100 美元，期权也没有价值，投资者同样会损失掉期权费。

在风险管理环节，我们会把期权的收益与风险因子的分布联系在一起。根据期权的特征易知，期权的多头具有有限的下跌风险，最多损失期权费。看涨期权的空头具有无限的下跌风险，因为标的资产的价格没有上限。当标的资产的价格为零时，看跌期权的空头损失最大。

金融衍生品的特征：第一，衍生品是合约或者双方签订的私人协议，这些合约本身没价值，其价值依赖于合约中的标的资产的价格，而股票和债券是公司发行的用于融资的证券，本身具有价值。第二，金融衍生品合约交易的双方是零和博弈，任何一方的收益必然给另一方带来相同大小的损失。

7.2 市场参与者的类型

远期、期货、互换以及期权市场自创立以来，发展势头良好。主要原因是这些市场可以吸引许多不同类别的交易员，而且具有极强的流动性。当一个投资者想成为某交易的一方参与者，他会很方便地找到欲进入交易市场的另一方投资者。

有两类交易员执行交易：一类为**佣金经纪人**（commission broker），另一类为**自营经纪人**（local）。佣金经纪人执行其他人的指令并收取佣金，自营经纪人以自身账户中的资金进行交易。交易员可以分为三大类：**对冲者**（hedger）、**投机者**（speculator）以及**套利者**（arbitrageur）。

持有头寸的个人，无论是自营经纪人还是佣金经纪人的客户，都可被划分为对冲者、投机者或套利者。

1. 对冲者

对冲者采用远期、期货或期权等衍生品合约，来减少或对冲掉自己所面临的由于市场变化而产生的风险。我们看一个采用远期对冲的例子。

例 7-1 一家美国公司将于三个月后向英国出口商支付货款 10 万英镑，目前的汇率 $S=1.5538$ 美元/英镑。

分析：对美国公司来说，其三个月后要支付的 10 万英镑为 10 万英镑 $\times S_1$（美元/英镑）$=10S_1$ 万美元，这里，S_1 为三个月后的汇率。由于 S_1 目前不可知，所以，该公司三个月后要支付的现金流将面临很大的汇率风险。如果汇率不变，美国公司支付的金额就是 15.538 万美元；一旦三个月后汇率上涨，美国公司支付的金额将超过 15.538 万美元。当然，如果汇率下跌，美国公司支付的金额会低于 15.538 万美元。对这家美国公司来说，如何才能对冲掉汇率波动的风险？

我们这里建议的对冲策略是：以即期价格 1 英镑 =1.553 8 美元买入 100 000 英镑（忽略利率影响），这样一来，公司现在就把三个月后向英国供应商支付的成本锁定在 15.538 万美元，不用再担心未来的汇率波动了。

2. 投机者

投机者利用衍生品对今后市场变量的走向下赌注。投机者的交易要么是对资产的上涨下注，要么是对资产的下跌下注。我们来看两个分别利用期货合约和期权投机的例子。

(1)利用期货合约投机。

例 7-2 在 2 月的时候,一个美国的投机者认为英镑兑美元在今后两个月会升值。市场上当前汇率为 2.047 0 美元/英镑,4 月的期货价格为 2.041 0 美元/英镑。

投机者的一种策略是在即期市场按照当前汇率直接买入 250 000 英镑,支出 511 750(=250 000×2.047 0)美元,投机者希望在未来以更高的价格卖出这些英镑。

投机者的另外一种策略是买入 4 份 CME 的 4 月期货合约(每份合约对应 62 500 英镑),买入 1 份期货合约的初始保证金为 5 000 美元,投资者需要的初始保证金共 20 000 美元。

4 月的汇率可能高于 2.041 0 美元/英镑,比如为 2.100 0 美元/英镑,也有可能低于 2.041 0 美元/英镑,比如为 2.000 0 美元/英镑。

假设汇率在 4 月时涨为 2.100 0 美元/英镑,那么,如果投资者采用第一种策略,即直接买入英镑,他的盈利为(2.100 0-2.047 0)×250 000 = 13 250(美元)。如果投资者采用第二种策略,他可以盈利(2.100 0-2.041 0)×250 000 = 14 750(美元)。

假设汇率在 4 月时跌为 2.000 0 美元/英镑,那么,如果投资者采用第一种策略,即直接买入英镑,他的损失为(2.047 0-2.000 0)×250 000 = 11 750(美元)。如果投资者采用第二种策略,他的损失为(2.041 0-2.000 0)×250 000 = 10 250(美元)。

以上两种做法所产生的盈利和亏损稍有差别,在计算时没有考虑利息的收入和支出。表 7-1 是对以上两种策略的总结。

表 7-1 两种策略的比较 (单位:美元)

策略	投资	4 月的汇率为 2.100 0 美元/英镑时的盈利	4 月的汇率为 2.000 0 美元/英镑时的盈利
以即期价格 2.047 0 美元/英镑买入 250 000 英镑	511 750	13 250	-11 750
以期货价格 2.041 0 美元/英镑买入 4 份期货合约	20 000	14 750	-10 250

以上两种投资策略的差别在哪里?采用第一种策略,投资者需要投资 511 750 美元,采用第二种策略,投资者只需要将 20 000 美元存入保证金账户。期货市场可以使投机者取得杠杆效应,即投资者只需要少量的初始保证金,就可以得到一个很大的投机头寸。

(2)利用期权投机。

例 7-3 假定现在是某年的 10 月,一个投机者认为某公司的股票在今后两个月要涨价。该公司股票的当前价格为 20 美元/股。假设市场上有一个以该股票为标的资产、执行价格为 22.5 美元、期限为 2 个月的看涨期权在交易,期权的当前价格为 1 美元。

表 7-2 比较了投资者选择两种投资策略的盈亏情况,一种策略是直接买入 100 股股票,另外一种策略是买入 20 份这只股票的看涨期权,即 2 000 股股票的期权。

表 7-2 两种策略的比较 (单位:美元)

策略	12 月时的股票价格	
	15(美元/股)	27(美元/股)
买入 100 股股票的盈利	-500	700
买入 20 份看涨期权的盈利	-2 000	7 000

如果投资者的预测正确，股票价格确实如投资者所想上涨了，比如涨到了每股 27 美元，那么第一种策略，即直接买入股票带来的盈利为 100×（27-20）= 700（美元）。第二种策略，即买入股票看涨期权带来的盈利为 2 000×[（27-22.5）−1] = 7 000（美元）。

因此，买入看涨期权策略的盈利比直接买入股票的盈利要多，前者是后者的 10 倍。

如果投资者的预测不正确，股票价格不仅没有上涨，反而还下跌了，比如跌到了每股 15 美元。则直接买入股票的策略的损失为 100×（20-15）= 500（美元）。

因为期权到期时的股价低于执行价格，所以看涨期权的价值为零，投资者不会行权。于是，买入看涨期权策略的损失就是投资的期权费用，即 2 000 美元。

期权策略给投机者提供了杠杆效应。对于一个给定的投资，期权会放大投资的最终效果，会让好的效果更好，差的效果更差。

3. 套利者

套利者是远期、期货以及期权市场中第三类重要的参与者，从事套利的个人或机构采用两个或更多相互抵消的交易来锁定盈利。套利通常是指在某种实物资产或金融资产（在同一市场或不同市场）拥有两个价格的情况下，投资者以较低的价格买进，较高的价格卖出，从而获取无风险收益的行为。换句话说，套利就是低买高卖，导致价格回归均衡水平的行为。

现在的套利交易发展迅速，已经发展为在复杂计算机程序的帮助下从不同市场上同一证券的微小价差中获利的技术。套利交易的交易者，关注的是合约之间的相互价格关系，而不是绝对价格水平。最理想的状态是无风险套利。我们以一个简单的例子来说明。

例 7-4 我们考虑某只股票，假设这只股票目前在纽约证券交易所和伦敦证券交易所均有交易，它在纽约的价格为 200 美元/股，同时它在伦敦的价格为 100 英镑/股。假设当前的汇率是 2.030 0 美元/英镑。请问：市场上现在有没有套利机会？如果有，如何操作？

分析：同一只股票，如果都用美元计价，实际上有 200 美元/股和 203 美元/股（=100 英镑×2.030 0 美元/英镑）两个价格，存在价格差。我们通过在不同市场低买高卖就能获得套利利润。

比如，一个套利者可以在纽约市场按照 200 美元/股的价格买入 100 股股票，同时在伦敦市场将股票以 100 英镑/股的价格卖出。如果不考虑其他交易费用，投资者在此交易中获得的无风险盈利为 100×（203-200）= 300（美元）。

这样的套利机会在现实中不会持续太久。随着套利者在纽约市场持续买入股票，由供需关系决定的股票价格将上涨。而随着他在伦敦市场持续卖出股票，由供需关系决定的股票价格将下跌。因此，两个市场的价格会在当时的汇率下很快达到均衡。

金融市场上实施套利行为非常方便和快速，这种套利的便捷性也会迅速消除金融市场上的套利机会。因为一旦有套利机会出现，投资者的套利行为就会使市场再次回到无套利机会的均衡中，因此，无套利均衡被用于对金融产品进行定价。金融产品在市场的合理价格是这个价格使得市场不存在无风险套利机会，这就是**无套利定价原理**。

金融衍生品市场变化莫测，市场上可交易产品的多样性也会带来危害，那些被指定只能做对冲或套利的交易员，在某些时候会自觉或不自觉地成为衍生品市场的投机者，而投机的后果有时候是灾难性的。比如巴林银行倒闭事件的主角尼克·里森，就给我们提供了这样的典型。

7.3 远期

对一个生产商来说,最痛苦的事情莫过于原材料市场价格经常发生大幅度波动。原材料价格下降当然好,可以降低生产成本。但是原材料价格上涨,对生产商来说就不是一件美妙的事情了,这将会直接压低公司的经营利润。同样的道理,原材料供货商也不喜欢原材料市场价格大幅波动。如果原材料价格下降,供货商的销售收入将下跌。在没有金融衍生品的时候,生产商和供货商确实没有更好的办法,最多是交易时双方讨价还价,都努力为自己争取一个更有利的价格。但是,在这种零和博弈的游戏中,总有一方会比较失望。

有了金融衍生品后,一切就不一样了。比如远期合约和期货合约,就可以帮助双方提前确定标的资产的交易价格,对冲掉价格波动带来的市场风险。因此,远期合约中的价格对风险管理非常重要。我们买入远期合约来规避风险时,远期价格设定为多少合适?提出这个问题是因为远期价格关系到合约在未来给买方带来的是收益还是损失。换句话说,价格影响着风险管理的成本和利润。所以,我们首要要知道合约中的价格是否合理,即对合约进行价值评估。

因此,进入合约前,远期合约或期货合约的买方一定会关注两个问题。第一,如何确定合约中的远期价格 F_t?第二,如果合约没有持有至到期,那么这份未结算远期合约的当前价值 V_t 是多少?

最容易定价的远期合约是不提供任何中间收入的投资资产的合约。无股息股票和零息债券都属于这一类资产。这里,为了便于分析,我们先从不支付任何中间收入的投资资产开始。为了后文描述方便,我们统一假设本章内容中涉及的利率是连续复利,因此,现在的 1 元钱的期末价值为 $FV = e^{rT}$;到期支付的 1 元钱资金的现值为 $PV(1) = e^{-rT}$。另外,我们定义下面的符号:t = 当前时刻;T = 到期时刻;$\tau = T - t$ = 到期时间;S_t = 标的资产的即期价格;$F_t(T)$ = 在时刻 T 交割的标的资产的远期价格,也可简记为 F_t 或 F;V_t = 合约的当前价值;r = 在时刻 T 交割时的当前国内无风险收益率;n = 数量或者合约的单位数。

7.3.1 无收益标的资产的远期价格

为了讨论方便,我们做一些必要的假设:①标的资产不支付收益;②没有交易成本;③能以相同的无风险利率进行借贷。

我们考虑如下两个策略。

(1)在当前时刻 t,以即期价格 S_t 购买一单位标的资产,并持有至到期时刻 T。

(2)进入一个远期合约,以远期价格 F_t 购买相同单位的标的资产。为了在到期日有足够的现金来支付 F_t,需要现在向生息账户投资,投资的额度等于 $F_t e^{-r\tau}$,到期时,账户上的资金为 F_t。

上述两个策略在经济上是等价的,因为它们在到期时刻 T 都将拥有一单位标的资产,因此,根据无套利原理,它们在当前时刻 t 的成本必定相同,否则就会产生套利机会,即 $S_t = F_t e^{-r\tau}$,对它进行等价变换,易得:

$$F_t = S_t e^{r\tau} \tag{7-1}$$

式(7-1)就是不提供任何中间收入的标的资产的远期价格 F_t。

从式（7-1）可知，远期价格等于标的资产今天的现值 × 时间的价值，这就是最简单的期货或者远期的定价模型。这里的远期价格由两部分组成，第一部分是标的资产今天的现值，也就是 S_t。第二部分是一个因子 $e^{r\tau}$，它和利率有关。我们把这个和利率相关的因子叫作**时间价值**，它表示今天的 1 元钱在连续复利下经过一段时间 τ 后变成 $e^{r\tau}$，也就是说，利率反映了时间的价值。时间价值是远期价格的重要组成部分，这是因为远期价格表示的是一段时间后买卖现货的价格，投资者在这段时间持有现货的时间成本，比如利息必须要包含进来。

如果市场上远期价格与即期价格的关系不满足式（7-1），那么，扣除交易成本后，任何偏差都将产生无风险套利机会。对此，我们可以通过低买高卖获得无风险利润。下面我们来看一个例子。

例 7-5 考虑购买某项资产的 1 年期的远期合约，该资产在合约期间不支付任何现金流。假设该资产目前的价格为 100 美元，市场上 1 年期的无风险利率为 5%。那么根据式（7-1），该合约中的远期价格应为

$$F_t = S_t e^{r\tau} = 100 \times e^{0.05 \times 1} = 105.13 \text{（美元）}$$

市场上远期价格偏高的情形。假设市场上的远期价格 F_t =110（美元），而根据式（7-1），我们确定的公平价格是 105.13 美元。你可以通过低（105.13 美元）买高（110 美元）卖策略进行无风险套利。马上进行下面三笔交易，你能锁定一个套利利润。

（1）向银行按照利率 5% 借入 100 美元，期限为一年。

（2）以 100 美元的价格购买资产并拥有，一年后把它卖出。

（3）以 110 美元的价格卖出资产的远期合约。

在进入远期合约的时候，买卖双方都不需要支付任何现金。所以，上面的三笔交易完成后，你现今所拥有的资产负债总和是 0。

一年后，根据远期合约，你把手中的现货交给买方同时收取对方 110 美元现金；另外，根据你与银行的约定，你需要偿付银行连本带息共 105.13 美元。这几笔交易完成后，你手里最后剩下现金为 110 − 105.13 = 4.87（美元）。这里没有任何不确定性。

这个套利的过程和前面讲的例子是很像的，也就是说，只要远期价格高于 105.13 美元就有套利的空间，就一定会有人买低卖高。

市场上远期价格偏低的情形。同样地，如果市场上远期价格偏低，比如 F_t = 102（美元），即该资产的价值被低估了，我们同样利用低（102 美元）买高（105.13 美元）卖策略来进行套利。马上进行下面三笔交易，你也能锁定一个套利利润。

（1）以 102 美元的价格买入远期合约。因为不需要支付任何现金流，所以成本为 0。

（2）借入资产并在市场上卖掉，收入 100 美元。

（3）把卖空得到的 100 美元按 5% 的利率存入银行，1 年后投资价值将增长到 105.13 美元。

在到期日，你从银行得到现金流 105.13 美元，然后根据远期合约支付卖方 102 美元并买回资产，最后把买回的资产归还出借方。等全部义务履行完毕后，你的手中将剩下 3.13 美元，这就是套利策略下获得的无风险利润。

这个交易涉及资产的卖空，卖空比直接购买更为复杂。直接购买是指支付 100 美元并获得一单位资产。卖空是指借入一单位资产并承诺在未来某一天偿还，同时再以 100 美元的价

格在市场上售出该资产。所以，当现货价格出现不一致的情况时，套利行为会帮我们发现一个公平的价格是多少。

通过这个例子我们发现，如果市场足够有效，就应该没有无风险套利空间。无论现在远期价格是高于 105.13 美元还是低于 105.13 美元，都会有人套利，只是套利方向不同而已。如果要让套利空间为 0，远期价格只能是 105.13 美元，也就是根据式（7-1）得到的结果。

另外，在这个例子里，你拥有的资产是通过银行借款买到的，那么你的成本就是从银行借款要付的 5% 的利息。为了弥补所持有资产的成本，你在今天确定远期价格时，必须要考虑在合约期间内所有的成本。所以资产的远期价格就等于今天的现货价值乘以时间价值，也就是根据式（7-1）计算出的理论价格。

7.3.2 有收益标的资产的远期价格

我们前面考虑了标的资产没有收益支付的情况，实际中，很多资产是有收益的。比如，有规则地支付红利的股票、有规则地支付息票的债券等。无论资产收益属于哪种，我们都能将支付分类为离散（即在规定的时间点支付固定金额）和连续（即随资产持有时间成比例增加）两类。一般来说，实际中的资产既可能有收益，也可能有存储成本，存储成本实际上就是负的收益。

现考虑一个中间有现金流支付（可能是收益也可能是成本）的远期合约，延续上一节的分析思路，一个有收益的标的资产的远期价格为

$$F_t = [S_t - PV(D) + PV(C)]e^{r\tau} \quad (7\text{-}2)$$

式中，t 为当前时刻；T 为到期时刻；$\tau = T - t$，为到期时间；F_t 为在时刻 T 交割的标的资产的远期价格；r 是在时刻 T 交割时的当前国内无风险收益率；S_t 为标的资产当前的即期价格；$PV(D)$ 为红利或息票支付的现值；$PV(C)$ 是存储成本。

例 7-6 延续上一节例 7-5，把例中的资产看作某只股票。假设该股票目前定价为 100 美元，股票在 3 个月后会支付一次红利 $D = 1$ 美元。

易知，在无风险利率为 5% 的情况下，3 个月后支付 1 美元红利的现值为 $De^{-r\tau} = 1 \times e^{-0.05 \times 3/12} = 0.99$（美元）。现在考虑如下两个策略。

（1）从银行按照 5% 的利率借款 0.99 美元 3 个月（到期后用收到的红利 1 美元还本付息）。此时只需要支付 $S_t - PV(D) = 100.00 - 0.99 = 99.01$（美元），加上借入的 0.99 美元共计 100 美元，就能在现货市场上购买 1 股股票，并持有至到期。

（2）进入一个远期合约，以远期价格 F_t 购买 1 股股票。为了在到期日有足够的现金来支付 F_t，需要现在向生息账户投资，投资的额度等于 $F_t e^{-r\tau}$，到期时账户上的资金为 F_t。

这两个策略在经济上是等价的，因为它们在到期时刻 T 都将拥有 1 股股票。根据金融无套利原理，它们当前时刻 t 的成本必定相同，即 $F_t e^{-r\tau} = S_t - PV(D)$，否则就会产生套利机会。

远期价格的公式为

$$F_t = [S_t - PV(D)]e^{r\tau} \quad (7\text{-}3)$$

其中 $PV(D)$ 是红利或息票支付的现值。如果红利或息票的支付不止一次，$PV(D)$ 代表每次单独支付的现值的总和（按照适当的无风险利率折现）。

同样道理，如果过程中除了收益外还有存储成本，我们必须把这个成本考虑在定价公式中。假设存储成本是 PV(C)，因为存储成本是个负收益，所以减去一个负的 PV(C)，就是加上 PV(C)。换句话说，需要将存储成本的现值 PV(C) 加到式（7-3）的右边。如此一来，有收益的远期价格的定价公式推广为 $F_t = [S_t - PV(D) + PV(C)]e^{rt}$，它就是式（7-2）。

支付连续收益的资产远期价格的计算方法与上述方法类似，不同的地方是连续收益以每单位时间计算而不是以离散金额计算。

7.3.3 远期合约的价值评估

在上一节我们解决了远期价格如何确定的问题，这一节我们来讨论远期合约的价值。

下面我们将分为合约刚刚签订时（$t=0$）、合约到期时（$t=T$）和未结算时期（$0<t<T$）这三个不同的时间点（段）来讨论远期合约的估值问题。

1. 初始时刻远期合约的价值

根据上面对远期定价的分析，我们知道，远期价格就是使初始时刻远期合约价值为零的价格。如果市场上的远期价格高于或低于这个理论价格，市场上就会存在无风险套利机会。所以，初始时刻的远期合约的价值为零，即 $V_0 = 0$。

2. 到期时刻远期合约的价值

对远期合约的买方来说，合约到期时，即时刻 T，他需要根据合约以远期价格 F 来购买市场价格为 S_T 的标的资产。所以合约给买方带来的经济利润为 $S_T - F$，也就是标的资产的市场价格与交割价格的差，即

$$V_T = S_T - F \tag{7-4}$$

例 7-7 假设一个投机者同意在到期时刻 T 以 F 的价格买入 $n=500$ 单位标的资产的远期合约，最初的合约价格为 $F=100$ 元，如果在到期日标的资产的价格为 $S_T=120$ 元，请问该合约对买方的价值是多少？

分析：合约的支付由如下条件决定。

（1）这个投机者支付现金 $nF = 50\,000$ 元并收到 500 单位的标的资产。

（2）投机者马上把收到的标的资产以现货价格 $S_T=120$ 元卖掉，得到的利润为 $n \times (S_T - F) = 500 \times (120 - 100) = 10\,000$（元）。这就是**远期合约在到期日对买方的价值**。

而合约对卖方的价值为 $nV_T = n \times (F - S_T) = -10\,000$（元），即损失 10 000 元。这是因为衍生品的交易双方为零和博弈，买方的收益就是卖方的损失。

这里到期日远期合约的价值源于标的资产的购买和实物交割（physical delivery），是存在现金支付与真实资产的交换的。

另一种结算方式为现金结算（cash settlement）。这是指仅根据资产在到期日的市场价值 S_T 让买方获得 $nV_T = n \times (S_T - F)$。这个数额可能为正，即收益；也可能为负，即损失。

3. 未结算远期合约的估值

我们可以利用同样的逻辑来推导以前成交的、目前仍未结算的远期合约的估值。假设 K

是以前成交的、目前仍未结算的远期合约的交割价格，合约的交割日期是从今日起 $\tau(=T-t)$ 年之后，r 是无风险利率，令 S_t 为标的资产今天的价格，V_t 为未结算远期合约今天的价值。那么结论是：

$$V_t = S_t - Ke^{-r\tau} \tag{7-5}$$

考虑如下的策略。

（1）投资者以即期价格 S_t 购买一单位标的资产，并持有至到期时刻 T。

（2）投资者进入一个未结算的远期合约，并承诺到期时以价格 K 购买一单位的标的资产。为了在到期日有足够的现金来支付 K，他可向生息账户进行投资，数额为 K 的现值 $Ke^{-r\tau}$。此外，投资者必须支付给交易对手远期合约的市场价值，即 V_t。

两种组合的期末经济价值相同，都是拥有一单位标的资产，那么交易时刻的成本必须相同，否则将存在套利机会，即有 $V_t + Ke^{-r\tau} = S_t$ 式成立，等式两边等价变换后即得式（7-5），它定义了未结算远期合约中买方的市场价值。

当标的资产价格上升时，远期合约多头的利润也随之上升，如图 7-4 所示。远期合约空头的利润具有相反的符号，如图 7-5 所示。我们在后面将这种关系加以推广，利用标的资产价格 S_t 和基本风险因子 r 的分布进行风险度量。

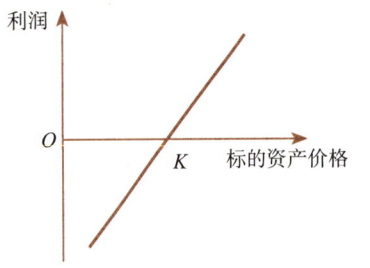

图 7-4　远期合约多头的利润

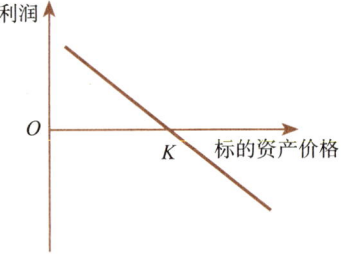

图 7-5　远期合约空头的利润

例 7-8 假设我们持有执行价格 $K = 105.13$ 美元、1 个月前签发的期限为 1 年的远期合约。1 个月后即现在，标的资产的即期价格为 $S_t = 110$ 美元。利率 $r = 5\%$ 没有变化，合约的剩余期限只有 11 个月（$\tau = \dfrac{11}{12}$ 年）。

那么，合约的买方的价值为 $V_t = S_t - Ke^{-r\tau} = 110 - 105.13 e^{-0.05 \times 11/12} = 110 - 100.42 = 9.58$（美元）。因为标的资产的即期价格上涨，所以，现在的合约比以前更有价值。

7.4　期货

7.4.1　期货合约的标准化

上一节我们介绍了远期。买卖双方通过提前约定好价格、交易时间、地点，在到期时直接交割货物或交割差价就可以实现管理价格波动的风险，也就是市场风险。远期合约允许使用者持有与标的资产现货市场上等价的头寸，但是与现货市场不同的是，它并不涉及真实的事先支付，因此，远期合约可以理解为具有杠杆效用。杠杆让资金的运作更有效率，但是杠杆意味着它会给交易带来信用风险。举例来说，当投资者以 100 美元的价格购买一项资产时，交易对手即刻收到现金，因此没有信用风险。但是当投资者进入一份远期合约并以 105 美元的约定价格来购买这项资产时，由于无须事先支付，一旦标的资产的价格上涨到超过 105 美元，对合约的买方来说，就会面临交易对手的违约风险。

因此，虽然远期合约的交易方式非常灵活，能够给双方提供一定程度的保障，但是，远期合约在现实中也存在一些问题。首先，卖方（买方）不一定能寻找到合适的买方（卖方）。其次，即使找到了合适的交易对手并签订了满意的合约，一旦标的资产价格向不利于自己的方向变动（比如刚才的例子），就会面临交易对手违约的风险，甚至当标的资产的市场价格变动方向有利于己方时，参与者自身也会背弃诚信，对交易对手违约。无论哪一种情况出现，合约中总有一方参与者的利益受到损失。这是场外的远期合约解决不了的问题。那么，有没有其他的衍生品，既能管理双方的风险，又能解决信用和流动性问题呢？当然有。这种新的金融衍生品就是期货合约。**期货合约**是指由期货交易所统一制定的、规定在将来某一特定的时间和地点交割一定数量和质量的实物商品或金融商品的标准化合约。**它与远期合约最大的不同在于它通过一些制度设计，比如标准化、保证金交易、盯市等，来规避远期合约的信用和流动性问题。**期货合约不同于远期合约的最主要的特点如下。

（1）场内交易。它在有组织的交易所内交易，因此不同于远期的场外交易。

（2）标准化的交易条款。比如标准化的交易单位、商品质量等级标准、交割期条款、最小变动价位条款、每日价格最大波动幅度限制条款、最后交易日条款等。标准化会导致期货不能完全满足一些对冲者的对冲要求，进而产生基差风险。

（3）清算中心。清算中心将自己置于买卖双方之间，保证合约的履行。清算中心的存在使得交易双方不需要为交易对手的信用风险担心。

（4）盯市。清算中心对于信用风险的管理是通过盯市来实现的。它每天对合约的损益进行清算，可以防止投机者在交易中面临大额损失后的违约行为。

（5）保证金机制。交易者进入合约时必须缴纳**初始保证金**（initial margin）。当账户中的金额低于**维持保证金**（maintenance margin）时，交易者会收到**保证金催缴通知**（margin call），此时交易者必须提供资金来满足初始保证金。

7.4.2 期货合约的保证金交易

保证金是交易员向经纪人或交易对手支付的现金或其他证券，支付保证金的原因有两个方面。一方面，交易员通过借入资金来购买资产，这一交易行为被称为**凭保证金购买**（buying on margin），交易员所支付的保证金是用于买入资产的费用。另一方面，交易员进入合约后，有可能出现损失，从而在未来成为别人的负债。这时，保证金就可以被看作交易的抵押品。甚至有交易员曾这么说："我完全有能力进行这一交易，我支付的保证金可以用于应付今后的损失。"

涉及保证金的交易每天都受到监测。交易员需要缴纳初始保证金，当市场向不利于交易员的方向变动时，交易员需要支付更多的保证金。如果在一定的时间期限（一般是 24 小时）内不能补足保证金，交易员的交易可能会被平仓。最为普遍的保证金形式是现金，但有时交易员持有的资产也可以用于保证金支付。比如，短期国债可以用作保证金，但短期国债可能只按面值的 90% 来计量保证金，而股票可能只按面值的 50% 来计量。

交易所市场和场外市场均有保证金机制，例如，交易所要求期货合约的交易双方、期权短头寸方、股票卖空方均须支付保证金。在场外市场的远期和互换交易中，银行常常要求交易对手支付保证金。

例 7-9 考虑一份期货合约，该合约为 1 000 单位，标的资产是 100 元的某资产。合约的买方在经济上等价于直接持有价值为 100 000 元的资产。敲定合约后，投资者需要缴纳的初始保证金为 5 000 元，这代表了账户的初始价值。该账户由经纪商进行管理。假设合约约定的维持保证金为 3 000 元。

第二天，如果期货价格下降了 3 元，作为买方的投资者的损失将为 3 000 元，这使得保证金账户的价值减为 5 000 - 3 000 = 2 000（元）。此时账户中的金额只有 2 000 元，低于维持保证金 3 000 元，于是投资者会接到经纪商发出的催缴保证金通知，必须追加保证金到初始保证金水平。如果该投资者无力如期追加保证金，交易所就会强制平仓。

例 7-10 一位投资者进入一个每盎司黄金 294.20 美元的黄金期货多头。每份期货的黄金单位为 100 盎司。合约约定初始保证金为 3 200 美元，维持保证金为 2 900 美元。在第一天收盘时，期货价格下跌为每盎司黄金 286.60 美元。那么在第一天收盘时，他的保证金账户变动是多少？

分析： 对合约的买方来说，黄金价格下跌会带来损失。本例中买方在收盘时会发生损失 $100 \times (294.20 - 286.60) = 760$（美元）。保证金账户的价值将下降为 $3 200 - 760 = 2 440$（美元）。因为此时保证金账户余额是低于维持保证金 2 900 美元的，所以他需要追加 760 美元来补足初始保证金要求。

7.4.3 期货价格不总是等于模型价格

期货合约的定价原理与远期合约非常相似。因此，**从市场风险的角度来看，期货合约与远期合约是一致的**，两类合约主要的不同点是期货合约的任何损益都在合约的持有期间发生，而远期合约的所有损益在到期日一起发生。**所以，关于期货价格的估值问题我们不再赘述。**

当然，我们也可能会发现，在交易所里面，期货价格并不总是等于模型的价格。这是因为在现实中，每个人的借贷成本不一样，并不像假设的那样，所有人都能够按照无风险利率借到资金。所以他们买卖的价格可能有所不同，最后交易所的价格实际上是使得当前交易能够匹配的价格。

在期货行业里面，大家把现货价格和期货价格之间的价差叫作**基差**，越趋近于到期日，时间价值越少，基差就越趋近于 0。如果基差偏离了正常的范围，那么，市场上的期货价格就可能存在套利机会。专业的投资者就能通过套利来获得无风险收益。

7.5 互换

互换是交易双方根据某种特定规则，约定在未来某个时刻交换现金流的合约。互换合约是 OTC 合约，它根据事先确定的期限进行一系列现金流的交换。一个远期合约可以看作一个最简单的互换合约。远期合约是在今后某一时间现金流的互换，而互换合约通常阐明在今后的多个时间点上交换现金流。互换合约的标的资产可以是利率、汇率、股票、商品价格或者其他指数。一般来说，互换的期限比远期和期货要长。常见的互换合约有两种：利率互换和货币互换。

利率互换是相同货币的交换。一家公司同意在今后指定的若干年内向另一家公司支付以指定名义本金、按指定的固定利率所产生的现金流。作为回报，这家公司将从另一家公司收取在相同时间内、以相同名义本金、按浮动利率产生的现金流。其风险是利率水平的变化。利率互换的现金流不涉及本金的交换。比如一个5年期的浮动利率LIBOR与固定利率8%的利率互换，其中一方支付给交易对手1亿美元本金的8%，以换得浮动利息的支付。因为这种情况下的两种支付方式都与相等的本金挂钩，所以到期日不涉及本金的交换。

货币互换是不同货币现金流的交换，是将一种货币的固定利息和本金与另一种货币的固定利息和本金进行交换。双方不仅交换利息，在开始和结束时还要交换两种货币的本金。比如，一个10年期外汇互换包括一个在接下来的10年中每年以500万美元交换300万英镑的合约，另外，在到期日，交易双方还要互换1亿美元和5 000万英镑的金额。该金额也被称为**名义金额**（notional principal）。

我们以利率互换合约的估值问题为例，来讨论互换合约的估值问题。

例7-11 假设现在有一个期限为3年期、名义金额为1亿美元的利率互换合约，合约中，我们是收固定利息、付浮动利息的一方，即每年收取5.50%的固定利息，支付与LIBOR挂钩的浮动利息。请分析该互换合约的价值。该问题忽略信用价差。

分析：可以使用两种方法对该互换合约进行估值：一种是考虑两个债券的价格差进行估值，另一种是基于一系列远期合约进行估值。

方法1：考虑两个债券的价格差进行估值。

如图7-6所示，这个互换合约等价于一个固定利率为5.5%的3年期债券多头和一个3年期浮动利率票据的空头。这里，用B_{Fix}表示固定利率债券的价值，用B_{Fl}表示浮动利率票据的价值。显然，互换的多头的价值为

$$V = B_{\text{Fix}} - B_{\text{Fl}}$$

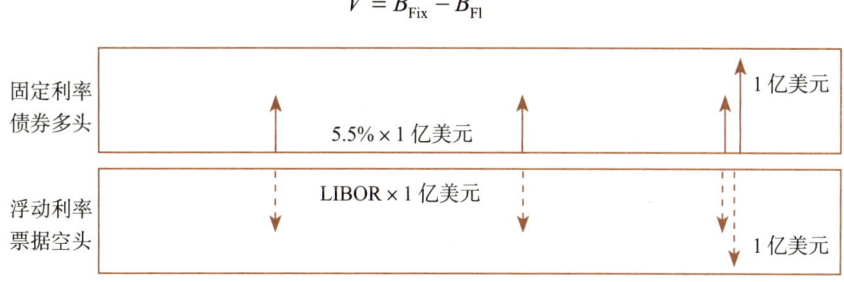

图7-6 基于两个债券的价格差来计算互换合约的价值

易知，B_{Fl}市场价值的波动会很小，浮动利率票据的价值应该接近于面值。如果时间刚好在重新设定日之前，B_{Fl}将完全类似于一个现金投资，因为下一期的票面利率正好等于重新设定的当期利率。因此，它的市场价值接近于面值。重新设定日之后，浮动利率票据将类似于一个1年期期限的债券。

现在考虑初始时刻互换的价值。如果合约在签订时刻的票面利率被定为当时的平均收益

率，那么 B_{Fix} 等于面值。因为刚好在重新设定日之前，所以浮动利率票据的价值也是面值，即 $B_{Fl}=100$（百万美元）。这时互换的价值为零，即 $V=B_{Fix}-B_{Fl}=0$，这就是初始时刻远期合约的价值。

合约签订后，互换的价值将受到利率波动的影响。如果市场利率下跌，互换变为实值合约，因为它收到的票面利率比市场利率高，所以 B_{Fix} 的价值上涨，而 B_{Fl} 基本不变。

假设市场上 1 年期、2 年期和 3 年期的即期利率分别为 4.000%、4.618% 和 5.192%，我们利用这些数据来为这个 3 年期的互换合约进行估值。由于时间刚好在重新定价日之前，所以 $B_{Fl}=100$（百万美元）。我们计算 B_{Fix}（单位为百万美元）：

$$B_{Fix}=\frac{5.5}{(1+4.000\%)}+\frac{5.5}{(1+4.618\%)^2}+\frac{105.5}{(1+5.192\%)^3}=100.95（百万美元）$$

因此，该互换合约当前的价值为 $V=B_{Fix}-B_{Fl}=0.95$（百万美元）。

方法 2：基于一系列远期合约进行估值。

如图 7-7 所示，我们可以把互换看作一系列远期合约。回顾远期合约买方的价值公式，可知：

$$V_i=(F_i-K)\exp(-r_i\tau_i)$$

式中，F_i 是市场远期利率；K 是事先确定的利率；r_i 是剩余到期期限 τ_i 的即期利率，使用连续复利计算。

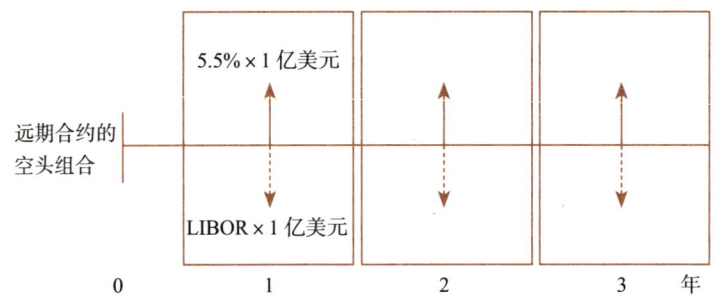

图 7-7　基于一系列远期合约来计算互换合约的价值

我们把上式扩展到多个到期日的情形，用 n_i 表示到期日 i 的名义金额，用离散复利 R_i 来计算，则互换合约的估值公式为

$$V=\sum_i n_i(F_i-K)/(1+R_i)^{\tau_i}$$

远期合约的价值将随着利率的上升而增加。但在这个互换合约中，由于我们是收取固定利率 K 并支付浮动利率的一方，随着利率上升，互换头寸的价值将下跌。因此互换合约的估值公式的符号需要反过来。

假设我们知道此时市场上 1 年期、2 年期和 3 年期的远期利率，它们分别为 $F_{0,1}=4.000\%$、$F_{1,2}=5.240\%$ 和 $F_{2,3}=6.350\%$，此时该互换合约的价值为

$$V=-\frac{100\times(4.000\%-5.50\%)}{1+4.000\%}-\frac{100\times(5.240\%-5.50\%)}{(1+4.618\%)^2}-\frac{100\times(6.350\%-5.50\%)}{(1+5.192\%)^3}$$
$$=1.4423+0.2376-0.7302=0.95（百万美元）$$

这种方法得到的结果和前一种方法的结果相同，当然也本该如此。互换处于实值状态主

要是因为第一次支付,它支付的利率为5.5%,而远期利率只有4.00%。因此,利率互换可以利用一系列远期利率估值和对冲。

7.6 期权

7.6.1 为什么选择期权合约

相比远期、期货和互换,期权合约相对比较复杂,大家在本章的第一节基础内容部分也看到了。所以你可能会问,为什么要交易期权合约呢?下面我们仍以股票期权为例来分析。

一方面,显而易见地,交易期权合约更便宜。相对于直接购买股票,购买一股股票期权的期权费通常要低得多。很多人交易期权是因为能够用几块钱的价格在将来拥有买入或卖出一股股票的权利,成本要低得多。而且行权时支付的股票价格只是执行价格,获得的收益却是股票价格与执行价格的差。如果不使用期权合约,直接买入标的股票,成本将会很高,所以,便宜是期权合同受到很多投资者青睐的一个原因。

另一方面,期权具有独特的收益结构。不同于远期和期货的义务特性,期权是一种权利,投资者可以决定行权,也可以在价格不利时放弃行权,即不行权。买入期权的投资者的收益至少不会为负值。

7.6.2 看跌看涨期权平价

期权头寸可以用作许多复杂头寸的基础构件,比如,针对标的资产的多头头寸,我们可以将其分解为具有相同执行价格和期限的看涨期权多头和看跌期权空头,如图7-8所示。

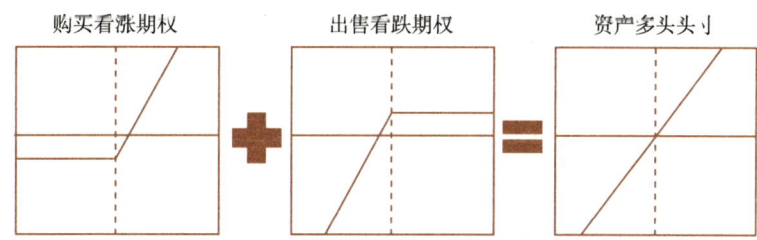

图7-8 标的资产多头头寸的分解图

由图7-8可知,看涨期权多头提供了与持有标的资产在资产价格上涨时的等价情况,而看跌期权空头提供了与持有标的资产在资产价格下跌时的等价情况。它建立了看跌期权和看涨期权之间的关系,可把它称为看跌看涨期权平价。以股票期权为例,有下式成立:

$$看跌期权的价值 + 股票价格 = 看涨期权价值 + 执行价格的现值 \qquad (7\text{-}6)$$

如果这个平价关系不成立,则存在套利机会,现用表7-3来描述这种关系。

表7-3 看跌看涨期权平价关系

组合	初始现金流	到期现金流	
		$S_T < K$	$S_T \geq K$
(1)购买看涨期权	$-c$	0	$S_T - K$
出售看跌期权	$+p$	$-(K - S_T)$	0

(续)

组合	初始现金流	到期现金流	
		$S_T < K$	$S_T \geq K$
投资	$-Ke^{-rT}$	K	K
总头寸	$-c+p-Ke^{-rT}$	S_T	S_T
（2）购买资产	$-S$	S_T	S_T

由于表 7-3 中组合（1）和（2）的期末现金流在任何情况下都一致，因此，两种策略的初始成本也应该相等，否则就会存在套利机会，即 $-c+p-Ke^{-rT}=-S$。整理后得到：

$$c+Ke^{-rT}=p+S \tag{7-7}$$

这一关系式就是看跌看涨期权平价公式。此公式表明欧式看涨期权的价值可由一个具有相同执行价格和到期日的看跌期权的价值推导出来，反之亦然。

7.6.3 期权定价

1. 风险中性世界和真实世界

风险中性概念是相对于风险偏好和风险厌恶而言的，风险中性投资者对所承担的风险不要求溢价补偿，在这个世界里，一项有风险的投资需要提供的期望回报与无风险投资是一样的，均为无风险利率。每个人都是风险中性投资者的世界被称为**风险中性世界**。风险中性世界是存在于人们想象中的世界。

用通俗的话来讲，风险中性是说对于一种资产，投资者只在乎它将来的回报，就是它的期望收益率，而不在乎它的风险或者波动率多大。因为风险中性在衍生品价值评估中经常被用到，所以我们必须要在这里介绍它的概念。

与风险中性世界相对的是我们生活的真实世界。在真实世界里，我们身边的投资者一定会要求对所承担的风险获得补偿，当面对的风险上升时，投资者会要求得到更高的回报。因为人们一般都是趋利避害的，都喜欢高收益、低风险的产品，对要承担的风险都会要求一定的风险溢价补偿。

但是，在风险中性世界里，有这样一个假设：所有的产品都一样，期望收益率都是无风险利率。这个假设听起来很奇怪，为什么要做这个假设呢？因为衍生品的定价其实并不由个人的风险偏好来决定，衍生品是在标的资产上衍生出来的产品，它的价值完全取决于标的资产价格的波动，而人们对于风险的偏好实际上已经完全被包含在标的资产的价格里，所以衍生品本身并不会产生更多的风险。换句话说，风险中性定价和投资者的风险态度无关。这也是为什么金融相关课程中的衍生品定价推导都以风险中性假设为前提。

另外，风险中性定价方法显示，通过假设世界是风险中性的来为衍生品定价，得到的结果在真实世界中也是正确的。为了便于理解，文章后面将以股票看涨期权定价为例⊖来看它的逻辑。

在假设股票价格服从随机游走的前提下，在期权期限内，股票价格有一定的概率向上移动一定的比率，同时也有一定的概率向下移动一定的比率，这种只有两种变动路径的图形被

⊖ 这里参考约翰·赫尔的《期权、期货与其他衍生品》中的例子。

称为二叉树。所谓的二叉，就是在每一个节点有两个可能的选择，它的整个结构像一棵树，所以叫作二叉树。在统计上严格地说，这种随机变量的分布叫作**二项分布**（binomial），就是有两种可能性。

二叉树是期权定价中有用且常见的工具。为了更好地理解衍生品的风险中性定价，我们先看一个无套利定价的例子。

2. 无套利定价

为了对冲一个股票看涨期权的空头，投资者需要买入一定比例的股票，构造一个股票和期权的组合（这是一个 covered call 交易策略），并且该组合在 3 个月后的价值没有不确定性。换句话说，该组合没有任何风险。因此，其收益率一定等于无风险利率，否则就会存在套利机会。

例 7-12 考虑一个由 Δ 股股票多头、一份看涨期权空头构成的资产组合。该期权的执行价格为 21 元，期限 3 个月，目前股票的价格为 20 元。需要找到使资产组合成为无风险组合的 Δ。目前该组合的成本为

$$V_0 = \Delta S_0 - f_0 = 20\Delta - f_0$$

式中，Δ 是持有股票的份数；f_0 是现在看涨期权的价格；S_0 是目前股票的价格。

假设 3 个月后的股价只有两个结果：要么上涨到 22 元，要么下跌到 18 元。当股价为 22 元时，所持股票的价值变为 22Δ，期权的价格变为 1 元，因此，资产组合的总价值为 $22\Delta-1$；当股价为 18 元时，所持股票的价值变为 18Δ，期权的价值为 0，资产组合的总价值为 18Δ。我们已经假设持有的 Δ 股股票能使资产组合没有股价波动风险，这意味着 $22\Delta-1=18\Delta$，即 $\Delta = 0.25$。

那么交易组合今天的成本为

$$V_0 = 20\Delta - f_0 = 20 \times 0.25 - f_0 = 5 - f_0$$

因为 0.25 股股票多头和 1 股看涨期权空头构成的资产组合，不受股价波动的影响，所以它是一个无风险资产组合。当股价上涨为 22 元，组合价值为 22×0.25−1=4.5（元）。当股价下跌到 18 元，组合价值为 18×0.25=4.5（元）。可见，无论股价上涨还是下跌，在 3 个月后期权到期时，资产组合的价值总是 4.5 元。

基于无套利定价原理，既然资产组合期末价值没有股价波动的风险，那么该组合只能获得无风险收益率。假设无风险利率为每年 12%，那么该交易组合今天的成本是 4.5 元的现值，即 $4.5e^{-0.12 \times 3/12} = 4.367$（元）。

因此有

$$5 - f_0 = 4.367$$

故 $f_0 = 0.633$（元）。

以上讨论说明，在无套利机会假设下，期权的当前价值为 0.633 元。如果市场上期权的价格高于 0.633 元，因为期权为空头头寸，所以构造资产组合的费用就会低于 4.367 元，而资产组合的收益率就会高于无风险利率；如果期权的价格低于 0.633 元，那么卖空这个资产组合将会提供一个低于无风险利率的借款机会。

我们将例 7-12 中的结论进行推广。遵循前面的逻辑，我们仍考虑一个由 Δ 股股票多头和一份看涨期权空头构成的资产组合。我们可以找到一个 Δ，使交易组合不具有任何风险。

假设股票目前的价格为 S_0，基于该股票的看涨期权的价格为 f_0，期权的期限为 T。在期权有效期内，股价或者由 S_0 上涨到 uS_0，或由 S_0 下跌到 dS_0，其中 $u>1, d<1$。当股价为 uS_0 时，相应的期权价格为 f_u，当股价为 dS_0 时，相应的期权价格为 f_d。结果如图 7-9 所示。

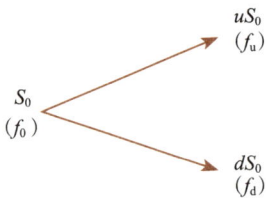

图 7-9 二叉树模型中的股价和期权价格

在无套利均衡状态下，无论期末股价上涨或下跌，无风险投资组合的价值都一样，即

$$\Delta uS_0 - f_u = \Delta dS_0 - f_d \tag{7-8}$$

则

$$\Delta = \frac{f_u - f_d}{uS_0 - dS_0} \tag{7-9}$$

式（7-9）表示，当股价在二叉树的两个节点之间变动时，Δ 是期权价格变动与股价变动的比值。

因为投资组合是无风险的，所以其收益率必须等于无风险利率。令 r 为无风险利率，投资组合的现值为 $(uS_0\Delta - f_u)e^{-rT}$。因为构造投资组合的成本为 $\Delta S_0 - f_0$，易知，$\Delta S_0 - f_0 = (uS_0\Delta - f_u)e^{-rT}$。即

$$f_0 = \Delta S_0(1 - ue^{-rT}) + f_u e^{-rT} \tag{7-10}$$

把式（7-9）中的 Δ 代入式（7-10）并化简，得到：

$$f_0 = e^{-rT}[pf_u + (1-p)f_d] \tag{7-11}$$

其中

$$p = \frac{e^{rT} - d}{u - d} \tag{7-12}$$

在无套利机会的假设前提下，如果股价由一步二叉树给出，那么式（7-11）和式（7-12）可以用来对期权定价。

例 7-13 我们换一种思路来看例 7-12。这里，$u = \frac{22}{20} = 1.1$，$d = \frac{18}{20} = 0.9$，$r = 0.12$，$T = 0.25$，$f_u = 1$，$f_d = 0$，由式（7-11）和式（7-12）可得：

$$p = \frac{e^{rT} - d}{u - d} = 0.6523$$

$$f_0 = e^{-rT}[pf_u + (1-p)f_d] = 0.633 \text{（元）}$$

两种思路（例 7-12 和例 7-13）得到的结果完全一致。

实际上，截至目前，我们仍然只是在无套利框架下讨论问题，并没有涉及股价上涨或是下跌的概率。也就是说，不管股价上涨或下跌的概率是多少，欧式股票看涨期权的价值是一样的（这两个例子的结果都是 0.633 元）。这一点似乎与我们的直觉不符，我们会很自然地想到当股价上涨的概率增加时，股票看涨期权的价格也会上涨。同时，这一股票的看跌期权的价格会下降，但事实并非如此。

出现这样的结果，其关键原因在于，人们并不是在一个绝对的条件下对期权进行定价，而是根据股价来计算期权的价格，未来股价上涨与下跌的概率已经包含在股价中了。因此，当根据股价来对期权进行定价时，我们无须再次考虑股价上涨或下跌的概率。

3. 风险中性定价

现在我们再回到例 7-12，来了解风险中性定价的逻辑。在推导式（7-11）的过程中，虽然我们并不需要对股价上涨或下跌的概率做出任何假设，仅需要无套利机会，但是我们仍然很自然地将式（7-11）中的变量 p 理解为股价上涨的概率，而将变量（$1-p$）理解为股价下跌的概率。期权期望收益的表达式为

$$pf_u + (1-p)f_d \tag{7-13}$$

按照对于 p 的这种理解，式（7-11）就可以理解为期权今天的价值等于其期望收益的现值。

再来看股价上涨概率为 p 时股票的期望收益。在时刻 T，股票的期望值为

$$E(S_T) = puS_0 + (1-p)dS_0 \tag{7-14}$$

将式（7-12）的 p 代入式（7-14）并化简，可得：

$$E(S_T) = S_0 e^{rT} \tag{7-15}$$

式（7-15）说明股价按照无风险利率平均增长。

因此，股价上涨概率 p 意味着股票的收益率为无风险利率。此时的投资者承担了风险却不要求任何补偿，根据前文，很容易理解这些投资者都是风险中性世界中的投资者。因此，假设股价上涨的概率为式（7-12）中的 p，就是在假设这个世界是风险中性世界。

我们仍用前面的例子来看 3 个月期看涨期权的风险中性定价，股价的二叉树如图 7-10 所示。

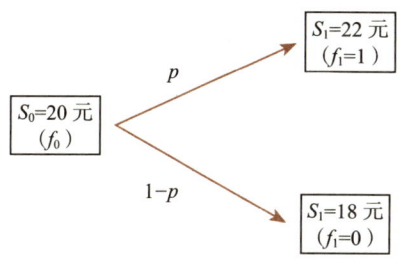

图 7-10　股价的二叉树

定义 p 为风险中性世界中股价上涨的概率。这里有两种方法可以找到 p。一种方法是根据式（7-12），$p = \dfrac{e^{rT} - d}{u - d}$，计算得出 $p = 0.6523$；另一种方法是利用风险中性世界里，股票的期望收益率一定等于无风险利率。也就是说，p 一定要满足下式：

$$20e^{0.12\times0.25} = p\times22+(1-p)\times18$$

计算得到 $p = 0.6523$。

在这个二叉树中，期权在期末的现金流的期望为

$$E(f_T) = p\times1+(1-p)\times0$$

所以，$E(f_T) = p = 0.6523$（元）。

在风险中性世界里，看涨期权价格是期权期末的期望现金流以无风险利率贴现的现值。因此，$f = 0.6523\times e^{-0.12\times0.25} = 0.633$（元）。

这里，基于风险中性的期权定价结果与基于无套利定价原理得到的期权定价结果完全一致。此时我们必须要强调 p 为风险中性世界里股价上涨的概率。一般情况下，这一概率与真实世界里股价上涨的概率是不同的。在这个例子中 $p = 0.6523$，我们可以理解为当价格上涨的概率为 0.6523 时，股票及期权的期望收益率为 12%。

假设在真实世界里，股票的期望收益率为 16%，不是 12%。令 p^* 代表真实世界里股价上涨的概率。那么：

$$22p^* + 18\times(1-p^*) = 20e^{0.16\times3/12}$$

易得 $p^* = 0.7041$。

在真实世界里，当股价上涨的概率为 $p^* = 0.7041$ 时，股票期权的期望收益为 $p^*\times1+(1-p^*)\times0$，即 0.7041。

遗憾的是，我们此时并不知道应该用什么样的贴现率来对这个期望值进行贴现。由于期权头寸比股票头寸的风险更大，用于期权期望收益现金流的贴现率应该比 16% 更大才合理，但是我们在不知道期权价格的情况下，并不知道合适的贴现率应该比 16% 高出多少。有些人认为应该是 20%，还有一些更厌恶风险的投资者认为他的资本机会成本更大，贴现率至少得是 35%。这个问题没有一个标准答案。

而在风险中性世界里，将标的资产价格转换成衍生品价格的计算公式是独立于投资者的风险偏好的。风险中性假设所有资产的期望收益率均为无风险利率，所有未来的现金流都以无风险利率进行贴现，这个假设极大地简化了定价。如果没有风险中性定价，衍生品的定价将会更加复杂。

4. 复制定价

现在我们讨论另外一个期权定价方法——复制定价法。

在这一方法下，**复制**（replication）是衍生品定价模型的核心。为了避免套利，衍生品的当前价值必须等于复制它的投资组合的价值，即通过复制衍生品的收益来进行定价。

考虑一个股票的看涨期权，假设股价服从二项分布，其价格可以用二叉树来描述。假设今天的股价是 100 元，期末股价要么上涨至 $S_1 = 150$ 元，要么下跌至 $S_2 = 50$ 元。该期权的执行价格 $K = 100$ 元。那么到期时，期权只能有两个价值，即 $C_1 = 50$ 或 $C_2 = 0$。

假设无风险利率为 $r=25\%$，那么，1 元投资的期末价值是 1.25 元。

衍生品定价的核心思想是复制，复制定价法是比较简单易行的方法，因为只有两种状态和两个金融工具：**股票和无风险利率借款**。复制定价法的原理是这样的：构建一个投资组合，组合里面有两样资产，一个是标的资产股票，另一个是无风险利率借款。调节组合中股票和

借款这两个资产的头寸，使投资组合的收益和复制的看涨期权的收益一样。那么，为了防止套利，衍生品的当前价值必须和投资组合的价值一样。

假设用来复制看涨期权的投资组合中的资产包括：Δ 股标的资产股票，金额为 B 的无风险资产（负值意味着借款）。我们可以把这个复制组合叫作人工看涨期权。因为一旦复制成功，这个组合的收益就会和真实看涨期权的收益一模一样。

人工看涨期权的期末价值为

$$C_T = \Delta S_T + B \tag{7-16}$$

如果期末股价上涨到 150 元，此时期权的价值是 50 元，此时 $50 = \Delta \times 150 + B$；如果期末股价下跌到 50 元，此时期权的价值是 0，那么 $0 = \Delta \times 50 + B$。解方程得到 $\Delta = 0.5$ 和 $B = -25$（元）。

$\Delta = 0.5$ 意味着我们构建的投资组合中需要包含 0.5 股股票，$B = -25$（元）意味着期末我们需要归还的负债总额为 25 元，也就是说，今天我们需要的借款额为 $\dfrac{25}{1+25\%} = 20$（元）。

由于投资组合的期末收益和期权的期末收益完全一样，因此，根据无套利原理，投资组合当前价值和期权的价值也应该相等。投资组合今天的价值 $C_0 = \Delta S_0 + B = 0.5 \times 100 - 20 = 30$（元）。

上面的推导过程就是期权的复制定价法的核心思想。

注意，这里我们没有用到股票上涨的概率（定义为 p）。假设投资者是风险中性的，那么股价就是到期时刻股价的期望值按照无风险利率贴现的现值，即

$$S_0 = \frac{E(S_T)}{1+r} = \frac{pS_1 + (1-p) \times S_2}{1+r} \tag{7-17}$$

把 $S_0 = 100$、$S_1 = 150$、$S_2 = 50$ 和 $r = 25\%$ 代入上式并解方程，得到 $p = 0.75$。现在用同样的方式对期权进行定价：

$$C_0 = \frac{pC_1 + (1-p) \times C_2}{1+r} \tag{7-18}$$

把 $p = 0.75$、$C_1 = 50$、$C_2 = 0$ 和 $r = 25\%$ 代入上式并解方程，得到 $C_0 = 30$（元）。

这个简单的例子再次完美诠释了上一节我们学习的风险中性定价的概念。

5. Black-Scholes 期权定价模型

上面的例子说明了通过复制策略可以对期权定价，但是在现实世界中，这样的交易策略在较长期限内很难奏效。因为在一个较长期限内，比如一年，股价会有多种可能。然而，在一个极短时间期限内，股价只有上涨或下跌这两种可能的假设就合理得多。布莱克和斯科尔斯指出，在一个极短时间期限内，股票和借款的特定组合的确可以复制无限短时间水平上的看涨期权，然后通过对组合进行调整，就可以连续地复制看涨期权。

布莱克和斯科尔斯推导出了欧式看涨期权的定价公式，其前提是以下四个假设。

（1）标的资产的价格连续变化。

（2）利率已知并且不变。

（3）标的资产收益的方差恒定。

（4）资本市场是完美的（即允许卖空，没有交易成本或交易税，市场连续运作等）。

资产价格的统计过程用几何布朗运动来建模：在一段非常短的时间 dt 内，对数收益率服

从均值为 μdt、方差为 $\sigma^2 dt$ 的正态分布。资产收益率可以建模为

$$dS/S = \mu dt + \sigma dz \quad (7\text{-}19)$$

其中第一项代表漂移项，第二项代表随机项，dz 服从均值为零、方差为 dt 的正态分布。这个过程意味着最终资产价格的对数分布为

$$\ln S_T = \ln S_0 + (\mu - \sigma^2/2)\tau + \sigma\sqrt{\tau}\varepsilon \quad (7\text{-}20)$$

式中，ε 是服从 $N(0,1)$ 分布的随机变量，因此资产价格服从对数正态分布。

基于这些假设，布莱克和斯科尔斯（1972）推导出了无红利支付股票的欧式看涨期权的定价公式。默顿（1973）把布莱克和斯科尔斯的模型推广到支付连续红利收益的股票的情况。他们从不同视角采用不同的方法得到了相同的期权公式，这就是后来广为应用的 Black-Scholes-Merton 模型，简称 BSM 模型。

看涨期权的定价公式为

$$c = S_0 N(d_1) - K e^{-rT} N(d_2) \quad (7\text{-}21)$$

其中

$$d_1 = \frac{\ln(S_0/K) + (r + \sigma^2/2)T}{\sigma\sqrt{T}}$$

$$d_2 = \frac{\ln(S_0/K) + (r - \sigma^2/2)T}{\sigma\sqrt{T}} = d_1 - \sigma\sqrt{T}$$

式中，S_0 是现行股价；K 是看涨期权的执行价格；r 是年无风险收益率，连续复利计算；T 是到期时间（单位为年）；σ^2 是股票的连续收益的方差（每年）；$N(d)$ 是标准正态分布随机变量将小于或等于 d 的累积概率。

利用看跌看涨期权平价公式，欧式看跌期权的定价公式为

$$p = K e^{-rT} N(-d_2) - S_0 N(-d_1) \quad (7\text{-}22)$$

式中的各个变量的含义同看涨期权的定价公式。

例 7-14 利用 BSM 模型，在给定如下信息的情况下，计算一个欧式看涨期权的价值：标的资产的价格 = 100（元），执行价格 = 110（元），无风险利率 = 10%，到期时间 = 0.5 年，$N(d_1) = 0.457\,185$，$N(d_2) = 0.374\,163$。

分析：这是一个无红利支付的欧式看涨期权，把题目中的参数代入公式 $c = S_0 N(d_1) - K e^{-rT} N(d_2)$，计算得到 $c = 6.568$（元）。

6. 期权价值的影响因素

从 BSM 模型中可以看出，影响期权价值的因素就是公式中的五个参数（S_0、K、r、T、σ^2）。这五个参数可以分为两类：一类是期权合约的特征因素，即合约中的执行价格（K）和到期日（T）；另外一类影响因素涉及标的资产（S_0、σ^2）和市场的特性（r）。

（1）执行价格（K）。对看涨期权来说，执行价格上升将降低看涨期权的价值。执行价格越低，看涨期权的实值程度越高。因此，其他因素都相同时，执行价格越低的看涨期权的期权费越高。看跌期权刚好相反，执行价格越高，看跌期权的实值程度越高，期权费越高。

（2）到期日（T）。一般情况下，离到期日时间越远，期权价值越高。但是对于欧式看涨期权来说并不一定。比如，现有两个欧式看涨期权，其他条件都一样，只是到期时间相差一个月，一个是本月20日到期，一个是下月20日到期，这两个期权的价格没有办法直接进行比较。因为谁也不知道在下一个月里会有什么消息，这些消息对期权合约的价格影响是正面的还是负面的。所以要具体情况具体分析。

（3）标的资产的价格（S_0）。在其他条件都相同时，到期时标的资产价格越高，看涨期权的价值越高，看跌期权的价值越低。

（4）标的资产价格的波动率（σ^2）。标的资产价格的波动越大，未来价格的不确定性越大。如果标的资产是股票，那么股票的价格可能会跌得很厉害，也可能涨得很厉害。由于看涨期权的损失就是期权费，它是固定的，但是，股价上涨得越多，持有者的收益涨得也多，所以期权价格也就越高。这个参数对看涨期权和看跌期权的影响是一样的，都有可能使期权变得更有价值。

（5）市场无风险利率（r）。市场无风险利率对看涨期权的价格的影响，体现在执行价格的延迟支付方面。看涨期权持有者仅在执行期权时支付执行价格，假如他们真要执行的话，延迟支付在利率高时有较大价值，而在利率低时的价值较小。因而，看涨期权的价值与市场无风险利率正相关，而看跌期权刚好相反。

7.7 线性风险管理：对冲

风险管理包括了对风险的识别、计量、监测和控制。所有可度量的风险都可以被管理，风险管理的一个重要的方法是对冲。这一节介绍如何应用对冲方法来管理线性风险。之所以被称为线性风险管理，是因为对冲工具的价值与标的资产的风险因子线性相关。比如期货和远期合约，其价值和标的资产的价格呈线性关系。期权的价值和标的资产呈非线性关系，非线性风险管理将于后面介绍。

投资组合的损失来源主要有两个：风险因子的变动和风险暴露的多少。前者作为外生变量，是风险管理者不可控的因素，而后者对风险管理者而言是可控的变量。风险管理的目的就是将产品定价和对冲与相关风险因子的变动联系起来，通过对冲把风险因子变动对投资组合价值的影响冲抵掉，对冲会涉及偏导数。

对冲是特意降低另一项投资的风险的投资，投资者针对已有的投资组合，再进行一项与已有投资组合行情相关、方向相反、数量相当、盈亏相抵的交易。行情相关是指影响两种资产价格行情的市场供求关系存在同一性，供求关系一旦发生变化，两个组合的价值会同时发生同向变动。方向相反是指对冲者的交易买卖方向相反，当标的资产的价格发生变动时，已有组合和对冲组合总是一盈一亏。要做到盈亏相抵，确定对冲交易的数量是关键。

这项技术最初是由期货市场发展起来的。在期货市场上，农场主可以使用金融工具来对冲他们农产品的价格风险。对冲的目的在于找到期货合约中的最优头寸，从而使得总头寸的方差最小化。对冲后的投资组合包含两种头寸，一种是需要对冲的已有投资组合头寸，另一种是对冲工具头寸。

线性风险管理工具 Delta 可用作对冲分析。Delta 被用来度量某个市场变量（比如标的资产价格）的微小变动带来的投资组合价值的变动。关于 Delta 更详细的阐述将在下一节希腊值部分展开。

Delta 的数学表达式为 Delta $=\frac{\partial P}{\partial S}$，其中 ∂S 是标的资产价格的微小变动，∂P 是标的资产价格变动 ∂S 所引发的投资组合的价值变动。用微积分的术语来说，Delta 是投资组合价值对某一市场变量的偏导数，是一种敏感性度量工具，用 Δ 来表示。我们经常用 Δ_i 来代表组合中某个头寸的价格变动得到的组合价值的变动。

投资组合的 Delta 可以用投资组合内各个头寸的 Δ_i 来计算。如果一个投资组合由数量为 ω_i 的头寸 i（$1 \leqslant i \leqslant n$）组成，那么投资组合的 Delta 为

$$\text{Delta} = \sum_{i=1}^{n} \omega_i \Delta_i \tag{7-23}$$

Delta 为 0 的头寸称为 **Delta 中性**（delta neutral）。Delta 对冲就是构造一个 Delta 中性的组合。对冲的目的就是找到使投资组合的 Delta 为 0 而需要持有的标的资产的头寸。我们以最简单的远期对冲问题为例来说明。

例 7-15 一家美国银行与某一企业做了一个远期交易：这家银行同意在一年后以 130 万美元的价格卖给企业 100 万欧元。假定欧元和美元的一年期的利率（年复利）分别为 4% 和 3%。请问：这个交易员怎么对冲这个远期合约的风险？

分析：一年后的 130 万美元的现值为 PV = 1 300 000/(1+3%) = 1 262 136（美元）；一年后的 100 万欧元的现值为 PV = 1 000 000/(1+4%) = 961 538（欧元）。

对这家美国银行来说，一年后是收美元支付欧元。因此，以美元度量的投资组合的价值为 $V = 1\,262\,136 - 961\,538 \times S$，其中 S 是美元/欧元的即期汇率。显然，组合的价值 V 将受到风险因子 S 的影响，一旦未来美元贬值，该银行的投资价值将下跌。

而汇率波动对该银行来说是不可控的。银行的风险管理者唯一能做的就是对冲掉汇率波动带来的影响。这个问题比较简单，大家很快就能想到现在买入 961 538 欧元，并把这些欧元按照欧元的无风险利率 4% 存入银行一年，到期后连本带息共得到 100 万欧元。

银行的投资组合的美元价值为 $V = 1\,262\,136 - 961\,538 \times S$，根据 Delta 的定义，该组合的 Delta 为 $\frac{\partial V}{\partial S} = -961\,538$。

组合只有达到 Delta 中性，才能对冲掉汇率波动带来的组合价值变动的风险。目前组合的 Delta = -961 538，组合要达到 Delta 中性，我们必须在组合中增加一个多头头寸（961 538 欧元）。增加了新头寸的组合的美元价值为 $V^* = 1\,262\,136 - 961\,538 \times S + 961\,538 \times S = 1\,262\,136$（美元）。

此时，新组合的价值 V^* 已经对冲掉了汇率变动的影响，它的 Delta 为 0，实现了 Delta 中性，达到了风险管理的目的。

请大家思考，如果该远期合约的其他条件不变，只是银行在一年后需要用 130 万美元买入 100 万欧元，那么，这家银行的交易员又该怎么做才能对冲汇率波动的风险？

小结：线性风险管理的核心是找出组合价值和风险因子之间的数量关系，计算组合的 Delta，然后在 Delta 中性的思路引领下，制定风险对冲措施。

7.8 非线性风险管理：希腊值

期权的风险管理是比较复杂的，影响因素较多且非线性特征突出，不像线性产品那么单一。特别地，期权价值的分布非常不对称，因此对于风险管理者来说，度量期权头寸的风险是非常必要的。

在管理远期合约的线性风险时，我们把组合的损失归因于两种因素的组合：风险暴露和风险因子的不利变动。上一节讨论中，我们认为损失是由于风险因子的不利变动造成的，没有考虑风险暴露这一变量。但是，期权产品的风险管理不仅会因为面临的风险因子变动带来损失，有时还会因为风险暴露管理不当带来损失。比如，有些期权合约交易的卖方就会因为持有期权的空头寸的风险暴露带来损失。这是不可原谅的，因为风险暴露是投资组合经理可以控制的变量。现实中，建立一种可以对风险情况提供直观理解的度量方法是非常具有挑战性的。

7.8.1 裸露头寸与带保头寸

下面我们以一家持有卖出期权头寸的金融机构为例来介绍**裸露头寸**（naked position）和**带保头寸**（covered position）的概念。

这家金融机构以 30 万美元的价格卖出 10 万单位的无股息股票欧式看涨期权。假设股票价格为 49 美元，期权执行价格为 50 美元，无风险利率为每年 5%，股票价格的波动率为每年 20%，期权期限为 20 周（0.384 6 年），股票的年期望收益率为 13%。把这些信息代入 BSM 模型，计算出期权的理论价值是 240 000 美元。也就是说，这家金融机构的这个卖空操作带来的利润为 60 000 美元。那么，金融机构如何对冲风险来锁定 60 000 美元的利润呢？

（1）**采用裸露头寸策略**。采用裸露头寸策略意味着该金融机构对卖出的期权头寸不采取任何对冲措施。那么到期后就会有两种可能的结果。一方面，如果到期时股票价格低于 50 美元，买方不会行权，期权最终没有给金融机构带来任何损失，整个交易给金融机构带来 30 万美元的净利润。在这种情况下，策略的收益就很好。另一方面，如果到期时股票价格超过 50 美元，买方势必要行权，此时该金融机构必须在市场上以市价买入 10 万股股票以兑现期权承诺。此时这种策略就会带来较大的损失。比如，到期时股票价格为 60 美元，则金融机构就会面临由于买方行权所带来的损失 100 万美元，这一金额远大于卖出期权所收取的期权费 30 万美元。

（2）**采用带保头寸策略**。采用带保头寸策略意味着金融机构在卖出期权的同时，买入了 10 万股股票。如果到期时期权被行使，金融机构就不会有额外的损失，在这种情况下，该交易策略的表现就会非常好。但是如果到期时期权不被行使，也就是股票价格低于执行价格，比如到期时股票价格降到 40 美元，那么金融机构持有的股票的损失为 90 万美元。这一金额也远大于卖出期权带来的 30 万美元收入。

综上，裸露头寸和带保头寸都不是很好的对冲交易策略。在这种情况下，金融机构要想锁定 6 万美元的利润，就应该在股票价格刚刚高于执行价格时买入股票，在股票价格刚刚低于执行价格时卖出股票，也就是说采取**止损交易策略**。止损交易策略的核心思想是：当股票价格低于执行价格时，采用裸露头寸策略；当股票价格高于执行价格时，采用带保头寸策略。采取止损交易策略的对冲设计保证了在到期时，如果期权处于实值状态，金融机构持有股票，如果期权处于虚值状态，金融机构不再持有股票。如果 BSM 模型的假设前提成立，持有期权空头头寸的金融机构采用止损交易策略时，其理想的对冲交易成本应接近于 24 万美元。

7.8.2 希腊值

期权的价值受标的资产价格、标的资产价格的波动率、执行价格、到期日及市场无风险利率等因素影响，其中任何一个因素的变动都会影响期权的价值，因此，期权的卖方会面临很大的市场风险。特别地，如果卖方出售的期权是私人定制的，对冲就会很困难，需要用希腊值来解决。

期权的希腊值（也称希腊字母，Greek letters）主要是用来解决金融机构在场外市场向客户售出期权头寸后所面临的风险问题的。

希腊值是一系列的偏导数。每一个希腊值都用来度量期权头寸的某种特定风险（如标的资产价格波动、标的资产收益率的波动率等）。交易员的目标是管理这些希腊值，以便将风险保持在一个可以接受的范围之内。

利用希腊值管理风险的理论基础在于，构造基于若干期权或期权与标的资产的组合，使其价值不受其中一些风险因素变动的影响，这样的组合称为风险中性组合。就像在上一节介绍的 Delta 中性组合。本节将介绍 Delta-Gamma 中性组合及 Delta-Gamma-Vega 中性组合。下面我们首先介绍影响期权价值变动的各个偏导数，然后再来讨论如何构造风险中性组合。

1. Delta

假如你是某家银行的交易员，负责银行所有与黄金有关的交易。当前黄金价格为每盎司 800 美元。针对近期黄金市场价格的频繁波动，你应该如何管理所持有的以黄金为标的资产的衍生品投资组合所面临的风险？为解决这一问题，下面我们引入期权的 Delta（希腊字母中为 Δ）。

假设你所持有的交易组合的当前市值是 117 000 美元，如果黄金的价格由现在每盎司 800 美元变为每盎司 800.10 美元，你重新对交易组合进行估价后，发现交易组合的价格变为 116 900 美元。也就是说，黄金价格每盎司上涨了 0.1 美元，触发你的交易组合损失了 100 美元。那么交易组合对黄金价格的敏感性为：$\dfrac{-100}{0.1} = -1000$。

这个敏感性的数值（-1000）就是这个衍生品交易组合的 Delta。它意味着黄金价格每盎司上涨 1 美元，交易组合的价值损失 1 000 美元。类似地，如果黄金价格每盎司下跌 1 美元，交易组合的价值将增加 1 000 美元。

一般地，交易组合价值对应于市场变量的 Delta 由下式来定义：

$$\text{Delta} = \frac{\Delta P}{\Delta S} \text{ 或 } \text{Delta} = \frac{\partial P}{\partial S} \tag{7-24}$$

式中，ΔS 是市场变量的微小变化；ΔP 是随之而来的交易组合的价值变化。用微积分的术语来表达就是 ∂S 和 ∂P。

显然，为对冲黄金价格波动给交易组合带来的市场风险，交易组合中应增加 1 000 盎司的黄金，形成新的交易组合。当黄金价格每盎司增加 1 美元时，买入的 1 000 盎司黄金将给组合带来 1 000 美元的收益，对冲掉了原组合中由于黄金价格上涨带来的 1 000 美元损失。此时的新组合已经没有了黄金价格波动风险，新组合的 Delta 为 0。我们称这种状态的交易组合是 Delta 中性。

例 7-16 假定某金融机构持有以下 3 个关于某股票的头寸：① 10 万份看涨期权的多头，执行价格为 55 美元，期限 3 个月，每份期权的 Delta 为 0.533；② 20 万份看涨期权的空头，执行价格为 56 美元，期限 3 个月，每份期权的 Delta 为 0.468；③ 5 万份看跌期权的空头，执行价格为 56 美元，期限 2 个月，每份期权的 Delta 为 −0.508。请问：如何使该金融机构的资产组合达到 Delta 中性？

分析：整个投资组合的 Delta 为 $100\,000 \times 0.533 - 200\,000 \times 0.468 - 50\,000 \times (-0.508) = -14\,900$。显然，要达到 Delta 中性，该金融机构需要买入 14 900 股股票来使该投资组合成为 Delta 中性。

2. Gamma

一个期权交易组合的 Gamma（希腊字母中为 Γ）是指交易组合的 Delta 相对于标的资产价格的一阶偏导数。因为 Delta 是期权价值相对于标的资产价格的一阶偏导数，所以 Gamma 被定义为交易组合价值相对于标的资产价格的二阶偏导数，即

$$\text{Gamma} = \frac{\partial^2 P}{\partial S^2} \tag{7-25}$$

当 Gamma 的绝对值很小时，Delta 变化很缓慢，这时为保证 Delta 中性所做的交易调整并不需要太频繁；但是当 Gamma 的绝对值很大时，交易组合的 Delta 对于标的资产价格变动就变得很敏感，此时对一个 Delta 中性的交易组合不做调整会非常危险。

以股票看涨期权为例，具体如图 7-11 所示。在 Delta 中性的假设下，当股价由 S 变成 S' 时，期权价格由 C 变成 C'，而事实上，期权此时已经由 C 变成了 C''。C' 与 C'' 的不同就造成了对冲误差，这一误差的大小取决于期权价格与标的资产价格曲线的曲率。Gamma 值就是用来度量这一曲率的。

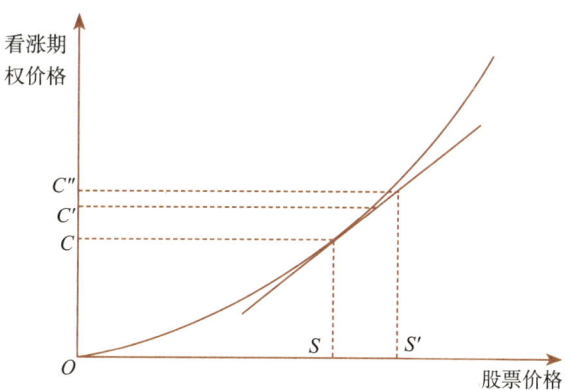

图 7-11　股票价格大幅波动引起的对冲误差

不管是看涨期权还是看跌期权，对应于期权多头（期权的买方）的 Gamma 均为正，对应于期权空头（期权的卖方）的 Gamma 均为负。要想对冲掉交易组合的二阶风险，和 Delta 一样的思路，必须使交易组合的 Gamma 为 0，即 Gamma 中性。

线性产品的 Gamma 是 0，因此线性产品不能用于改变交易组合的 Gamma。改变交易组

合的 Gamma 必须采用价格与标的资产价格呈非线性关系的产品，如期权。

比如，如果一个 Delta 中性的交易组合的 Gamma 为 Γ，而某一交易所交易的期权的 Gamma 为 Γ_T。如果决定将 w_T 数量的期权加入交易组合中，由此产生新的交易组合的 Gamma 为

$$\Gamma^* = w_T \Gamma_T + \Gamma \qquad (7\text{-}26)$$

要使得新交易组合为 Gamma 中性（$\Gamma^* = 0$），引入的期权交易头寸为 $w_T = -\Gamma/\Gamma_T$。此时新交易组合虽然实现了 Gamma 中性，但是引入的新交易期权改变了交易组合的 Delta，新组合不再是 Delta 中性。此时必须调整标的资产的数量，重新实现新交易组合的 Delta 中性。由于线性产品的 Gamma 为零，因此调整标的资产数量只会改变组合的 Delta，不会改变组合的 Gamma。此时新交易组合实现了短暂的 Delta-Gamma 中性。

但交易组合只能在短时间内做到 Gamma 中性，随着时间的变化，必须不断调整期权数量，使期权的头寸满足 $w_T = -\Gamma/\Gamma_T$ 以保证交易组合的 Gamma 中性。当然，为了保证 Delta 中性，还要不断调整新组合中标的资产的数量。

例 7-17 你持有一个 Delta 中性的交易组合，但是它的 Gamma 为 −3 000。你应该怎么进行风险管理？假设对应于交易所某一交易期权的 Delta 和 Gamma 分别为 0.62 及 1.50。

分析：该组合的 Gamma 是 −3 000，意味着当标的资产的价格大幅上涨时，交易组合将面临较大的损失。为了对冲该价格风险，我们需要在交易组合中加入 3 000/1.5 = 2 000 份期权，来使得该交易组合为 Gamma 中性。但交易期权的加入改变了原组合 Delta 中性的状态。新交易组合的 Delta 从 0 变为 2 000×0.62 = 1 240。因此，为保证新的交易组合实现 Delta-Gamma 中性，我们必须同时卖出 1 240 份标的资产。

3. Vega

衍生品交易的第二个不确定因素是标的资产价格的波动率。在 BSM 模型中，波动率被假设为常数；而在实践中，波动率与时间有关。期权的价格与标的资产价格的波动率有关。我们用 Vega 衡量标的资产价格的变动给期权带来的价值变动。

定义：一个交易组合的 Vega（ν）是指交易组合价值对标的资产价格波动率的一阶偏导数，即

$$\text{Vega} = \frac{\partial P}{\partial \sigma} \qquad (7\text{-}27)$$

与 Gamma 类似，对应于期权多头（期权的买方）的 Vega 均为正，对应于期权空头（期权的卖方）的 Vega 均为负。如果一个交易组合的 Vega 的绝对值很大，那么它的价值会对波动率的变动非常敏感；如果交易组合的 Vega 的绝对值很小，资产价格波动率的变化对交易组合价值的影响也会很小。

同样地，要对冲交易组合的价格波动率风险，达到 Vega 中性，也必须采用价格与标的资产价格呈非线性关系的期权产品。

比如，假定某交易组合的 Vega 为 ν，可交易期权的 Vega 为 ν_T，在交易组合中放入头寸为 $-\nu/\nu_T$ 的交易所交易期权，可使最初的交易组合为 Vega 中性。遗憾的是，一个 Gamma 中性的交易组合一般不会是 Vega 中性，如要组合同时达到 Gamma 中性及 Vega 中性，就必须

引入与标的产品有关的两种不同的期权产品。

例 7-18 假如某一交易组合为 Delta 中性，Gamma 为 –5 000，Vega 为 –8 000。某个交易所交易期权的 Gamma 为 0.5，Vega 为 2.0，Delta 为 0.6。为了保证交易组合 Gamma 和 Vega 中性，必须引入第二个交易所交易期权。第二个交易所交易期权的 Gamma 为 0.8，Vega 为 1.2，Delta 为 0.5。

分析：现有交易组合是 Delta 中性，但不是 Gamma 中性和 Vega 中性。为了保证对冲后的新组合同时实现 Gamma 中性和 Vega 中性，我们需同时引入两个交易期权。

假设引入的第一个交易所交易期权的数量为 w_1，引入的第二个交易所交易期权的数量为 w_2。则引入的两个期权的数量需同时满足两个方程：$-5\,000+0.5w_1+0.8w_2=0$ 和 $-8\,000+2.0w_1+1.2w_2=0$。

解方程得到引入的第一个期权的数量 $w_1=400$，第二个期权的数量 $w_2=6\,000$，这样新组合就同时实现了 Gamma 中性和 Vega 中性。显然，两个新期权的加入改变了原组合 Delta 中性的特性，新组合不再是 Delta 中性。新组合的 Delta 变为 $400\times0.6+6\,000\times0.5=3\,240$。因此，为使新组合达到 Delta 中性，需要再卖出 3 240 份标的资产。

4. Theta

Theta 常常被称为投资组合的时间损耗（time decay）。一个投资组合的 Theta（希腊字母中为 Θ）是指在其他条件不变的情况下，交易组合的价值变化与时间变化的比率，即

$$\text{Theta}=\frac{\partial P}{\partial \tau} \qquad (7\text{-}28)$$

式中，$\tau=T-t$，是期权的到期期限。

期权长头寸方的 Theta 通常为负，这是因为在其他条件不变的情况下，随着期权到期期限的接近，期权价值会降低。当股票价格很低时，Theta 接近于 0。

Theta 与 Delta 等希腊值有所不同。这是因为股票价格在未来会有很大的不确定性，但时间走向没有不确定性。通过对冲来消除交易组合对于价格波动的风险十分有意义，但要消除时间的不确定性就毫无意义。即便如此，很多交易员仍把 Theta 量作为对交易组合的描述。

5. Rho

最后要考虑的希腊值是 Rho（希腊字母中为 ρ）。Rho 是指交易组合的价值对利率变量的一阶偏导数。对于外汇期权，由于存在两种利率，一个针对本国利率，而另一个针对外币利率，这就得到两个 Rho 量。

当交易组合包含债券及其他利率衍生品时，交易员通常会谨慎考虑整个利率期限结构的变化方式。

至此我们已经了解，可以通过构造基于若干期权或期权与标的资产的组合，使期权交易组合的价值不受标的资产价格、标的资产价格的波动率、执行价格、到期时间及无风险利率等一些因素变动的影响，这样的组合称为风险中性组合。

- Delta 的调整，可通过标的资产的交易来实现。
- Gamma 和 Vega 的调整，必须通过期权或其他衍生品的交易来实现。

- 理论上来说，金融机构交易员可以随时调整对冲交易以确保交易组合的 Delta、Gamma 和 Vega 均为 0，而现实中不可能。

7.9 期权的 VaR

7.9.1 期权 VaR：线性

现在我们来概括对于简单期权头寸的 VaR 公式。在正态分布假设下，标的资产的 VaR 为

$$\text{VaR}(dS) = \alpha S \sigma (dS/S) \tag{7-29}$$

式中，α 对应于确定的置信水平，例如在 99% 的置信水平下，$\alpha = 2.33$。

考虑一个看涨期权的多头头寸。将资产价格的变动和期权的价值变动结合起来，此时它的 Δ 是正的，只考虑线性风险假设下，有 $dc = \Delta \times dS$。

此时期权的 VaR 是正数：

$$\text{VaR}(dc) = -dc = \Delta \times (-dS) = \Delta \times \text{VaR}(dS) \tag{7-30}$$

由于线性假设只考虑一阶近似，因此，线性 VaR 又称为 Delta- 正态 VaR。

7.9.2 期权 VaR：二阶

我们仍以看涨期权多头为例，来讨论期权的非线性风险。我们使用泰勒近似的方法考虑非线性效用，如下式：

$$dc \approx \frac{\partial c}{\partial S} dS + \frac{1}{2} \times \frac{\partial^2 c}{\partial S^2} dS^2 = \Delta \times dS + \frac{1}{2} \times \Gamma \times dS^2 \tag{7-31}$$

看涨期权的价值是标的资产价格（S）的递增函数，使用泰勒展开式去寻找风险因子（S）最坏变动导致的期权（c）最糟糕变动。

对看涨期权多头来说，当标的资产价格下降 VaR（dS）时，价值最低。这时期权的二阶 VaR 为

$$\text{VaR}(dc) = \Delta \times \text{VaR}(dS) - \frac{1}{2} \times \Gamma \times \text{VaR}(dS)^2 \tag{7-32}$$

这个二阶 VaR 又被称为 Delta-Gamma 下的 VaR。

对于普通期权，只要 VaR 的时间范围较短，线性近似是足够的。对于更奇异的期权或者较长的 VaR 时间范围，风险经理则需要考虑非线性风险。

◆ 本章小结

本章简要介绍了四种基础金融衍生品：远期合约、期货合约、互换合约和期权合约。远期合约是一种双方均有义务履行的合约，无论存续期间价格如何波动，都必须执行交易，除非违约发生。期货合约的设计旨在最小化交易对手的信用风险。就市场风险而言，期货合约与远期合约具有相似性。互换可以视为一系列远期合约的组合。

本章重点讲解了远期合约的价格确定和价值评估，以及期权合约的定价方法。介绍了风险中性定价、无套利定价和复制定价等定价方法。风险中性定价意味着我们无须关心金融衍

生品的风险大小以及市场对标的资产及衍生品的回报要求。相比之下，无套利定价的关键在于复制技术，即用一组证券复制另一个或一组证券。复制技术的要点在于使复制组合的多头（或空头）与被复制组合的空头（或多头）之间完全实现头寸对冲。

期权的价值受多个因素影响，包括标的资产价格、标的资产价格的波动率、执行价格、到期时间及无风险利率等。任何一个因素的变动都可能影响期权的价值，因此期权的卖方会面临较大的市场风险。特别是，当卖方出售的期权是私人定制的，对冲将变得更加困难，这时需要使用希腊值来管理风险。期权的希腊值是一系列偏导数，每一个希腊值都用来度量期权头寸的某种特定风险。交易员的目标是管理这些希腊值，将风险控制在一个可接受的范围内。

本章的**重点**和**难点**：①准确计算远期价格是关键，这要求深入理解远期合约的基本定价原理。在标的资产无收益或有收益的不同情境下，都需要掌握正确的计算方法。②确定远期合约的价值同样重要，这涉及对远期合约价值变动因素的分析和理解。需要掌握影响远期合约价值的风险因素，以便准确评估其价值。③掌握远期合约和期货合约的不同特点也是难点之一。需要明确两者在交易方式、履约保证、标准化程度等方面的差异，以便在实际风险管理应用中做出恰当的选择。④了解并掌握风险中性定价和复制定价这两种期权定价方法至关重要。这两种方法基于不同的假设和计算逻辑，各有优劣，对于评估期权价值具有重要意义。⑤使用希腊值管理风险暴露是另一个难点。Delta、Gamma、Vega、Theta 和 Rho 等希腊值反映了期权价格对标的资产价格、波动率、时间和无风险利率等因素的敏感度，它们能够帮助交易员有效管理风险暴露。⑥计算并理解期权的 VaR 也是评估期权投资风险的重要工具。通过计算期权的 VaR，可以量化在一定置信水平和持有期内，期权投资组合可能面临的最大损失。

◈ 关键概念

远期合约	套利者	风险中性定价	裸露头寸
期货合约	对冲者	无套利定价	带保头寸
互换合约	投机者	复制定价法	希腊值
期权合约	看跌看涨期权平价公式	线性风险管理	期权 VaR

◈ 练习题

1. 考虑购买一份 1 股股票的 3 个月的远期合约。假设该股票的当前价格为 40 美元/股，市场上 3 个月期的无风险利率为 5%。请计算合约的远期价格。请举例说明，如果市场中的远期价格高于或低于你计算的远期价格时的套利利润。

2. 一个交易员在股票价格为 20 美元时，以保证金形式买入 200 股股票，初始准备金要求为 60%，维持保证金要求为 30%，交易员最初需要支付的保证金数量为多少？股票在什么价位时会产生保证金催付？

3. 请简述看涨期权价值受哪些因素影响。

4. 在欧式看涨期权的 BSM 模型中，用于计算执行期权概率的项为

   A. d_1 B. d_2
   C. $N(d_1)$ D. $N(d_2)$

5. 请简述期权定价中常用的风险中性定价方法、复制定价法和无套利定价法。

6. 假设市场完美无摩擦，标的资产价格为 35.5 美元，远期价格为 38 美元，期限为 1 年，年无风险利率为 5%。套利利润为多少？

7. 一个投资者敲定了一个每盎司黄金294.20美元的黄金期货多头。每份期货的黄金单位为100盎司。初始保证金为3 200美元,维持保证金为2 900美元。在第一天收盘时,期货价格下跌为每盎司黄金286.6美元。那么在第一天收盘时他的保证金账户变动多少?

8. 根据看跌看涨平价关系,购买一个股票的看跌期权等价于
   A. 购买看涨期权,购买股票,以无风险利率借入现金
   B. 出售看涨期权,购买股票,以无风险利率借入现金
   C. 购买看涨期权,出售股票,以无风险利率投资现金
   D. 出售看涨期权,出售股票,以无风险利率投资现金

9. 利用Black-Scholes模型,计算一个欧式看涨期权的价值。信息如下:即期价格是100元,执行价格是110元,无风险利率是10%,到期时间是0.5年,$N(d_1) = 0.457185$,$N(d_2) = 0.374163$。

10. 从基于久期的对冲方案可以得出下列哪个利率变动的假设?
    A. 所有利率变动都相等
    B. 收益率曲线发生较小的平行变动
    C. 利率期限结构的任意平行变动
    D. 利率变动是高度相关的

案例专栏

"中航油(新加坡)股份有限公司"事件

中国航油(新加坡)股份有限公司,以下简称"中航油新加坡公司",是中央直属大型国企中国航空油料集团有限公司的海外子公司。该公司于1993年成立,总部和注册地均位于新加坡,2001年在新加坡交易所主板上市,成为中国首家利用海外自有资产在国外上市的中资企业。其业务从单一的进口航油采购扩展到国际石油贸易,一度成为资本市场的明星。

公司最初经营困难,一度濒临破产,但在总裁陈久霖的带领下,公司扭亏为盈,净资产从1997年开始显著增长。随着油价的波动,公司在2003年第二季度预判油价走高,因此买入看涨期权并卖出看跌期权,结果油价如期上涨,公司因此获利。

转折发生在2003年的下半年,时任中航油新加坡公司总裁的陈久霖判断国际油价将会下跌,公司开始交易石油期权,因此与多家银行签订了卖出石油看涨期权的场外合同。2003年年底,公司共卖出了总量为200万桶的期权合约,期间账面上是盈利的。然而,2004年后,国际油价持续上涨,导致中航油新加坡公司的期权交易出现亏损。

2004年第一季度,由于油价攀升,公司出现580万美元的账面亏损,为掩盖账面亏损,陈九霖决定对合约进行展期,并加大交易头寸规模,交易量增加。第二季度,油价继续升高,账面亏损增加到约3 000万美元,公司决定进一步延后交割日期,交易量再次增加。

2004年10月,油价创新高,公司交易盘口达到5 200万桶石油,账面亏损大幅增加,超过公司每年实际进口量的3倍以上。2004年10月10日,面临资金周转问题的中航油新加坡公司首次向母公司报告交易和账面亏损,耗尽营运资本和贷款以支付额外保证金,账面亏损高达1.8亿美元。

2004年10月20日,母公司通过配售股票筹集1.08亿美元贷款给中航油新加坡公司。

2004年10月26日和28日,因无法补加保证金,公司遭受1.32亿美元实际亏损。

2004年11月8日至25日,随着油价的持续上涨,公司无法支付巨额保证金,交易对手方连续发出违约函催缴保证金。中航油新加坡公司持仓合约连续被逼仓、平仓,实际亏损金

额不断扩大，达 3.81 亿美元。最终，公司于 2004 年 11 月 30 日向新加坡交易所申请停牌，并在 2004 年 12 月 1 日发布公告称公司因投机性石油衍生品交易遭受重创，合计损失 5.5 亿美元。

由于巨额亏损，中航油新加坡公司严重资不抵债，不得不向新加坡高等法院申请破产保护。陈久霖因此被控多项罪名，包括制作虚假财务报表、隐瞒巨额亏损等，并被判处 4 年零 3 个月的监禁及 33.5 万新加坡元的罚款。此外，国务院国资委也对相关责任人进行了处理，责令辞职或给予党纪政纪处分。

风险形成分析：首先，中航油新加坡公司对国际油价走势的判断失误是导致事件发生的直接原因。其次，作为非专业交易者，中航油新加坡公司从事的期权交易所面临的风险敞口巨大，公司选择做空期权，导致巨额亏损。期权卖方的收益是确定的，但损失可能无限大。最后，中航油新加坡公司存在过度投机行为。公司从中间商业务转向投机性期权交易，且交易规模远超套期保值所需头寸的范围。

深层原因分析：第一，管理层风险意识薄弱。企业内部治理结构存在不合理现象，公司缺乏专门针对期权交易的、适当的和严格的风险管理程序，管理层也未遵守风险管理政策；陈久霖权力过大，绕过交易员私自操盘，公司内部监管存在重大缺陷，内控制度形同虚设，陈久霖违规操作一年多无人知晓。第二，信息披露不充分。中国航空油料集团有限公司没有向投资者披露真实的财务风险；中航油新加坡公司巨额赔本交易未公开披露，监管机构未能及时介入，外部监管失效。

事件影响：中航油事件不仅给该公司自身造成了严重的财务危机，也给全球能源市场的稳定性带来了影响，油价短期内波动加剧。该事件成为中国企业参与国际金融衍生品交易风险管理的反面教材，被称为中国版"巴林事件"，提醒企业必须建立健全的风险评估和控制体系，推动了中央企业建设全面风险管理体系的发展。事件发生后，中国航空油料集团有限公司采取了积极应对措施，包括债务重组等。

中航油事件是一起由于判断失误、风险管理缺失和过度投机导致的重大金融事件，是一个涉及企业风险管理失败、内部控制缺失和外部监管不力的典型案例。它给所有市场参与者敲响了警钟，强调了风险管理和合规操作的重要性。同时，该事件也提醒所有企业在进行金融衍生品交易时必须加强风险管理、遵守法律法规并提高管理者素质。

资料来源：[1] 陈久霖一审被判 4 年零 3 个月并处罚款 33.5 万新币，新浪财经，2006 年 3 月 21 日。

[2] 于冰洁. 从风险管理角度浅析"中航油"事件 [J]. 财会学习，2016，(14)：238.

案例讨论题

1. 中航油新加坡公司在风险管理上存在哪些方面的不足？
2. 中航油事件对中国企业参与国际金融衍生品交易有哪些启示？
3. 中航油事件对国有企业加强风险管理和监管有哪些启示？如何将这些启示融入新时代中国特色社会主义的经济建设中？

第 7 章　案例讨论题参考答案

第 8 章
CHAPTER 8

《巴塞尔协议》与商业银行资本管理

§ 学习目标

1. 理解并阐述《巴塞尔协议Ⅰ》《巴塞尔协议Ⅱ》《巴塞尔协议Ⅲ》的核心内容及改革意义。
2. 解释《巴塞尔协议》中资本的定义、分类及计算方法。
3. 学会运用资本管理原则,评估银行抵御风险的能力。
4. 掌握资本充足率的计算方法,能够识别或界定风险加权资产。
5. 认识到金融市场变化中资本管理和监管政策的更新需求,树立持续学习理念。

8.1 商业银行资本概述

8.1.1 资本的定义

与一般企业相比,商业银行以负债经营为特色,是高杠杆经营的金融机构。商业银行资本占比比较低,承担着巨大的风险。同时,商业银行在一国经济中具有重要地位,尤其是大型商业银行,它在国民经济中要比一般企业重要得多。因此,为应对可能出现的损失,防止商业银行倒闭,确保公众对商业银行的信心,各家商业银行都应当持有一定量的资本。

商业银行资本是指银行从事经营活动必须注入的资金。它可以用来吸收商业银行的经营亏损,缓冲意外损失,保证银行的正常经营,为银行的注册、组织营业以及存款进入前的经营提供启动资金等。从所有权的角度看，商业银行的资本由两部分组成：一部分是银行资本家投资办银行而投入的自有资本；另一部分是吸收存款的借入资本。其中，借入资本是银行资本的主要部分，但是这部分资本不能用于吸收银行经营的损失，用于吸收损失的资本只能是商业银行的自有资本，也就是所有者权益。所以，后面涉及的资本管理概念中包含的资本，如果没有特殊说明，都是指股东投资的资本。

8.1.2 资本的作用

从保护存款人利益和增强银行体系安全性的角度出发，银行资本的核心作用和功能是吸收损失。一方面，在持续经营（going concern）条件下吸收损失，其作用体现为随时弥补银行经营过程中发生的损失。另一方面，在银行清算（bankrupt）条件下吸收损失，其作用是为高级债权人和存款人提供保护。

相对而言，商业银行资本发挥的作用比一般企业更为重要，主要体现在以下几个方面。

首先，银行资本为银行提供融资。与其他企业一样，资本是商业银行发放贷款（尤其是长期贷款）和进行投资的资金来源之一，它和商业银行负债一样起到提供融资的关键作用。

其次，银行资本可以用来吸收和消化损失。资本的本质特征是它是可以自由支配的，是承担风险和吸收损失的第一资金来源。因此，资本又被称为保护债权人免遭风险损失的"缓冲器"。

再次，银行资本能限制银行业务过度扩张而承担风险，增强银行系统的稳定性。商业银行在高风险高收益、做大做强的目标驱动下，难以真正实现自我约束。监管当局通过要求银行持有的资本满足最低资本充足率要求这一外部措施，来降低银行破产倒闭的风险。

最后，银行资本能维持市场信心。市场信心是影响商业银行安全性和流动性的直接因素，人们对商业银行信心的丧失，将直接导致商业银行流动性危机甚至市场崩溃。商业银行资本作为保护债权人利益的缓冲器，在维持市场信心方面发挥着至关重要的作用。

8.1.3 商业银行资本管理和风险管理

巴塞尔委员会于1988年发布的《巴塞尔协议Ⅰ》正式确立了银行资本监管的统一原则，强调了资本保护债权人免遭风险损失的缓冲器作用，即资本可以用于吸收银行的非预期损失，这样使得银行资本与风险建立了直接而明确的联系。

资本是风险的最终承担者，因而也是风险管理最根本的动力来源。在商业银行经营管理活动中，风险管理始终是由代表资本利益的董事会来推动并承担最终风险责任的。

20世纪90年代以来，各类风险计量模型的应用极大提高了商业银行衡量风险损失的精确度。以银行风险损失映射银行资本承担的风险计量模型，使得整个资本管理的流程与风险管理紧密衔接，不断推动着银行资本管理和风险管理的统一，从而确立了资本管理在现代商业银行风险管理中的核心地位。

建立以资本约束为核心的风险管理体系，是现代商业银行取得市场有利竞争地位的重要布局，商业银行应充分认识资本管理和风险管理的内在联系，最终实现两者的有机融合。

8.2 《巴塞尔协议》的前世今生

8.2.1 《巴塞尔协议Ⅰ》：国际银行业监管标准的统一

作为信用中介机构，商业银行自面世以来就从未离开过风险，20世纪70年代后，在全球化的浪潮下，银行跨境经营不断发展，国际银行体系面临的风险有所上升，西方国家开始寻求建立跨国银行监管合作机制。为促进国际活跃银行公平竞争，十国集团于20世纪70年代初成立了巴塞尔委员会，专门研究对国际活跃银行的监管问题。委员会成立后，陆续颁布了一系列政策文件，并于1988年正式发布了《关于统一国际银行资本衡量和资本标准的协议》，即《巴塞尔协议Ⅰ》。

该协议旨在增强银行体系的稳健性，消除国际银行之间的不公平竞争。其主要内容包括以下方面。一是资本的定义，资本分为核心资本和附属资本。二是资本充足率，资本与风险加权资产（RWA）的比率不低于8%，其中核心资本与风险加权资产的比率不低于4%。三是风险加权资产的计量，根据资产类别、性质和债务主体计量信用风险加权资产，风险权重分别为0、20%、50%和100%。

《巴塞尔协议Ⅰ》首次提出了资本充足率监管的国际标准及合格监管资本的范围，强化了银行监管当局以及股东、董事会和管理层的资本意识，有助于增强银行的稳健性和安全性，具有划时代意义。虽然当时资本充足率的计算只包括信用风险加权资产，而且计算方法简单粗略，但是这种用比例控制商业银行风险的方法，为巴塞尔委员会继续完善监管标准留出了空间。

随着金融创新的发展，银行衍生品交易产生损失的事件不断增加，巴塞尔委员会于1996年颁布了《资本协议市场风险补充规定》，将市场风险纳入风险加权资产计量框架，对银行提出了更高的资本监管要求。

8.2.2 《巴塞尔协议Ⅱ》：资本监管框架的修订和完善

进入20世纪90年代后，西方国家以放松监管为特征的金融自由化日益盛行，各类金融创新日趋活跃，金融产品复杂化程度不断提升。虽然《巴塞尔协议Ⅰ》具备较强的可操作性和一定的可比性，但其简单的风险权重框架难以适应日渐复杂的金融市场环境。

1997年的亚洲金融危机及其所引发的动荡，使得国际金融监管界修订银行业监管标准刻不容缓。于是，巴塞尔委员会启动了资本协议的修订工作，并于2004年发布了《巴塞尔协议Ⅱ》。该协议提出了以最低资本要求、监管部门的监督检查和市场约束三大支柱为特色的新资本协议框架。《巴塞尔协议Ⅱ》增加了对交易账户和双重违约的处理。

《巴塞尔协议Ⅱ》的三大支柱包括以下内容。

第一支柱是最低资本要求，它延续了《巴塞尔协议Ⅰ》规定的8%的最低资本充足率的要求，提出了全新的信用风险内部评级法，首次纳入了操作风险计量，从而确立了以信用风险、市场风险和操作风险为基础的风险计量框架。

第二支柱是监管部门的监督检查，它要求银行开展内部资本充足评估程序（ICAAP），强化了监管机构的职责，对第一支柱形成了有效补充。

第三支柱是市场约束，它强化了对银行披露资本充足率等信息的监管要求。

《巴塞尔协议Ⅱ》是对1988年版协议的补充和完善，是国际银行监管理念的又一次进步。

但在实施过程中，它也逐渐表现出资本标准不严、交叉性风险覆盖不足、模型比较复杂、存在监管套利机会等问题，这些问题逐渐成为其日后广受争议的焦点。

8.2.3 《巴塞尔协议Ⅲ》：全球金融危机后的全面改革

2008年的全球金融危机暴露了监管领域的诸多漏洞，如宏观审慎不足，对系统性风险缺乏监管协调，公司治理理念方面存在缺陷，银行持有的资本在危机时不能有效吸收损失等。针对2008年国际金融危机暴露出的银行资本监管机制存在的问题，巴塞尔委员会自2009年起着手研究新一轮资本监管改革方案。

2010年11月，二十国集团首尔峰会批准了巴塞尔委员会提交的资本监管和流动性监管改革方案。2010年12月，巴塞尔委员会正式发布了第三版巴塞尔协议（《巴塞尔协议Ⅲ》），确立了银行资本监管的新标杆和新高度。在《巴塞尔协议Ⅲ》中，监管资本包括一级资本和二级资本。其中，一级资本又包括核心一级资本和其他一级资本。

《巴塞尔协议Ⅲ》侧重于提高资本质量和资本数量，其风险加权资产计量框架基本沿用《巴塞尔协议Ⅱ》的模式。相比《巴塞尔协议Ⅱ》，《巴塞尔协议Ⅲ》对资本监管的重要改进主要体现在以下四个方面。

第一，它明确了更为严格的资本定义，重新界定了监管资本的构成，提出了更高的资本要求。它恢复了普通股在监管资本中的核心地位，明确普通股充足率为4.5%、一级资本充足率为6%、总资本充足率为8%。同时，它提高了各类资本工具的合格标准，从严确定资本扣除项目，强化了监管资本工具的损失吸收能力。

第二，它首次提出了流动性风险定量监管的国际统一标准，引入了3%的杠杆率监管指标。

第三，它从宏观审慎的视角提出了储备资本缓冲、逆周期资本缓冲、全球系统重要性银行附加资本等要求，以应对经济周期和防控系统性风险。它建立了逆周期资本监管机制，提升了银行体系应对信贷周期转换的能力，弱化了银行体系与实体经济之间的正反馈循环。

第四，它显著提高了资本充足率的监管标准。通常情况下，普通商业银行的普通股充足率应达到7%，总资本充足率不得低于10.5%。同时它进一步要求全球系统重要性银行须计提1%～3.5%的附加资本。

《巴塞尔协议Ⅲ》是应对危机的产物，其重要特点是，它不仅注重微观审慎监管，同时也引入了宏观审慎监管的理念。但同任何监管规则一样，它不能解决所有问题，其自身仍然需要不断改进。

2017年12月，巴塞尔委员会在其网站（www.bis.org）上发布了"Basel Ⅲ: Finalizing post-crisis reforms"，即《巴塞尔Ⅲ：危机后改革的最终方案》（简称《巴塞尔Ⅲ最终方案》）。相比《巴塞尔协议Ⅱ》，对《巴塞尔协议Ⅲ》的修订重点主要体现在恢复计算风险加权资产和银行资本比率时的可信度方面。新监管规则已于2022年1月1日实施。

《巴塞尔Ⅲ最终方案》包括的主要内容如下。

第一，提高信用风险与操作风险标准法的稳健性和风险敏感性，从而提高银行资本比率的可比性。

第二，限制内部模型方法的使用。在信用风险管理中如果采用内部评级法（IRB）计算风险加权资产，对使用的某些输入设置了限制。操作风险管理的变动最大，《巴塞尔协议Ⅲ》要求采用单一的新标准法。原来操作风险计量中使用的基本指标法、标准法（含替代标准法）和高级计量法同时废止。

第三，在信用估值调整（CVA）风险计量中引入市场隐含的风险暴露参数，同时取消内部模型法，简化为标准法（SA-CVA）和基本法（BA-CVA）。

第四，引入杠杆率缓冲资本要求。对系统重要性银行的杠杆率引入缓冲资本要求，以进一步限制全球系统重要性银行（G-SIBs）的杠杆率。

第五，重新校准资本底线要求。以内部评级法计算的风险加权资产不得低于以标准法计算的风险加权资产的 72.5%，方案要求银行在 6 年过渡期内逐步达到。

值得注意的是，《巴塞尔协议》只是巴塞尔委员会成员关于金融机构监管所达成的统一标准，并不能代表各国商业银行风险管理的最高水平。

本文后面的部分内容，将以《巴塞尔协议Ⅲ》为基准来介绍。

8.3 资本的分类和构成

8.3.1 资本的分类

根据不同的管理需要和本质特性，商业银行资本主要有账面资本、经济资本和监管资本三个概念。

账面资本是银行持股人的永久性资本投入，即资产负债表上的所有者权益，主要包括普通股股本或实收资本、资本公积、盈余公积、未分配利润、投资重估储备、一般风险准备等，即资产负债表上银行总资产减去总负债后的剩余部分。账面资本是银行资本金的静态反映，反映了银行实际拥有的资本水平。

经济资本又称为风险资本，是指在一定的置信水平和期限下，为了覆盖和抵御超出银行预期的经济损失（即非预期损失）所需要持有的资本数额，是银行抵补风险所要求拥有的资本。它并不一定等同于银行所持有的账面资本，可能大于账面资本，也可能小于账面资本。

经济资本本质上是一个风险概念，通过经济资本的计量，可以对银行不同的风险进行定量评估并转化为统一的衡量尺度，以便于银行分析风险、考核收益、配置资本和进行经营决策。

监管资本是监管当局规定的银行必须持有的与其业务总体风险水平相匹配的资本。它一般是指商业银行自身拥有的或者能长期支配使用的资金，以备非预期损失出现时随时可用。因此，它强调的是抵御风险、保障银行持续稳健经营的能力，并不对其所有权归属有要求。

监管资本主要用于反映银行风险和合规情况，以监管资本为基础计算的资本充足率是监管部门限制银行过度承担风险、保证金融市场稳定运行的重要工具。除资本充足率外，监管资本还多用来计算信用风险集中度、市场风险高低等指标。监管资本是本章重点介绍的资本概念。这三种资本的区别与联系将在第 12 章中介绍。

8.3.2 监管资本的构成

根据我国 2024 年 1 月 1 日开始实施的《商业银行资本管理办法》，商业银行总资本包括一级资本和二级资本。其中，一级资本包括核心一级资本和其他一级资本。

- 核心一级资本是指在银行持续经营条件下，无条件用来吸收损失的资本工具。它具有永久性，清偿顺序排在其他所有融资工具之后等特征。核心一级资本包括的主要项目有：实收资本或普通股、资本公积、盈余公积、一般风险准备、未分配利润、累计其他综合收益、少数股东资本可计入部分等。
- 其他一级资本是非累积性的、非永久性的，它没有利率跳升机制，也不带有其他赎回条款。其他一级资本的本金和收益都是在银行持续经营条件下参与吸收损失的资本工具。它主要包括其他一级资本工具及其溢价（如优先股及其溢价）、少数股东资本可计入部分等。
- 二级资本是指在破产清算条件下可以用于吸收损失的资本工具。二级资本的受偿顺序列在普通股之前、一般债权人之后，它不带赎回机制，也不允许设定利率跳升条款，其收益不具有信用敏感性特征。二级资本必须含有减记或转股条款。二级资本主要包括：二级资本工具及其溢价⊖、超额损失准备⊖、少数股东资本可计入部分。

8.4 资本充足率监管

商业银行资本充足率监管要求包括最低资本要求、储备资本要求、逆周期资本要求、系统重要性银行附加资本要求以及第二支柱资本要求。

8.4.1 资本充足率计算及监管要求

以监管资本为基础计算的资本充足率，是监管部门限制银行过度承担风险，保证金融市场稳定运行的重要工具。

资本充足率是指商业银行持有的符合规定的资本（监管资本）与风险加权资产之间的比率。银行在计算资本充足率时应对总资本进行适当扣除，并保证所有表内资产项目和表外资产项目都包含在资本充足率的计量范围中。商业银行总资本包括核心一级资本、其他一级资本和二级资本，商业银行应当按照《商业银行资本管理办法》规定计算各级资本和扣除项，并按照以下公式计算各级资本充足率：

$$资本充足率 = \frac{总资本 - 对应资本扣除项}{风险加权资产} \times 100\%$$

$$一级资本充足率 = \frac{一级资本 - 对应资本扣除项}{风险加权资产} \times 100\%$$

$$核心一级资本充足率 = \frac{核心一级资本 - 对应资本扣除项}{风险加权资产} \times 100\%$$

⊖ 商业银行发行的二级资本工具在距到期日前最后五年，可计入二级资本的金额，应按100%、80%、60%、40%、20%的比例逐年减计。

⊖ 如果商业银行采用权重法计量信用风险加权资产，超额损失准备可计入二级资本，但不得超过信用风险加权资产的1.25%（这里的超额损失准备是指商业银行实际计提的损失准备超过损失准备最低要求的部分，损失准备最低要求由国家金融监管总局另行规定）。如果商业银行采用内部评级法计量信用风险加权资产，超额损失准备可计入二级资本，但不得超过信用风险加权资产的0.6%（这里的超额损失准备是指商业银行实际计提的损失准备超过预期损失的部分）。

针对以上公式的分子部分，巴塞尔委员会对《巴塞尔协议Ⅱ》中的监管资本的定义进行了修订，目的是提高全球银行体系的资本质量。修订主要包括进一步细化资本结构，制定资本工具的合格性标准，统一资本扣除和调整项目等。

公式分母部分的风险加权资产包括信用风险加权资产、市场风险加权资产和操作风险加权资产。银行必须将市场风险和操作风险所要求计提的资本转化为风险加权资产计入分母之中。市场风险加权资产为市场风险资本要求的 12.5 倍，即市场风险加权资产＝市场风险资本要求 ×12.5。操作风险加权资产为操作风险资本要求的 12.5 倍，即操作风险加权资产＝操作风险资本要求 ×12.5。

在风险加权资产计算方法上，商业银行可以采用权重法或内部评级法计量信用风险加权资产，采用标准法或内部模型法计量市场风险资本要求，采用基本指标法、标准法或高级计量法计量操作风险资本要求。

相比于《巴塞尔协议Ⅱ》，《巴塞尔协议Ⅲ》从如下几个方面提出了资本充足率的监管要求。

第一是最低资本要求。《巴塞尔协议Ⅲ》对资本构成进行了详细定义，将监管资本从《巴塞尔协议Ⅱ》的两级分类修改为三级分类，即核心一级资本、其他一级资本和二级资本，并明确规定银行必须满足总资本和核心资本两个比例要求。虽然总资本充足率仍然不得低于 8%，但是一级资本充足率的下限从 4% 上调至 6%，核心一级资本占银行风险资产的下限将从 2% 提高至 4.5%。

第二是引入资本留存缓冲，提出 2.5% 的储备资本要求，旨在提升银行吸收经济衰退时期损失的能力。

第三是引入逆周期资本缓冲，提出与信贷过快增长挂钩的 0%～2.5% 的逆周期资本要求，以备在经济萧条期应对资本充足率下滑的情况。

第四是对全球系统重要性银行提出了 1%～3.5% 的附加资本要求，以降低"大而不能倒"带来的道德风险。

第五是引入杠杆率要求。杠杆率是指商业银行持有的一级资本净额与调整后表内外资产余额之间的比率。杠杆率被《巴塞尔协议Ⅲ》正式引入作为监管指标，要求商业银行的该指标不得低于 3%。这一要求旨在提供一个额外的安全垫，以确保银行有足够的资本来吸收潜在的损失。杠杆率指标相对简单、透明，不基于风险加权，有助于防止银行通过内部模型进行监管套利。

第六是突出流动性风险的监管，并提出了流动性风险定量监管的国际统一标准。流动性应成为银行业最主要监管的领域之一，引入系列流动性监管指标，比如流动性覆盖比率和净稳定融资比率等。

我们来看国内的情况。2024 年 1 月 1 日，《商业银行资本管理办法》正式实施。《商业银行资本管理办法》要求我国商业银行的各级资本充足率不得低于最低标准。其中，核心一级资本充足率不得低于 5%，监管要求高于《巴塞尔协议Ⅲ》的 4.5% 的监管标准；一级资本充足率不得低于 6%，资本充足率不得低于 8%，和《巴塞尔协议Ⅲ》的监管标准相同。

其次，商业银行应在最低资本要求的基础上计提储备资本和逆周期资本，储备资本要求为风险加权资产的 2.5%，由核心一级资本来满足。根据《商业银行资本管理办法》，逆周期资本的计提与运用规则由中国人民银行会同国家金融监管总局另行规定。

除了最低资本要求、储备资本要求和逆周期资本要求外,系统重要性银行还应计提附加资本。根据《商业银行资本管理办法》,国内系统重要性银行的认定标准及其附加资本要求由中国人民银行会同国家金融监管总局另行规定。若商业银行同时被认定为国内系统重要性银行和全球系统重要性银行,附加资本要求不叠加,采用二者孰高原则确定。各层次资本充足率监管要求见表8-1。

表 8-1 各层次资本充足率监管要求　　　　　　　　　　（单位:%）

资本要求层次	《巴塞尔协议Ⅲ》监管标准			《商业银行资本管理办法》监管标准		
	核心一级资本	一级资本	总资本	核心一级资本	一级资本	总资本
最低资本要求	4.5	6	8	5	6	8
储备资本要求	2.5			2.5		
最低资本要求+储备资本要求	7	8.5	10.5	7.5	8.5	10.5
逆周期资本要求	0～2.5			0～2.5		
系统重要性银行附加资本要求	1～3.5			0.25、0.5、0.75、1和1.5		

8.4.2 储备资本要求

国际金融危机爆发之初,整个行业前景都在逐渐恶化,各金融机构财务状况堪忧,某些银行却继续支付红利,主要的原因是银行认为主动减少红利分配将被看作业绩不佳的信号,但这些行为损害了银行体系吸收损失的能力,扩大了危机的负面影响。为此,监管当局提出在最低资本要求的基础上增加储备资本要求。增加储备资本要求旨在确保银行在非压力时期建立超额资本,在发生损失时用于吸收损失,这可以增强银行吸收损失的能力,在一定程度上降低资本监管的顺周期性,保证危机时期银行资本充足率仍能达到最低标准。储备资本建立在最低资本充足率的基础上,应由核心一级资本来满足,比例为2.5%。

正常情况下,银行资本充足率应达到该目标。如果银行资本充足率落入最低资本要求与该目标水平之间,监管当局应限制银行利润分配、股票回购和奖金发放,通过扩大内部资本留存恢复储备资本。当银行资本水平接近最低资本要求时,银行利润分配受到的约束将加强。实际资本水平达到该目标比例时,银行受到的限制最小。

储备资本有助于银行建立一个更加安全的资本边际,从而使其有更大的余地来应对经济衰退期的困难。

8.4.3 逆周期资本要求

商业银行应在最低资本要求和储备资本要求之上计提逆周期资本。逆周期资本要求为风险加权资产的0%～2.5%。逆周期资本旨在确保银行业满足监管当局资本要求,考虑银行运营所面临的宏观金融环境。

在经济上行期,商业银行计提逆周期超额资本,抑制信贷高速扩张,这是因为信贷急剧增长为银行稳健经营带来隐患,并且容易形成系统性风险。为保护银行在经济下滑时免受大规模的违约损失,监管当局可要求银行在信贷过度高速增长时计提逆周期资本。

在经济下行期，商业银行可以利用逆周期资本吸收损失，维护经济周期内信贷供给的平衡。逆周期资本必须由普通股一级资本或其他具有完全损失吸收能力的资本来满足，各国监管机构可以根据实际情况确定，弥补资本监管导致的顺周期性。

8.4.4 系统重要性银行附加资本要求

国内系统重要性银行根据《系统重要性银行附加监管规定（试行）》（2021年12月1日起实施）计提附加资本，要求随系统重要性评估组别（分五组）而异，组别动态调整。第一组到第五组的银行分别适用0.25%、0.5%、0.75%、1%和1.5%的附加资本要求。例如，如果某银行被纳入第一组，则其附加资本要求为0.25%；若被纳入第五组，则为1.5%。附加资本须由核心一级资本补足。若国内银行被认定为全球系统重要性银行，根据《商业银行资本管理办法》，附加资本要求不叠加，采用二者孰高原则确定。

除了附加资本要求外，系统重要性银行还应满足附加杠杆率要求，该要求为其附加资本要求的50%，同样由一级资本满足。

有系统重要影响的银行在经济运行中扮演着重要角色，它们之间有着很强的关联性。国际金融危机爆发之后，众多国际活跃银行破产或遭受重创，整个金融体系都受到了严重冲击。当时，各国监管机构对银行破产及由银行破产引起的全球金融危机束手无策。危机期间，各国实行了大规模公共部门干预措施，以恢复金融稳定性，但这种方法无异于使用纳税人的财富来补贴大型金融机构，不但经济成本巨大，而且面临道德风险。为防止此类事件再次发生，各国政府需要采取措施，解决因全球系统重要性银行破产而引发的问题，减少外部性的影响。一些银行具有"大而不倒"特性，这是由于其规模较大、与其他银行相关性较强、业务复杂性较高、缺乏可替代性，这些银行可以依仗其"大而不倒"的特性在竞争中获取相对优势。正是由于这些银行不可或缺，政府往往会为其提供隐性担保，从而造成市场竞争性扭曲，并由此引发道德风险。而这些银行在"大而不倒"的支持下，往往会采用次优的竞争策略，无限制地加大其经营风险。一旦遇到大型金融危机或积压的风险集中爆发，这些银行就会陷入困境，而被绑架的政府为保证其能继续执行基本社会职能而必须为这些金融机构提供支持，这导致道德风险进一步加剧，并增加纳税人付出的成本负担。全球系统重要性银行不仅会对本国金融体系产生影响，而且具有跨境效应，可能对全球的金融体系产生潜在威胁。由于全球系统重要性银行往往会参与复杂的跨境业务，在多个国家和地区设立分支机构，一旦其所积累的风险爆发，对全球的影响不容小觑。

针对全球系统重要性银行的负外部性问题，各国政府主要采取两种措施来解决。一是通过增强全球系统重要性银行的持续经营能力和损失吸收能力来降低风险。二是通过建立全球系统重要性银行的恢复和处置框架，来减少全球系统重要性银行破产的影响范围和影响程度。巴塞尔委员会也采取上述两种措施来对全球系统重要性银行进行监管。

巴塞尔委员会为全球系统重要性银行设定了更为严格的资本充足要求，要求其具有更高的资本充足率。此外，在金融稳定委员会的推动下，全球系统重要性银行建立了更稳健、覆盖更全面的恢复处置计划，以确保其在面临风险时可以有计划地恢复正常运营，基本上即使面临破产也能有序处置，维持其基本功能。但即便如此，规模最大、最复杂的国际银行破产仍会给全球经济造成与现行管理风险措施不相称的风险。

8.4.5 第二支柱资本要求[⊖]

根据 2024 年 1 月 1 日实施的《商业银行资本管理办法》，资本监管框架由三大支柱构成，第一支柱为最低资本要求、第二支柱为监督检查，第三支柱为市场约束。其中，第二支柱从风险覆盖和外部审查的角度对第一支柱形成有效补充，是资本监管的重要组成部分。因此，具有非常重要的现实意义。

首先，《商业银行资本管理办法》关注新型风险，扩展了资本充足评估框架，进一步推动了银行实施全面风险管理。它将第一支柱未能覆盖的风险类型，如集中度风险、银行账簿利率风险、流动性风险、声誉风险和战略风险等，纳入评估范围，确保银行拥有足够的资本来应对各种风险。另外，随着全球气候变化、地缘政治影响和金融数字化的发展，全球监管机构对银行业可能面临的新型风险给予了广泛关注。巴塞尔委员会多次组织专题会议进行研讨，并发布了一些普遍适用的监管指引，为各国监管提供参考。在此背景下，第二支柱进一步将气候风险、国别风险和信息科技风险等纳入风险评估范围，要求银行自行判断这些风险是否构成实质性威胁，并进行相应的评估。

其次，对于第一支柱下计量模型和参数应用产生的模型风险和监管套利，《商业银行资本管理办法》通过在第二支柱下设置资本底线要求予以纠正和完善。比如，明确压力测试应作为银行风险识别、监测和评估的重要工具，要求银行根据压力测试结果评估所面临的潜在不利影响，将轻度压力测试下资本缺口转换为第二支柱资本加点要求，以增强银行在压力情况下的韧性。另外，第二支柱在监管匹配性原则下做了差异化制度安排，以适应各类商业银行风险管理水平不同的实际情况。对于已建立内部资本充足评估程序并经国家金融监管总局评估认可的商业银行，监管部门根据其内部资本充足评估程序结果，确定第二支柱资本要求。对尚未建立内部资本充足评估程序，或经国家金融监管总局评估未达到要求的商业银行，监管部门根据对其风险状况的评估和监督检查结果、监管评级以及监管压力测试情况等，确定第二支柱资本要求。

最后，对于第一支柱下最低资本要求不足以抵御其风险的银行，监管机构可以在第二支柱下给银行提出更高的资本要求。比如，《商业银行资本管理办法》明确要求在第二支柱下，监管机构可根据单家银行实际的风险状况和资本充足水平，提出额外的资本要求。明确了第二支柱资本要求应建立在最低资本要求、储备资本要求、逆周期资本要求及系统重要性银行附加资本要求之上。同时，对于核心一级资本充足率满足最低资本要求（5%），但不满足储备资本要求（2.5%）的商业银行，设置了最低收益留存比例要求，督促银行在资本紧缺时期减少利润分配，保存核心一级资本实力和风险抵御能力。

8.5 杠杆率：以风险为基础的资本充足率的补充

国际金融危机前，很多国际大型活跃银行实施了《巴塞尔协议Ⅱ》框架，资本充足率保持较高水平，普遍满足监管规定的 8% 的最低资本要求，但是却未能表现出良好的风险抵御能力。资本充足率指标并没有真实反映金融机构的资本充足情况和杠杆程度，资本充足率和

[⊖] 资料来源：《商业银行资本管理办法》系列解读之五：强化监督检查，充分发挥二支柱作用，中国银行保险报，2023 年 11 月 2 日。

杠杆率出现了较大程度的背离。

8.5.1 《巴塞尔协议Ⅲ》引入杠杆率指标

针对国际金融危机中暴露的杠杆率指标的不足，国际社会对《巴塞尔协议Ⅱ》的资本监管框架进行了反思。2009年4月，二十国集团（G20）伦敦峰会提出，各国金融当局应当引入一个更为简单的指标作为以风险为基础的资本充足率的补充，衡量金融体系杠杆的积累。2010年12月，巴塞尔委员会在《巴塞尔协议Ⅲ》中，对杠杆率的目标、定义、基本构成、计量方法和过渡期安排做出了规定。

《巴塞尔协议Ⅲ》发布后，由于各国会计准则存在差异，对杠杆率框架下的衍生品、证券融资交易等暴露的计量方法存在不同的理解，影响了全球实施的一致性，杠杆率指标一度存在争议。为更好地度量金融机构杠杆水平，巴塞尔委员会于2013年6月颁布了《巴塞尔Ⅲ：杠杆率修订框架及风险暴露要求（征求意见稿）》，对杠杆率计算和信息披露要求进行了修订和完善。经过广泛征求意见，并考虑定量测算的可能影响，巴塞尔委员会最终于2014年1月发布了《巴塞尔Ⅲ：杠杆率修订框架及披露要求》，最终稿延续并完善了征求意见稿中的监管要求，对部分规定做了修正。

巴塞尔委员会于2017年发布的《巴塞尔Ⅲ最终方案》，对全球系统重要性银行提出了更高的杠杆率要求。资本充足率监管中，对于全球系统重要性银行实施了差别监管，全球系统重要性银行需要在一级资本中额外计提1%～3.5%的附加资本。为了与上述做法保持一致，《巴塞尔Ⅲ最终方案》对全球系统重要性银行提出了比一般银行更高的杠杆率缓冲要求，即"全球系统重要性银行的杠杆率最低要求=一般银行杠杆率最低要求+50%×系统重要性银行附加资本要求"。举例而言，若对一般银行的杠杆率最低要求为3%，某家全球系统重要性银行的附加资本要求为1%，则该银行的最低杠杆率要求为3.5%=3%+50%×1%。

目前，巴塞尔委员会将全球系统重要性银行分为5个组别，资本附加要求分别为1%、1.5%、2%、2.5%、3.5%，一般银行的杠杆率国际标准最低为3%，因此要求的最高杠杆率为3%+3.5%/2 = 4.75%。

8.5.2 中国的杠杆率与差异化监管

《巴塞尔协议Ⅲ》发布后，包括我国在内的许多国家和地区启动了《巴塞尔协议Ⅲ》的实施工作，并根据巴塞尔委员会设定的杠杆率标准，发布本国或本地区的杠杆率要求。

作为风险中性指标，杠杆率是对基于风险的资本充足率指标的有效补充，用于控制银行业金融机构以及银行体系的杠杆率积累。2011年6月，当时的银监会发布了《商业银行杠杆率管理办法》，首次提出对商业银行杠杆率的监管要求。该办法全面采用了《巴塞尔协议Ⅲ》规定的杠杆率计量方法，并对杠杆率提出了更加严格的监管要求。该办法规定，商业银行并表和未并表的杠杆率均不得低于4%，比巴塞尔委员会的要求高1个百分点。该办法进一步突出了杠杆率的宏观审慎功能，强调了对银行业整体杠杆程度的监测与控制。2014年1月，鉴于巴塞尔委员会发布了最新杠杆率框架，银监会就修订杠杆率监管指标公开征求意见，在维持原基本框架和杠杆率监管要求的同时，对调整后的表内外资产余额（杠杆率分母）的计量方法进行了调整，积极吸收了杠杆率框架的最新要求，并于2015年4月开始施行《商业银行杠杆率管理办法（修订）》。

为确保监管政策的一致性和协调性，维护银行业务的安全稳健运行，2023年11月1日，国家金融监管总局发布了《商业银行资本管理办法》[一]，规定资本监管指标既包括资本充足率，也包括杠杆率，商业银行的杠杆率不得低于4%。系统重要性银行[二]在满足最低杠杆率要求的基础上，还应满足附加杠杆率要求。《商业银行资本管理办法》还要求商业银行将杠杆率作为信息披露的重要内容之一，特别是对国内系统重要性银行，信息披露内容要包括杠杆率。

《商业银行资本管理办法》定义杠杆率为商业银行持有的、符合规定的一级资本净额与调整后表内外资产余额之间的比率。商业银行杠杆率计算公式如下：

$$杠杆率 = \frac{一级资本 - 一级资本扣减项}{调整后的表内外资产余额} \times 100\%$$

其中，分子上的"一级资本"与"一级资本扣减项"的统计口径，与银行业监督管理机构有关计算资本充足率所采用的一级资本及其扣减项保持一致。分母"调整后的表内外资产余额"的计算公式为

调整后的表内外资产余额 = 调整后的表内资产余额（不包括表内衍生工具和证券融资交易）+ 衍生工具资产余额 + 证券融资交易资产余额 + 调整后的表外项目余额 - 一级资本扣除项

上式中扣减的一级资本扣除项，不包括商业银行因自身信用风险变化导致其负债公允价值变化带来的未实现损益。

从《商业银行杠杆率管理办法》到《商业银行资本管理办法》，杠杆率监管方法和手段经历了变化。《商业银行杠杆率管理办法》主要采用了第一支柱和第三支柱的方式，而《商业银行资本管理办法》则全面运用了第一支柱、第二支柱和第三支柱的方式。因此，《商业银行杠杆率管理办法》旨在防范商业银行过度杠杆化带来的系统性风险，《商业银行资本管理办法》则是为了促进商业银行优化资产结构，加大服务实体经济力度，两者都是为了提高商业银行的抗风险能力和发展质效。

《商业银行资本管理办法》按照银行规模和业务复杂程度，将商业银行划分为三个档次，并为每个档次的银行匹配不同的资本监管方案，构建了差异化资本监管体系。其中，规模较大或跨境业务较多的银行，为第一档次银行，对标国际资本监管规则。规模较小、跨境业务较少的银行，为第二档次银行，实施相对简化的监管规则。规模更小且无跨境业务的银行，为第三档次银行，可以进一步简化资本计量要求，引导其聚焦县域和小微金融服务。差异化资本监管不降低资本要求，在保持银行业整体稳健的前提下，激发中小银行的金融"活水"作用，减轻银行合规成本。[三]

这种差异化监管体系的构建借鉴了国际监管规则，基于监管匹配性原则，并结合了中国银行业的实际情况。杠杆率作为资本充足率的补充指标被纳入差异化资本监管体系中，成为档次划分的主要参考指标之一。

[一] 2015年的《商业银行杠杆率管理办法（修订）》同时废止。
[二] 国内系统重要性银行的附加杠杆率要求由中国人民银行会同国家金融监管总局另行规定。
[三] 资料来源：金融监管总局：商业银行杠杆率不得低于4%，界面新闻，2023年11月1日。

通过差异化监管，银行能够根据自身的风险特征和业务复杂程度，实施更为精准的风险管理措施，从而降低中小银行的合规成本，激发中小银行的活力。作为银行业资本监管的一个重大创新，这不仅是在有效贯彻落实中央金融工作会议精神，而且有助于在不放松金融监管要求的情况下，提高金融监管匹配性，推进银行业高质量发展和提供高质量金融服务。⊖

8.5.3　杠杆率指标的优点

作为简单、透明、不具有风险敏感性的监管工具，杠杆率兼具宏观审慎和微观审慎功效。在宏观审慎层面，杠杆率能够起到逆周期调节作用，有利于约束商业银行规模的过度扩张，降低杠杆积累和系统性风险。在微观审慎层面，杠杆率对资本充足率形成补充，防止银行使用内部模型进行监管套利，确保银行保有相对充足的资本水平。

首先，杠杆率具备逆周期调节功能，有维护金融体系稳定和促进实体经济发展的作用。在《巴塞尔协议Ⅱ》框架下，商业银行基于风险参数计算得出资本要求。违约概率和违约损失率等风险参数与实体经济状况具备一定正相关性。

在经济上行期，违约概率和违约损失率一般较低，相应计算得出的资本要求也较低。而在经济下行期，违约概率、违约损失率等指标相对较高，相应的资本要求也有所提高。

资本要求与经济周期同向变动会对金融机构和实体经济均造成负面影响，在经济上行期，银行资本要求较低，加速信贷扩张，助推实体经济过快增长，加剧经济泡沫，也增加了信贷资产的潜在风险。在经济下行期，商业银行补充资本的成本相对较高，可能收缩信贷规模从而降低资产规模。这会造成实体经济资金支持不足，加剧经济紧缩。

而杠杆率指标具有逆周期性的特点。在经济上行期，资产价格上升，银行会扩大资产规模，杠杆率指标会相应下降。相反，在经济下行期，银行资产规模相对平稳或缩减，杠杆率指标上升。杠杆率指标引导商业银行针对实体经济状况和资产价格变化对资产负债表进行动态管理，既有利于防止金融体系在繁荣时期过度扩张资产规模，又有利于规避金融体系在下行周期被动去杠杆，从而维护金融体系的稳定性。

其次，杠杆率避免了资本套利和监管套利。《巴塞尔协议Ⅱ》允许银行基于内部模型法计算资本要求，提供了资本套利的可能。银行为降低资本要求，可能通过调整模型参数、挑选样本数据等方式人为改变模型结果，导致参数估计不够审慎，相应资本要求较低。另外，由于可能存在的违约样本数据不足、未经历完整经济周期、模型方法选择不当、模型应用偏差等情况，还可能造成非人为故意的模型风险。两者都可能导致资本计提不足以覆盖真实风险水平，从而直接影响银行的风险抵御能力。

而杠杆率不涉及风险模型参数估计，能够有效避免模型套利和模型风险问题。此外，杠杆率监管覆盖表外资产，弥补了《巴塞尔协议Ⅱ》资本监管下表外资产风险计提不足的问题，减少了银行向表外转移资产进行监管套利的可能性。

最后，杠杆率是风险中性的，相对简单易懂。《巴塞尔协议Ⅱ》框架下风险计量和资本计量方法较为复杂，不仅增加了银行业理解和实施的难度，也对监管机构提出了较高要求。杠杆率指标计算相对简单，仅需要利用规定的一级资本和风险限额，不需要复杂的风险计量模

⊖　资料来源：差异化资本监管推进高质量发展，中国银行保险报，2024年11月6日。

型，对银行和监管者的专业要求低。杠杆率总体上遵循会计计量方法，计量规则相对简单明晰，降低了实施成本。

8.5.4 杠杆率指标与资本充足率的比较

第一，两个比率指标的分母包含的项目不同。通过对比杠杆率与一级资本充足率的计算公式我们可以发现，杠杆率指标与一级资本充足率指标的分子相同，均是一级资本净额。分母方面，杠杆率为调整后的表内外资产余额，而一级资本充足率的分母为风险加权资产。

第二，资本充足率和杠杆率均是重要的资本监管工具，在监测商业银行资本方面相辅相成。基于风险加权资产的资本充足率指标，能防范银行背离审慎经营原则、过度积聚高风险资产，弥补了杠杆率忽视资产风险水平的缺点，但无法限制银行进行规模扩张并加大杠杆水平。而基于调整后的表内外资产余额的杠杆率可以反映资产规模带来的风险，避免了粗放式经营下银行规模的过度扩张，较好地规避了资本充足率监管可能存在的顺周期和监管套利问题。

第三，两个指标相互配合，促使商业银行在资产规模和风险水平方面寻求平衡，既要避免银行无节制地扩张业务，又要防止为追求利润过度发展高风险业务。

📖 本章小结

作为信用中介机构，商业银行自面世以来就从未离开过风险。而在全球化浪潮下，银行的跨境经营使国际银行体系面临的风险不断上升。为促进国际活跃银行公平竞争，十国集团于 20 世纪 70 年代初成立了巴塞尔委员会，专门针对国际活跃银行的监管问题进行研究。委员会成立后，陆续颁布了一系列政策文件：从 1988 年的《巴塞尔协议Ⅰ》，到 2004 年的《巴塞尔协议Ⅱ》，再到 2017 年的《巴塞尔Ⅲ最终方案》，在一定程度上有力地维护了国际金融体系的稳定。

在中国，国家金融监管总局通过实施《商业银行资本管理办法》，构建了差异化的资本监管体系，根据银行规模和业务复杂度实施分档监管，提高了资本充足率要求，优化了风险加权资产计算，强化了信息披露和监督检查，有效提升了商业银行的风险管理水平与透明度，为金融市场稳定和实体经济发展提供了坚实保障。

本章的**重点**和**难点**：①资本的定义和作用；②资本充足率计算及监管要求；③储备资本要求、逆周期资本要求和系统重要性银行附加资本要求；④杠杆率指标与资本充足率的比较。

📖 关键概念

资本充足率	储备资本要求	系统重要性银行附加资本要求
监管资本	逆周期资本要求	杠杆率

📖 练习题

1. 为什么《巴塞尔协议Ⅲ》提出了增加储备资本要求？
2. 根据《商业银行资本管理办法》监管标准，银行满足储备资本要求的最低资本充足率是多少？
3. 什么是逆周期资本要求？为什么《巴塞尔协

议Ⅲ》提出了逆周期资本要求？
4. 商业银行资本发挥的作用主要体现在哪些方面？
5.《巴塞尔协议Ⅱ》的三大支柱是什么？
6. 什么是杠杆率？它和资本充足率的区别是什么？

案例专栏

华盛顿互助银行破产事件

华盛顿互助银行（Washington Mutual Bank）成立于1889年，总部位于西雅图，是当时美国最大的储蓄及贷款银行，主要业务包括提供住房抵押贷款和信用卡服务，拥有庞大的客户基础和广泛的业务网络。

在2008年的金融危机中，由于次级抵押贷款市场的崩溃，该银行遭受了巨大的打击。随着银行问题的日益严重，监管机构开始对其进行密切关注和干预。监管机构要求该银行采取措施改善资本充足率和风险管理状况，但未能取得显著成效。为了缓解资金压力，华盛顿互助银行开始出售部分资产并寻求外部救援。然而，由于市场环境的恶化和银行问题的严重性，这些努力未能扭转该银行的颓势。

由于一系列风险管理和监管问题，最终，华盛顿互助银行无法承受巨大的财务压力，被迫向美国联邦存款保险公司（FDIC）申请破产保护。该银行在2008年9月25日被FDIC查封并接管，FDIC随后对其进行了重组和清算。

华盛顿互助银行的破产是一个典型的由于资本管理不善导致经营失败的银行案例，成为美国历史上重大的银行倒闭案。这一事件凸显了资本管理、流动性风险控制以及有效监管的重要性，为银行业的风险管理提供了重要的教训。

华盛顿互助银行破产的原因包括以下几点。第一，次级贷款危机。华盛顿互助银行在房地产市场繁荣时期大量发放次级贷款，这些贷款通常具有高风险和高利率的特点。当房地产市场出现衰退，次级贷款借款人无法按时还款，导致银行面临巨大的信贷损失。第二，资本管理不善。银行在资本管理方面存在严重缺陷，未能及时补充足够的资本以抵御风险。随着信贷损失的增加，银行的资本充足率迅速下降，无法满足监管要求。第三，风险管理失控。银行在风险管理方面存在明显不足，未能有效识别和控制潜在风险。次级贷款业务的快速扩张加剧了银行的风险敞口，使得银行在面临市场波动时无法做出有效应对。第四，流动性不足。随着信贷市场的紧缩和投资者对银行信心的下降，华盛顿互助银行面临严重的流动性问题。银行无法及时获得足够的资金以支持其日常运营和满足客户的提款需求。

华盛顿互助银行的破产引发了金融市场的广泛关注和担忧，加剧了市场的动荡和不确定性，给储户和借款人带来了巨大的损失和不便，许多人的存款和贷款业务受到了严重影响。华盛顿互助银行的破产案例揭示了金融监管的重要性，促使监管机构加强对金融机构的监管力度和风险管理要求。

华盛顿互助银行的破产案例提醒我们资本管理、风险管理和监管政策在金融机构运营中的重要性。通过深入分析这一案例，我们可以更好地理解和应对金融风险，维护金融市场的稳定和健康发展。

资料来源：[1] 靳毅：银行兴衰——美国百年老店的坍塌，金融界，2019年6月5日。

[2] 华盛顿互助银行：被遗忘的银行破产案，财富，2009年9月10日。

案例讨论题

1. 分析华盛顿互助银行破产的主要原因,并探讨这些原因是如何相互作用最终导致银行倒闭的。
2. 华盛顿互助银行破产案例对现代银行业风险管理有哪些启示?
3. 从华盛顿互助银行破产案例中,你如何理解金融监管在维护金融市场稳定中的作用?结合我国实际,谈谈你对加强金融监管的看法。

第 8 章　案例讨论题参考答案

第 9 章
CHAPTER 9

信用风险管理

§ **学习目标**

1. 掌握传统的信用风险管理方法（信用评级、专家判断法、Z 值模型）。
2. 理解度量违约风险的精算法和市场价格法。
3. 能够应用 CreditMetrics 模型和 KMV 模型评估银行业务的信用风险。
4. 掌握交易对手风险管理的基础概念：交易对手风险、信用风险暴露、错向风险和正向风险以及信用违约互换。
5. 认识到诚信等道德伦理教育是预防信用风险及强化信用风险管理的重要基石。

9.1 传统信用风险管理

对大多数商业银行来说，贷款是最主要的信用风险来源。因此，信用风险常被狭义地看作违约风险，即债务人未能如期履约给银行造成损失的风险。但是随着金融市场的发展及人们对信用风险认识的深入，当债务人或交易对手的信用质量下降、市场上相关资产的价格随之降低，导致履约能力不足时，也会出现信用风险。因此，违约风险是信用风险的重要驱动因素。广义上的**信用风险**是指债务人或交易对手未能履行合同规定的义务或信用质量发生变化，影响金融产品价值，从而给债权人或金融产品持有人造成损失的风险。

信用风险既存在于传统的贷款、债券投资等表内资产业务中，也存在于信用担保、贷款承诺及衍生品交易等表外业务中。对于贷款或债券投资，信用风险造成的损失最多是银行的全部账面价值。而衍生品交易的名义价值通常十分巨大，因此衍生品交易中潜在的信用风险造成的损失不容忽视。

对商业银行来说，虽然信用风险是其面临的最重要的风险类型，但信用风险很大程度上是由个案因素决定的，与市场风险相比，观察数据少且不易获取，因此，它具有明显的非系统性风险的特征。

9.1.1 信用评级

商业银行可以依赖外部专业的信用评级机构对借款客户进行评级，也可以利用自己的信用评级体系和方法，对借款客户进行信用评级，为贷款决策提供依据。前者称为外部评级，后者称为内部评级。

1. 外部评级

信用评级机构（credit rating agency）是依法设立的社会中介机构，是从事信用评级业务服务的机构，是由专门的经济、法律、财务专家组成，对证券发行人和证券的信用进行等级评定的一类组织。当前，信用评级机构与金融市场的关系日渐紧密，它对某个证券发行人的评级下调可以直接导致其相应证券市场价格的大幅下跌乃至崩盘。因此，投资机构和投资者对这些信用评级机构给出的评级意见给予了极高的重视。

目前，国际上著名的评级机构有穆迪（Moody's）公司、标准普尔（S&P）公司和惠誉国际信用评级（Fitch Ratings）公司，它们并称为世界三大评级机构。这些机构的评级均有长期和短期之分，但评级序列各有不同。穆迪的评级中最好的级别是Aaa。拥有该评级的债券被认为是几乎不可能违约的。仅次于Aaa的信用评级是Aa，接下来依次是A、Baa、Ba、B、Caa、Ca和C。与穆迪评级依次对应的标普的评级分别是AAA、AA、A、BBB、BB、B、CCC、CC和C。为更加细致地区分评级，穆迪将Aa级进一步细分为Aa1、Aa2和Aa3，将A级细分为A1、A2和A3，以此类推。标普也将其AA级进一步细分为AA+、AA和AA-，将A级细分为A+、A和A-，以此类推。穆迪的Aaa级和标普的AAA级没有再细分，通常最低的两个级别也不会再细分。惠誉的评级跟标普的类似。

一般地，BBB-（Baa3）级被作为证券是不是投资级的分界线。BBB-（Baa3）以上级别的证券被看作**投资级**（investment grade）证券，BBB-（Baa3）以下级别的证券被看作**非投资级**（non-investment grade）证券，也称**投机级**（speculative grade）证券或垃圾债（junk bond）。

国内评级机构和信用评级行业起步较晚，仍在发展和探索阶段。一些评级机构如大公国际资信评估有限公司、中诚信国际信用评级有限公司等，已经建立了自己的评级模型体系，形成了各自的核心竞争力。但是，由于我国信用评级行业建立和发展的历史较短，受信息来源、数据积累、从业人员能力素质、市场环境、法律法规环境等方面的因素制约，总体来说，我国的评级机构和信用评级行业尚处于起步和探索阶段，评级标准和评级模型还有待完善，评级市场亟待培育。

信用评级并不是一项投资建议，它是对债券等债务类金融工具的信用质量的度量，被金融市场的参与者广泛地用于信用风险管理。穆迪将信用评级定义为："对债券发行人或其他债务人未来全额并按时向投资者偿付到期本息的能力、法律责任和意愿所进行的评价。"因此，它只是对企业未来还本付息能力的一种看法。

企业或者主权债券的评级通常被当作一个关于债券发行人而不是债券本身的属性，因此信用评级分为发行人信用评级和债项信用评级两种。其中，发行人信用评级是对债务人未来总体偿债能力的评价。评级过程包括定性分析、定量分析和相关的法律分析。定性分析集中于考察管理水平，重点分析公司的行业竞争力、行业预期增长能力，以及对商业周期、技术变革、监管变化和劳资关系等的敏感程度。定量分析主要是根据公司的财务报表进行财务分析。评级每年进行一次审查，根据新的财务报告、业务信息以及与管理层会晤等进行必要修正。虽然如此，但是当一个公司发行的债券中拥有一个AAA评级时，该公司通常也被称作AAA评级的公司。

2. 内部评级

国内大部分银行都建立了针对企业及个人客户的信用状况评级体系。银行之所以需要进行内部评级，主要原因有三个。第一，中小企业类的借款客户没有被外部专业评级机构纳入信用评级范围，因此，商业银行也就没有可参照的信用评级结果。第二，即使政府、大型企业等借款客户已经有了外部专业评级机构给出的信用评级结果，但是，由于这些专业评级机构的信用评级存在某些缺陷（如评级费用由被评企业承担就饱受诟病），其信用评级结果并不完全可信。因此，银行要更为准确地把握政府、大型企业等借款客户的信用度，就不能完全依赖这些专业评级机构给出的信用评级结果。第三，《巴塞尔协议Ⅱ》中的内部评级法允许银行采用自己的模型来计算违约概率，银行需要通过内部评级来计量覆盖信用风险的资本充足率。

采用内部评级法来估计违约概率时往往需要对某些财务指标进行估测，例如资产收益率、资产负债比（asset-to-debt ratio）和负债权益比（debt-to-equity ratio）等。银行认识到反映企业偿债能力的是企业持有的现金而不是盈利，因此银行常常通过现金流报告来估计贷款人偿还贷款的能力大小。

9.1.2 专家判断法

专家判断法是指商业银行将贷款决策权交给一些经过长期训练并具有一定专业技能和丰富经验的信贷管理人员，由他们做出贷款与否以及利率水平的决策。专家判断法有很多种，需要考虑多种因素的影响，比如声誉、杠杆、收益波动性和担保品等与借款人有关的因素，以及商业周期、宏观经济政策和利率水平等与市场有关的因素。其中，最有代表性的是信贷的"5C"方法。"5C"是银行分析借款人的道德品质（character）、资本（capital）、还款能力（capacity）、抵押品（collateral）和经济周期（cycle conditional）等5项因素的首字母。

- 道德品质是对借款企业还款意愿的度量，是公司管理层的诚信度及偿债的意愿。
- 资本度量借款人的实力。它衡量借款人的自有资本和债务的关系，即财务杠杆。
- 还款能力度量企业的偿付能力。它主要看借款人产生现金流的能力和处置短期资产来偿付债务的能力。
- 抵押品是指借款人对债务所采取的抵押担保措施及其控制的其他资产。
- 经济周期是指经济周期或经营环境的状态对信用风险的影响程度。这里的经营环境涵盖客户所在的整个经济、社会、政治、技术和行业（产业）环境。这些经营环境是借款人所承担的系统性风险。

专家通过对借款人的上述五个因素进行分析，做出主观的权衡，然后做出贷款与否和利率水平的决策。在早期的银行实践中，这是一种常见的方法，事实上这种方法也发挥了一些作用。但是近年来的研究表明：信贷专家有时也会出错，他们对于客户的信用评级不一定准确。该方法简便易行，但难以确定因素的优先权重。因此，针对相似的借款人，不同的专家可能应用不同的标准，继而得出不同的结论。

9.1.3 阿特曼的 Z 值模型

Z 值模型（z-score model）是一种用来预测企业是否面临破产的多元线性判别分析模型，爱德华·阿特曼（Edward Altman）教授于 1968 年分析了美国破产企业和非破产企业的 22 个会计变量和 22 个非会计变量，从中选择 5 个关键指标，建立了 Z 值模型。模型中的 Z 值是通过几个财务比率计算出来的，计算这些财务比率的基础数据可以从企业的公开报告中获得。这些财务比率从不同角度反映了企业财务的健康程度。构建 Z 值模型的第一步是选择能把正常企业与破产企业区分开的关键财务指标，第二步是计算每个指标的权重系数。

阿特曼以 33 家破产企业和相对应的 33 家非破产企业为样本进行检验，结果发现 Z 值模型正确预测了这 66 家企业中 63 家的命运。英国、德国等发达国家近年来的研究也验证了 Z 值模型在预测公司信用状况中的作用。根据实证分析，阿特曼提出了判断企业是否面临破产风险的临界值：如果 Z 值小于 1.2，表明借款人有较大的破产风险；如果 Z 值大于 2.9，表明借款人不存在破产风险；当 Z 值介于 1.2 和 2.9 之间时容易出现判断失误。该区域被称为"未知区"（zone of ignorance）或"灰色区域"（gray area），如果 Z 值在这个区域，就表明借款人的财务状况不理想，存在一定的破产风险。

该模型自 1968 年提出后经多次修订，出现过几个版本。目前修正的模型体现在 2000 年的研究成果中，适用于非上市公司和私人企业的 Z 值模型如下：

$$Z = 0.717X_1 + 0.847X_2 + 3.107X_3 + 0.420X_4 + 0.998X_5 \tag{9-1}$$

式中，X_1 是营运资本/总资产；X_2 是累计留存收益/总资产；X_3 是息税前利润/总资产；X_4 是所有者权益的账面价值/总负债；X_5 是销售收入/总资产。

银行运用 Z 值模型对借款人进行信用评估时，需将借款人的相关财务数据代入模型并计算出 Z 的值，然后把结果和 Z 值模型的临界值进行比较，从而得出借款人的信用风险状况，据此做出贷款与否和贷款利率水平的决策。

Z 值模型的主要问题在于：首先，模型是线性的，但各个比率之间的关系可能是非线性的；其次，财务比率基本来源于以企业账面价值为基础的数据；最后，Z 值模型明显的缺陷在于财务比率依赖于企业公开报表提供的数据，而处于财务困境中的企业往往会使用"投机性会计"等盈余管理手段来粉饰企业的会计报表，从而误导公众，扭曲企业的财务状况。

9.2 信用风险度量

9.2.1 信用风险因子

主流信用风险的度量体系试图对违约造成的风险损失进行量化。债务人或交易对手违约概率增加、违约后资产的挽回比例下降以及信用风险暴露增加，都会影响到一笔交易的信用风险。于是，信用风险的分布就被看作下面三个风险因子的复合过程。

- **违约概率**（probability of default，PD）。它用来度量交易对手未来不履行合约的可能性，它是一个离散变量，对手或者违约或者不违约。
- **违约损失率**（loss given default，LGD）。它是和**违约挽回率**（recovery rate，RR）相对应的概念，反映了贷款发生损失后的回收风险。一笔交易违约并不意味着全部风险暴露都损失掉，投资人会通过各种法律手段挽回一部分。挽回的部分占信用风险暴露的比率称为违约挽回率，违约挽回率和违约损失率之和等于1。
- **信用风险暴露**（credit exposure，CE）。它是金融工具在有效期内处于风险之中的金额数量，在违约情况下称为违约暴露或**违约风险暴露**（exposure at default，EAD）。

一般来说，被用于经济价值接近于其名义价值或票面价值的贷款或债券的信用风险度量方法，并不适合用来度量金融衍生品的信用风险。原因在于，银行的贷款资产价值始终非负，但是银行的衍生品价值对银行来说可能为正，也可能为负。这一方面取决于衍生品（比如远期和互换等）的标的资产的价格变动，另一方面也取决于银行在交易中的头寸类型。比如，如果银行是期权的空头寸方，它就没有违约风险。当银行是期权的多头寸方时，它就一定会有信用风险。所以信用风险暴露被定义为资产的正价值。

根据以上三个变量，欧美国家的银行开发出了多种信用管理系统及工具。根据企业规模不同，它们采用不同的信用管理系统。对大型企业客户，银行通常使用CreditMetrics模型和KMV模型系统：它的输入是客户的信用评级、客户所处行业、客户主要财务指标等；它的输出是一笔贷款或一类投资组合的"预期损失"和"非预期损失"等。对于预期损失，银行可将其作为成本加到贷款的价格上，或用呆账准备金予以核销；对于非预期损失，银行可以通过分配经济资本来抵御该风险。对中型企业客户，银行通常采用自己开发的信用管理工具进行风险的识别和管理。这些银行的内部分析工具，是其风险管理部参照CreditMetrics模型的一些思路来开发的。对个人客户或小型企业客户，国外银行广泛采用个人信用登记系统来了解和确定客户的信用风险情况。同时，银行通常会内部开发一种信用评分（credit scoring）系统来识别客户的风险。

9.2.2 信用风险度量工具发展演变

信用风险度量工具的发展演变经历了如下几个阶段。

最早的**名义数量**（notional amount）阶段就是简单的风险暴露。在这个阶段，银行需要持有的信用风险资本储备就是总的名义数量乘以一个乘数，比如8%。这种方法的不足是它忽略了违约概率变量。

风险加权数量（risk-weighted amount）阶段。这个阶段对风险暴露进行粗略的风险调整。1988年的《巴塞尔协议》通过信用评级制定了一个粗略的信用风险分类，并提供了度量每一种名义数量的风险权重。这种方法的优点是它首次尝试倡导银行根据风险程度持有足够的资本金。但是它的不足之处在于它提供的度量每一种名义数量的风险权重过于简单化。商业银行为了实现股东回报最大化，就有动机在资本金要求下把贷款投向低评级的借款人，这使商业银行的资产负债表中蕴含了更大的风险。比如，根据《巴塞尔协议》，对 AAA 级和 C 级的公司贷款的资本金要求没有区别，但是银行对 C 级公司的贷款比对 AAA 级公司的贷款更有利可图。这助推了《巴塞尔协议Ⅱ》的诞生。《巴塞尔协议Ⅱ》允许银行使用自己内部的或外部的信用评级，这些信用评级更好地代表了信用风险。

信用评级数量（notional amount combined with credit rating）阶段。这个阶段实现了根据违约概率对风险暴露进行调整。但是它的不足之处仍然是它计算各风险暴露后再简单加总，没有考虑到资产的分散化效应。

内部组合信用模型（internal portfolio credit model）阶段。这个阶段考虑了资产的分散化效应，将所有的信用风险整合起来。

9.3 度量违约风险的精算法

违约风险是信用风险的主要风险因子，用违约概率来表示。当违约发生后，实际信用损失取决于风险暴露和违约损失率的乘积。

度量违约风险的主流方法有两种。一种是通过历史违约数据，提供违约概率的"客观"（objective）度量的精算法。精算法对违约概率的度量由信用评级机构提供，评级机构对借款人的信用等级进行分类，并以此来量化违约风险。另一种是通过债券或股票的交易价格和信用衍生品的"风险中性"价格来推断出市场对于违约风险的估计的市场价格法。这一部分的内容我们将在下一节介绍。

9.3.1 历史违约率

表 9-1 是穆迪公司公布的 1970—2016 年平均累积违约率。表中数据描述了公司的信用随时间推移而出现的不同变化。机构公布的研究报告一般追踪的是美国债券违约的频率，并按照不同时间范围进行初始评级，这些频率可用来将评级级别转换为违约概率。所以，我们可以认为这些评级代表客观（或统计）的违约概率。这些数据是真实违约率的统计估计量。

例如，对于表中显示的初始信用级别为 Baa 的债券，这家公司有 0.177% 的概率在一年内违约，有 0.461% 的概率在两年内违约，等等。债券在一个指定的年份违约的概率可由这个表格计算得到。例如，初始信用级别为 Baa 的公司在第二年违约的概率为 0.461%-0.177% = 0.284%。

表 9-1　穆迪公司公布的 1970—2016 年平均累积违约率　　（单位：%）

期限（年）	1	2	3	4	5	7	10	15	20
Aaa	0.000	0.011	0.011	0.031	0.085	0.195	0.386	0.071	0.824
Aa	0.021	0.060	0.110	0.192	0.298	0.525	0.778	1.336	2.151
A	0.055	0.165	0.345	0.536	0.766	1.297	2.224	3.876	5.793
Baa	0.177	0.461	0.804	1.216	1.628	2.472	3.925	7.006	10.236
Ba	0.945	2.583	4.492	6.518	8.392	11.667	16.283	23.576	29.733
B	3.573	8.436	13.377	17.828	21.908	28.857	36.177	43.658	48.644
Caa	10.624	18.670	25.443	30.874	35.543	42.132	50.258	53.377	53.930

资料来源：John C. Hull, Risk Management and Financial Institutions（Fifth Edition）.

9.3.2 违约概率的时间变化

违约和经济活动有关。根据穆迪公布的数据，20 世纪 30 年代大萧条时期，违约概率有一个明显的上升趋势。由表 9-1 可以看出，对任一给定信用评级的公司，随着投资时间的增加，累积违约率都会大幅增加。

对于初始信用评级较好的债券，如投资级债券，随着时间的推移，违约概率呈现一种上升的趋势。例如表 9-1 中的 Aa 级别的债券，我们容易计算出它在第 1 年、第 2 年、第 3 年、第 4 年和第 5 年的违约概率分别为 0.021%、0.039%（=0.060%-0.021%）、0.050%（=0.110%-0.060%）、0.082%（=0.192%-0.110%）和 0.106%（=0.298%-0.192%）。其他投资级债券也有类似的特征，但是级别越低，相应期限的违约概率越大。比如，我们容易计算得出 A 级别债券在第 1～5 年的违约概率分别为 0.055%、0.110%（=0.165%-0.055%）、0.180%（=0.345%-0.165%）、0.191%（=0.536%-0.345%）和 0.230%（=0.766%-0.536%），其相应年限的违约概率都高于 Aa 级别。之所以如此，是因为在最初发行时，这些投资级债券的信用状况较好，但随着时间的推移，信用出现问题的可能性增大。

而初始信用评级较差的债券，如投机级债券，每年的违约概率常常是时间期限的递减函数。违约概率呈现逐年下降的趋势。比如表 9-1 中的 Caa 级别债券，我们容易计算出该债券在第 1 年、第 2 年、第 3 年、第 4 年和第 5 年的违约概率分别为 10.624%、8.046%（=18.670%-10.624%）、6.773%（=25.443%-18.670%）、5.431%（=30.874%-25.443%）和 4.669%（=35.543%-30.874%）。出现这种现象的原因在于，对于信用较差的债券，今后一两年是企业能否生存下去的关键期。如果企业能够度过这个阶段，其财务状况很可能已经得到改善。

9.3.3 违约概率的二叉树方法

表 9-1 中公布的违约率是初始信用评级的**累积违约率**（cumulative default rate），它度量损失从初始日开始到第 T 年这段时间内发生违约的总频率。我们也常使用**边际违约率**（marginal default rate），它度量的是在第 T 年内发生违约的频率。这里，我们以 M 家公司作为初始研究对象，观察它们在三年内的违约概率，二叉树违约过程见图 9-1。

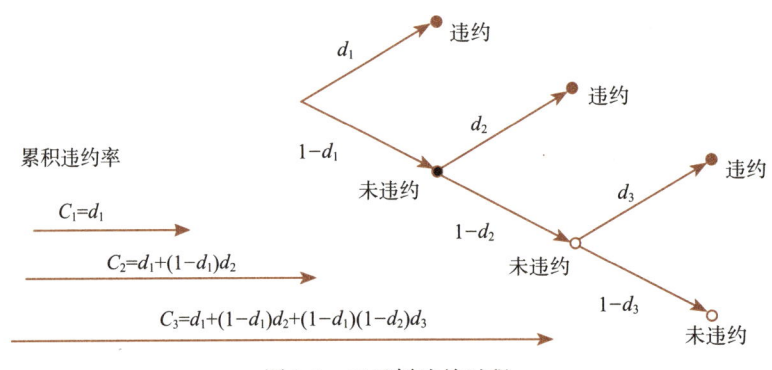

图 9-1 二叉树违约过程

假设第一年有 N_1 家企业违约，第二年有 N_2 家企业违约，以此类推。

如果用 d_1 表示第一年的边际违约率，则 $d_1 = \dfrac{N_1}{M}$。同理，第二年和第三年的边际违约率

分别为 $d_2 = \dfrac{N_2}{M-N_1}$，$d_3 = \dfrac{N_3}{M-N_1-N_2}$。

易知两年累积违约率为第一年违约率和第一年未违约第二年违约的概率的和，即 $C_2 = d_1 + (1-d_1)d_2$。

根据图 9-1 的违约过程，定义如下术语。

- 边际违约率（d_i）：债务人在任何给定期限内违约的概率。
- 累积违约率（C_N）：债务人在 N 期内的违约概率。
- 存活率（survival rate，S_N）：债务人在 N 期内没有违约、存活下来的概率。
- 平均违约率（average default rate，d^a）：债务人 N 期内的平均违约概率。

累积违约率为 $C_N = 1 - \prod_{i=1}^{N}(1-d_i) = 1-(1-d^a)^N$。若用 d^c 表示连续复利计算的违约率，则 $C_N = 1-e^{-d^c N}$。

存活率和边际违约率的关系为 $S_N = \prod_{i=1}^{N}(1-d_i)$。

平均存活率（S^a）和平均违约率（d^a）的关系为 $S^a = 1 - d^a$。

我们用一个例子来解释这些术语。

例 9-1 假设现有 1 000 家信用评级为 Baa 的公司，第一年内有 5 家公司出现资不抵债破产违约，第二年又有 10 家公司出现破产倒闭违约的事件。那么，第一年的边际违约率为 $5/1000 = 0.5\%$；存活率为 99.5%（$=1-0.5\%$）。第二年的边际违约率为 $10/(1000-5) = 1.01\%$。第二年年末的存活率为 $S_2 = (1-d_1)(1-d_2) = 98.5\%$。

累积违约率：

（1）用边际违约率计算累积违约率为 $C_2 = d_1 + (1-d_1)d_2 = 0.5\% + 0.995 \times 1.01\% = 1.505\%$。

（2）用存活率计算累积违约率为 $C_2 = 1-S_2 = 1-(1-d_1)(1-d_2) = 1-98.5\% = 1.5\%$；两年的平均违约率为 $d^a = 1-\sqrt{S_2} = 0.75\%$。

9.3.4 违约的集中度风险

违约的**集中度风险**（concentration risk）是指债务人在同一时间段内发生大量违约的风险。如果投资组合分散化程度不够，就会产生违约的集中度风险。比如：组合中的非系统性风险没有充分分散；某区域或某行业的风险暴露太大，使得系统性风险因子没有得到充分分散；组合中债务人之间违约相关性上升。

某商业银行的投资组合中包含 N 只债券，假设组合中的 N 只债券违约与否相互独立，债券的违约概率都是 p。则组合中有 X 只债券违约的概率用泊松分布（二项分布）来度量，公式如下：

$$C_N^X p^X (1-p)^{N-X} = \dfrac{N!}{X!(N-X)!} p^X (1-p)^{N-X} \quad (9\text{-}2)$$

例 9-2 某一投资组合中包含 20 只相互独立的 AA 级债券，假设 AA 级债券一年内的违约概率为 4%。估计该债券组合在下一年只有一只债券违约的概率。

解答：债券组合在下一年只有一只债券违约的概率为

$$\text{PD} = C_{20}^1 p^1(1-p)^{20-1} = \frac{20!}{1!(20-1)!} \times 0.04^1 \times (1-0.04)^{20-1} = 36.8\%$$

9.3.5 信用等级转移矩阵

信用转移（credit migration）是指债务人或客户的信用质量发生变化，比如从 AAA 级别降低到 AA 级别，或从 BB 级别提升到 BBB 级别等。它是一个离散过程，是从一个时期到下一个时期信用级别的变化。一般假设信用级别的转移遵循马尔可夫过程，也就是说，从一个时期的状态到另一个时期的状态的转移是相互独立的，这种运动没有记忆性。信用转移在现代信用风险管理科学的发展中起到承前启后的重要作用，是信用风险管理的关键技术，也是现代信用风险管理的基石之一。

信用等级转移矩阵（credit rating migration probability matrix）反映了债务人的信用在不同信用等级间的变动，揭示了债务人信用风险变化的趋势。其出发点是金融机构能通过了解债务人（预测）未来每一时间内所有可能的信用质量状况，来进行有效的信用风险管理。J.P. 摩根公司于 1987 年首先提出了这个概念，后来被标准普尔和 KMV 公司所采用。

信用转移风险（credit migration risk）与债务人的信用质量发生变化的不确定性相关。在特定的时间范围内，债务人的信用质量可能改善或恶化。一般情况下，信用级别较高的企业不会突然出现违约。例如，AA 级别企业很少会突然违约，但可能会下滑至 A 级别或更低的信用级别。

客户的经营状况和财务指标与宏观经济环境及内部管理密切相关，其现金流量表状况会随时发生变化。当银行发放一笔贷款给客户时，客户的信用等级可能是非常优秀的，但随着时间的推移，客户信用等级可能发生变化。其信用等级有可能上升，也有可能下降。如果我们有足够的支持数据，那么我们可以较容易地得到客户信用等级变化的矩阵，即信用等级转移矩阵。例如，一个信用等级为 A 的企业，一年后其信用等级的变化情况如表 9-2 所示。也就是说，信用等级为 A 的企业，一年后其信用等级变为 AAA 的概率为 0.27%，变为 AA 的概率为 1.59%，保持 A 的概率为 89.05%，变为 BBB 的概率为 7.40%，变为 BB 的概率为 1.48%，变为 B 的概率为 0.13%，变为 CCC 的概率为 0.06%，直接违约的概率为 0.03%。对于各信用等级，我们都可以得到如表 9-3 所示的信用等级转移矩阵。信用等级转移矩阵给出了从期初的信用等级转移到期末的信用等级的概率。

表 9-2 初始评级为 A 的企业一年后的信用等级变化情况

信用等级	AAA	AA	A	BBB	BB	B	CCC	违约
等级变化概率（%）	0.27	1.59	89.05	7.40	1.48	0.13	0.06	0.03

资料来源：王勇，隋鹏达，关晶奇. 金融风险管理 [M]. 北京：机械工业出版社，2014.

表 9-3 信用等级转移矩阵 （单位：%）

期初的信用等级	期末的信用等级							
	AAA	AA	A	BBB	BB	B	CCC	违约
AAA	87.74	10.93	0.45	0.63	0.12	0.10	0.02	0.02
AA	0.84	88.23	7.47	2.16	1.11	0.13	0.05	0.02
A	0.27	1.59	89.05	7.40	1.48	0.13	0.06	0.03

(续)

期初的信用等级	期末的信用等级							
	AAA	AA	A	BBB	BB	B	CCC	违约
BBB	1.84	1.89	5.00	84.21	6.51	0.32	0.16	0.07
BB	0.08	2.91	3.29	5.53	74.68	8.05	4.14	1.32
B	0.21	0.36	9.25	8.29	2.31	63.89	10.13	5.58
CCC	0.06	0.25	1.85	2.06	12.34	24.86	39.97	18.60

资料来源：王勇，隋鹏达，关晶奇. 金融风险管理 [M]. 北京：机械工业出版社，2014.

由表 9-3 可知，信用等级较低的企业产生违约的概率较高。因此，在对低等级企业贷款时应特别小心谨慎。原则上对 B 级别和 B 级别以下的企业不予贷款。有了信用等级转移矩阵，特别是得到预期违约率后，我们就可以很方便地计算预期损失和非预期损失。

例 9-3 某公司发行的两年期零息债券的当前信用级别为 A。市场预期一年后该公司仍保留 A 级别的概率为 80%，下调到 BBB 级别的概率为 15%，上调到 AA 级别的概率为 5%。假设无风险利率为 1%，与 AA 级别、A 级别、BBB 级别债券的信用价差分别为 80、150、280 个基本点。所有的利率都以年复利计算。问：这个零息债券一年后的期望价值最接近多少？

解答：显然，一年后该债券将成为一年期零息债券，信用级别可能仍保留在 A 级别（概率为 80%），可能上升为 AA 级别（概率 5%），也可能下降到 BBB 级别（概率为 15%）。

假设债券的面值为 100 元，那么一年后 AA 级别、A 级别和 BBB 级别债券的价值将分别为 $P_{AA}=\frac{100}{1+1.8\%}=98.23$（元）；$P_A=\frac{100}{1+2.5\%}=97.56$（元）；$P_{BBB}=\frac{100}{1+3.8\%}=96.34$（元）。级别越低，债券的价格越低。因此，一年后债券的期望价值为 $P=\sum \pi_i P_i = 5\%\times 98.23 + 80\%\times 97.56 + 15\%\times 96.34 = 97.41$（元）。

9.3.6 违约挽回率

市场对违约挽回率的最好估计就是刚刚发生违约后的债务的价值。它考虑到了公司的资产价值、破产程序估计成本和用股东权益支付债券持有人的情况，并把它们折现为现值。违约挽回率 =1- 违约损失率。

违约挽回率取决于下列因素。

（1）债权人的偿付优先权。偿付优先权越高，违约挽回率也就越高。一般来说年金债券或者公司股份债券的违约挽回率比较高。

（2）经济状况。经济处于扩张（衰退）时，违约挽回率可能比较高（低）。

（3）债务人的情况。债务资产的评级越高，违约挽回率也越高。有形资产比其他资产的违约挽回率高。利润率高的公司，一般有较高的评级，它的违约挽回率也较高。

（4）破产的形式。严重的交易困境通常会导致较低的违约挽回率。

信用评级也包括违约后损失。同一个债务人也许有不同种类的债务，债务由于受到的保护不同，得到的评级也不同。如果这样，具有较低优先权的债务应该有一个较低的评级。

由于贷款的违约挽回率（损失率）受到诸多外在因素的影响，在信用风险评估时，经常假设违约损失率为常数。穆迪公司估计，高级未担保债务的平均违约挽回率为 37%。银行贷款通常是有担保的，所以违约挽回率较高，通常在60%左右。

9.4 度量违约风险的市场价格法

在9.3节中我们讨论了如何通过信用评级量化信用风险。根据这些外部评级，我们可以通过违约率和违约损失率的历史数据来预测信用风险的损失。

信用风险也可以用证券的市场价格来评估。这些证券，包括公司债券、股票和信用衍生工具等，它们的价格均会受到违约的影响。理论上，金融市场拥有大量信息，因此证券的市场价格能提供更新、更精确的度量信用风险的标准。

9.4.1 基于信用价差估计违约风险

为了简单起见，我们以面值为100元的零息债券为例，利用该债券的市场价格（P）计算债券的到期收益率（y）：

$$P = \frac{100}{1+y} \tag{9-3}$$

债券的到期收益率包括实际利率、通货膨胀率和风险溢价补偿。同样，债券的支付也可以用一个简化的违约过程来描述，如图9-2所示。

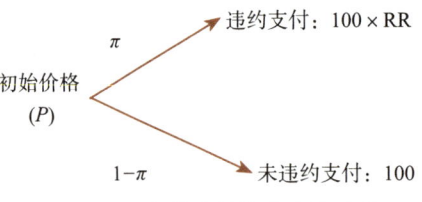

图9-2 一个简化的债券违约过程

1. 风险中性世界里的违约概率（π）

假设到期时债券只有两种状态：违约（概率为π）或不违约（概率为$1-\pi$）。运用风险中性定价方法，将两种状态下债券的期望现金流用无风险利率（r_f）折现，就可以得到债券的市场价格。因此有：

$$P = \frac{(100 \times RR) \times \pi + 100 \times (1-\pi)}{1+r_f} \tag{9-4}$$

式中，RR为债券的违约挽回率；π为风险中性世界里债券的违约概率。

使用两种不同的方法计算的债券价值应该相等。因此有下式：

$$\frac{100}{1+y} = \frac{100}{1+r_f} \times (1-\pi) + \frac{100 \times RR}{1+r_f} \times \pi \tag{9-5}$$

整理上式，得到：

$$y = \frac{r_f + LGD \times \pi}{1 - LGD \times \pi} \tag{9-6}$$

式（9-6）中，$LGD = 1 - RR$，是债券的违约损失率。假设违约概率（π）和违约损失率（LGD）都很小，上式可以简化为 $y \approx r_f + LGD \times \pi$，得到：

$$y - r_f = \pi \times \text{LGD} \times 1 \quad (9\text{-}7)$$

式（9-7）说明，在风险中性世界里，债券的信用价差 $(y - r_f)$ 度量了信用风险，债券的信用损失是违约概率（π）、违约损失率（LGD）和违约风险暴露（EAD = 1）的乘积。如果债券的违约概率或违约损失率为 0，那么就不存在潜在的信用损失。

2. 真实世界中的违约概率（π^*）

在真实世界中，债券的价差 $(y - r_f)$ 不仅包含信用风险溢价，还包括债券的**流动性风险溢价**（liquidity risk premium，LP）。假设真实世界中的违约概率为 π^*，扣除违约风险外的债券的收益率为 y^*，这里，$y^* = r_f + \text{LP}$。

易知：

$$P = \frac{100}{1+y} = \frac{100}{1+y^*} \times (1-\pi^*) + \frac{100 \times \text{RR}}{1+y^*} \times \pi^* \quad (9\text{-}8)$$

同理类推，可得到如下公式：

$$y \approx y^* + \text{LGD} \times \pi^* \quad (9\text{-}9)$$

因此，债券的价差为

$$y - r_f = \pi^* \times \text{LGD} \times 1 + \text{LP} \quad (9\text{-}10)$$

3. 风险中性世界里的违约概率和真实世界中的违约概率的比较

由式（9-6）易得，风险中性世界里的违约概率为

$$\pi = \frac{y - r_f}{\text{LGD} \times (1+y)} \approx \frac{y - r_f}{\text{LGD}} \quad (9\text{-}11)$$

由式（9-10）易得，真实世界中的违约概率为

$$\pi^* = \frac{y - r_f - \text{LP}}{\text{LGD}} \quad (9\text{-}12)$$

对比式（9-11）和式（9-12），易知：风险中性世界里的违约概率高于真实世界中的违约概率。

4. 多期情形下违约概率估计（风险中性）

考虑多期的情形，假设期限为 T。仍以零息债券为例。我们在每一期中都用复利计算利率和违约概率。换句话说，现在 π^a 是年平均违约率。只有一次支付的零息债券的价值为

$$P = \frac{100}{(1+y)^T} = \frac{100}{(1+r_f)^T} \times (1-\pi^a)^T + \frac{100 \times \text{RR}}{(1+r_f)^T} \times [1-(1-\pi^a)^T] \quad (9\text{-}13)$$

整理式（9-13），得：

$$\frac{1}{(1+y)^T} = \frac{1 \times (1-\pi^a)^T + \text{RR} \times [1-(1-\pi^a)^T]}{(1+r_f)^T} \quad (9\text{-}14)$$

令 π 代表 T 期内债券的累积违约率，根据累积违约率公式：$C_T = 1 - S_T$，易知：

$$\pi = 1 - (1-\pi^a)^T \quad (9\text{-}15)$$

把式（9-15）代入式（9-14），得到下式：

$$\frac{1}{(1+y)^T} = \frac{1-\pi \times \text{LGD}}{(1+r_f)^T} \tag{9-16}$$

现实中，如果我们考虑附息债券，就需要考虑每一期中违约和没有违约的支付额，计算将因此变得非常复杂。我们可以把附息债券的息票和期末面值看作一个投资组合，期末面值是一个零息债券，而每期的息票也可被看作一个零息债券，这样，附息债券就是若干个零息债券的投资组合，所以，附息债券的风险问题就可以被拆解成若干个零息债券来处理。

9.4.2 基于市场价格估计违约风险：Merton 模型

在 9.4.1 节我们通过公司债券来估计违约风险。然而，只有在债券市场数据比较可靠时，信用价差方法才有用。但是出于下面一些原因，实际数据并不可靠。

第一，相比股票市场，公司债券市场不发达，交易不活跃，有可能一段时期内没有交易价格，这样我们就得不到债券的到期收益率，也没办法求解信用价差。

第二，有些公司可能只发行股票，不发行债券，因此，不能通过债券价格得到信用价差。

第三，股票市场确实比债券市场活跃。

这一节我们介绍 Merton 模型，通过股票价格来估计违约风险。Merton 模型假定只含有一种零息债券的资本结构，该模型最早由默顿（Merton，1974）提出，并且由加莱（Galai，1976）和马苏里斯（Masulis，1976）加以扩展。

1. Merton 模型的假设

在正式推出 Merton 模型之前，我们先介绍它的假设前提。

- 资产的市场价值与期望收益是相关的。市场处于均衡状态，投资者期望获得 $(\mu - r_f)$ 的风险溢价。r_f 是无风险利率，为连续复利率，是一个常数。
- 只有一笔期限为 T、面值为 K 的零息债券，模型假设公司只在到期日违约。
- 股权只包括普通股。
- 债务持有人的责任有限，一旦权益价值降为零，他们对公司其他任何资产没有追索权。
- 股票和债券持有人之间不会就债务履行有任何谈判，合同必须被严格执行。在股东拥有公司价值之前，债权人的债务必须得到完全偿付。
- 不仅公司的股票和债券可以交易，公司的资产也可以进行市场交易。公司的价值是可以观察到的，并遵循几何布朗运动，交易者可以建立多头和空头头寸。
- 在债务到期之前没有其他现金流（包括股息）。
- 没有必要为流动性做调整。

为了最大限度地简化问题，考虑一个总价值为 V 的企业发行了一期面值为 F 的零息债券。如果到期时公司的资产价值超过债券的面值（$V_T > F$），该债券将得到全额偿付（F），股东得到剩余的部分（$V_T - F$）。如果债券到期时资产的价值低于债券的面值（$V_T < F$），公司就会违约，债券持有人接管公司，得到公司的资产价值（V_T）。因此，到期时股票的价值为

$$S_T = \max(V_T - F, 0) \tag{9-17}$$

由式（9-17），可以得到结论：购买公司的股票就相当于购买了一个看涨期权。该看涨期权的标的是公司价值，执行价格为债券的面值 F。显然，投资者的最大损失为其股票投资。

因为债券和股票价值的总和就是公司的价值,所以,债券的价值为

$$B_T = V_T - S_T = V_T - \max(V_T - F, 0) = \min(V_T, F) \quad (9\text{-}18)$$

把上式通过等价变换处理,可以得到下式:

$$B_T = F - \max(F - V_T, 0) \quad (9\text{-}19)$$

由式(9-19)可知,到期时债券的价值等于一个零息债券的面值和一个看跌期权空头的组合。换句话说,风险债券的多头头寸相当于无风险债券的多头头寸加上一个看跌期权的空头头寸。

2. 股票定价

使用 Black-Scholes 分析框架,一个无股息股票的看涨期权的价值为

$$c = SN(d_1) - Ke^{-rT}N(d_2) \quad (9\text{-}20)$$

式中,S 是股票价值;K 是期权的执行价格;r 是无风险利率;$N(d_1) = \dfrac{\Delta c}{\Delta S} = \text{Delta}$;$N(d_2)$ 是股票价格超过执行价格的概率。即行权概率为 $P(S \geq K)$,不行权(即违约)概率为 $P(S < K)$。

Merton(1974)假设公司价值服从标准几何布朗运动过程[⊖]。那么,无股息股票的价值可以写为

$$S = \text{看涨期权} = VN(d_1) - Fe^{-rT}N(d_2) \quad (9\text{-}21)$$

式中,V 是资产的价值;F 是零息债券的面值;$N(d)$ 是标准正态分布的累积分布函数。

$d_1 = \dfrac{\ln(V_0/F) + (r + \dfrac{\sigma_V^2}{2})T}{\sigma_V \sqrt{T}}$,$d_2 = d_1 - \sigma_V \sqrt{T} = \dfrac{\ln(V_0/F) + (r - \dfrac{\sigma_V^2}{2})T}{\sigma_V \sqrt{T}}$,其中 σ_V 是资产价值的波动率。

类似地,$N(d_1) - \dfrac{\Delta S}{\Delta V}$,$N(d_2)$ 代表公司价值超过债券面值的概率(行权的概率),那么,公司价值低于债券面值的概率,即违约的概率为 $P(V < F) = 1 - N(d_2) = N(-d_2)$。

3. 公司价值波动率

我们可以观察到公司的股票价值 S 和股票的波动率 σ_S。公司价值 V 和公司价值的波动率 σ_V 只能通过迭代计算。

定义 σ_S 为 dS/S 的波动率,由 $N(d_1) = \dfrac{dS}{dV}$,易得:

$$dS = N(d_1) \times dV \quad (9\text{-}22)$$

对上式进行等价变换:

$$\dfrac{dS}{S} \times S = N(d_1) \times \dfrac{dV}{V} \times V \quad (9\text{-}23)$$

⊖ 在此假设下,$V_t = V_0 e^{\left(\mu - \dfrac{\sigma^2}{2}\right)t + \sigma \sqrt{t} Z_t}$,其中,$Z_t \sim N(0,1)$,$\mu$ 和 σ^2 分别代表公司资产的瞬时收益率(instantaneous rate of return)的期望和方差,dV_t/V_t 中的 V_t 是时间 t 时预期价值的对数正态分布。$E(V_t) = V_0 e^{\mu t}$,$V(t)$ 的动态由 $\dfrac{dV_t}{V_t} = \mu dt + \sigma dW_t$ 所描述,其中,W_t 服从标准几何布朗运动,并且 $\sqrt{t}Z_t = W_t - W_0$ 服从标准正态分布,期望是 0,方差是 1。关于标准几何布朗运动更多的内容,请参阅约翰·赫尔的《期权、期货及其他衍生产品》。

则 $\sigma_S S = N(d_1) \times \sigma_V V$，因此：

$$\sigma_V = \frac{S}{V} \times \frac{\sigma_S}{N(d_1)} \tag{9-24}$$

4. 债券定价

由于债券的价值等于公司价值和股权价值的差，即 $B = V - S$，我们可以得到：

$$B = V - [VN(d_1) - Fe^{-rT}N(d_2)] = Fe^{-rT}N(d_2) + V[1 - N(d_1)]$$

整理后得到：

$$B = Fe^{-rT}N(d_2) + VN(-d_1) \tag{9-25}$$

5. 度量信用风险

在到期日，**信用损失**（credit loss，CL）是无风险债券的面值减去公司债券的价值，即 $\text{CL} = F - B_T$。另外，**期望信用损失**（expected credit loss，ECL）为

$$\text{ECL} = Fe^{-rT} - B \tag{9-26}$$

把式（9-25）代入式（9-26）并整理得：

$$\text{ECL} = Fe^{-rT}N(-d_2) - VN(-d_1)$$

$$\text{ECL} = N(-d_2)[Fe^{-rT} - VN(-d_1)/N(-d_2)] \tag{9-27}$$

式（9-27）的分解非常有用。我们把式（9-27）乘以时间价值因子 e^{rT}，就得到到期日债券的期望信用损失（ECL_T），如下式：

$$\text{ECL}_T = N(-d_2)\left[F - \frac{Ve^{rT}N(-d_1)}{N(-d_2)}\right] = p(\text{EAD} \times \text{LGD}) \tag{9-28}$$

式（9-28）包括两项，第一项是违约概率 $N(-d_2)$，第二项是发生违约的损失，该项可以用债券的面值 F 减去发生违约时刻挽回的价值 $\frac{Ve^{rT}N(-d_1)}{N(-d_2)}$ 得到，该项也是违约状态下公司的期望价值。注意，此处违约挽回率是内生的，因为它取决于公司的价值、时间和负债率。

我们通过一个简单的题目回顾上面的分析过程。

例9-4 考虑一个资产价值 $V=100$ 美元的公司，假设资产的波动率 $\sigma_V = 20\%$。现实中我们需要通过观察股票价格（S）和股票价格波动率（σ_S）的数据迭代得到 σ_V。其他的变量如：到期时间 $T=1$ 年，无风险利率 $r=10\%$，用连续复利计算。假定杠杆为 0.9，它意味着无风险利率下债券的现值为 $Fe^{-rT}=90$ 美元，债券面值为 $F=99.46$ 美元。

这里 $d_1 = \dfrac{\ln(V_0/F) + \left(r + \dfrac{\sigma_V^2}{2}\right)T}{\sigma_V\sqrt{T}}$，我们把相应参数代入方程，得到 $d_1 = 0.6271$；再把相应参数代入 d_2，得到 $d_2 = \dfrac{\ln(V_0/F) + \left(r - \dfrac{\sigma_V^2}{2}\right)T}{\sigma_V\sqrt{T}} = 0.4271$。利用 Excel 的 NORMSDIST 函数可以得到 $N(d_1) = 0.7347$，$N(d_2) = 0.6653$。

经过 Merton 模型分析，根据式（9-21），$S = VN(d_1) - Fe^{-rT}N(d_2)$，可以得到当前股票价格为 $S = 13.59$（美元），所以，当前债券的价格为 $B = V - S = 100 - 13.59 = 86.41$（美元）。

由 $B = Fe^{-yT}$，得到收益率 $y = \frac{1}{T}\ln\frac{F}{B} = \frac{1}{T}\ln\frac{99.46}{86.41} = 14.07\%$。故信用价差为 $14.07\% - 10\% = 4.07\%$。

信用看跌期权的价值为 $P = Fe^{-rT} - B = 90 - 86.41 = 3.59$（美元）。

风险中性违约概率 $N(-d_2) = 1 - N(d_2) = 33.47\%$。注意，这可能与实际的或客观的违约概率不同，因为相比无风险利率 10%，股票很可能以更高的速度增长。

最后，我们从式（9-28）得到到期日债券的期望信用损失为

$$\text{ECL}_T = N(-d_2)\left[F - \frac{Ve^{rT}N(-d_1)}{N(-d_2)}\right]$$

$$= 0.3347 \times \left(99.46 - \frac{110.52 \times 0.2653}{0.3347}\right)$$

$$= 0.3347 \times 11.85 = 3.97 \text{（美元）}$$

该式把违约概率和违约造成的损失 11.85 美元结合起来。3.97 美元就是看跌期权的终值，即 $3.59 \times e^{rT} = 3.97$（美元）。

注意：该模型需要很高的杠杆率，在这个例子中是 0.9，才能得到比较合理的信用价差 4.07%。这意味着股债权益比为 0.9/0.1=900%，有点高得不切实际。如果杠杆继续下降，信用价差将快速收缩，甚至预测的信用价差会趋于零。虽然杠杆看起来很正常，但是该模型却不能得到可测定的信用价差。

在 Merton 模型中，当公司价值上升时，公司的债务价值和股票价值均增加；当债券面值（负债额）上升时，意味着公司的融资规模增加，债务价值上升，股票价值下降；当债务的到期时间延长（T 变大）时，股票价值增加，债务价值下跌；当利率上升时，债务价值下跌，股票价值增加；当公司价值的波动变大时，股票价值增加，债务价值下跌。

采用同样思路，我们很容易分析 Merton 模型中各个输入变量对违约概率和违约损失率的影响。

- 当公司价值上升时，违约概率和违约损失率下降。
- 当公司价值波动增大时，违约概率和违约损失率上升。
- 当公司期望收益率上升时，违约概率和违约损失率下降。
- 当到期时间缩短时，违约概率和违约损失率下跌。
- 当债务面值（负债额）增加时，违约概率和违约损失率上升。

6. Merton 模型在银行贷款中的应用

我们考虑一个风险资产为 V 的企业的简单案例。企业资产负债表见表 9-4。该企业的融资来源包括股东权益 S 和一笔银行贴现贷款。该贷款目前的价值为 B_0，到期连本带息归还 F 额度给银行。对该企业发放贷款，到期时一旦企业的资产价值 V_T 低于债务面值 F，银行将面临企业可能违约的信用风险。

表 9-4　企业资产负债表

资产	负债及权益
风险资产：V_0	债务：$B_0(F)$
	权益：S_0
总计：　V_0	总计：V_0

债务到期时，只要公司的市场价值小于债务的面值，公司就存在违约的可能性，即只要违约概率 $[P(V_T<F)]$ 大于 0，信用风险就存在。这意味着在时间 0 时，$B_0<Fe^{-rT}$，即债务的到期收益率 y_T 要高于无风险利率 r，在这里，$\pi_T = y_T - r$ 代表用于补偿债权人承担违约风险的溢价。假定市场无摩擦，无税收负担，并且没有破产成本，那么该企业的资产价值就是该企业权益和负债的价值的和，即

$$V_0 = B_0 + S_0 \tag{9-29}$$

假设该笔债务是银行贷款，那么从放贷银行的视角看，该笔贷款存在如下四个问题：

- 银行能否清除/降低信用风险？
- 降低信用风险的经济成本是什么？
- 信用风险的价值是多少？这涉及贷款如何定价，即贷款按照什么价格来执行。
- 影响贷款成本的因素有哪些？

在这个简单的企业框架中，信用风险是企业的**杠杆比率**（leverage ratio，LR）的函数，这里，LR = Fe^{-rT}/V_0，V_0 是企业资产的现值。假设债务是无风险的，则 Fe^{-rT} 是债务到期时债务负担的现值。该企业资产收益率的波动率为 σ_V，债务的到期日为 T。

我们首先来看**第一个问题**：银行能否清除/降低信用风险？答案：能。做法：银行购买一个标的资产是企业资产、期限为 T、执行价格为 F 的看跌期权，就可以完全"清除"信用风险。

表 9-5 为银行进行贷款和购买看跌期权，在时间 0 和时间 T 期的偿付矩阵，在企业只有贷款这一笔债务的假设下，信用风险的价值等同于一个企业价值（V）的看跌期权，该期权的执行价格为 F，到期日是 T。银行如果购买了这样一个看跌期权，就可以完全消除同贷款相关的信用风险。假设无风险利率为 r，则在均衡时有 $B_0 + P_0 = Fe^{-rT}$。所以看跌期权的价值为 $P_0 = Fe^{-rT} - B_0$。

表 9-5　银行进行贷款和购买看跌期权，在时间 0 和时间 T 期的偿付矩阵

	时间 0	时间 T	
资产价值	V_0	$V_T \leq F$	$V_T > F$
银行状况：			
(a) 进行贷款	$-B_0$	V_T	F
(b) 购买一项看跌期权	$-P_0$	$F - V_T$	0
总计	$-B_0 - P_0$	F	F

因此，看跌期权的价值就消除了给该企业贷款的信用风险。这也是**第二个问题**的答案。

应用 BSM 模型，该看跌期权的价值为

$$P_0 = Fe^{-rT}N(-d_2) - V_0 N(-d_1) \qquad (9\text{-}30)$$

其中，$d_1 = \dfrac{\ln(V_0/F) + (r + \sigma_V^2/2)T}{\sigma_V \sqrt{T}}$，$d_2 = d_1 - \sigma\sqrt{T}$。

式中，σ_V 是该企业资产收益率的标准差。

这个模型说明，信用风险和它的成本是该企业资产价值（V）、资产收益率的标准差（σ_V）和到期日 T 的函数。该成本也受无风险利率 r 的影响。r 越高，降低信用风险的成本就越低。

企业债务的到期收益率 y_T 为

$$y_T = -\dfrac{\ln\dfrac{B_0}{F}}{T} = -\dfrac{1}{T}\ln\dfrac{Fe^{-rT} - P_0}{F} \qquad (9\text{-}31)$$

由此可以得到该企业贷款的信用风险溢价为

$$\pi_T = y_T - r = -\dfrac{1}{T}\ln\left[N(d_2) + \dfrac{V_0}{Fe^{-rT}}N(-d_1)\right] \qquad (9\text{-}32)$$

信用风险溢价是杠杆比率 $LR = Fe^{-rT}/V_0$、标的资产的波动率 σ_V 以及到期日 T 这三个变量的函数，我们可以精确地计算信用风险溢价。因此，对于**第三个问题**，式（9-32）就是我们要找的信用风险溢价补偿 π_T。

注意：当无风险利率 r 增加时，信用风险溢价 π_T 降低，即 $\partial \pi_T / \partial r < 0$。实际上，$r$ 越高，债券的风险越低（看跌期权的价值就越低）。因此，信用风险溢价 π_T 就越低。

上面的推导结果是基于风险中性的假设的。对于一般的例子来说，如果去掉风险中性的假设，考虑真实世界由 $N(-d_2')$ 给定的违约概率为

$$d_2' = \dfrac{\ln\dfrac{V_0}{F} + \left(\mu - \dfrac{\sigma^2}{2}\right)T}{\sigma_V \sqrt{T}} \qquad (9\text{-}33)$$

式中，μ 是公司价值 V 的期望收益率，假定其服从对数正态分布。

由此可以知道，违约概率是企业资产结构、资产收益波动率和当前资产规模的一个函数——这也是**第四个问题**的答案。

7. Merton 模型的优缺点

在给定当前股票和债务价值的条件下，可以用 Merton 模型来评估公司的价值和违约概率。如果公司价值低于负债水平，公司就会违约。我们用 $N(-d_2)$ 来度量风险中性的违约概率。该模型有很多优点。第一，它依赖于股票价格而不是债券价格，很多公司可交易的活跃的股票要多于债券。第二，利用股票价格的相关性可以推导出违约的可能性，用别的方法就很难估计。实践证明，该方法最大的优点是它给出的违约概率估计的变化领先于信用评级的变化。

但是该模型也有缺点。第一，它不能用来为主权的信用风险定价，因为国家显然没有股票价格。第二，它依赖于企业资本和风险结构的静态模型。负债水平被假定为不随时间变化。同样地，它无法应对增发股票以保护债务持有者的情况。第三，管理层可能会实施一些新项目，这些举措不仅会增加股票价值，也会增加股票的波动性，从而扩大信用价差。这与模型

的基本思想是背道而驰的。Merton 模型认为，在其他条件相同的情况下，较高的股票价格反映了较低的违约概率，因此信用价差应该较小。第四，该模型不允许公司价值发生跳跃。第五，该模型不能解释我们观察到的信用敏感债券的信用价差幅度。已有学者试图加进其他风险因子进行解释，例如利率风险，但是都未能解释这些价差。

9.5 信用风险组合管理

在前面的章节里，我们已经说明了如何估计单个信用事件的违约概率、信用风险暴露和违约挽回率，本节我们将介绍如何度量和管理整个投资组合的信用风险。传统风险管理模式下，信用风险是孤立度量的，反映为信用评审人员的"是"或"否"的决定，仅仅通过在整体水平上非常粗略的信用限额来考虑对投资组合的影响。

然而资产组合理论告诉我们，我们应该从某种资产对资产组合整体风险水平的贡献角度来考虑风险，而不应单独地看待。新的信用风险模型就是建立在资产组合的基础上来度量风险的。市场风险管理中适用的组合分散化理论对信用风险管理同样适用，但信用风险相对更复杂。

本节我们将首先介绍信用损失的分布。它由两个主要部分构成。第一个部分是期望信用损失，它是定价和计算损失准备金所需要的基本信息。第二个部分是非期望信用损失，或者说在某种置信水平下对期望信用损失大小偏离的最坏程度。然后我们介绍**信用 VaR**（credit VaR，CVaR）。我们会了解到信用风险在险价值和前面学习的市场风险在险价值一样，也可以用于决定支持某一头寸所需要的资本金数量。最后是对信用风险组合模型的概述，包括 CreditMetrics 模型和 KMV 模型等。对于风险经理来说，了解每个模型的优缺点非常重要。

9.5.1 度量信用损失的分布

本节，我们将违约概率、违约风险暴露和违约挽回率等信息放在一起，来度量由信用风险造成的损失的分布。根据《巴塞尔协议 II》对信用风险的定义，信用风险损失有两种：一种是考虑市场价值的变化和包括违约在内的信用评级的变化，这是**盯市模型**（mark-to-market model）下的损失；一种是将违约完全视为信用事件，其与债券的市场价值变动和信用评级的任何变动都是无关的，这是**违约模式**（default mode，DM）下的损失。

1. 期望信用损失

在违约模式下，贷款未来只有两种状态：违约（$i=1$）或没有违约（$i=0$）。如果违约，则信用损失为违约风险暴露和违约损失率的乘积；如果没有违约，则损失为 0。

假设违约概率为 PD，则没有发生违约的概率为（1−PD）。令 PD 表示未来贷款违约发生的概率，LGD 表示贷款违约后的损失率，EAD 表示贷款的违约风险暴露，则期望信用损失为

$$ECL = PD \times LGD \times EAD + (1-PD) \times 0 = PD \times LGD \times EAD \tag{9-34}$$

期望信用损失代表信用损失的平均水平。组合的定价应保证其至少能够涵盖期望信用损失。换句话说，组合的定价应该保证至少能够抵消平均的信用损失。对于债券而言，就意

味着债券的价格应该足够低,或者其收益率应该足够高,从而能够弥补期望信用风险。对于金融衍生品而言,承担信用风险的银行就应该将期望信用风险作为其持有的金融产品的定价的影响因素来考虑。贷款损失准备金的计算也应该作为对期望信用风险的**信用条款**(credit provision)来度量。

例9-5 假设你已经同意给一个公司提供贷款5 000万元。该公司有3%的可能性违约,而且通过计算,你知道你最终能收回的贷款只有70%。如果你需要对期望信用损失计提贷款准备金,那么你需要计提的准备金为

$$ECL = PD \times LGD \times EAD = 3\% \times (1-70\%) \times 5\,000 = 45 \text{ (万元)}$$

我们再看一个计算违约风险暴露的稍微复杂一些的例子。

例9-6 一家银行给一个企业提供总金额为50 000元的授信额度。目前该笔额度已经使用了80%。假设贷款在下一年的违约概率为2%,违约损失估计为50%。假设剩余授信额度违约后的损失率为60%。那么,如何计算这家银行的期望信用损失?

解答:在这个问题中,我们首先需要找到违约风险暴露。

$$EAD = 50\,000 \times 80\% + 50\,000 \times (1-80\%) \times 60\% = 40\,000 + 6\,000 = 46\,000 \text{ (元)}$$

$$ECL = PD \times LGD \times EAD = 2\% \times 50\% \times 46\,000 = 460 \text{ (元)}$$

信用损失的分散情况用损失分布的标准差⊖来度量。实际发生的信用损失一般围绕预期损失波动。根据概率论知识,在假设风险暴露为常数的情况下,未预期损失(UL)的计算公式为

$$\begin{aligned}UL &= EAD\sqrt{PD \times \sigma_{LGD}^2 + LGD^2 \times \sigma_{PD}^2} \\ &= EAD\sqrt{PD \times \sigma_{LGD}^2 + LGD^2 \times [PD \times (1-PD)]}\end{aligned} \quad (9\text{-}35)$$

由上式可见,损失分布的标准差是由违约损失率的方差和违约概率的方差共同驱动的。它是商业银行在正常经营的条件下超过期望信用损失的一种信用损失。

2. 非期望信用损失

为更好地理解**非期望信用损失**(unexpected credit loss,UCL),我们需要先了解最糟糕信用损失的概念。

最糟糕信用损失(worst credit loss,WCL)代表在某一置信水平上(通常监管机构要求为99.9%)不会被超过的损失额,这相当于分布的分位数。对于给定的置信水平 c,最糟糕信用损失定义为

$$1 - c = \int_{WCL}^{\infty} f(x)dxs \quad (9\text{-}36)$$

非期望信用损失是对期望信用损失的偏离,即最糟糕信用损失与期望信用损失的差,UCL=WCL-ECL。金融机构应该保有足够的资本金来保证不受非期望信用风险的影响。非期望信用损失取决于违约概率和违约事件之间的相关性。

⊖ 注意:这个标准差在有些参考资料里也被定义为非预期损失,但是这个非预期损失不同于我们后文要介绍的非期望信用损失,后者是信用VaR,是一个分位数,二者有明显的差异。

3. 信用 VaR

信用 VaR，也称 CVaR，是指在某一置信水平下的非期望信用损失，用最糟糕信用损失对期望信用损失的偏离程度来度量。信用 VaR 的数学表达式如下：

$$CVaR = UCL = WCL - ECL \tag{9-37}$$

式（9-37）中所有的损失都定义为正值。

信用 VaR 的大小应被视作为防止非期望信用损失造成的不利影响而应该持有的经济资本的数额。它的应用本质上不同于期望信用损失。实际上根据监管机构的要求，信用 VaR 一般是对机构一年时间内的非期望信用损失的度量。银行在这期间内可以采取相应的纠正措施，比如减少风险暴露额度和调整经济资本金数额等，这些措施需要的时间比市场风险所需的时间期限要长。

为了简单起见，这里我们只考虑违约模式下的损失，即仅仅由于违约而不是由于市场价值改变所导致的损失。对于一种金融工具，其信用损失为

$$CL = b \times CE \times LGD \tag{9-38}$$

式中，b 代表违约事件，是一个随机变量，当离散状态的违约事件发生时，违约概率 p 取值 1，否则取值 0。CE 是信用风险暴露，也称为违约风险暴露，LGD 是违约损失率。根据这些定义，信用损失为正值。

对于一个包含 N 个交易对手的信用资产组合，其信用损失为

$$CL = \sum_{i=1}^{N} b_i \times CE_i \times LGD_i \tag{9-39}$$

更一般地，信用损失的离差在很大程度上取决于违约事件之间的相关程度。但是由于不同因子之间相关性的影响，理论上，信用损失分布的计算非常复杂。

首先，违约事件 b_i 之间存在相关性。高相关性会导致同时违约，这会扩大信用损失分布的尾部并且增加非期望信用损失。

其次，违约事件 b_i 和违约损失率 LGD_i 之间存在相关性。历史数据表明，债券在衰退期的损失率明显比其他年份高。

最后，违约事件 b_i 和信用风险暴露 CE_i 之间也有相关性。比如**错向交易**（wrong-way trade）发生在信用风险暴露和违约概率之间正相关的情况下，**正向交易**（right-way trade）发生在交易对手可以进行对冲的情况下。因此，信用风险在正向交易中可以被降低，此时交易对手可以进行对冲。相反，错向交易会产生信用风险暴露和违约概率之间的正相关性，从而加大信用风险。

我们下面用一个例子来说明。

例 9-7 考虑一个由 A、B、C 三种债券组成的 1 亿元的投资组合。为了简单起见，我们假定：①违约风险暴露为常数；②违约发生情况下违约挽回率为 0，即违约损失率为 1；③对于不同的债券发行方，违约事件是独立的。

表 9-6 展示了三种债券的违约风险暴露、违约概率和信用损失。由这三种债券构成的资产组合，未来有任何一种资产违约的可能，有两种资产同时违约的可能，也有三种资产同时违约的可能。该资产组合未来的风险状态将有 7 种，也就是有 7 种可能的损失结果。

为了后面计算方便，我们把这 7 种损失结果按照损失的严重程度从上到下排序。这样，

我们可以简单地计算得到资产组合的期望信用损失 $ECL = \sum_{i=1}^{N} p_i \times CE_i = 13.25$（百万元⊖）。这是在假设基础上重复生成的平均数。

另外，我们需要给出损失的完全分布，来推导最大损失的情况。表 9-6 的下半部分给予了展示。在第一种情况下，三种债券都没有违约，在违约事件独立的假设下，该结果发生的概率为

$$(1-p_A) \times (1-p_B) \times (1-p_C) = (1-0.05) \times (1-0.10) \times (1-0.20) = 0.684$$

表 9-6 三种债券的违约风险暴露、违约概率和信用损失

债券	违约风险暴露（百万元）	违约概率
A	25	0.05
B	30	0.10
C	45	0.20

违约情况 i	损失（百万元）L_i	概率 $p(L_i)$	累积违约概率	期望损失（百万元）$L_i p(L_i)$	方差（百万元²）$(L_i - EL_i)^2 \times p(L_i)$
无违约	0	0.684	0.684	0	120.08
A	25	0.036	0.720	0.9	4.97
B	30	0.076	0.796	2.28	21.32
C	45	0.171	0.967	7.695	172.38
A、B	55	0.004	0.971	0.22	6.97
A、C	70	0.009	0.980	0.63	28.99
B、C	75	0.019	0.999	1.425	72.45
A、B、C	100	0.001	1.000	0.1	7.53
总和				13.25	434.69

在第二种情况下，债券 A 违约而其他两只债券不违约，该结果发生的概率为

$$p_A \times (1-p_B) \times (1-p_C) = 0.05 \times (1-0.1) \times (1-0.20) = 0.036$$

其他情况的概率以此类推。

图 9-3 给出了信用损失的概率分布图。从表 9-6 中我们可以计算得到损失的方差为

$$D(CL) = \sum_{i=1}^{N}(L_i - EL_i)^2 \times p(L_i) = 434.69 \text{（百万元}^2\text{）}$$

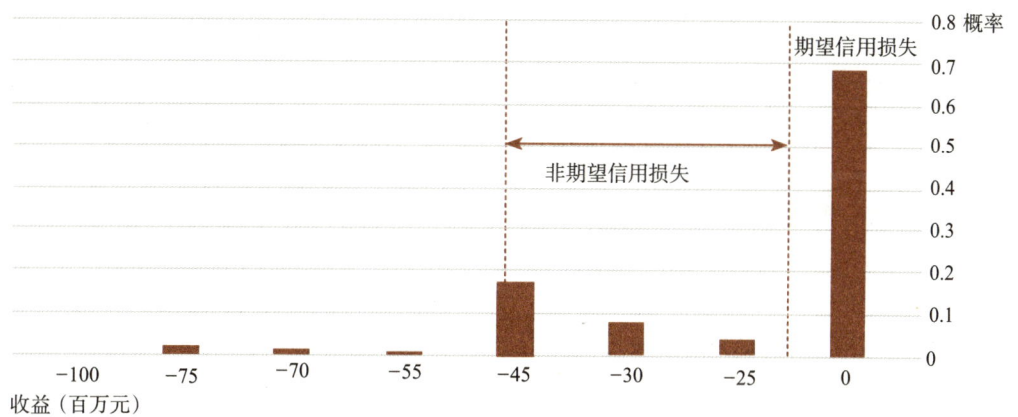

图 9-3 信用损失的概率分布图

⊖ 为方便计算，本例中金额单位为百万元。

那么，标准差为 $\sigma(\mathrm{CL}) = \sqrt{434.69} = 20.85$（百万元）。可以用 95% 的分位数来表示满足最小损失值 CL_i，如下式：

$$p(\mathrm{CL} \leqslant \mathrm{CL}_i) \geqslant 95\%$$

由于损失都是正数，分位数就是累积违约概率大于或等于 95% 所对应的最小损失数。从表 9-6 中，我们发现第四行的累积违约概率为 0.967，大于 95%，对应的损失值为 45 百万元，即 95% 置信水平下的最糟糕信用损失为 45 百万元。因为预期损失为 13.25 百万元，因此，根据信用 VaR 的定义，一定期限内 95% 置信水平下信用 VaR 为

$$\mathrm{CVaR} = \mathrm{WCL} - \mathrm{ECL} = 45 - 13.25 = 31.75 \text{（百万元）}$$

这一由三种债券构成的非常简单的资产组合，给我们提供了一个度量信用风险分布的有用实例。从这一例子中我们可以看出信用风险损失分布是左偏的。

9.5.2 衡量信用风险的信用转移方法：CreditMetrics 模型

CreditMetrics 模型是由 J.P. 摩根银行于 1997 年提出的，它是第一个用于度量组合信用风险的模型。它不仅能估算由违约引起的损失的概率分布，还能处理信用降级引起的损失问题。

CreditMetrics 模型以信用转移分析为基础，考察在一个给定的期限（通常设定为 1 年）内，估计一项贷款或债券从一个信用等级转移到另一个信用等级的可能性，包括发生违约的可能性。它对债券或贷款组合价值全部的未来分布进行建模，并按照和市场风险类似的方法，推导出一项资产或资产组合的信用 VaR。这里假定利率按照确定的方式变动。信用 VaR 就等于在合理的置信水平下未来价值的抽样分位数与均值的差额。

1. 单一债券的信用 VaR

我们以初始评级为 BBB、面值为 100 美元、票面利率为 6%、每年付息一次的债券的信用 VaR 为例，开始本部分内容的讨论[⊖]。

第一步，选定一个评级体系。

该体系除了含有评级分类的说明外，还要有既定期限内信用等级从一个级别转移到另外一个级别的概率，即信用等级转移矩阵。这个信用等级转移矩阵是计算信用 VaR 的重要组成部分。这个矩阵可以采用穆迪的评级系统，也可以采用标准普尔的评级系统或者银行内部的评级系统。

CreditMetrics 模型有一个假设：在同一个信用级别内的所有债券发行人都具有相同的信用风险，他们的信用等级转移概率和违约概率相同。KMV 模型对此提出了批评。KMV 模型与 CreditMetrics 模型的不同之处在于，在 KMV 模型的分析框架中，每个证券发行人都是特定的，并且具有各不相同的资本收益分布、资本结构和违约概率。

根据表 9-7，在给定的时间范围内，BBB 级别债券的信用级别可能留在 BBB 级别（86.93%），还可能上升为 AAA 级别（0.02%）、AA 级别（0.33%）、A 级别（5.95%），也可能下降为 BB 级别（5.30%）、B 级别（1.17%）、CCC 级别（0.12%），还有可能违约（0.18%），这个 BBB 级

⊖ 该部分的表格来自米歇尔·科罗赫的《风险管理》，中国财政经济出版社，2005 年。

别的债券可能在 8 种新的取值中变化。

表 9-7　标准普尔的 1 年内信用等级转移矩阵　　　　（单位：%）

初始评级	年末评级							
	AAA	AA	A	BBB	BB	B	CCC	违约
AAA	90.81	8.33	0.68	0.06	0.12	0.00	0.00	0.00
AA	0.70	90.65	7.79	0.64	0.06	0.14	0.02	0.00
A	0.09	2.27	91.05	5.52	0.74	0.26	0.01	0.06
BBB	0.02	0.33	5.95	86.93	5.30	1.17	0.12	0.18
BB	0.03	0.14	0.67	7.73	80.53	8.84	1.00	1.06
B	0.00	0.11	0.24	0.43	6.48	83.46	4.07	5.20
CCC	0.22	0.00	0.22	1.30	2.38	11.24	64.86	19.79

第二步，明确设定信用期限的长度。

期限的长度通常设定为 1 年，并且要和表 9-7 所展示的信用等级转移矩阵一致。但是这些期限长度是人为设定的，并且受会计数据可获得性和由评级机构处理过的财务报表可获得性的影响较大。在后面讲到的 KMV 模型中，可以选择任何时间期限：一年、两年或几年均可。

第三步，在对应的期限长度上，需要明确地对每一个信用级别设定一个远期零息利率，见表 9-8。

表 9-8　每一个信用级别的 1 年期远期零息利率　　　　（单位：%）

信用级别	1 年	2 年	3 年	4 年
AAA	3.60	4.17	4.73	5.12
AA	3.65	4.22	4.78	5.17
A	3.72	4.32	4.93	5.32
BBB	4.10	4.67	5.25	5.63
BB	5.55	6.02	6.78	7.27
B	6.05	7.02	8.03	8.52
CCC	15.05	15.02	14.03	13.52

第四步，重新计算每一个信用级别的价值。

比如，当该债券仍然停留在 BBB 级别时，由表 9-8 可知，BBB 级别在未来 1～4 年的远期零息利率分别为 4.10%、4.67%、5.25%、5.63%。那么面值为 100 美元、票面利率为 6% 的债券在 1 年期远期价值为 $V_{BBB} = 6 + \frac{6}{1+4.10\%} + \frac{6}{(1+4.67\%)^2} + \frac{6}{(1+5.25\%)^3} + \frac{106}{(1+5.63\%)^4} \approx 107.55$。按照这个思路，结合表 9-8 给出的远期零息利率，我们可以分别计算出 V_{AAA}、V_{AA}、V_A、V_{BB}、V_B、V_{CCC} 和 $V_{Default}$，具体计算结果见表 9-9。

最后一步，推导资产组合价值变动的远期分布。

根据表 9-9 的第五和第六列的数据，我们可以计算 ΔV 的分布的均值为 $m = \text{mean}(\Delta V_i) = \sum p_i \Delta V_i = -0.46$，$\Delta V$ 的分布的方差为 $\sigma^2 = \sum p_i (\Delta V_i - m)^2 = 8.95$，所以标准差为 $\sigma = \sqrt{8.95} = 2.99$。

当假设 ΔV 服从正态分布时，因为正态分布 $N(m, \sigma^2)$ 的第一个抽样百分位数是 $m - 2.33\sigma$，

即 –7.43，所以，99% 置信水平下的信用 VaR 为 7.43。

表 9-9　1 年期 BBB 级别债券价值和变动值的分布

年末评级	所处状态的概率 p (%)	远期价格 V（美元）	价值的变动 ΔV（美元）	$p \times \Delta V$	$p \times (\Delta V - m)^2$
AAA	0.02	109.37	1.82	0.00	0.00
AA	0.33	109.19	1.64	0.01	0.01
A	5.95	108.66	1.11	0.07	0.15
BBB	86.93	107.55	0	0.00	0.19
BB	5.30	102.02	−5.53	−0.29	1.36
B	1.17	98.10	−9.45	−0.11	0.95
CCC	0.12	83.64	−23.91	−0.03	0.66
违约	0.18	51.13	−56.42	−0.10	5.64

但是依据表 9-9 第四列的"实际"数据，可以看出 ΔV 的分布有一个长长的"向下的尾部"。表中与 99% 置信水平相对应的第一个百分位数为 −23.91（违约的概率是 0.18%，CCC 级别的概率是 0.12%，二者之和是 0.3%，但是 B 级别的概率是 1.17%）。因此，依据离散 VaR 的计算方法，该例中"实际"分布的信用 VaR 为 23.91。

在假设价值的变动服从正态分布时，计算 99% 置信区间内的信用 VaR 为 7.43，而基于"实际"分布的信用 VaR 为 23.91，两种模式下计算的信用 VaR 之差为 23.91 – 7.43 = 16.48。可见，假设变量为正态分布时，风险被低估了。

2. 组合的信用 VaR

计算组合的信用 VaR 的关键是估计违约事件的相关性。如果不考虑相关性，假设任意两个债务人的信用质量不相关，问题就简化了很多。而对一个大型贷款或债券组合的分散化进行评测时，两个债务人信用等级变动的相关度为零的假设就不实用了。实际上，其信用等级变动之间的相关度并不为零，而且，研究结果显示：总体信用 VaR 对于这些相关度非常敏感。

同一个行业或者同一个地区内企业的违约相关度会比无关企业之间的违约相关度要高。违约相关度会随着经济周期状况的变动而变动。我们不能期望违约和信用等级转移随着时间的推移会保持不变。

很明显，我们需要一种能够将违约概率和基本因素联系起来考虑的结构模型。CreditMetrics 模型和 KMV 模型都从企业资产相关度模型中推导出了违约率和信用等级转移率。CreditMetrics 模型用企业股票价格作为企业资产价值的近似（这是另一个可能影响模型准确性的假设）；CreditMetrics 模型估算了各种债务人资本收益之间的相关度，然后从资本收益的联合分布中直接推导出信用质量变动的相关度。

3. CreditMetrics 模型的小结

CreditMetrics 模型本质上是一个 VaR 模型，其目的是计算出在一定的置信水平下，一个信用资产组合在持有期限内可能发生的最大损失。但非交易性资产组合与交易性资产组合不同的是，贷款以及一些私募债券的价格不能够像股票价格一样容易获得，因此，这些资产价格的波动标准差也同样难以获得。这是非交易性资产组合 VaR 计算过程中的难点所在，而 CreditMetrics 模型的创新之处正是它为解决这一难题提供了方案。

9.5.3 KMV 模型

实际中的违约比 Merton 模型展示的要复杂得多。公司会有很多不同类型、不同期限的负债，附息债券的息票支付也有可能发生违约。美国著名的风险管理公司 KMV 公司（现已被穆迪公司收购）基于 Merton 模型的方法，于 1995 年构建了 KMV 模型，用来估计上市公司的**预期违约频率**（expected default frequency，EDF）。

KMV 模型的基本思想是 Merton 模型在信用风险上的应用。KMV 模型认为信用风险本质上是由债务人资产价值变动引起的。给定企业的资本结构，一旦设定了资产价值的随机过程，任何期限内的实际违约概率都可以被推导出来。KMV 模型的核心是推导出每一个债务人的估计违约概率或 EDF。EDF 是企业的特定因素，能够导入任何评级体系用于债务人的信用评级。KMV 模型的研究经验表明：实际数据同"企业资产的市场价值服从对数正态分布"这一假设非常吻合；资产收益的分布在所考察的日期内相当稳定，即资产收益的波动性相当稳定。

KMV 模型推导实际违约概率的三个步骤如下。

第一步，估计企业资产价值 V 和资产收益的波动性 σ。

一般来说，企业的负债不可交易，只有上市企业的权益价值可以直接观察到。在给定的假设条件下，我们可以根据股票的市场数据找到 σ_S。即期权益波动性 σ_S 相当不稳定，并且实际上对资产价值相当敏感。此时我们可以反解出 V 和 σ_V（见 Merton 模型部分）。

第二步，计算违约距离。

违约距离是衡量违约风险的指标。在期权定价框架中，当资产价值跌到企业负债价值之下时，就会发生违约或者破产，而违约和破产是不同的。违约是指企业在债务到期日对利息/本金无法进行偿付的情况。破产是企业将被清算，从资产出售中获得的收益将按预定的优先顺序分配给各种求偿权持有人。

KMV 模型通过长期观察发现：当企业资产价值到达一定水平——介于总负债值和短期债务值之间时，企业将发生违约。因此，用资产价值分布的尾部低于总负债值的部分来衡量违约概率这种做法并不精确。KMV 模型加入了一个中间处理阶段，提出了一个**违约距离**（distance to default，DD）指标。DD 是资产价值分布期望和临界点"**违约点**"（default point at time horizon T，DPT）之间的标准差。一般地，违约点为短期负债（STD）加长期负债（LTD）的一半。⊖

假定资产价值服从对数正态分布，以资产收益在 T 时的标准差来表示违约距离，则

$$\mathrm{DD} = \frac{\ln \frac{V_0}{\mathrm{DPT}_T} + \left(\mu - \frac{\sigma^2}{2}\right)T}{\sigma\sqrt{T}} \quad (9\text{-}40)$$

式中，V_0 是资产的当前市场价值；DPT_T 是 T 时的违约点；μ 是预期的资产收益；σ 是按年率计算的资产波动性；DD 是违约距离，即 1 年期预期资产价值 A 和违约点之间的距离，通常表示为资产收益的标准差，即

$$\mathrm{DD} = \frac{A - \mathrm{DPT}}{\sigma_A} \quad (9\text{-}41)$$

⊖ 另一种关于违约点的说法：DPT = 0.7 × (短期债务 + 长期债务)。

它表明违约点之下的阴影区域等于 $N(-DD)$。如图 9-4 所示。

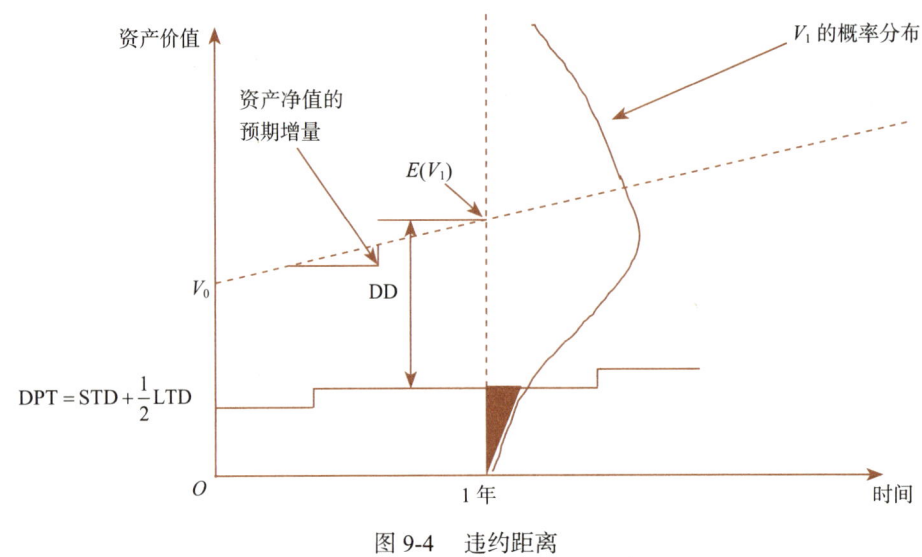

图 9-4　违约距离

第三步，从违约距离中推导出违约概率——使用违约数据库对实际违约概率差额进行修正。

将违约距离导入既定时间期限内的实际违约概率中。KMV 模型将这些概率称作 EDF。KMV 模型中计算 EDF 的做法：使用大样本（样本中包括那些已经违约的企业）的历史信息，估计出每一个期限内在给定级别（比如 DD=4）的情况下，1 年后实际发生违约的企业比例数。假设在所有 DD 为 4 的企业群中，在 5 000 个企业中有 20 个企业在一年后违约，那么 $EDF_T = \frac{20}{5\,000} = 0.004 = 0.4\%$，或 40 个基本点。这个违约概率暗含的信用评级为 BB+。这个比例，比如 40 个基本点，就是图 9-5 所示的 EDF。

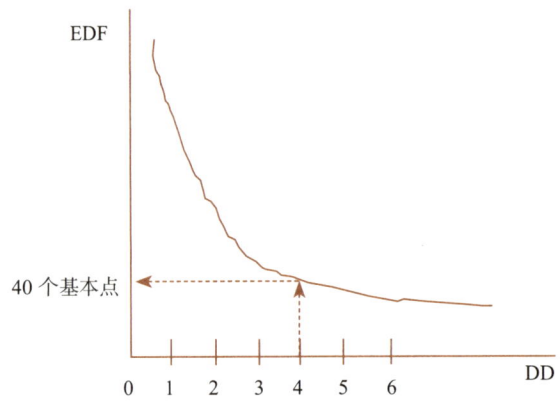

图 9-5　给定时间期限，将违约距离融入 EDF 中

KMV 模型把其分属于不同区间段的 EDF 与标准普尔和穆迪等评级公司的评级体系相联系，至此完成了违约概率与信用评级的关联，见表 9-10。

表 9-10　EDF 与部分评级公司的信用评级关联表

EDF	标准普尔	穆迪
2～4 个基本点	≥ AA	≥ Aa2
4～10 个基本点	AA/A	A1
10～19 个基本点	A/BBB+	Baa1
19～40 个基本点	BBB+/BBB−	Baa3
40～72 个基本点	BBB−/BB	Ba1
72～101 个基本点	BB/BB−	Ba3
101～143 个基本点	BB−/B+	B1
143～202 个基本点	B+/B	B2
202～345 个基本点	B/B−	B2

9.6　交易对手风险管理

9.6.1　交易对手风险

交易对手风险（counterparty risk）是场外衍生品交易过程中，一方不履行合约约定的义务给另一方造成损失的风险。它是一种特殊类型的信用风险，与信贷风险和市场风险相比有较大的差异。信贷风险是借款人偿还贷款违约的风险。市场风险是由于市场因子的不利变动造成标的资产价值下跌，给持有人带来损失（负的 NPV）的风险。交易对手风险是在合约具有正价值（正的 NPV）、对手方不履行合约的条件下才具有的风险。

假设交易商和其交易对手之间只存在一个衍生品交易，交易采用双边清算（即双方都不需要向对方提供担保品），我们分析这种情况下交易商的风险暴露情况。

这个交易未来有三种可能：①该衍生品永远是交易商的负债；②该衍生品永远是交易商的资产；③该衍生品既可能是交易商的资产，也可能是它的负债。第一种情形对应着期权的空头方，在这种情形下，交易商不会面临交易对手的信用风险暴露。第二种情形的实例是期权的多头方，在这种情形下，交易商的信用风险暴露始终存在。如果交易对手破产，交易商就会产生损失。第三种情形的实例是远期合约或利率互换，交易双方都可能面临风险暴露，这种情形更复杂，交易商对于交易对手的信用风险暴露在将来可能存在也可能不存在。如果交易对手违约时衍生品对于交易商的价值为正，交易商就会遭受损失；如果交易对手违约时衍生品对于交易商的价值为负，交易商不会有任何信用风险损失，此时和第一种情形类似。所以，交易商的净风险暴露为：$\max(V, 0)$。其中，变量 V 是衍生品在违约时的市场价值。

当交易商和交易对手之间存在很多交易时，如果双方之间有双边协议，这些交易会进行轧差。在任意时刻，如果没有担保品，交易商的净风险暴露为 $\max(V, 0)$，其中 V 是所有交易市场价值轧差后的净价值。

9.6.2　信用风险暴露

信用风险暴露是金融工具在有效期内处于风险之中的金额数量，在违约的情况下，也被称为违约暴露或违约风险暴露。在银行业务只包括贷款的时候，信用风险暴露实际上就是贷款的面值。这种情况下，信用风险暴露可以被认为是贷款的名义金额而且保持不变。

随着金融衍生品市场的发展，衍生品信用风险暴露的度量越来越复杂。以互换合约为例，这类衍生品的价值远小于其名义金额。互换合约的初始价值一般为零，这意味着互换合约开始时没有什么可损失的，因此没有信用风险。但是，当互换合约到期时，它会变成一个正值或负值。所以，信用风险暴露的度量是指资产在其有效期内价值大于零的部分，就像期权一样。

相比贷款、债券、不可撤销的信贷承诺等产品的信用风险评估，衍生品交易中的信用风险评估要复杂得多，这主要体现在两种产品的信用风险暴露完全不同。已发放贷款和债券的信用风险暴露一般情况下是名义金额。而衍生品交易中未来的信用风险暴露（对手方违约带来的损失）并不是已知的，它取决于未来标的资产价格的变动。比如，一家银行为客户提供了一笔本金为 1 000 万元、无抵押、期限为 3 年的贷款，本金到期偿还，则银行基本明确 3 年内的信用风险暴露大概就是 1 000 万元。但是假设银行与客户进行了一笔 3 年期的利率互换交易，银行面临的信用风险暴露就不像贷款那样那么容易确定了。因为利率互换协议的价值与将来的利率变化有关。对银行来说，如果利率互换的价值为正，银行面临的信用风险暴露等于互换的价值（即如果对手方违约，银行将损失该金额）；如果互换的价值为负，银行就没有信用风险暴露。只有合约中资产价值为正的一方才有信用风险暴露。

例 9-8 一家银行签订了一份 4 年期、名义金额为 1 亿元、每年支付一次的互换合约。该银行收取 6% 的固定利率，支付 12 个月的 LIBOR。在第一年年末，互换利率下降了 125 个基本点。此互换合约的当前风险暴露是多少？

对该银行来说，进入该互换合约等价于买入一个 4 年期、每年按 6% 的利率支付一次的固定利息债券，同时卖出一个相同期限和支付频率的浮动利息债券。互换合约的价值就是两个债券的投资组合，为 $V = V_{固定利息债券} - V_{浮动利息债券}$。易知，浮动利息债券的价值就是其面值 1 亿元。

$$V_{固定利息债券} = \frac{1 \times 6\%}{1+4.75\%} + \frac{1 \times 6\%}{(1+4.75\%)^2} + \frac{1 \times 6\%}{(1+4.75\%)^3} + \frac{1 \times (1+6\%)}{(1+4.75\%)^4} = 1.044\ 6\ (亿元)$$

因此，该互换合约对该银行来说，信用风险暴露为 $1.044\ 6 - 1 = 0.044\ 6$（亿元）。

9.6.3 错向风险和正向风险

一般情况下我们假定交易对手违约概率和信用风险暴露之间是相互独立的，但是现实中并不尽然。有时这两个风险因素会有一定的相关性。当交易商对于交易对手的信用风险暴露较高（较低）时，交易对手违约的可能性较大（较小），即交易对手的违约概率和信用风险暴露正相关，这种现象我们称为**错向风险**。类似地，当交易商对于交易对手的信用风险暴露较高（较低）时，交易对手违约的可能性较小（较大），即交易对手的违约概率和信用风险暴露负相关，这种现象被称作**正向风险**。

与交易对手进行交易时，交易商对于错向风险和正向风险的主观判断，取决于交易商对交易对手的业务，尤其是对交易对手所面临的风险特质的了解程度。要做出正确判断，还取决于对交易对手与其他交易商进行交易的了解。针对这一点的准确信息较难取得。

我们来看一个例子。从一家公司那里购买该公司股票的看跌期权，这是一个错向风险。因为当公司经营不善出现问题时，公司的违约概率变大，同时公司的价值有下降的风险。而公司股价下跌，以公司股票为标的的看跌期权的价值将上涨，持有该看跌期权的交易商的信用风险暴露将上升。公司经营不善，公司的违约概率和信用风险暴露同时上升，二者同向变动，因此该交易存在错向风险。

再来看一个交易商，其分别与两个交易对手签订了以固定价格 K 购买石油的远期合约。这两个交易对手一个是航空公司，一个是石油生产商。

首先我们来看交易商与航空公司之间的交易。假设到期时石油的价格 S_T 上涨。原材料价格上涨将造成航空公司经营压力上升。航空公司出现亏损并对远期合约违约的可能性增大，因此，违约概率上升。但与此同时，交易商持有的远期合约的价值（$V=S_T-K$）将增大，即信用风险暴露增大。违约概率和信用风险暴露出现同向变动，因此，该交易存在错向风险。

我们再来看交易商与石油生产商签订的远期合约的情况。如果合约到期时石油价格 S_T 上涨，交易商持有的远期合约的价值（$V=S_T-K$）将增大，信用风险暴露增加。但是石油生产商的销售收入将增加，公司违约的可能性下降，违约概率下降。因此，该交易存在正向风险。

思考： 向某公司卖出该公司股票的看跌期权，有没有错向风险或正向风险？答案是没有。因为期权的卖方在这项交易中永远处于负价值的状态，没有信用风险暴露。

9.6.4　信用违约互换

信用违约互换（credit default swap，CDS）是自 20 世纪 90 年代末以来，信用市场上出现的一种非常重要的衍生品。作为一种金融工具，CDS 的最简单形式是给信用保护的买方提供对某家公司违约的保险。这里所涉及的公司被称为**参考实体**（reference entity），某家公司的违约事件被定义为**信用事件**（credit event）。CDS 中的信用事件只有两种状态：违约或没有违约。一旦信用事件发生，CDS 的买方有权将违约公司的债券以债券面值作价卖给 CDS 的卖方。可卖出的所有债券的面值总额被称为 CDS 的面值。

CDS 的买方必须向卖方定期支付一项费用，直到 CDS 到期或者信用事件发生。付款日期通常在每个季度的末尾。信用保护的买方支付的费用与面值的比值被称为**信用违约互换溢差**（CDS spread）。

商业银行对发放的贷款进行信用风险缓释时，既可以要求借款人寻找第三方担保公司，也可以买入 CDS。途径不一样，但是目的是一样的，都是期望在债务人出现信用问题时，用第三方的现金流来弥补债务人带来的信用损失。但是商业银行在这两种途径中的姿态不一样。要求借款人寻找第三方为贷款做担保，商业银行采取的是被动消极的风险管理策略。银行主动到信用市场上购买 CDS，则是积极主动的信贷风险管理策略。

1. CDS 的结构

假如 B 银行欲在 2019 年 12 月给其客户 A 公司贷款 1 亿元。为了对冲 A 公司未来可能违约给银行带来的信用损失，B 银行与信用市场上的 C 银行在 2019 年 12 月 20 日进入一个 5 年期、面值为 1 亿元的 CDS。双方约定：CDS 的买方每年支付 90 个基点的费率（支付频率是每季度一次）。如图 9-6 所示，买方因此得到了对参考实体 A 公司的信用保护。

如果 A 公司没有违约（也就是信用事件没有发生），CDS 的买方 B 银行不会从 C 银行那里得到任何回报，且需在未来五年内每年的 3 月 20 日、6 月 20 日、9 月 20 日和 12 月 20 日向卖方 C 银行支付大约 225 000（=0.25×0.009×100 000 000）元的现金流。当有信用事件发生时，C 银行必须向 B 银行支付一笔可观的赔偿。

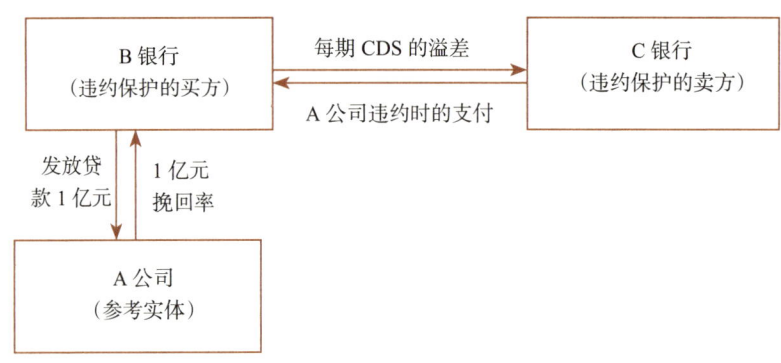

图 9-6 CDS 的结构图

假定在 2022 年 5 月 20 日，CDS 的买方通知卖方有信用事件发生，根据合约，卖方需要向买方进行交割。如果合约阐明的交割方式为实物交割，CDS 的买方 B 银行可以以 1 亿元的价格向 C 银行卖出面值为 1 亿元的参考实体 A 公司发行的债券；如果合约阐明的交割方式为现金交割，则在违约发生后的几天内，可采用一个两阶段式的拍卖过程以确定**最便宜可交割债券**（cheapest deliverable bond）的市场中间价。假定拍卖显示最便宜可交割债券的价格为每 100 元面值合 35 元，这时 CDS 的卖方 C 银行必须向买方 B 银行支付 6 500 万元。信用事件发生后，信用保护的买方向卖方的支付会终止。但是，因为付款准确时间为每个时间区间的末段，所以通常买方必须向卖方支付最后的**应计累积款**（accrual payment）。

2. CDS 和看跌期权

银行给企业贷款或投资风险证券，既可以看作投资一种无风险债券的同时卖出一份看跌期权，也可以看作投资一种无风险债券的同时卖出一份 CDS。二者的效用是一样的。因此 CDS 实际上是期权而不是互换。

但是 CDS 与一般期权不同，主要在于它的费用是分期支付而不是事先支付的。另外，一般意义上说，买入看跌期权，除了为了它的保险功能，还为了获得投资收益的可能。而买入 CDS，只能对冲损失，不会带来额外收益。

CDS 合约的一个关键是合约中必须约定关于信用事件（即违约）的定义。通常信用事件包括不能按期付款、债务重组或破产。在北美一些国家采用的合约中，重组事件有时候会被排除在外，特别是在参考实体公司的债券收益率非常高的情况下。

3. CDS 的定价

CDS 合约可以根据合约各方的现金流现值进行定价。

为了简单起见，假设违约发生在第 t 年年末。定义 PV_t 为时刻 t 的贴现因子。那么，从现在到 t 年的边际违约率为 $k_t = S_{t-1} \times d_t$，其中 S_{t-1} 是第 $t-1$ 年的存活率，d_t 是第 t 年的违约概率。存活率和累积违约率的关系为

$$C_t = k_1 + k_2 + \cdots + k_t = 1 - S_t \tag{9-42}$$

1～5 年期的累积违约率见表 9-11，表中的累积违约率是信用评级为 BBB 的资产的市场普遍报价。比如，5 年期的市场隐含累积违约率为 15.42%。

表 9-11　CDS 的收益

年	概率（%）				贴现因子	合约支付（元）		价差支付（元）	
	累积违约率	存活率	年度违约率	边际违约率			期望支付		期望支付
	C_t	S_t	d_t	k_t	PV_t	$k_t(1-RR)$		$s \times S_{t-1}$	
1	2.64	97.360 0	2.64	2.64	0.943 4	1.584	1.494 3	1.000 0s	0.943 4s
2	5.48	94.520 0	2.917 0	2.84	0.890 0	1.704	1.516 6	0.973 6s	0.866 5s
3	8.57	91.430 0	3.269 1	3.09	0.839 6	1.854	1.556 7	0.945 2s	0.793 6s
4	11.89	88.110 0	3.631 2	3.32	0.792 1	1.992	1.577 9	0.914 3s	0.724 2s
5	15.42	84.570 0	4.017 7	3.54	0.747 3	2.124	1.587 2	0.881 1s	0.658 4s
							7.732 6		3.986 1s

假设市场无风险利率为 6%，违约事件发生时债券还能挽回面值的 40%。现在我们通过一个期限为 5 年、面值为 100 元的 CDS 的估值过程来看 CDS 的定价问题。

根据累积违约率 C_t 和存活率 S_t 的关系为 $C_t = 1 - S_t$，我们可以计算出 1～5 年的存活率 S_t。

根据年度违约率 d_t 和存活率 S_t 的关系为 $S_t = (1-d_1) \times (1-d_2) \times \cdots \times (1-d_t)$，其中 $S_1 = 1 - d_1$，依次迭代我们可以计算出 d_2、d_3、d_4 和 d_5。

再根据边际违约率为 $k_t = S_{t-1} \times d_t$，我们可以计算出从现在到 t 年的边际违约率为 k_t。具体的计算过程如表 9-11 所示。

我们来计算第一次支付。在违约发生的情况下，CDS 的买方将收到债券的面值减去已回收回来的部分。每年发生这种情况的概率为 k_t。那么，第一年的期望支付为 2.64%×(1-40%)×100×0.943 4 = 1.494 3（元）。将五年的现值加总，得到合约的期望支付的现值为 7.732 6 元。

作为交换，合约的买方必须支付年度价差 s，以 100 元面值的百分比定义。该价差将一直支付到违约事件发生为止。在第一年，期望支付的现值为 $\frac{s}{100} \times 100 \times S_0 \times PV_1 = 0.943 4s$（元）。这里，$S_0 = 1.000$，因为我们确定在第一年年末违约时该支付一定发生。贴现因子 $PV_1 = 0.943 4$。

在第 2 年，期望支付的现值为 $\frac{s}{100} \times 100 \times S_1 \times PV_2 = \frac{s}{100} \times 100 \times 0.973 6 \times 0.890 0 = 0.866 5$（元）。以此类推，我们可以得到第 3 年、第 4 年和第 5 年的期望支付的现值。将这 5 年的价差支付的现值加总得到 3.986 1s（元）。

价差支付的现值一定等于合约支付的现值。用公式表示为 V_{CDS} = 合约支付的现值 - 价差支付的现值，即

$$V_{CDS} = \sum_{t=1}^{T} k_t \times (1-RR) \times 100 \times PV_t - s(\sum_{t=1}^{T} S_{t-1} \times PV_t) \quad (9\text{-}43)$$

根据合约的市场公平性，合约的初始价值一定为零。在本例中，令 $V_{CDS} = 0$，我们即可得到公平的价差。这里，$7.732 6 - 3.986s = 0$，解出 $s = 1.94$，即面值的 1.94%。注意，这个结果非常接近年度平均违约率与违约损失率的乘积。

假设该 BBB 级别公司债券 5 年的平均违约率为 d^a，根据存活率和平均违约率的关系 $S_5 = (1-d^a)^5$，5 年的平均违约率为 $d^a = 3.3\%$。平均违约率与违约损失率的乘积为 3.3%×(1-40%) = 1.98%。

式（9-43）也可以给未结算的 CDS 合约定价。比如，假设签订合约时的价差为 150 个基本

点，即 1.5%，该 CDS 合约的价值为 $V_{CDS} = 7.7326 - 3.986 \times 1.5 = 1.7536$（元）。CDS 的买方可以从中获利，因为当前的价差比签订时锁定的价差要高。

本章小结

商业银行可以根据外部专业的信用评级机构对借款客户的评级进行决策，也可以利用自己的信用评级体系和方法，对借款客户进行信用评级，为贷款决策提供依据。前者称为外部评级，后者称为内部评级。

本章首先介绍了传统的、主要针对违约风险的信用风险管理方法，比如信用评级机构的信用评级、专家判断法的"5C"分析法、Altman 的 Z 值模型。接着介绍了违约概率、违约损失率和信用风险暴露等几个信用风险因子，然后在此基础上介绍了信用风险度量的发展历程。

违约损失率经常被看作是外生变量，除衍生金融工具外，债券或贷款的信用暴露一般是常数。因此，信用风险的三个风险因子中，违约概率的度量成了信用风险度量的核心。本章介绍了两种度量违约概率的方法：一种是通过历史违约数据，提供违约概率的"客观"度量的精算法。精算法对违约概率的度量由信用评级机构提供，评级机构把借款人的信用等级进行分类，并以此来量化违约风险。另一种是通过债券或股票的交易价格和信用衍生产品的"风险中性"价格来推断出市场对于违约风险的估计的市场价格法。

资产组合理论告诉我们，应该从某种资产对资产组合整体风险水平的贡献角度来考虑风险。期望信用损失是定价和计算损失准备金所需要的基本信息，非期望信用损失是在某种置信水平下对期望信用损失大小偏离的最坏程度。信用 VaR 是指在某一置信水平下的非期望信用损失，它用最糟糕信用损失对期望信用损失的偏离程度来度量。最后，本章对信用风险组合模型，包括 CreditMetrics 模型和 KMV 模型等做了概述，并介绍了对风险经理非常重要的每个模型的优缺点。

相比贷款、债券、不可撤销的信贷承诺等产品的信用风险评估，衍生品交易中的信用风险评估要复杂得多，这主要体现在两种产品的信用风险暴露完全不同。已发放贷款和债券的信用风险暴露一般情况下是名义金额。而衍生品交易中未来的信用风险暴露（对手方违约带来的损失）并不是已知的，它取决于未来标的资产价格的变动。当交易对手方的违约概率和风险暴露相关时，衍生品交易过程中还会产生错向风险和正向风险。

CDS 是自 20 世纪 90 年代末以来信用市场上出现的一种非常重要的衍生品。它的最简单形式是卖方给信用保护的买方提供了对某家公司违约的保险。它与期权不同的地方主要在于它的费用是分期支付而不是事先支付。此外买入看跌期权，除了期权的保险功能外，还有获得投资收益的可能。而买入 CDS，只能对冲损失，不会带来额外收益。

本章的**重点**和**难点**：①信用风险因子：违约概率、违约损失率和信用风险暴露；②度量违约风险的精算法（历史违约概率、违约率的时间变化、信用转移矩阵、累积违约概率、边际违约概率、违约概率的二叉树方法、违约的集中度风险；③度量违约风险的市场价格法（用 CDS 的信用价差估计违约风险、用 Merton 模型估计违约风险）；④交易对手风险管理（信用风险暴露、正向风险和错向风险等）。

关键概念

信用评级　　　　　精算法　　　　　信用价差　　　　　KMV 模型

专家判断法	历史违约率	Merton 模型	交易对手风险
Z 值模型	二叉树	期望信用损失	错向风险
违约概率	非期望信用损失	正向风险	违约损失率
信用等级转移矩阵	信用 VaR	信用违约互换	信用风险暴露
市场价格法	CreditMetrics 模型		

练习题

1. 由于发生金融危机，一家小型零售银行希望建立更好的模型来预测其大型商业贷款发生违约的可能性。它建立了评估商业客户信用风险的内部评级方法。根据下面给出的一年期转移概率表，当前评级为 B 的贷款在两年内发生违约的概率为多大？

期初评级	期末评级			
	A	B	C	违约
A	0.9	0.1	0	0
B	0	0.75	0.15	0.1
C	0	0.05	0.55	0.4

2. 假设某商业银行有一个由 20 笔贷款构成的信贷组合，名义价值为 100 万美元。每笔贷款的违约概率都是 2%，违约挽回率为 0。假设 20 笔贷款的违约相关系数为 1。请问：该贷款组合在 99% 置信度下的信用 VaR 为多少？

3. 你已经同意向一家公司一次性支付 5 000 万美元的贷款。该公司有 3% 的可能性违约，另外，通过计算你知道该笔贷款一旦发生违约，最终可以挽回的比率为贷款额度的 70%。如果你需要对期望信用损失计提信用准备金，那么你需要计提多少准备金？

4. 一个投资者持有一个 1 亿美元的投资组合。该组合包括 4 000 万美元的 A 级别债券和 6 000 万美元的 BBB 级别债券。假设 A 级别债券和 BBB 级别债券在一年内的违约概率分别为 3% 和 5%，而且它们之间相互独立。如果 A 级别债券的违约挽回率为 70%，BBB 级别债券的违约挽回率为 45%，那么该组合在一年内的期望信用损失是多少？

5. 简述 CDS 和看跌期权的异同。

6. 简述信贷的"5C"方法。

7. 一个投资组合包含 A 和 B 两种债券。信用 VaR 定义为在一年内置信水平为 98% 时的最大损失。两种债券的联合违约概率为 1.27%，违约事件之间的相关系数为 30%，该组合中 A 债券的债券价值、违约概率和回收率分别为 100 万美元、3% 和 60%，B 债券的债券价值、违约概率和回收率分别为 60 万美元、5% 和 40%。请问：

   （1）该组合的期望信用损失是多少？
   （2）该组合的非期望信用损失（超过期望信用损失的部分），即信用 VaR 的最恰当的估计是多少？

8. ABC 公司在 2004 年 1 月 1 日成立，它的期望年违约率为 10%。假设季度违约率为一个常数，那么 ABC 公司在 2004 年 4 月 1 日前未违约的概率是多少？

9. 一年的无风险利率为 5%，公司债券的一年期收益率为 6%，假设公司债券的回收率为 75%，那么该债券的市场价格反映的违约概率是多少？

10. 一年期的 BBB 级别债券与一年期国债之间的价差为 2%。价差中的非信用因素（例如流动性风险和税收）为 0.8%，假设债券的损失率为 60%，那么该债券的市场价格反映的违约概率是多少？
11. A 银行拥有一个 1 000 万美元的 5 年期贷款，但是该银行希望抵消暴露于债务人的信用风险。目前市场上有一个参考资产为这笔贷款、期限为 5 年、价差为每季度支付 50bp 的 CDS 在交易。请问：A 银行如何做才能对冲它的信用风险暴露？
12. 简述什么是正向风险，什么是错向风险。同时思考：向某公司卖出该公司股票的看跌期权，有没有错向风险或正向风险？

案例专栏

校园贷：信用风险与社会责任的双重审视

近年来，随着互联网金融的快速发展，校园贷作为一种针对大学生群体的金融服务应运而生。它主要为在校大学生提供小额贷款，帮助他们解决短期内的资金需求。然而，由于监管不足、市场不成熟以及部分学生金融知识缺乏等，校园贷引发了多起信用风险事件，同时也引发了人们对企业社会责任的广泛讨论。

小张是一名大二学生，由于家庭经济状况一般，他一直希望能够通过兼职工作来减轻家庭的经济负担。一天，他在网上看到了一则校园贷广告，声称"无抵押、低利率、快速放款"。小张正好近期需要购买一些学习资料和生活用品，便心动了。在没有充分了解贷款条款的情况下，小张通过简单的在线申请流程，很快获得了一笔 5 000 元的贷款。然而，当还款日期临近时，小张发现自己的兼职收入并不足以偿还贷款本金以及高额的利息和费用。在催收人员的不断催促下，小张不得不向同学借钱，甚至动用了学费来偿还贷款。

随着时间的推移，小张的债务越滚越大，他的精神压力也越来越大，最终不得不向学校和家庭坦白。学校和家庭虽然对小张的行为感到失望，但更担心他的心理健康和未来。同时，这一事件引起了社会对校园贷业务的广泛关注。

1. 信用风险分析

（1）借款人信用评估不足。校园贷平台在贷款审批过程中，往往忽视了对借款人信用状况的严格评估，导致贷款违约风险增加。

（2）利率和隐藏费用高。校园贷的利率往往较高，且可能存在一些不透明的费用，增加了借款人的还款压力。

（3）风险教育缺乏。部分大学生缺乏金融知识和风险意识，容易受到高利诱惑而忽视潜在的风险。

2. 社会责任分析

（1）企业伦理缺失。部分校园贷平台为了追求利润，忽视了对借款人权益的保护，未能充分履行企业的社会责任。

（2）监管不到位。在校园贷业务快速发展的过程中，相关监管政策未能及时跟进，导致市场乱象丛生。

（3）社会教育不足。社会和学校在金融教育方面的投入不足，未能为大学生提供足够的金融知识和风险意识教育。

近年来，校园贷相关案件频发，不少大学生因盲目借款、忽视信用风险而陷入困境。这一案例深刻揭示了信用风险与个人生活的紧密联系。通过介绍此案例，我们旨在引导学生认识到，信用风险不仅关乎金融机构的利益，更与每个人的生活息息相关，是个人财务规划与风险管理的重要一环。

在金融学领域，信用风险是指借款人或债务人因各种原因未能按时、足额偿还债务或履行相关义务，从而给债权人或投资人带来损失的可能性。在校园贷案例中，大学生作为借款人，往往因缺乏足够的金融知识和风险意识，盲目追求短期资金，而忽视了长期还款能力和潜在的信用风险。这种行为不仅可能导致个人信用受损，还可能引发一系列连锁反应，如影响学业、家庭关系和社会声誉等。

进一步分析，信用风险不仅仅局限于个体层面，它还具有社会性和传染性。一旦大量个体出现信用违约，金融机构可能面临资金链紧张、坏账率上升等问题，进而影响金融市场的稳定性。因此，信用风险的管理不仅关乎个人财务健康，而且是维护金融秩序和社会稳定的重要基石。

在此背景下，金融机构的社会责任显得尤为重要。作为金融服务的提供者，金融机构在追求经济效益的同时，必须充分考虑客户的还款能力和信用风险，避免过度借贷和不当催收等行为。这要求金融机构在产品设计、营销推广、信贷审批等各个环节都融入风险管理理念，确保金融服务的可持续性和社会责任的履行。

资料来源：中国银监会，教育部，人力资源社会保障部，关于进一步加强校园贷规范管理工作的通知，2017年6月28日。

案例讨论题

1. 结合小张的案例，分析校园贷中信用风险的主要来源，并针对如何有效减少这些风险提出建议。
2. 从社会责任的角度，探讨校园贷平台、监管机构和社会各界在校园贷问题中应承担的责任。
3. 校园贷案件的频发反映出部分大学生在社会责任意识方面的缺失。结合小张的案例，谈谈如何在高校教育中加强大学生的社会责任意识培养。

第 9 章　案例讨论题参考答案

第 10 章
CHAPTER 10

操作风险管理

§ 学习目标

1. 掌握巴塞尔委员会对操作风险的两类定义（损失原因与事件类型）。
2. 学会使用损失分布法（LDA）评估操作风险。
3. 能够应用模型来确定金融机构操作风险的资本配置。
4. 认识到构建有效操作风险管理框架的核心要素是强化法治意识、职业要求与道德伦理。

10.1 操作风险的定义

市场风险主要存在于交易账户，信用风险主要存在于银行账户，操作风险的不同之处在于它广泛存在于商业银行的资产业务、负债业务和管理的各个领域。与市场风险和信用风险不同，银行承担操作风险的结果是只可能有损失，不可能有收益。因此，它是一种纯粹的风险，具有普遍性、复杂性、可转化性和非营利性等特征。

尽管银行从诞生之日起就开始面临操作风险，但是人们系统研究操作风险的历史并不长。一直以来，金融机构对操作风险采取的管理措施大多是制定相关的规章制度和操作规程。直到 20 世纪末，金融业才认识到操作风险也是导致金融损失的重要原因。事实上，大部分金融事故都可以归因于市场风险、信用风险以及某种失控，而这种失控恰恰就是操作风险的体现。于是，监管机构在出台《巴塞尔协议Ⅱ》时，将操作风险管理提升到和市场风险管理、信用风险管理相同的高度，同样需要进行资本充足率监管。

对操作风险的定义有很多口径。比较广义的一种定义是把操作风险称作剩余风险，指除了信用风险和市场风险之外的所有风险。《巴塞尔协议Ⅱ》对操作风险的定义有两种类型：**一种是基于损失发生原因的定义，另一种是基于损失事件类型的定义**。

基于损失发生原因的**操作风险**定义⊖：操作风险是由不当或者失效的内部流程、人员、系统以及外部事件所造成的损失。相应的风险因素来自四个方面，分别是人员因素、内部流程、系统缺陷和外部事件。

（1）人员因素方面的表现形式主要为职员欺诈、失职违规、违反用工法律等。

（2）内部流程方面的表现形式主要为流程不健全、流程执行失败、控制和报告不力、文件或合同缺陷、担保品管理不当、产品服务缺陷、泄密、与客户的纠纷等。

（3）系统缺陷方面的表现形式为信息科技系统和一般配套设备不完善。

（4）外部事件方面主要表现为外部欺诈、自然灾害、交通事故、外包商没有履行责任等。

基于损失事件类型的**操作风险**定义是商业银行建立有效的操作风险识别体系的重要基础。按照操作风险损失事件类型，操作风险分为七大类。

（1）内部欺诈。指内部故意骗取、盗用财产或违反监管规章、法律或公司政策导致的损失事件。此类事件至少涉及内部一方，但不包括歧视及差别待遇事件。

（2）外部欺诈。指第三方故意骗取、盗用、抢劫财产，伪造要件，攻击商业银行信息科技系统或逃避法律监管导致的损失事件。

（3）就业政策和工作场所安全。指违反就业、健康或安全方面的法律或协议，个人工伤赔付或者因歧视及差别待遇导致的损失事件。

（4）客户、产品和业务活动。指因未按有关规定对特定客户履行分内义务（如诚信责任和适当性要求）或产品性质、设计缺陷导致的损失事件。

（5）实物资产的损坏。指因自然灾害或其他事件（如恐怖袭击）导致实物资产丢失或毁坏的损失事件。

（6）业务中断和信息科技系统故障。指由于系统无法正常办理业务或系统失误所导致的损失事件。

（7）执行、交割和流程管理。指因交易处理或流程管理失败，与交易对手方、外部供应商及销售商发生纠纷导致的损失事件。

《巴塞尔协议Ⅱ》也将操作风险损失事件按照八种业务类型进行分类。这八种业务类型分别为：公司金融、交易与销售、零售银行、商业银行、支付与结算、机构服务与托管、资产管理、零售经纪。

另外，一起操作风险损失事件，可能会涉及多个损失事件类型。比如内部和外部相勾结形成的操作风险损失就涉及内部欺诈和外部欺诈两个事件类型。

10.2 操作风险评估：损失分布法

操作风险的定义可以有效地帮助我们进行操作风险识别。操作风险识别后就需要进行操

⊖ 我国国家金融监管总局于 2023 年 11 月 1 日发布、于 2024 年 1 月 1 日起正式实施的《商业银行资本管理办法》中对操作风险的定义为：操作风险是指由于内部程序、员工、信息科技系统存在问题以及外部事件造成损失的风险，包括法律风险，但不包括战略风险和声誉风险。所以，我国监管机构对操作风险的定义也是基于损失发生原因的定义。

作风险度量。因为它不像市场风险和信用风险那样易于精确度量，所以我们需要对其进行评估。这些评估方法主要分为自上而下和自下而上两大类。

自上而下模型（top-down model）：这类模型试图用公司范围或行业范围的数据来度量操作风险。度量的结果用来决定缓释风险所需要的资本，而这些资本是需要在各行业各部门进行分配的。

自下而上模型（bottom-up model）：顾名思义，该方法是从基层业务部门或过程的层面入手，然后将度量结果汇总，来判断机构整体面临的风险状况。这类模型的优点是机构能更好地理解操作风险的成因。

操作风险管理的工具有很多，比如，审计监督（audit）、关键问题的自我评估（critical self-assessment）、关键风险指标（key risk indicator）、收入波动性（earnings volatility）、因果网络（causal network）和精算模型（actuarial model）等。下面重点介绍精算模型中的损失分布法。

使用精算模型估计损失分布的基础是历史数据。这里的数据不仅要包含内部数据（internal data），还要包括外部数据（external data）。但在使用它们时要注意：内部数据可能遇到数据量不够和生存者偏差（survivorship bias）问题；外部数据容易出现不匹配、数据收集偏差（data capture）和截尾偏差（truncation bias）等问题。

使用精算模型来估计操作风险的损失分布时，有两个分布非常重要。它们分别是：损失的频率分布和损失严重程度分布。以这两种分布为基础的损失度量方法，被称为**损失分布法**（loss distribution approach，LDA）。

损失频率分布（loss frequency distribution）描述在某个时间段（通常是一年）内观察到的损失出现的次数。定义损失的频率为一定时间内损失发生的次数，一般用变量 n 表示，其中 n 要求为正整数，则损失频率的概率密度函数为

$$f(n), n = 0, 1, 2, \cdots \tag{10-1}$$

这可以用一些分布来描述，常见的有二项分布、泊松分布和几何分布等。

损失严重程度分布（loss severity distribution）告诉人们损失事件发生后损失数额的大小。将一次损失的严重程度设为 x（或 X），其概率密度函数为

$$g(x|n=1), x \geq 0 \tag{10-2}$$

这可以用一些密度函数来描述，例如对数正态分布、指数分布等。

最后，一定时间内的总损失就是以随机次数发生的所有损失的总和，即

$$S_n = \sum_{i=1}^{n} X_i \tag{10-3}$$

实践中我们经常假设损失的频率和损失严重程度相互独立，也就是两个分布相互独立。在这个假设下，我们可以通过卷积法来合并成总损失的分布。**卷积**（convolution）可以通过列表等方式来实现。列表法是将所有可能的合并情况及其概率系统地记录下来。

下面，我们以一个例子来具体说明如何将这两个分布合并为一个分布，即一定时间内总损失的计算过程。

例10-1 假设某商业银行的操作风险的损失频率分布和损失严重程度分布信息分别如表10-1和表10-2所示。请问该商业银行在95%置信水平下的操作风险 VaR 是多少？

我们从无损失情况开始。很明显，没有损失发生的概率为 0.6。

然后，我们观察只发生一次损失的情况。只发生一次损失并且损失的金额为 1 000 美元的概率为 $P(n=1) \times P(x=1000) = 0.3 \times 0.5 = 0.15$；同理，只发生一次损失并且损失的金额为 10 000 美元和 100 000 美元的概率分别为 0.09 和 0.06。

表 10-1 损失频率分布

事件的发生概率	频率
0.6	0
0.3	1
0.1	2
期望	0.5

表 10-2 损失严重程度分布

概率	严重程度（美元）
0.5	1 000
0.3	10 000
0.2	100 000
期望	23 500

我们再考察发生两次损失的情况。发生两次损失的情况有多个不同组合。比如，两次损失都是 1 000 美元，总损失为 2 000 美元的概率为 $P(n=2) \times P(x=1000) \times P(x=1000) = 0.1 \times 0.5 \times 0.5 = 0.025$；发生两次损失事件，一次的损失额度为 1 000 美元，另外一次的损失额度为 10 000 美元，总的损失额度为 11 000 美元的概率为 $P(n=2) \times P(x=1000) \times P(x=10000) = 0.1 \times 0.5 \times 0.3 = 0.015$。以此类推，直到遍及所有的组合。

我们通过卷积法列出所有损失的分布，然后把损失结果从小到大、从上往下依次排列于表格中，见表 10-3。

表 10-3 操作风险的所有损失分布

损失发生的次数	第一次损失（美元）	第二次损失（美元）	总损失（美元）	概率
0	0	0	0	0.6
1	1 000	0	1 000	0.15
1	10 000	0	10 000	0.09
1	100 000	0	100 000	0.06
2	1 000	1 000	2 000	0.025
2	1 000	10 000	11 000	0.015
2	1 000	100 000	101 000	0.01
2	10 000	1 000	11 000	0.015
2	10 000	10 000	20 000	0.009
2	10 000	100 000	110 000	0.006
2	100 000	1 000	101 000	0.01
2	100 000	10 000	110 000	0.006
2	100 000	100 000	200 000	0.004

把相同数额的损失合并后，我们仍然把损失数额从小到大、从上往下依次排列，就得到如表 10-4 所示的损失分布。

表 10-4 操作风险的损失分布

损失（美元）	累积概率（%）
0	60
1 000	75
2 000	77.5
10 000	86.5
11 000	89.5
20 000	90.4
100 000	96.4
101 000	98.4
110 000	99.6
200 000	100

损失的频率分布和损失严重程度分布这两个简单的分布，生成了一个复杂的总损失分布，如图 10-1 所示。操作风险的损失一般都记为正数。我们可以简单地用两种分布的期望值的乘积来估计总损失的期望值，即 $E(\text{Loss}) = E(N) \times E(X) = 0.5 \times 23\,500 = 11\,750$（美元）。但是风险管理的目标是非期望损失。所以，风险经理可以报告概率大于 95% 的损失的最低值，这里大约为 100 000 美元，它的概率为 96.4%。因此，非期望损失为 $100\,000 - 11\,750 = 88\,250$（美元）。如果操作风险 VaR 包括期望损失，那么它就是 100 000 美元。

在《巴塞尔协议 II》中，操作风险 VaR 为一年中置信水平为 99.9% 的 VaR 值。

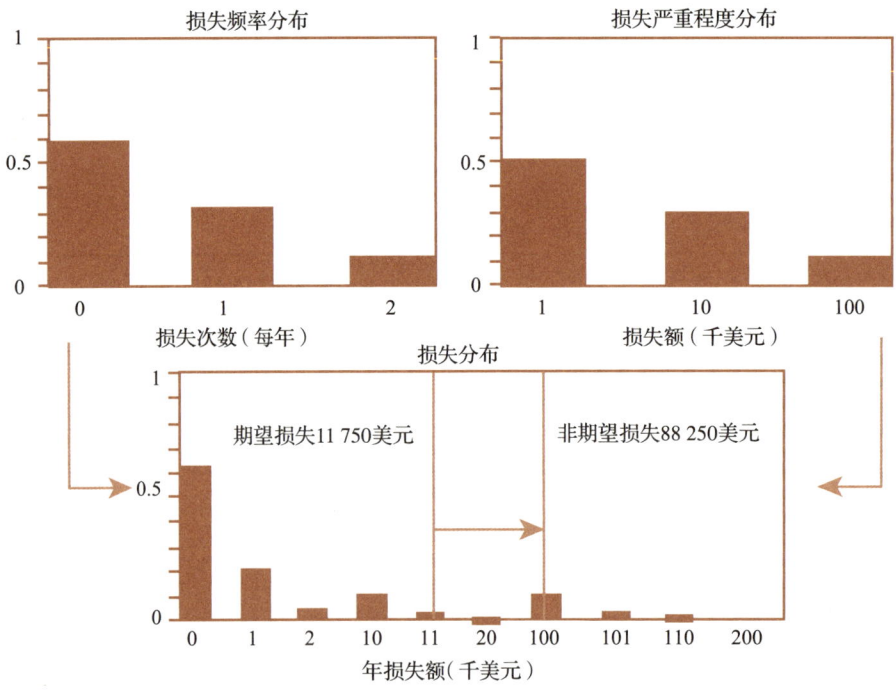

图 10-1 操作风险损失分布的生成

10.3 操作风险的管理

操作风险管理中非常重要的一项工作是对损失数据的收集。损失数据收集是银行对因操作风险引起的损失事件进行收集、报告并管理的相关工作。商业银行的操作风险损失数据收集包含几个核心环节。比如损失事件识别、损失事件填报、损失金额确定、损失事件信息审核和损失数据验证等。为了保障损失分布的准确性，银行必须确保每个核心环节按监管要求进行。

操作风险的损失数据主要有两大类：高频低损数据和低频高损数据，前者常见于银行的内部数据，后者常见于外部数据。内部数据只反映金融机构的真实控制环境，但是可能会面临数据量不够的问题，因为银行依然在经营，数据也会遇到生存者偏差，所以，数据中可能缺乏足够的尾部事件数据，而这些尾部数据对极端损失的建模非常重要。虽然低频高损发生的频率低，但银行最关注的还是低频高损数据。

既然内部数据难以满足要求，为了解决这个问题，我们就需要用到外部数据。外部数据的来源主要有两个：数据共享和数据供应商。

同内部数据一样，来自其他银行和金融机构报告的外部数据也有局限性，因为其他银行和金融机构的标准和控制系统可能无法同使用数据的银行相匹配。局限之一体现在报告数据的银行并不愿暴露它们的弱点，只有大的损失数据才难以隐藏。因此，这就造成了数据收集偏差。来自数据供应商的数据都是基于公开发布的信息，因此偏向于大额损失。另一局限性在于数据库只记录损失超过最低水平的数据，这导致了损失频率和损失严重程度分布的截尾偏差。外部公开数据对于确定不同风险类别的相对损失程度非常有用。

当然，这些数据源可以由各种情景来补充，这些情景通常代表了可能发生的大损失，而这些大损失可能不会出现在内部或外部数据中。

和市场风险 VaR 一样，操作风险的损失分布可以用来评估损失期望值和抵御这种风险所需的资本数额。图 10-2 反映了操作风险的这一重要性质。

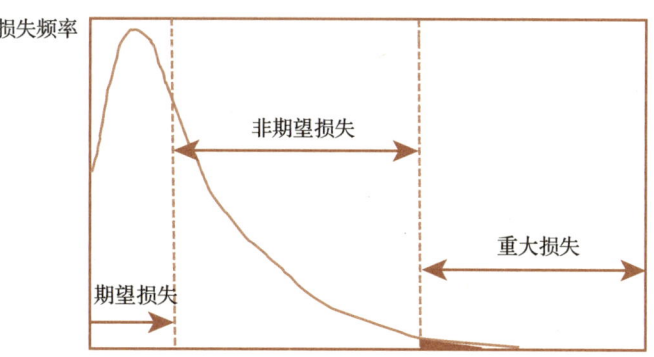

图 10-2　操作风险损失的分布

操作风险的期望损失是指应该预期到的操作风险的损失规模。它通常反映高频低损事件的损失。实践中，商业银行常常将该类损失视作过程成本，主要通过内部控制来管理。这种损失几乎不会对外界公布。

操作风险的非期望损失是指一定置信水平下的概率分位点损失和预期损失之间的偏差，它通常反映低频高损事件的损失。商业银行对该类损失的管理措施主要是使用银行的资本储备来冲销。商业银行有些时候也会采用风险转移等管理措施，比如在可行情况下将损失转嫁给保险公司，由保险公司来承担。这种损失有时候会对外界公布，但是通常不会公布细节。

重大损失（stress loss）是指超出非期望损失的损失。这种损失发生的概率极低，但对金融机构会产生毁灭性的破坏力。比如，巴林银行的倒闭很大程度上是由该机构的交易员尼克·里森引发了操作风险损失导致的。对该类损失的最佳管理措施应该是风险转移，即让保险公司来承担该种损失。日常管理中，商业银行更多的是采用压力测试等措施。

❖ 本章小结

《巴塞尔协议Ⅱ》对操作风险的定义涵盖了两种类型：一种是基于损失发生原因的定义，另一种是基于损失事件类型的定义。基于损失发生原因的操作风险，是指由不当或失效的内部流程、人员因素、系统缺陷以及外部事件所导致的损失。相应的风险因素主要包括四个方面：人员因素、内部流程、系统缺陷和外部事件。

基于损失事件类型的定义，操作风险被细分为七大类，这构成了商业银行构建有效操作风险识别体系的重要基石。此外，《巴塞尔协议Ⅱ》还进一步将操作风险损失事件按照八种业务类型进行了分类，这些业务类型包括：公司金融、交易与销售、零售银行、商业银行、支付与结算、机构服务与托管、资产管理以及零售经纪。

损失分布法是一种基于损失发生的频率分布和损失严重程度分布来度量损失的方法。在估计损失分布时，所需的历史数据既包含内部数据，也包含外部数据。在使用过程中需要注意以下几点：内部数据多为高频低损数据，可能面临数据量不足和生存者偏差的问题；而外部数据则多为低频高损数据，容易出现数据不匹配、收集偏差以及截尾偏差等问题。

本章的**重点**和**难点**：①操作风险基于损失发生原因的定义和基于损失事件类型的定义；②操作风险评估的精算方法：损失分布法；③操作风险的资本配置。

❖ 关键概念

操作风险　　　　损失分布法　　　　自下而上模型　　　　外部数据　　　　高频低损数据
损失事件类型　　自上而下模型　　　　内部数据　　　　　　低频高损数据

❖ 练习题

1. 简述《巴塞尔协议Ⅱ》对操作风险的定义。
2. 在《巴塞尔协议Ⅱ》中，操作风险损失事件包括哪些业务类型？
3. 操作风险管理中，银行最关注高频低损数据还是低频高损数据？为什么？
4. 下列说法哪一项不是《巴塞尔协议Ⅱ》定义的操作风险类别？
    A. 人为失误和内部欺诈
    B. 火灾或其他外部灾难造成的破坏
    C. 由失败的合并所导致的名誉扫地
    D. 内部控制流程的失效或破坏
5. 下列哪种行为与操作风险无关？
    A. 看涨期权的出售被误记为购买
    B. 应该输入模型日波动率却误输入月波动率
    C. 由于波动率超出预期导致期权投资组合发生损失
    D. 基于时间序列的波动率估计包含了一个超出其价格100倍的价格数据
6. 下列哪一项不是操作风险事件？
    A. 银行人员检验发现客户的账户低于平衡状态，当银行向该客户致电索要资金时电话无法接通，导致银行未能收到这笔资金
    B. 银行的贷款池由于贷款的延期偿付导致收到的还款低于计划
    C. 在市场产生不利变化的情况下，计算机网络系统的中断使得银行交易账户无法

进行操作，交易者无法改变对冲策略来应对价格下跌，导致大量损失的发生

D. 一家银行的工作人员向银行的信用风险模型输入了错误的客户金融信息

7. 操作风险损失严重程度分布的形状通常为
   A. 对称并且长尾　　B. 右边长尾
   C. 均匀分布　　　　D. 对称并且短尾

8. 假设某银行操作风险损失的信息如下表所示。请问：在95%置信水平下的操作风险VaR的估计值是多少？

频率分布	
概率	次数
0.5	0
0.3	1
0.2	2

损失严重程度分布	
概率	损失（美元）
0.6	1 000
0.3	10 000
0.1	100 000

9. 保险是转移下列哪一种操作风险类型的有效工具？
   A. 高频率，低严重程度
   B. 低频率，高严重程度
   C. 受公司行为影响的操作风险损失
   D. 保险公司出售低免赔限额保单承保的操作风险损失

10. 下列关于对冲操作风险的说法哪一个是不对的？
    A. 保险作为操作风险管理工具的缺点是保险责任的局限性
    B. 如果操作风险得到适当对冲，公司可以避免由于损失程度高的操作风险事件所造成的名誉损失
    C. 当保险合约面临道德风险的问题时，免赔条款可以降低这种问题的影响
    D. 巨灾债券可以帮助公司对冲和自然灾害相关的操作风险

11. 下列说法考虑了市场风险和操作风险VaR模型的不同。哪一个说法是错误的？
    A. 市场风险模型主要是由历史数据驱动的，而操作风险模型则更为灵活
    B. 市场风险模型通常定义VaR为损失分布的特定分位数，而操作风险模型则更为灵活
    C. 相对于操作风险模型，事后测试是评估市场风险模型更为有用的形式
    D. 市场风险模型和操作风险模型的VaR评估时间范围不同

案例专栏

中国银行业操作风险管理案例

近几年，中国银行业发生了多起操作风险案件，从国家金融监管总局公布的罚单来看，银行业金融机构被罚的违规事项涉及多个业务领域，其中多数与信贷违规有关，包括信贷资金流向违规、贷款"三查"不尽职、贷后管理不到位、员工行为管理不到位等多个方面。

2024年前三季度，中国银行业共收到1 533张罚单，合计罚没金额约为11.81亿元。受罚对象几乎覆盖了所有的银行业金融机构，包括国有大行、股份制银行、城农商行、村镇银行、农信社、外资银行，在监管坚持落实"双线"问责的要求下，处罚对象既覆盖董事长、行长、副行长等高管，也包括评审处处长、信贷经理、客户经理等中层、基层从业者。

2024年5月17日，国家金融监管总局一次性开出10张罚单，4家金融机构及相关责任人被罚超9 000万元，其中，平安银行被开出年内最大单张罚单，被没收违法所得并处罚款合计6 723.98万元。行政处罚信息公开表显示，平安银行存在向关系人发放信用贷款，违规

发放并购贷款、流动资金贷款、个人贷款，流动资金贷款、个人贷款用途不合规，授信责任认定后问责不到位等信贷业务违法违规问题。

2024年10月11日，新浪网发布一则新闻，称又见银行"内鬼"里应外合违规放贷，上海一家银行出现"内鬼"，收取贷款中介机构30万元好处费并违规放贷1个亿，导致2100万元逾期坏账。

根据披露，张某大学毕业后入职上海某银行，2015年开始担任对公客户经理，主要负责为有贷款需求的客户办理贷款业务，所涉及的贷款项目有房贷、抵押贷、中小微企业担保贷款。

2019年7月，张某接待了贷款中介李某和李某带来的客户。在交流过程中，李某提出他可以招揽到有中小微企业担保贷款需求的客户，并介绍给张某，希望张某可以放松申请材料审核的力度，只要贷款审批完成、顺利放款，李某会按照每笔贷款的1%给张某一定的好处费。

张某答应之后便开始了和李某的合作。不过，李某介绍的客户多是资质较差的中小微企业，这些企业因生产经营规模小，很难在银行申请到贷款。为此，李某通过伪造资产负债表、虚构购销合同等方式为这些企业的财务报表和经营状况进行包装。张某不仅对此视而不见，还帮助李某的客户对申报材料进行查漏补缺，确保材料质量达到审核标准。因此，经过张某的操作，李某介绍的客户可以顺利收到该银行的放款。

据统计，张某共帮助李某成功办理了23个中小微企业担保贷款业务，银行发放贷款共计1亿元，张某也成功收到了30余万元好处费。2023年1月，这些贷款业务中出现多笔逾期坏账，金额共计2100万元，张某主动辞职。银行发现了他收受好处费、违规放贷的违法行为，并向公安机关报案。最终，张某被法院以违法发放贷款罪、非国家工作人员受贿罪判处有期徒刑5年半，并处罚金15万元。

这些案例表明，尽管中国银行业在快速发展，但操作风险管理仍需加强，特别是在贷款业务、内部管理和信息科技系统方面。监管机构应不断完善相关法规、强化管理措施，以提升整体的操作风险管理水平。为了应对这些操作风险，国家金融监管总局在2023年12月27日发布了《银行保险机构操作风险管理办法》，该办法自2024年7月1日起施行，旨在提高银行保险机构的操作风险管理水平。

资料来源：[1] 前三季度银行业被罚11.81亿元，释放什么信号，北京商报，2024年10月8日。
[2] 银行大额罚单频现 凸显强监管严监管，中国金融新闻网，2024年6月25日。
[3] 李明会，上海一家银行惊现"内鬼"，收贷款中介30万元好处费违规放贷1个亿，涉案多人锒铛入狱，华夏时报，2024年10月11日。

案例讨论题

1. 分析中国银行业操作风险案例中的主要违规类型及其成因。
2. 操作风险管理在银行业务中的重要性体现在哪些方面？
3. 从上海银行"内鬼"违规放贷案例中，我们能在职业道德和法律责任方面吸取哪些教训？

第10章 案例讨论题参考答案

第 11 章
CHAPTER 11

流动性风险管理

§ 学习目标

1. 熟悉资产流动性的影响因素和融资流动性风险指标。
2. 掌握流动性调整 VaR 的计算。
3. 能够进行融资缺口分析。
4. 培养全局意识和系统思维,因为流动性风险管理不当不仅影响单个金融机构,还可能引发系统性风险。

11.1 流动性和流动性风险

流动性一般是指金融机构在不影响日常经营或财务状况的情况下,能够以合理成本及时获得充足资金,来满足资产增长或履行到期债务的能力。缺乏流动性可以造成一家金融机构的倒闭,即使是通常意义上资产充足的金融机构。

流动性风险是指金融机构无法以合理成本及时获得充足资金,用于偿付到期债务、履行其他支付义务和满足正常业务开展的其他资金需求的风险。流动性风险可以分为资产流动性风险和融资流动性风险两类。

- 资产流动性风险也被称为产品/市场流动性风险,它是资产头寸无法轻易变现的风险。资产流动性风险由于市场的流动性程度加深或市场崩溃而受市场价格剧烈影响。
- 融资流动性风险是金融机构在没有遭受意外损失的情况下无法融资来偿还债务的风险。

在流动性风险管理问题上，区分**有偿付能力**（solvency）与**流动性**（liquidity）这两个不同的概念是非常重要的。

- 有偿付能力是指银行的资产大于负债，因此银行的净价值为正。
- 流动性是指在指定付款日，银行有足够现金进行支付。

有时候，一个有偿付能力的金融机构也可能会因为流动性问题而破产。

商业银行的资产和负债之间存在着天然的流动性不平衡，所以，流动性风险管理是商业银行经营管理的重要内容。银行吸收短期存款，发放长期贷款，发挥着期限转换和流动性创造的社会职能。一旦发生信心危机导致储户"挤兑"事件，银行就会出现流动性枯竭。故而，流动性风险管理是商业银行业务经营模式和风险管理的重要组成部分。因为银行即使拥有充足的资产来覆盖存款，这些资产也可能无法及时变现，从而无法满足客户的提款需求。

缺乏流动性对包括商业银行在内的任何一家金融机构都是致命的，即使是通常意义上资产充足的金融机构。比如，人寿保险公司和财产保险公司也会存在流动性风险问题。

人寿保险公司的流动性是指它在任何时期和合理的价格条件下，能够获得现金以保证保单责任的支付能力以及其他责任的支付能力。寿险公司的流动性风险主要表现在如下几个方面。首先，信贷资金不足，公司不能有效地满足它的投保人保单抵押贷款的资金需要；其次，公司不能及时以现金支付保险赔款、给付保险金和退保金等；再次，公司不能以有效的主动负债来解决资金来源问题；最后，公司可能会被迫以低价出售资产或以高成本购入债务。

财险公司与寿险公司不同的地方在于它持有更多的流动性资产。尽管如此，当某些灾难发生时，巨额的非预期损失也会成为现实。比如，美国政府在金融危机期间挽救曾经世界上最大的上市公司——美国国际集团（AIG）就是一个典型的例子。中国只允许财产保险公司经营财产保险业务、短期意外险和短期健康险业务。因此，当财产保险公司自有资产的盈利能力和流动性出现问题，不足以保证各项债务按时支付时，便会产生流动性风险。

11.2 资产流动性风险

11.2.1 流动性风险识别

资产流动性风险是资产头寸无法轻易变现的风险，它是银行所有风险中最具破坏力的风险。几乎所有摧毁银行的风险都是以流动性风险爆发来为银行画上句号的。巴塞尔委员会曾声明："流动性对于任何银行组织的运行都是非常关键的。银行的资本头寸需要具有获得流动性的能力，特别是在金融危机中。"因此，对于任何一家金融机构而言，评估和管理资产流动性风险都是非常重要的。

流动性风险的识别就是分析流动性风险的主要来源，从而能够有针对性地进行风险的计量与控制。流动性风险主要源于商业银行自身资产负债结构的不匹配，突发性事件以及信用、市场、操作和声誉风险等其他几类风险的管理不善等，这些风险最终会转换为流动性风险。另外，由于市场流动性收紧，银行不能以公允价值变现或质押资产以获得资金，这也会给银行带来流动性风险。最后，商业银行所有的交易和承诺都会影响到银行的流动性。有效的流动性风险管理可以确保商业银行的支付能力。

11.2.2 资产流动性的影响因素

为了评估资产的流动性风险，我们需要了解资产流动性的影响因素。我们从资产所在的交易市场的流动性特征开始讨论。

第一，资产的中间价格——买卖价差。买卖价差（bid-ask spread）度量了一项资产在正常交易规模下，双向交易中购买和销售一定数量产品的交易成本。如果用 P_a 表示买入价格，用 P_b 表示卖出价格，$P_m = (P_a + P_b)/2$ 为交易资产的中间价格，S 是资产的买卖价差，那么，买卖价差 S 为

$$S = \frac{P_a - P_b}{P_m} \tag{11-1}$$

显然，流动性好的资产具有较紧实的买卖价差。**紧实性**（tightness）是用来度量一项资产的实际交易价和市场报价之间的偏差，是实现一项资产买卖的交易成本。流动性强的资产的实际交易价和市场报价之间的偏差较小，即较紧实。流动性弱的资产的紧实性较差。

我们也可以用深度（depth）或浅度（thinness）来描述一项资产的流动性强或弱。深度是不会对价格产生影响的交易量的度量，流动性好的资产具有较好的深度。浅度的含义刚好相反。

第二，资产被出售的数量。如果一项资产的交易量较大，正常情况下都会对交易价格产生影响。对于大宗交易，资产流动性可用一个价格与数量的函数来表达，即市场冲击（market impact），它描述了价格是如何被大宗交易所影响的。如果交易头寸由于交易规模变大而导致了价格下跌，我们就称之为**内生流动性**（endogenous liquidity）。如果交易头寸的市场价格下跌发生在正常交易规模范围内，我们用**外生流动性**（exogenous liquidity）来描述。一个突然的大宗卖出交易会使资产的交易价格下降很多。但是，有耐心的交易员会将交易指令分开在几天内完成，从而可以获得一个较好的出售价格，这样产生的市场冲击也很小。

第三，资产的价格弹性（resiliency）。在一个流动性很好的市场上，一项资产的大笔交易造成的交易价格暂时下跌会很快得到恢复。我们用价格弹性来描述交易后资产价格波动回调速度的度量。

对于流动性很强的市场，例如美国国债市场，大规模交易对价格不会产生很大的影响，即价格的波动非常平缓。相反，流动性较差的资产的买卖价差很高并且交易可以很快地影响价格。总之，流动性较差的资产市场价格受供求情况的影响很大，交易发生时，它们也比流动性好的资产的价格波动更大。

由图 11-1 可知，相比非流动性资产，流动性资产的买卖价差较小，正常市场容量较大，即流动性资产的市场深度较大，直线的斜率较小，意味着市场冲击较小。

交易量反映了投资者的不同选择，一般来说，交易量较大的资产流动性较强，但是也依赖于活跃投资者的表现。特别是对冲基金，它在很多市场上都交易活跃，增加了市场的流动性。

另外，容易定价的资产的流动性也很强。比如，最简单的一个金融工具，固定息票的美国国债就非常易于估值。而那些具有复杂支付结构的金融产品，由于很难进行估值预测和对冲，市场交易非常不活跃，它们的买卖价差比国债要大得多。

流动性也会根据资产类别不同而不同，因此具有证券属性。未结算量较大的证券或者最新发行的证券，一般具有较强的流动性。热门证券是最近发行的、较为活跃的证券，因此，其流动性也较强。与此相区分，其他证券就称为非热门证券。比如，最近发行的 10 年期美国

国债在另一个10年期美国国债发行前是热门证券，在后者发行后它就变成了非热门证券。这两种证券具有相同的信用风险（发行人都是美国政府）和市场风险（两种证券的期限都接近10年期）。由于它们如此相似，它们的收益率价差就应是流动性溢价（liquidity premium）。

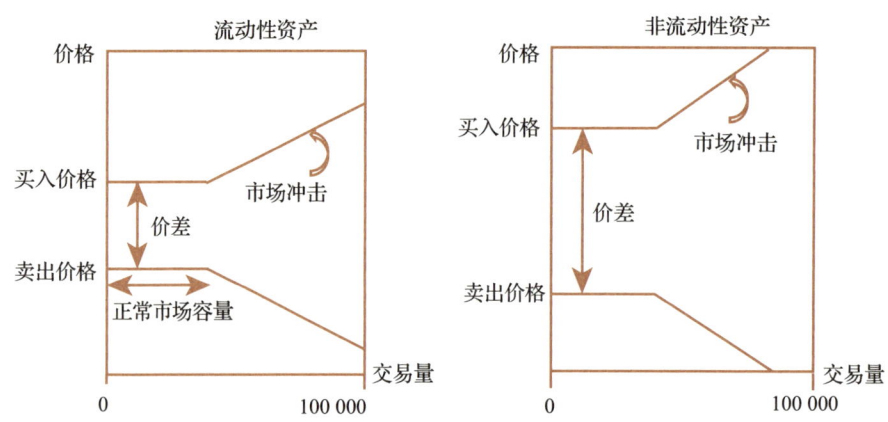

图11-1　流动性资产和非流动性资产的价格与交易量

资产的流动性成本也依赖于资产的可替代性（asset fungibility）。对于集中性交易的金融合约，比如说股票或者期货等产品，交易方可以很容易地把资产重新卖给报价更高的买家。因此，它们是可替代的。但是对于那些私下达成协议的金融衍生品，交易方需要和自己的初始交易对手达成协议后再行解约或转让，在这种情况下，交易方可能需要折价来退出头寸。

综上，资产的流动性取决于以下因素。

- 市场条件（买卖价差、市场冲击）。
- 变现期限。
- 资产和证券的类型。
- 资产的可替代性。

11.2.3　流动性调整 VaR

资产流动性风险比传统市场风险更不容易进行调整度量。资产的非流动性可以通过选择性地增加流动性和 VaR 联系在一起，但是这种调整非常特殊。我们可以尝试把买卖价差的效用结合在风险度量上。下面，我们在买卖价差固定和不固定两种情况下，分别讨论一定置信水平下流动性调整 VaR 的计算。

（1）当价差 S 固定时，流动性调整 VaR（liquidity-adjusted VaR，LVaR）被定义为

$$\text{LVaR} = \text{VaR} + L_1 = V\left(\alpha\sigma + \frac{1}{2}S\right) \tag{11-2}$$

式中，V 是投资组合的初始价值。如果这里的 VaR 是绝对值 VaR（相对于初始投资价值），不是相对值 VaR（相对于投资组合的均值），我们需要从 $\alpha\sigma$ 中减去均值 μ。

例 11-1　如果在 30 年期的美国国债上投资 1 000 万美元，该债券的每日波动率为 1%，买卖价差 $S=0.10\%$。计算在 95% 置信水平下的每日 LVaR。

解答： 根据式（11-2），在95%置信水平下的每日 LVaR 为

$$\text{LVaR} = 1\,000 \times \left[(1.645 \times 0.01) + \frac{1}{2} \times 0.001 \right] = 16.95 \text{（万美元）}$$

（2）买卖价差 S 不固定。如果买卖价差发生变化，我们就用一定置信水平下的最坏价差来对式（11-2）进行调整。这里，我们用 $E(S)$ 描述价差 S 的均值，σ_S 描述 S 的标准差。α' 为买卖价差的置信水平参数。那么，最糟糕情况下的 LVaR 为

$$\text{LVaR} = \text{VaR} + L_2 = V\left[\alpha\sigma + \frac{1}{2}(E(S) + \alpha'\sigma_S) \right] \quad (11\text{-}3)$$

式（11-3）中，市场风险和流动性风险在最糟糕情形下的损失线性相加，这里假设了两种风险之间高度相关。

例11-2 某公司当前的股价为 100 美元/股，日标准差为 2%。假设买卖价差 S 的均值是 2%，买卖价差的标准差是 1%。如果买卖价差的置信水平参数为 3，则 95% 置信水平下的 LVaR 为

$$\text{LVaR} = \text{VaR} + L_2 = 100 \times \left[(1.645 \times 0.02) + \frac{1}{2} \times (0.02 + 3 \times 0.01) \right] = 5.79 \text{（美元）}$$

估计买卖价差的分布在实际中是一个挑战。虽然价差在较长期限内将趋于稳定，但在金融危机期间会发生突变，因此价差 S 的分布是非正态分布。为了在总体水平上度量风险，风险经理往往还需要估计不同价差之间的相关性。另外，我们这里的分析是假设交易量在市场正常容量范围内，否则，一个突然的大量抛售就会产生市场冲击。

11.3 融资流动性风险

融资流动性风险（funding liquidity risk）又称**资产负债表风险**（balance sheet risk），是金融机构为了满足现金要求时产生的风险，即金融机构在没有遭受意外损失的情况下无法通过融资来偿还债务的风险。流动性风险是肇始于 2007 年美国次贷危机中的主要风险类型，随着商业银行和投资银行在次级资产抵押债券上损失的不断积累，商业银行开始担心交易对手违约，从而收紧了流动性暴露，不愿意再对市场提供资金。

11.3.1 融资流动性风险指标

在所有利率都以同一种货币（比如美元）计价的基础上，我们可以通过比较三个利率指标来衡量市场的融资流动性风险。这三个指标分别为：

- 3 个月期的美国国库券利率（treasury-bill yield）。
- 3 个月期的伦敦银行同业拆借利率（LIBOR）[⊖]。
- 隔夜联邦基金利率（federal funds rate，FFR）。

[⊖] 尽管随着新的基准利率的推广和应用，LIBOR 的影响力将逐渐减弱并最终退出历史舞台，但是本书中关于 LIBOR 的介绍我们暂时仍然保留，理由有二：一方面，LIBOR 作为国际金融市场基石的地位和作用在短期内仍难以完全替代，另一方面，前面章节部分相关 LIBOR 的例题是 FRM 往年的真题，LIBOR 在教材中仍会出现。

LIBOR 和隔夜联邦基金利率之间的差额被称为**期限价差**（term spread）。它可以被视为基于贷款的看涨期权的价格。当坏消息到达市场并对市场造成冲击时，一家进行隔夜拆借业务的银行为了规避风险，可以选择不进行重新贷款。相反地，一家承诺了 3 个月期期限贷款业务的银行就没有这样的选择权。通常情况下，期权的价值会随着时间不确定性的增加而增加，这也解释了为什么期限价差会突然增加。

欧洲美元的 LIBOR 和美国短期国债利率之间的信用价差称为 TED（Treasury，Euro 与 Difference 的首字母）价差⊖，它反映了期望信用损失，也就是流动性风险溢价。TED 价差一般情况下都在 25 个基本点左右，但在 2008 年 9 月 15 日雷曼兄弟破产之后急剧扩大，超过了 500 个基本点。这反映了当时信用市场的紧缩情况。低信用评级的公司在融资时不得不面对更高的利率。

随着英国金融行为监管局（FCA）宣布自 2023 年 6 月 30 日起，永久停止 LIBOR 的设置，替代 LIBOR 的新的基准利率走上舞台。新的参考利率包括美国的 SOFR（secured overnight financing rate，担保隔夜融资利率）、英国的 SONIA 和欧元区的 ESTER 等。这里，美国的隔夜融资利率是回购利率，所以是有担保的隔夜利率，其他国家的隔夜利率是无担保的。取代 LIBOR 的计划将由这些隔夜利率为基准来制定参考利率。

11.3.2 融资流动性风险管理

巴塞尔委员会给出了融资流动性风险的定义："融资流动性风险是指公司无法获得有效的、期望和非期望的、当前和未来的现金流以及抵押物，来改变公司的日常运营或财务情况的风险。"

商业银行的经营模式决定了它是非常容易因融资流动性风险管理不当而失败的金融机构之一。银行用短期债务融资来投资长期贷款资产，这种短贷长投的经营模式在面临无法滚动短期债务进行融资时就会宣告失败。英国北岩银行就是典型的融资流动性风险的受害者。

融资流动性风险产生于表内或表外的负债项目。表 11-1 给我们提供了一个评估流动性风险的一般框架。

表 11-1 评估银行流动性风险的一般框架

资产负债表	
资产	负债
高流动性资产（现金）	无担保债务
其他无变现障碍资产（有抵押物）	零售存款
	资本市场融资
其他有变现障碍资产	有担保的融资权益
	新股发行
表外项目	
资产	负债
衍生品	衍生品
信用票据	金融担保
	贷款承诺
	特殊目的工具

⊖ TED 价差是美国短期国债利率（一般是用 13 周国债，即 3 个月期）与伦敦银行同业拆借利率（一般也是用 3 个月期）之差。

在表内负责项目中，相比债务，股权是稳定的。金融机构可以用分红、股票回购或发行新股等途径来管理它们的流动性风险。表外债务项目稍微复杂些。根据现金流的可预测性，负债可以分为固定负债和浮动负债两大类。根据是否有担保，债务又分为无担保债务和担保债务两类。在无担保债务分类中，零售存款比资本市场工具更加稳定。比如当发生金融危机时，投资于资本市场工具的投资者或者要求更高的风险补偿，或者缩短他们的投资期限，甚至他们会拒绝继续提供融资。

在表外的负债项目中，银行提供的贷款承诺和金融担保在价值下跌时会产生或有的流动性危机。当发生头寸价值下跌变为虚值状态或者触发合约包含的类似信用评级下降的信用事件时，衍生品也可能会在被要求追加抵押物时产生现金流危机。特殊目的工具（special-purpose vehicle，SPV）也可能会发生或有的流动性风险暴露。

我们再来看资产负债表中的资产。机构出售资产时可能会产生融资缺口（funding gap），此时，现金或流动性资产可以立刻提供缓冲，当然，无障碍证券折价出售也可以提供缓冲。此时折价程度就反映了资产的流动性风险。除此之外，当衍生品变为实值状态时会产生现金，银行信用业务在需要流动性时也可以变现资产。

金融机构可以通过变卖资产来满足融资需求，因此，金融机构的融资流动性风险与资产流动性风险是息息相关的。

融资缺口分析就是机构通过把表内和表外的信息和现金流整合在一起来管理流动性风险。流动性风险管理首先需要进行粗略的内部管理，一般是从操作流动性（operational liquidity）开始，包括展示每日的支付情况，预测所有的现金流入和现金流出等；接着是策略管理，会涉及对资产流动性风险的评估；最后一个环节是把信息和战略两方面结合，基于当前的资产和负债以及表外项目等信息，建立融资矩阵，展示不同期限的融资需求细节。

11.4 流动性风险管理：融资缺口分析

流动性风险管理的起点是现金流管理。一个银行是否有现金流缺口，以及现金流缺口能否被充足的流动性储备弥补，对这两个问题的回答是否及时、准确对商业银行的流动性风险管理能力来说是一个考验。

管理流动性风险，首先需要了解银行的经营环境、资产负债结构以及业务特点；其次，对银行的流动性风险形成定性判断，识别出银行主要的流动性风险点；最后有针对性地运用风险管理工具来管理流动性风险。下面我们用一个例子介绍一个流动性风险管理工具：融资缺口分析。

在没有新业务并且没有滚动融资的假设下，表 11-2 给出了一个假设的现金流量模式（run-off model）。融资矩阵项目包括贷款、零售存款、短期债务和长期债务。

表 11-2 融资缺口分析实例

融资缺口分析								
融资矩阵	平衡	隔夜	7 天	14 天	1 个月	3 个月	1 年	累计
贷款	100	5	5	3	15	5	5	38
零售存款	−50	−5	−5	−5	−8	−5	−5	−33

（续）

融资缺口分析	平衡	隔夜	7天	14天	1个月	3个月	1年	累计
短期债务	-30	-10	-5	-5	-5	-5	0	-30
长期债务	-30	0	0	0	-5	0	0	-5
合计：融资缺口		-10	-5	-7	-3	-5	0	-30
缺口闭合								
现金	5	5	0	0	0	0	0	5
无变现障碍证券	20	10	8	2	0	0	0	20
合计		15	8	2	0	0	0	25
净融资缺口		5	3	-5	-3	-5	0	-5
累计		5	8	3	0	-5	-5	

在表 11-2 中，初始资产负债表中含有贷款 100，表中数字展示了来自不同期限贷款的现金流，这些贷款的一部分将在下一年偿还。接下来是零售存款、短期债务和长期债务，它们用于预测在期限内的现金流流出。注意，这里所有的短期债务预期在一年内偿还。融资矩阵项目加总后就产生了一段时间的融资缺口，在本例中，一年的累计融资缺口为 -30。

表中下半部分展示了缺口闭合（gap closure）项目。比如，现金可以马上用来对冲现金流流出，无变现障碍证券（unencumbered security）可以随时出售。融资缺口项目和缺口闭合项目的总和产生了预期净融资缺口。正现金流的时期越长，银行越安全。

11.5 流动性风险的监管规则

《巴塞尔协议Ⅲ》中引入了两个流动性风险要求指标：**流动性覆盖率**（liquidity covered ratio，LCR）和**净稳定资金比率**（net stable funding ratio，NSFR），这两个指标也被引入中国的流动性监管指标体系之中，用来测度商业银行在外部流动性压力情境下的流动性风险。

对流动性覆盖率的要求是：

$$\frac{高质量流动性资产}{30天内的净流出资金} \geq 100\%$$

流动性覆盖率旨在确保商业银行在设定的严重流动性压力情境下，能够保持充足的无变现障碍的优质流动性资产，并通过变现这些资产来满足未来 30 天的流动性需求。该指标旨在控制银行短期的流动性风险。

对净稳定资金比率的要求是：

$$\frac{可获得的稳定资金支持}{必需的稳定支持资金} \geq 100\%$$

净稳定资金比率旨在引导商业银行减少资金运用与资金来源的期限错配，增加长期稳定的资金来源，从而满足各类表内外业务对稳定资金的需求。

另外，国内商业银行流动性风险管理，根据银监会于 2017 年 12 月 6 日发布的《商业银行流动性风险管理办法（修订征求意见稿）》，明确对商业银行的流动性监管的 4 个主要指标除了上述流动性覆盖率和净稳定资金比率外，还包括"贷存比"和"流动性比例"两个指标。

"贷存比"是指商业银行的贷款与存款余额之比，要求该比例不高于75%；"流动性比例"衡量银行的短期偿债能力，是流动性资产余额与流动性负债余额之比，该指标要求不低于25%。

本章小结

流动性风险源自商业银行资产负债结构不匹配、突发事件以及信用风险、市场风险、操作风险和声誉风险管理不善。它关乎金融机构能否以合理成本及时获得资金以偿付债务和满足业务需求。流动性风险分为融资流动性风险和资产流动性风险，前者涉及金融机构的偿债能力，后者关乎资产的变现能力。流动性风险管理需区分有偿付能力与流动性，前者指资产大于负债，后者指现金支付能力。《巴塞尔协议Ⅲ》引入流动性覆盖率和净稳定资金比率两个关键指标，以衡量银行流动性风险，这些指标也在中国监管体系中得到应用。

本章的**重点**和**难点**：①影响资产流动性的因素：市场条件（买卖价差、市场冲击）、变现期限、资产和证券的类型、资产的可替代性；②买卖价差固定和不固定两种情况下 LVaR 的计算；③区分"流动性和流动性风险""有偿付能力和流动性"两组概念；④流动性风险管理——融资缺口分析。

关键概念

流动性	资产流动性风险	流动性调整 VaR（LVaR）	流动性覆盖率
流动性风险	融资流动性风险	期限价差	净稳定资金比率
有偿付能力	买卖价差	融资缺口	

练习题

1. 简述流动性和流动性风险的区别与联系。
2. 简述有偿付能力与流动性这两个概念的不同。
3. 资产流动性的影响因素有哪些？
4. 融资流动性风险指标有哪些？
5. 简述什么是流动性覆盖率，什么是净稳定资金比率。
6. 下列关于流动性风险的说法哪一项是正确的？
   A. 当金融机构无法履行支付义务时会产生资产流动性风险
   B. 安全投资转移通常反映在公司债券和政府债券收益率价差的减小上
   C. 热门证券和非热门证券之间的收益率价差主要反映了流动性溢价，并不反映市场风险和信用风险
   D. 融资流动性风险可以通过设定资产限额以及分散化投资的方式进行管理
7. 下列关于流动性较强资产和流动性较差资产（其他条件一样）的说法哪一项是错误的？
   A. 大量交易流动性资产而不对价格产生影响是可能的
   B. 流动性较强资产的买卖价差很小
   C. 流动性较强资产的价格波动率很高，因为它们交易频繁
   D. 流动性较强资产的交易量很大
8. 你持有 100 股 Wheelbarrow 公司的股票，当前价格为 50 美元。股票每日收益率的均值和波动率分别为 1% 和 2%。VaR 需要相对初始价值进行度量。股票的买卖价差随时间变化。每日价差的均值和波动率分别为 0.5% 和 1%。收益率和价差都服从正态分布。计算在 99% 置信水平下的每日流动性调整 VaR。

案例专栏

英国北岩银行挤兑事件

2007年9月发生在英国北岩银行（Northern Rock Bank）的挤兑事件，是全球金融危机的先兆之一，这一事件不仅揭示了银行在流动性管理和风险控制方面的脆弱性，也暴露了金融监管的不足。

北岩银行曾是英国第五大抵押贷款机构。它的前身是1850年成立的北部郡永久住房协会，1965年改组为北岩住房协会，1997年改制为银行，随后，北岩银行在伦敦股票交易所上市。北岩银行的业务模式主要依赖短期资金市场和资产证券化来为其长期的抵押贷款业务融资，因此它拥有大量的住房抵押贷款。

1. 挤兑事件的经过

2007年，美国次级抵押贷款市场崩溃，引发全球流动性危机。英国房地产市场也受到影响，房价指数下跌，违约率上升，给银行房贷业务带来负面影响。在全球信贷市场紧缩的背景下，北岩银行遭遇了严重的流动性困难，银行的资产负债结构失衡，流动性期限错配，导致在市场流动性紧缩时，无法通过短期融资来满足其流动性需求。

2007年9月，北岩银行因无法在短期资金市场上获得足够的融资，向英格兰银行（Bank of England）寻求紧急流动性支持。这一消息被媒体广泛报道后，引发了公众的恐慌，导致大量储户排队提取存款，形成了挤兑。

英国的存款保险制度在当时并不完善，如果存款超过一定限额，储户只能获得部分赔偿，这加剧了储户的不安全感，促使他们尽快取出存款。2007年9月14日至17日，北岩银行发生挤兑事件。由于市场担忧其流动性问题，储户纷纷前往银行提取存款。短短几个交易日中，银行股价下跌近80%，资金流出超过30亿英镑，占其存款总量的12%以上。

为防止系统性银行危机的出现，英国财政部、英格兰银行和金融管理局采取了多项救助措施，包括注资、存款账户担保以及提供信贷支持等。这些措施旨在稳定市场情绪，恢复公众对北岩银行的信心。2008年2月21日，英国议会通过了将北岩银行国有化的议案。这是自20世纪70年代以来英国的首起企业国有化案例。政府向北岩银行注入了大量援助资金，以帮助其渡过危机。

2. 挤兑事件发生的原因分析

第一，融资策略不当。北岩银行为维持资产业务的高速增长，改变了负债策略，在零售市场存款停滞不前的条件下，转而从全球金融批发市场上大量融资。这种融资策略导致银行资金来源主要依赖短期市场，流动性较差。当批发市场出现流动性不足时，银行面临巨大风险。

第二，资产负债结构不合理。北岩银行的资产负债结构存在期限不匹配问题。其大部分资金来自短期债务，而资产则主要是长期的住房抵押贷款。这种结构使得银行在面临市场波动时难以迅速调整资金来源和资产配置。

第三，美国次贷危机带来的影响。美国次贷危机的爆发导致金融市场信贷紧缩，北岩银行一直赖以支撑的融资渠道受阻。虽然该银行在美国次贷市场上的投资不多，但危机对投资者的心理影响效应较大，加剧了市场对其流动性的担忧。

3. 事件的影响与启示

（1）对银行业的影响。北岩银行挤兑事件对英国银行业乃至全球银行业都产生了深远影响。它揭示了银行业在融资策略、资产负债结构以及风险管理等方面存在的问题，并促使银行业加强合规管理和风险控制。

（2）对监管机构的启示。英国金融监管当局在北岩银行危机初期反应不足，没有及时采取措施来稳定市场信心。随后，英国政府和英格兰银行不得不介入，提供全额存款担保，以防止挤兑进一步蔓延。英国政府最终对北岩银行进行了国有化，以防止其破产对整个金融系统造成更大的冲击。该事件提醒监管机构加强对银行业的监管力度，完善监管政策和措施，以防止类似事件的再次发生。英国政府在此事件后重新审视了金融监管体系，并进行了相应的改革。

（3）对公众的启示。对于公众而言，该事件提醒人们在选择银行和进行金融投资时要谨慎，了解银行的经营状况和风险情况，以保护自己的合法权益。

（4）对中国银行业的启示。北岩银行的案例提醒中国银行业，信贷高速扩张和过度依赖短期资金市场可能带来风险。中国银行业应加强流动性管理和风险控制，确保资产负债结构的合理匹配，提高对市场变化的适应能力。

北岩银行的挤兑事件是一个典型的银行流动性危机案例，它不仅对英国金融体系和监管政策产生了重大影响，也为全球银行业的风险管理和金融监管提供了重要的教训。它揭示了金融市场在面对流动性冲击时的脆弱性，以及在危机时期，金融机构和监管机构之间协调的重要性。此事件也促使英国和其他国家加强了对银行流动性和资本充足率的监管要求，提高了对系统性风险的防范能力。

资料来源：[1] 林跃武. 遭挤兑两年后分析北岩银行危机原因及启示 [J]. 金融管理与研究，2010，（2）：34-39.

[2] 李卉. 英国北岩银行危机及其对中国银行监管法的启示 [J]. 大连理工大学学报（社会科学版），2011，32（2）：95-98. DOI:10.19525/j.issn1008-407x.2011.02.019.

案例讨论题

1. 北岩银行挤兑事件中，流动性管理和风险控制的脆弱性是如何体现的？
2. 北岩银行挤兑事件对英国银行业和全球银行业产生了哪些深远影响？
3. 北岩银行挤兑事件对中国银行业有哪些启示，特别是在风险管理和金融监管方面？

第 11 章　案例讨论题参考答案

第 12 章
CHAPTER 12

经济资本与 RAROC

§ 学习目标

1. 掌握经济资本、监管资本和账面资本三个概念。
2. 学会计算 RAROC 和 ARAROC 两个指标。
3. 能够使用 RAROC 和 ARAROC 指标评估金融机构投资的风险和回报。
4. 理解业绩度量指标从 ROA、ROE 到 REPM、RAROC、ARAROC 的演变差异，培养长远视角和全局战略思维。

12.1 经济资本

银行的业务运作会触发许多不同类型的风险。监管机构要求银行必须持有足够多的资本金以应对自身风险，这个资本要求是监管资本。但是为了保证能够在短时间内迅速筹得资金以应对未预期损失，银行一般情况下都要根据自己的内部模型，基于自己的目标清偿水平，针对业务风险，估算日常经营中需要持有的资本金数量，这个资本金数量就是**经济资本**（economical capital）。

经济资本是银行内部计算的自己需要持有的资本金数量，可以认为是银行为了获得一定的风险收益，对所承担风险支付的货币数量。因此，经济资本有时也被称为**风险资本**（risk capital）。业务部门只有在设定了一定资本金的情况下才能持有某种特定的风险。对业务部门的业绩评估应该以该部门所分配的经济资本的数量为基础。

本章我们将介绍经济资本的定义和 RAROC 的概念。RAROC 既可以用于检测某业务类别在过去一段时间内的业绩，也可以用于预测某业务类别未来的表现，从而帮助管理层计划未来资本金的分配方式，进而决定某些业务在未来的发展规划中是应该停止还是扩展。

12.1.1 经济资本的定义

经济资本是指在一定的置信水平下，银行为了能够承担一定期限内的损失而必须持有的资本金数量。这里的置信水平等于在一定期限内银行不会用完资本金的概率。置信水平的设定通常与银行的管理目标有关。一个国际性大银行的管理目标通常是保持 AA 的信用等级，而具有 AA 级别的公司一年的违约概率小于 0.03%，这说明该银行应选择的置信水平至少应该是 99.97%。当然，如果一家银行想维持的信用等级是 BBB 级别，其对应的置信水平也会低一些。具有 BBB 信用级别的公司一年的违约概率为 0.2%，那么它对应的置信水平应该是 99.80%。

经济资本的设定是为了吸收既定置信水平下的非预期损失。非预期损失的定义是实际损失与预期损失的差。预期损失由银行的准备金来"吸收"，已经包含在银行的产品价格之中了。因此，只有非预期损失才需要资本金。如图 12-1 所示，经济资本的数量等于损失概率分布中的第 X 分位数与预期损失的差，其中 $X\%$ 是置信水平。

综上，经济资本具有如下特征：①经常被作为非预期损失的缓冲器；②有目标清偿水平；③使用银行自己的内部模型来预测。

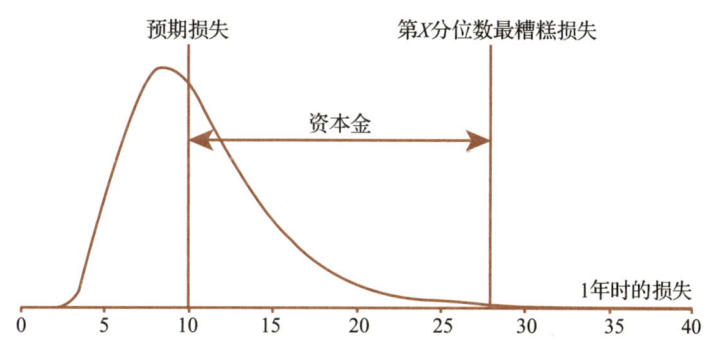

图 12-1　用来计算经济资本的 1 年期损失概率分布

12.1.2 如何计算经济资本

银行可以采用两种方法来计算经济资本，即**由上往下法**（top-down approach）和**由下往上法**（bottom-up approach）。在由上往下法中，我们首先需要估计银行资产的波动率，然后根据波动率得出在一定展望期内银行资产低于其负债的概率。同样，Merton 模型也可应用于这种方法。

在实际中采用最多的方法是由下往上法。在这一方法中，对于不同的风险及业务类别，我们首先要估计损失分布，然后进行汇总。汇总过程的第一步是计算各类风险的总和或各业务类别的风险总量，最后一步是求出整个金融机构的整体损失的概率分布。

经济资本是为了保证银行或其他金融机构有能力应付自身面对的风险。在计算经济资本时，金融机构有权对模型做出选择，选择的模型不一定与监管部门提出的模型一致。一般来讲，银行首先要计算市场风险、信用风险、操作风险以及（可能的话）业务风险资本金，然后将这些数值进行汇总以产生整个银行的经济资本的数量，最后通常我们假设风险并非完全相关的，我们要对风险分散化的收益进行估测，并将资本金分配到业务线，通常计算资本金的方法要反映业务线对整体资本金的贡献。

12.1.3 经济资本的构成

1. 市场风险经济资本

在计算经济资本时，对于所有的风险，我们通常选定同样的展望期及置信水平，展望期通常为一年，置信水平通常为 99.8% 或 99.97%。我们经常使用如下假设。

（1）在今后一年中每个交易日的损益分布均与第一个交易日的损益分布相同。

（2）所有的分布相互独立。根据中心极限定理，我们可以得出一年的损益分布为正态分布。

（3）损益分布的期望值为 0。

如果假设一年有 252 个交易日，此时可以根据时间的平方根法则，计算出一年损益分布的标准差等于 $\sqrt{252}$ 乘以一天损益分布的标准差（见前面的风险因子建模章节）。对应于 99.97% 置信水平的最坏损失等于 3.43 乘以损益分布的标准差，对应于 99.9% 置信水平的最坏损失等于 2.33 乘以损益分布的标准差，对应于 99.8% 置信水平的最坏损失等于 2.88 乘以损益分布的标准差。

例 12-1 假设某市场变量的日损益分布的标准差为 500 万元。请问：对应 1 年展望期，99.97% 置信水平的 VaR 为多少？

解答：对应 1 年展望期，99.97% 置信水平的 VaR 为 $3.43 \times \sqrt{252} \times 500 \approx 27\,225$（万元）。

注意，我们这里并没有假定每天的损益变量服从正态分布，我们假设每天的损益变量独立且同分布。中心极限定理保证多个独立同分布的变量和大致为正态分布。现实中，每天的损益并不是完全彼此独立并服从相同分布。在实践中，我们把相互独立的假设放宽为假设日回报之间的自相关性是个常数（见第 5 章），只要自相关性不是太大，我们仍然可以大致认为一年内的损益分布为正态分布。

2. 信用风险经济资本

虽然银行采用内部评级法来计算监管资本金时有很大的自由度，但协议仍然不允许银行采用自身的信用相关模型以及相关性参数来计算监管资本金。但在计算经济资本时，银行有权利根据自身的情况选择内部模型。银行通常采用 CreditMetrics 方法来计算交易账户上的特定资本金的数量，有时 CreditMetrics 方法也被用来计算银行账户所对应的经济资本。

另外一种计算经济资本的方法是 Credit Risk Plus 方法，Credit Risk Plus 方法借用了精算学里的一些计算违约概率分布的想法。CreditMetrics 方法计算由信用降级及违约所产生的损失，Credit Risk Plus 方法只计算由违约造成的损失。

无论采用什么方法，我们往往需要采用蒙特卡罗模拟来计算信用损失的概率分布。衍生品之所以难以处理，是因为在违约或降级时风险暴露具有不确定性。有时金融机构采用简化的假设，即假定这一风险暴露总是等于预期风险暴露，且金融机构一般都会知道关于任意一个交易对手的预期风险暴露。

3. 操作风险经济资本

采用高级测量法来计算监管资本金时,银行有很大的自由度。因此,大多数采用高级计量法的银行可能会采用同样的方法来计算经济资本。计算操作风险资本金的方法还处在进化阶段,有些方法以统计方法为基础,而有些方法更具有主观性。

12.1.4 账面资本、经济资本和监管资本的区别与联系

根据不同的管理需要和本质属性,商业银行资本主要有账面资本、经济资本和监管资本三个概念。三个概念的区别与联系见表 12-1。

表 12-1 银行账面资本、经济资本和监管资本的区别与联系

资本类型	定义	目的	计量	内涵	
账面资本	也称为会计资本,为银行持股人的永久性资本投入	与监管资本和经济资本相比较,用以确保清偿能力	银行资产负债表中总资产减去总负债后的剩余部分	银行实际拥有的资本	实际存在的资本
经济资本	一定置信度和一定持有期内,为抵御银行出现的非预期损失所需要的资本数额	作为银行内部的管理工具,是一种虚拟的、"算出来"的数字,并非真正的资本	体现了资产和负债价值在非预期变化情况下的真实风险,以及管理层希望接受的置信水平	银行实际需要的资本	基于风险大小对于资本的要求
监管资本	监管机构要求的商业银行必须持有的、用于抵御破产风险所需要的资本	是银行监管机构要求银行持有的最低资本量,通常用于计算资本充足率,目的是保护存款人和贷款人的利益	基于统一的监管标准,该标准并不体现业务的真实经济风险,而且经常是基于公共信息(相对而言)	最低资本标准	

银行设定资本金是为了保护存款者和其他权益持有人的利益。对于金融机构来说,保持 100% 置信水平的资本金的成本太高,这意味着不管该机构未来遭受多大程度的损失,都不会出现违约。相反,如果经济资本设定的置信水平低于 100%,比如说 99.9%,这就意味着有 0.1% 的概率,该机构会出现实际损失超过经济资本额的情况。而监管资本是根据一系列规则来计算的,目的是确保金融机构保有足够的资本金。事实上大多数金融机构持有的资本额都比监管要求持有的资本额要多。而对金融机构和它们的权益持有人来说,经济资本才是真正重要的。

12.2 经风险调整的业绩度量与 RAROC

12.2.1 传统业绩度量指标

在过去,最为公众所熟悉的业绩评估指标是资产收益率(return on assets,ROA)和净资产收益率(return on equity,ROE)。前者提供了资产账面价值的收益情况,后者提供了股权账面价值的收益情况。尽管这两个评估指标计算简单、容易理解,但是它们也存在一定的缺陷,那就是忽略了风险因素。不考虑风险因素的评估是一个可能导致危险的行为,比如盲目扩大市场和业务范围,虽然这样的期望收益率很高,但是风险也非常高。

风险经理现在使用经风险调整的业绩指标来调控这些行为。他们使用所有风险类别,包括市场风险、信用风险和操作风险等所需的风险资本来评估总体风险,其基础就是一定置信水平下的在险价值 VaR。

12.2.2 经风险调整的业绩度量

经风险调整的业绩度量（risk-adjusted performance measure，RAPM）方法近年来已经成为检验银行业务的重要工具。RAPM 的计算是用利润除以风险资本，其数学表达式为

$$\text{RAPM} = \frac{\text{利润}}{\text{风险资本}} \tag{12-1}$$

为了加深理解，我们下面以一个例子来说明。

例 12-2 假设有两个交易商，一个是股权交易商，一个是债券交易商，它们各自在去年获得了 1 000 万元的利润。我们应该如何评价它们的业绩？

假设两个交易商具有表 12-2 显示的名义金额和波动率。债券交易商拥有 2 亿元的名义金额，市场波动率为 4%；股权交易商拥有 1 亿元的名义金额，市场波动率为 12%。假设这里的风险资本按照 VaR 度量方法计算，比如一年 99% 置信水平，在正态分布假设下，股权交易商的风险资本为：RC = VaR = 10 000×0.12×2.33 = 2 796（万元）。而债券交易商的风险资本为：RC = VaR = 20 000×0.04×2.33 = 1 864（万元）。

表 12-2 计算交易商的 RAPM

	计算 RAPM				
	利润（万元）	名义金额（万元）	波动率（%）	VaR（万元）	RAPM（%）
股权交易商	1 000	10 000	12	2 796	36
债券交易商	1 000	20 000	4	1 864	54

由表 12-2 可知，两个交易商在获得相同的利润前提下，由于债券交易商的行为要求更少的风险资本，所以它的业绩实际上更好。当然，债券交易商的 RAPM 为 54%，高于股权交易商的 36%。

实际上，本方法是从一个独立的角度来考察风险，比如使用每一个产品的波动率。从理论上来说，进行资本分配时，应当在银行所有的投资组合环境中考察风险，并按照银行整体风险的边际贡献来度量风险。在实践中最好能向交易者收取可控风险的费用，这些可控风险指的是投资组合的波动率。

12.2.3 RAROC

目前，最为流行的方法是将回报与经济资本进行比较的 RAROC（risk-adjusted return on capital）方法。RAROC 是美国信孚银行在 20 世纪 70 年代末提出来的，它属于 RAPM 的范畴，被命名为经风险调整的资本收益率。这一方法是在交易或业务水平上实施的。

每种行为都应当提供充分的利润用来补偿所承担的风险，因此产品定价不仅要考虑期望损失，还要考虑补偿经济资本的报酬。这就是 RAROC 的本质。RAROC 的定义如下：

$$\text{RAROC} = \frac{\text{经风险调整的收益}}{\text{经济资本}} = \frac{\text{收入} - \text{成本} - \text{预期损失} + \text{经济资本收益}}{\text{经济资本}} \tag{12-2}$$

为了更深入理解 RAROC 的计算，我们看下面的例子。

例 12-3 假设有个面值为 10 亿元的贷款组合，每年的利率为 9%。经济资本估计为 7 500 万元，投资于国债的收益率为 6.5%。另外的 9.25 亿元来自年利率为 6% 的存款，存款利息支

出为 5 550 万元。该银行的运营成本为 1 500 万元，贷款的预期违约率为 1%。计算该笔贷款组合的 RAROC。

我们先分析风险调整的收益。贷款组合每年收到的利息为 9%×100 000 = 9 000（万元）；经济资本带来的收益为 7 500 ×6.5% = 487.5（万元）；9.25 亿元存款支付的利息成本为 92 500×6% = 5 550（万元）；贷款组合的预期损失为 100 000×1% = 1 000（万元）。所以，经风险调整的收益为

贷款利息收入 + 经济资本收益 − 利息支出 − 运营成本 − 预期损失

$$= 9\,000 + 487.5 - 5\,550 - 1\,500 - 1\,000 = 1\,437.5 \text{（万元）}$$

所以，该贷款组合的 $\text{RAROC} = \dfrac{\text{经风险调整的收益}}{\text{经济资本}} = \dfrac{1\,437.5}{7\,500} \approx 19.17\%$。

RAROC 的应用有两种方式，即事前（ex-ante，年初）RAROC 和事后（ex-post，年末）RAROC。事前 RAROC 是一个资本分配工具，因此，预期损失应当在 RAROC 公式的计算中加以确定。事后 RAROC 主要是用于贷款业绩评估。在这种情况下，需要在事后计算损失，所以算式中的损失就是实际发生的损失，而不是预期损失。

12.2.4 ARAROC

很多银行试图使经风险调整的资本收益最大化，并把它与既定的最低预期资本收益率进行比较。根据人们普遍的看法，只有那些 RAROC 大于最低预期资本收益率的业务，才会提高股东的价值。

遗憾的是，这种为人们所广泛使用的方法（第一代 RAROC）误导了对股东价值的决策。我们这一节将要介绍的第二代 RAROC 方法，即调整过的 RAROC（adjusted risk-adjusted return on capital，ARAROC），它纠正了第一代方法的这种缺陷。

这种新的 RAROC 衡量方法的主要目标是将商业风险调整为企业权益风险。比如，如果企业考虑对一项业务进行投资或者停止某一项业务，就会计算这项业务的 RAROC（假设是 19.17%），并且将它同该企业的权益资本成本（假设是 19%）相比较。如果 RAROC 大于该企业的权益资本成本，那么这项业务就会提高企业的价值，项目应当继续进行。否则，企业就应该停止该业务。

为了说明这个问题，我们考虑一个进行了一项风险投资的全股权融资企业。为了使违约概率维持在预定的水平上，该企业保留了一定的经济资本准备。在这种情况下，风险调整后的资产组合的业绩（如 RAROC）就会随着商业风险的变动而变动，甚至当违约概率保持不变时也是如此。换句话说，维持既定违约概率与保持预期权益收益不变是不一致的，反之亦然。但是调整后的 RAROC 方法就纠正了这个问题。

该方法是用 CAPM 进行比较的。定义 β_E 为公司股本的系统性风险，$E(R_M)$ 是预期的市场收益率，r_f 为无风险利率。那么，ARAROC 定义为

$$\text{ARAROC} = \frac{\text{RAROC} - r_f}{\beta_E} \tag{12-3}$$

在 ARAROC 高于预期的市场超额回报 $[E(R_M) - r_f]$ 时，该项目将增加股东的价值。我们

下面看一个例子。

例12-4 一家公司的财务规划部门报告称，一个项目的经风险调整的资本收益率（RAROC）为13%，无风险利率为3%，市场回报率为11%，该公司的股票贝塔系数为1.3。如果使用ARAROC来决定是否接受该项目，这家公司应该：

A. 接受该项目，因为其预期的ARAROC高于市场超额回报

B. 拒绝该项目，因为其预期的ARAROC低于市场超额回报

C. 接受该项目，因为其预期的ARAROC低于市场超额收益

D. 拒绝该项目，因为其预期的ARAROC高于市场超额回报

正确的答案为B。分析：ARAROC = (0.13−0.03)/1.3≈0.0769=7.69%，市场超额回报为11%−3%=8%。因为ARAROC小于市场超额回报，所以这家公司应该拒绝该项目。

❖ 本章小结

经济资本金是银行内部计算的自己需要持有的资本金数量，可以认为是银行为了获得一定的风险收益，对所承担风险所支付的货币数量。因此，经济资本金有时也被称为风险资本。它不同于监管机构要求的资本（监管资本），也和银行实际拥有的资本水平（账面资本）有本质的不同。

RAROC是经风险调整的资本收益率，它既可以用于检测业务类别在过去一段时间内的业绩，也可以用于预测某业务类别未来的表现，从而帮助管理层计划未来资本金的分配方式，进而决定某些业务在未来的发展规划中是应该停止还是扩展。

本章的**重点**和**难点**：①经济资本、监管资本和账面资本三者的区别和联系。②经济资本和VaR的联系。③业绩度量指标从ROA、ROE、REPM、RAROC和ARAROC的历史变迁，风险因子是如何一步步进入业绩度量环节的。

❖ 关键概念

经济资本	监管资本	RAROC
账面资本	RAPM	ARORAC

❖ 练习题

1. 简述什么是经济资本。经济资本具有哪些特征？
2. 论述账面资本、经济资本和监管资本三个概念的区别与联系。
3. 传统业绩度量指标ROA和ROE有哪些不足？
4. A银行的一个风险经理已经拥有如下关于债券交易商和股票交易商的数据（见下表）。假设收益率服从正态分布，一年内有52个交易周，A银行用99%置信水平的VaR来计算它的资本，请分别计算债券交易商和股票交易商的RAPM。

	税后利润 （百万美元）	净账户市场价值 （百万美元）	周波动率 （%）	税率 （%）
债券交易商	8	120	1.1	40
股票交易商	18	180	1.94	40

5. 你工作的银行使用 RAROC 模型。该 RAROC 模型用每年期望净收益与每年 VaR 的比率来度量每个特定的商业行为。你要估计 5 亿美元贷款业务的 RAROC。假设贷款的平均利率为 10%,所有贷款的违约概率和违约损失率都相同,违约概率均为 2%,违约损失率为 50%。银行的运营成本为 1 000 万美元,业务的投资成本是 3 000 万美元,计算 RAROC 用的经济资本。我们使用贷款业务的信用 VaR 来估计,在这种情况下 VaR 为贷款名义金额的 7.5%,经济资本的投资收益率为 6%,那么 RAROC 为多少?

案例专栏

中国平安的风险管理与经济资本配置

作为中国领先的综合性金融服务集团,中国平安保险(集团)股份有限公司(以下简称"中国平安")的业务涵盖保险、银行、证券、信托等多个领域。在面对复杂多变的金融环境时,中国平安通过科学的风险管理与经济资本配置策略,实现了稳健的发展。

在经济资本管理方面,中国平安利用尾部风险价值分析法等工具,构建了经济资本计量分析模型,以明确经济资本与风险管理之间的关系。经济资本管理体系包括边际分布计算、风险总合和经济资本分配三个核心部分。通过经济资本管理,中国平安能够更准确地衡量自身的风险承受能力,并据此制定业务发展战略和风险管理政策。这确保了公司在面对潜在损失时拥有足够的资本缓冲。

中国平安在业务决策中广泛应用 RAROC 指标,特别是在银行业务和保险投资中,该指标被用来优化资源配置、提高风险管理能力和绩效考核的科学性。相关资料显示,平安银行在其产品核算中逐步从 RORWA(风险资产回报率)过渡到 RAROC,并计划在未来分步骤用 RAROC 替代 RORWA,以更真实地反映风险资产收益情况。此外,平安银行还建立了以 RAROC 为核心的综合绩效考核机制,用于评估其综合经营策略的效果。同时,中国平安在投资绩效分析中也引入了 RAROC 指标,用于评估保险资金运用情况。这表明中国平安不仅在银行业务中应用 RAROC,还在保险投资领域中使用该指标进行绩效分析。RAROC 的应用促使中国平安更加注重风险与收益的平衡,避免盲目追求高收益而忽视潜在风险的行为。

资料来源:[1] 让精准核算成为营销驱动力 平安银行精细化产品管理的实践,中国金融新闻网,2015 年 11 月 11 日。
[2] 杨旭. 保险企业集团经济资本总合与分配的实证分析 [J]. 保险研究,2008,(6):63-66.
[3] 窦尔翔,熊灿彬. 基于 RAROC 的我国金融机构的风险与效率分析:以商业银行和保险公司为例 [J]. 国际金融研究,2011,(1):83-89.

案例讨论题

1. 中国平安如何通过经济资本管理实现稳健发展?
2. RAROC 指标在中国平安银行业务和保险投资中的应用有哪些?
3. 中国平安的风险管理实践是如何体现企业社会责任和战略视野的?

第 12 章 案例讨论题参考答案

第 13 章
CHAPTER 13

气候风险管理

§ 学习目标

1. 熟练掌握物理风险、转型风险、绿色金融、ESG（环境、社会与治理）和可持续发展等概念。
2. 了解气候风险如何影响宏观经济和金融体系运行。
3. 分析并评估物理风险和转型风险对银行业和保险业报表的影响。
4. 理解情景分析和压力测试的概念、原理及其在风险评估中的具体应用。
5. 深刻认识气候风险对经济社会的影响，积极助力我国绿色低碳转型与可持续发展。

13.1 概述

近年来，气候变化对全球金融体系稳定性构成的潜在威胁，已成为全球金融界广泛关注的热点议题。包括中国在内的多个国家的监管部门纷纷出台相关指引，要求金融机构全面开展环境风险评估。

环境风险是指由人类活动单独引起的或人类活动与自然界运动过程共同引起的，对人类生存和发展环境可能造成破坏甚至毁灭性影响的事件的概率及其后果。环境风险不仅包括由气候变化直接引发的气候风险，还涵盖空气污染、水污染、土壤污染等非气候因素引发的不良后果。在这些风险中，气候变化引发的气候风险因其广泛的影响和深远的后果，已成为当前最紧迫的环境风险挑战。

随着全球气候变化形势日益严峻，气候风险对金融行业的影响越来越显著，金融当局也越来越重视气候风险对金融资产的影响。为了应对这些挑战，国际上对气候风险管理的关注度日渐提高。央行与监管机构绿色金融网络（NGFS）⊖于 2019 年发布的《行动倡议：将气候变化纳入金融风险》中明确提出，气候风险会导致金融风险，建议将气候相关风险引入金融稳定监控和宏观监督。2020 年 9 月，NGFS 发布了《金融机构环境风险分析综述》和《环境风险分析方法案例集》，呼吁金融机构关注环境和气候风险，并为银行业如何开展环境风险分析提供了指南和方法参考。

中国人民银行于 2021 年 7 月 22 日发布《金融机构环境信息披露指南》。该指南覆盖了商业银行、资管机构、信托公司和保险公司等，旨在引导金融资源向绿色低碳领域配置，并帮助金融机构及其利益相关方识别、量化和管理环境相关金融风险。此前，国家主席习近平在 2020 年 9 月 22 日的联合国大会一般性辩论上宣布了中国的"双碳"目标：力争在 2030 年前实现二氧化碳排放达峰，努力争取在 2060 年前实现碳中和。在此背景下，气候风险管理将成为中国商业银行面临的重大挑战，而目前金融机构的风险管理框架尚未充分考虑气候风险。

随着气候风险影响的日益凸显，国际社会正积极将气候因素纳入风险管理框架。金融稳定理事会（FSB）⊖于 2021 年发布了《气候相关金融风险路线图》，提出要将气候风险纳入金融风险管理整体框架，提高金融体系应对气候变化风险的韧性。

在监管实践方面，巴塞尔委员会成立了专门的气候风险高级别工作组，并发布了包括《有效管理和监管气候相关金融风险的指导原则》在内的多个文件，研究将气候风险纳入巴塞尔监管框架的可行性和方式。巴塞尔委员会发布的气候风险管理的相关文件可参见表 13-1。

表 13-1 巴塞尔委员会发布的气候风险管理的相关文件

发布时间	文件名称	主要内容概述
2020 年 4 月	《气候相关金融风险：对当前举措的调查》（Climate-related financial risks: a survey on current initiatives）	该文件总结了各国监管机构在气候相关金融风险方面的现有举措，分享了不同司法管辖区的经验和实践，为全球监管机构提供了参考
2021 年 4 月	《气候相关风险驱动因素及其传导渠道》（Climate-related risk drivers and their transmission channels）	该文件阐述气候风险（包括物理风险和转型风险）对银行业的具体影响机制。涵盖信用风险、市场风险、流动性风险、操作风险和声誉风险等方面的传导路径。强调银行需理解气候变化对资产和业务模式的潜在影响
2021 年 4 月	《气候相关金融风险的测量方法》（Climate-related financial risks-measurement methodologies）	该文件评估了现有的气候风险测量方法，包括情景分析、压力测试和风险建模，讨论了这些方法的优缺点以及在银行业中的应用。探讨数据不足和建模复杂性等挑战，并提供应对建议

⊖ 央行与监管机构绿色金融网络（Network of Central Banks and Supervisors for Greening the Financial System，简称 NGFS）是一个全球性的组织，致力于通过加强中央银行和金融监管机构之间的合作，推动绿色金融的发展，以应对气候变化和环境挑战。NGFS 于 2017 年 12 月 12 日，在巴黎"一个地球"峰会上宣告成立。由中国、法国等 8 个国家的中央银行联合发起的 NGFS 以促进各国金融市场构建绿色金融体系为目的。该组织旨在通过成员自愿分享最佳实践经验，为金融部门发展绿色金融和管理环境与气候相关风险提供政策指引，从而加强金融体系在环境可持续发展中的作用。

⊖ 金融稳定理事会（Financial Stability Board，简称 FSB）是一个国际组织，成立于 2009 年 4 月，旨在促进全球金融稳定。金融稳定理事会的前身是金融稳定论坛（Financial Stability Forum，简称 FSF），后者于 1999 年成立，主要由七国集团（G7）财长和中央银行行长发起，目的是加强国际金融体系的稳定。

(续)

发布时间	文件名称	主要内容概述
2022年6月	《有效管理和监督气候相关金融风险的原则》（Principles for the effective management and supervision of climate-related financial Risks）	该文件包括18项原则：原则1～12为银行有效管理气候相关金融风险提供指导，原则13～18为监管机构提供指导。这些原则力求在改进与气候相关金融风险的管理实践和为国际银行和监管机构提供共同基准方面取得平衡，并保持足够的灵活性以应对异质性及实践变化
2023年11月	《信息披露与气候相关金融风险（征求意见稿）》[Disclosure of climate-related financial risk（consultative document）]	该文件旨在将气候风险纳入巴塞尔框架的第三支柱（信息披露），包括以下方面。①定性披露要求：涵盖治理、战略、风险管理、集中度风险等方面。②定量披露要求：涉及按行业披露的风险敞口、融资排放、区域气候物理风险敞口等。③定量气候披露的银行业指标、预测，以及不同司法辖区的自由裁量定量披露要求
2024年4月	《有效银行监管核心原则》（修订版）[Core Principles for Effective Banking Supervision (Revised Version)]	该文件首次将气候风险纳入核心原则，强调气候变化引发的物理风险和转型风险可能影响单个银行的安全稳健性，还会影响更广泛的银行体系和金融稳定。银行应理解气候相关风险因素的传导机制，采取适当措施加以应对。监管机构应在对银行的监管中考虑气候相关金融风险，评估银行的气候风险管理流程，并要求银行提供相关信息

资料来源：国际清算银行官网。

此外，国际保险监督官协会（International Association of Insurance Supervisors，简称IAIS）发布了《关于保险业气候相关风险监管的应用文件》，提出了监管建议。欧洲中央银行发布了《气候环境风险指南》，对金融机构商业模式和战略、公司治理、风险偏好、风险管理、信息披露提出了监管期望，并将其直接监管的重要金融机构纳入实施范围。

本章将专门讨论气候风险管理相关的内容。

13.2 气候变化与气候风险

13.2.1 气候风险的定义

气候变化是金融体系目前所面临的风险类型中最严峻、最难以管理的风险之一，它对金融体系的冲击具有一定的隐蔽性，并且易触发系统性的金融风险，给整个经济社会造成难以估量的损失。根据世界气象组织（WMO）每年发布的全球气候状况报告，近年来，全球数以百万的居民遭受了热浪、野火、干旱、洪水等极端天气的影响，损失达数十亿美元。阿尔卑斯山冰川消融异常严重、海平面高度再创新高、气温较工业化前平均高出约1.15℃，气候变暖的长期趋势并没有改变，全球正经历着气候失调带来的环境失序。

气候变化主要通过直接资产贬值损失和间接资本收益下降两个途径对实体经济产生冲击，进而损害金融体系的稳定性。这两个途径被业界进一步定义为**物理风险**（physical risk，国内学者大多译为物理风险，也有文献译为实体风险，以下统称为物理风险）和**转型风险**（transitional risk，也有学者译为过渡风险，以下统称为转型风险）。国际清算银行2020年1月发布的报告首次提出"绿天鹅"的概念，对气候变化带来的物理风险和转型风险进行了明确定义，本书也使用这个定义。

1. 物理风险

物理风险是指天气和气候相关事件导致的经济和生命损失。它是由于未能有效控制气候变化所带来的、导致宏观经济和金融体系不稳定的风险，是应对气候变化失败的成本。典型的物理风险类型[①]是多方面的，影响也很复杂。

（1）飓风、洪水、干旱、热浪、寒潮等极端天气事件可能导致财产损失、基础设施损坏和人员伤亡，从而对经济金融活动产生直接影响。例如，洪水可能冲毁桥梁、道路和建筑物，导致交通中断和财产损失。干旱则可能导致农作物减产和水资源短缺，影响农业生产和居民生活。

（2）全球变暖导致的海平面上升，可能淹没低洼地区，对沿海城市、港口和基础设施造成威胁。这种风险不仅影响房地产、港口运输等行业，还可能通过保险赔付、贷款违约等渠道传导至金融体系。

（3）气候变化还可能对自然生态系统造成破坏，如森林火灾、湿地干涸、生物多样性减少等。这些损失不仅影响生态环境本身，还可能通过影响农业、渔业等产业的经济价值，进而对金融稳定产生影响。

（4）气候变化可能加剧自然灾害发生的频率和强度，如地震、滑坡、泥石流等地质灾害。这些灾害不仅造成直接的经济损失，还可能通过破坏交通、通信等基础设施，影响灾后重建和救援工作的顺利进行。

极端天气事件与自然灾害的冲击具有即时性，它们能在短时间内导致重大的人员伤亡，严重损毁公共设施，阻断交通与通信网络，损毁家庭、企业等微观经济单元的财产，并显著影响农作物产量，进而威胁粮食安全。而诸如海平面上升、全球变暖等长期气候风险，其影响虽然在短期内可能不甚明显，但是会悄然制约产能的潜在增长速率，削弱经济活力。这些由物理性危害所引发的风险，通过交织影响自然生态系统、人类社会经济系统及金融体系等多重领域，构筑起一个错综复杂的风险网络。

鉴于气候风险的严峻性与紧迫性，全球范围内的协同合作与积极应对显得尤为关键。我们必须加强气候监测与预警体系的建设，着力提升基础设施的韧性，以抵御极端天气的冲击；同时，推动绿色低碳的转型步伐，从根本上降低气候风险的发生概率与影响程度。值得警惕的是，气候风险已然对全球经济造成实质影响：如荷兰金融机构的生存与生物多样性息息相关，而美国飓风对计算机行业的资产破坏直接推高了金融机构的不良贷款率。这些实例无不昭示着我们，应对气候风险刻不容缓。

2. 转型风险

转型风险是指在经济社会向低碳经济转型的过程中，政策法规、技术革新、市场偏好与消费者行为、搁浅资产以及经济系统降速等因素发生重大变化，从而引起的资产价值重估和企业成本变化等风险。它会通过金融部门影响整体金融稳定性。这种风险主要体现在以下几个方面。

（1）政策法规变化。如政府为控制碳排放，可能会实施碳税、碳排放权交易等政策措施，这将推高高碳排放行业的生产成本，影响其盈利能力。这是碳定价与税收政策方面带来的风

---

① 这些风险类型基于当前对气候风险的理解和研究。随着科学研究的深入和气候变化的进一步发展，这些风险的具体表现形式和影响程度可能会发生变化。因此，应持续关注气候变化动态和相关研究成果。

险。此外，随着全球对环境保护的重视，环保法规日益严格，企业必须符合更高的环保标准，否则将面临处罚甚至关停的风险。这是环保法规加强带来的风险。

（2）市场偏好与消费者行为转变。市场偏好与消费者行为的变化是转型风险的重要组成部分。投资者在做投资决策时以及消费者在购买商品时，均会将企业的环境因素与气候影响纳入考虑范畴，这可能导致高碳企业的市场份额下降。比如，随着公众环保意识的提高，消费者越来越倾向于选择环保、低碳的产品和服务，这导致绿色消费趋势走强，非绿色产品的市场需求下降，影响相关企业的市场份额和盈利能力。此外，投资者在制定投资决策时的偏好也发生了改变，他们越来越关注企业的环境绩效和可持续发展能力。对于环境表现不佳的企业，投资者可能会选择回避，从而导致这些企业面临融资困难和股价下跌的风险。

（3）技术革新与产业结构调整。一方面，新技术可能迅速替代旧技术，使依赖旧技术的企业资产贬值或失去市场。比如，清洁技术的发展对传统高碳技术形成冲击，如太阳能、风能的发展和电动汽车生产成本的下降会削弱煤电和传统燃油汽车等行业企业的市场竞争力。此外，技术革新带来的不确定性可能导致企业在研发和应用新技术时面临风险。

另一方面，低碳经济转型过程中，产业结构将发生深刻变化，高碳排放行业可能逐渐衰退，而清洁能源、节能环保等新兴产业将迅速崛起。这种产业结构调整将给相关行业和企业带来巨大挑战和机遇。

（4）信息披露风险和声誉风险。各行各业的公司，尤其是金融机构，正越来越多地被要求根据气候相关财务信息披露工作组（TCFD）的建议，评估并公开报告其对物理风险和转型风险的暴露情况。公开披露的风险敞口和内部管理策略，可能影响公司的价值和声誉。另外，企业若未能及时适应低碳经济转型，可能会遭受公众舆论的负面评价，从而损害其品牌价值和市场地位。

（5）资产搁浅风险。在向低碳经济转型过程中，一些高碳排放资产可能因政策、技术或市场变化而迅速贬值或失去经济价值，从而成为搁浅资产。这些搁浅资产不仅影响其直接所有者，还可能通过产业链的上下游，传导至其他相关企业，继而引发系统性风险。另外，低碳经济转型是一个长期而复杂的过程，涉及能源、交通、建筑等多个领域。转型过程中可能面临能源供应波动、就业安置、资产盘活等挑战，这些都将对经济系统的稳定运行产生影响，从而引发系统性风险。

气候风险的转型风险是经济社会在低碳经济转型过程中不可避免的挑战。中国因转型风险导致资产搁浅的案例在多个行业均有发生，尤其在能源和重工业领域。随着中国经济向低碳、绿色转型的推进，这种风险将进一步加剧。因此，为了有效应对这些风险，政府、企业、投资者和金融机构等都需要密切关注市场变化，制定科学的转型策略和政策措施，加强技术革新和人才培养，加强风险管理，以应对潜在的风险。同时，政府也应加强政策引导和支持力度，推动相关行业的平稳转型和经济社会的可持续发展。

除了直接资产贬值损失和间接资本收益下降这两个途径对实体经济造成损失的物理风险和转型风险外，有学者认为还有第三个途径，即责任风险。缔约方因气候变化的影响而遭受损失，可能会向责任方寻求赔偿，若赔偿成立，责任方或将自己承担赔偿，或将赔偿转移给责任保险提供方，此时就会出现责任风险。然而，由于责任风险的界定存在一定困难，它往往被认为是物理风险和转型风险的一部分，甚至被认为是物理风险和转型风险造成的损失在不同主体之间的重新分配。因此，责任风险是气候风险的一个组成部分。它的存在增加了气候风险管理的复杂性，需要在风险评估和管理体系中予以考虑。

NGFS 在 2019 年发布了题为《行动呼吁：气候变化成为金融风险的来源》的报告，着重强调了气候变化作为金融风险来源的重要性，并提出了多项建议，包括将可持续性因素纳入中央银行的投资组合管理中，以推动全球金融体系的可持续发展。

环境气候风险的来源见表 13-2。

表 13-2 环境气候风险的来源

物理风险	示例
极端天气事件	热带气旋、台风、洪水、冬季风暴、热浪、干旱、野火、冰雹
生态系统污染	土壤污染和退化、空气污染、水污染、海洋污染、环境事故
海平面变化	海平面上升或下降
缺水/荒漠化	干旱或供水不足
毁林/荒漠化	森林砍伐导致物种灭绝、气候条件变化、荒漠化和人口流失
转型风险	示例
公共政策变化	能源过渡政策、污染控制法规、资源节约法规的变化
技术变革	清洁能源技术、节能技术、清洁交通等绿色技术的变革
心理及偏好变化	消费者对某些产品偏好的变化、投资者对某些资产类别的情绪变化
市场变化	市场信号的不确定性、原材料的成本增加、企业经营的新模式（如虚拟会议取代商务旅行，垂直农业挑战传统农业）

资料来源：NGFS（2019a）。

13.2.2 气候风险的特征

气候风险具有高度不确定性、长期性与累积效应、非线性与突变性、全局性与系统性以及多维度与复杂性等特征。这些特征要求金融机构在风险管理中采取更加全面、深入和前瞻性的措施。通过情景分析、长期规划、预警系统建设、国际合作与多维度管理等方法手段，金融机构可以更有效地应对气候风险挑战，确保金融稳定与可持续发展。

1. 高度不确定性

气候变化是一个动态、高度不确定的过程，其成因、趋势及具体影响难以基于历史数据和经验进行准确预测。这种不确定性源于气候系统的复杂性、人类活动的多变性以及未来科技与社会发展的不可预知性。近年来，极端天气事件的频率和强度不断增加，如 2023 年欧洲创纪录的冬季高温和北美极端高温事件。此类事件对全球经济造成了巨大冲击，但具体影响范围和程度在事前难以准确预测。

2. 长期性与累积效应

气候风险的影响往往跨越数十年甚至更长时间，其累积效应显著。长期的气候变化可能导致生态系统失衡、海平面上升、极端天气事件频发等严重后果，对经济和金融系统造成长期压力。比如，荷兰鹿特丹通过建设"海绵城市"增强城市水韧性，以应对长期海平面上升和雨水洪涝风险。这一长期规划体现了对气候风险长期性与累积效应的认识和应对。

3. 非线性与突变性

气候变化可能在达到某个临界点后突然引发严重的、不可逆的变化，导致气候风险的突然爆发。这种非线性特征增加了风险管理的难度。2021年德国洪水事件就是一个典型的例子，强降雨在短时间内引发了严重洪灾，对当地经济和金融系统造成了巨大冲击。

4. 全局性与系统性

气候风险的影响具有全局性和系统性特征，它跨越国界、行业和领域，对全球经济和金融系统产生广泛影响。气候风险通过供应链、金融市场等渠道传播和放大，可能引发系统性风险。全球变暖导致的极端天气事件不仅影响农业生产、能源供应等实体经济领域，还通过金融市场传导至更广泛的投资领域，引发市场波动和信用风险上升。

5. 多维度与复杂性

气候风险涉及自然、经济、社会等多个维度，其影响机制复杂多变。气候风险不仅影响物理资产的安全和价值，还通过市场情绪、政策调整等渠道影响金融市场和金融机构的稳定性。例如，旧金山市发布的适应海平面上升的行动计划，综合考虑了短期和长期威胁，采取适应、防护、后撤等多维度措施保护公共和私有财产及自然资源。

13.3　气候变化对宏观经济体系的影响

气候变化通过多种途径对宏观经济体系产生负面影响，既包括直接的供给端冲击（如劳动生产率下降、能源供应脆弱性增加），又包括间接的需求端冲击（如消费需求变化、物价波动）。这些冲击相互交织，形成复杂的经济影响机制。最终通过恶化家庭资产状况、企业资产负债表，从而对行业可持续发展趋势形成阻力，并传导至金融业，影响金融体系的稳定性。

从供给端角度，气候变化会冲击劳动力、实物资本、技术、原材料等潜在供应的组成部分，削弱经济产出能力。

首先，农业生产受损。比如，极端天气事件，如高温、干旱、洪水和寒流等，会直接影响农作物的生长周期和产量。这些天气条件会缩短农作物生长周期，降低产量，从而影响粮食供应的稳定性。另外，海平面上升导致沿海居民迁徙，人口流动加大，引发区域性劳动力供给不足。例如，2023年，意大利中北部艾米利亚—罗马涅大区因倒春寒和冰雹造成的农业损失就高达2 500万欧元。气候变化还会影响粮食的品质、种植成本、存储和运输等方面，进而对粮食安全构成威胁。据联合国粮食及农业组织、世界粮食计划署等机构发布的《全球粮食危机报告》，极端天气导致全球范围内多国面临严重的粮食不安全问题。

其次，能源供应不稳定。气候变化对能源行业的影响显著，如干旱导致水电发电量下降，而极端高温天气则增加电力需求。这种供需失衡会导致能源价格波动，增加企业生产成本。极端天气事件还可能破坏能源基础设施，如风暴、洪水等自然灾害对道路、桥梁、电力线路等基础设施造成严重破坏，修复成本高昂且耗时较长。

最后，制造业供应链中断。极端天气事件会导致原料供应中断、生产设备故障、运输线路受阻等问题，严重影响制造业企业的生产和运营。例如，干旱、暴雨等天气条件会破坏农业生产和原材料供给，导致供应链面临大规模中断。另外，供应链紊乱不仅影响企业的生产效率和市场竞争力，还可能引发市场恐慌和价格波动。

从需求端角度，极端天气事件和未来气候变化的不确定性，会造成社会的消费需求和投资需求下降。比如，极端天气事件如干旱、洪涝等会导致农作物减产，从而推高食品价格。同时，气候变化还可能引发能源短缺和价格波动，增加居民生活成本，这些成本的上升会挤压消费者的可支配收入，进而减少其消费需求，增加预防性需求。极端天气事件还可能引发公众的恐慌和不安情绪，降低消费信心。这种心理影响在短期内可能尤为明显，导致消费需求的下滑。更严重的是，气候灾害还可能引发社会动荡和冲突，进一步抑制消费需求。

投资需求下降主要体现在以下方面。①气候变化带来的不确定性增加了投资者对风险的评估。投资者可能会更加谨慎地考虑投资项目的长期可持续性和稳定性，减少对那些受气候变化影响较大的行业的投资。②极端天气事件可能导致相关资产价值的波动，如房地产、基础设施等。这些资产价值的波动会影响投资者的投资决策，降低其投资需求。③气候变化虽然会对传统投资需求造成冲击，但同时也催生了绿色转型的投资需求。然而，这种需求的增加往往伴随着更高的成本和更长的回报周期，可能不足以完全抵消传统投资需求的下滑。④国际运输系统或将被迫中断，国际贸易正常秩序被扰乱，即使是气候风险暴露程度较低的经济体也会因为参与全球贸易而受到极端天气事件的影响，贸易格局可能因此发生改变。

供给端和需求端的冲击同样会反映在物价水平上，特别是在极端天气和自然灾害的背景下，这些冲击显得尤为显著。这些灾害过后，由于供应链中断、生产受损以及运输困难，食品价格往往会在短时间内急剧上涨。这一现象不仅限于食品，农产品和能源市场同样极易受到冲击，价格剧烈波动成为常态，进一步加剧了供给的不确定性。气候变化作为这些极端天气事件的背后推手，虽然其对通货膨胀的直接影响尚不完全明确，但长期来看，气候变化带来的风险无疑会削弱社会整体的生产力，减缓经济增长的步伐。这种不确定性还会改变人们对通货膨胀的预期，进而影响实际利率水平，对宏观经济稳定构成威胁。

供给端和需求端的冲击还会深刻地影响着经济社会的各个层面。

对于家庭和个人而言，极端天气事件往往意味着突如其来的财产损失和收入减少，这迫使人们增强储蓄动机，减少消费支出，改变消费偏好，且更倾向于将金融资产变现以应对紧急情况。这种行为模式不仅影响了个人的财务状况，也抑制了整体经济的消费活力。

企业层面同样遭受重创。极端天气可能导致企业运营中断，产能下滑，销售下降，而成本却因供应链中断和原材料价格上涨而上升，利润空间被严重挤压。这一系列连锁反应使得企业资金流通收紧，违约概率增加，对企业的生存和发展构成严峻挑战。

在应对短期冲击对行业造成的压力之余，从长远看，气候变化所引发的全球变暖、海洋酸化等长期性问题，将对相关行业施加持续且深远的影响。碳密集型行业面临严峻挑战，它们需承担结构调整与转型升级的重大使命。倘若政府未能提供充分的政策扶持或资金援助，部分行业恐怕难以成功转型，进而对国家经济造成重大打击。此情境极易触发系统性金融风险，并可能导致国家主权信用评级下降。

13.4 气候变化对金融体系的影响

2015 年，英格兰银行行长马克·卡尼在伦敦的劳埃德保险公司发表了一场标题为"地平线的悲剧"的演讲。他在演讲中指出，气候变化的潜在破坏性对金融领域的影响已日趋明显，各国政府和监管当局应当尽快行动，维护金融体系稳定并促进低碳经济转型。

13.4.1 物理风险对金融体系的影响

（1）保险公司的资产负债表是物理风险影响金融体系的重要渠道。

受灾主体的保险覆盖率不高，会扩大保险公司面临的风险敞口。保险公司如果缺乏有效的事前评估和充足的资本金，在面对过大且过于集中的保险赔付时，极易陷入经营困境甚至破产。

在这个方面的典型案例包括 1992 年美国"安德鲁"飓风事件，该事件曾导致多家保险公司资不抵债。陷入困境的保险公司为弥补流动性不足会大规模抛售资产，引发资产价格进一步下跌，影响金融稳定性。

（2）银行的资产负债表同样会受到物理风险的冲击。

首先，受灾地区的抵押物可能会受损或价值降低，这导致借款人的还款能力下降，违约风险增加，进而影响银行等金融机构的资产质量和收益。特别是在房地产行业，房地产作为家庭重要的资产之一，对现金流变化极为敏感。例如，海平面上升可能引发沿海地区房地产价值下滑，房价波动会对房地产相关企业和金融机构造成负面影响，使得抵押贷款组合的违约风险显著上升，金融机构的风险暴露也随之增大。

其次，违约损失可能削弱银行对受灾地区的信贷支持，阻碍灾后重建进程，从而进一步加剧自然灾害带来的物理风险影响。对于新兴市场国家而言，由于其经济基础和金融体系相对脆弱，在遭遇重大自然灾害时，更容易引发经济动荡、财政赤字激增甚至主权信用危机，进而对国内银行的运营能力构成威胁。

最后，物理风险还可能导致银行金融服务中断，企业和家庭因预防性需求增加而急于兑现所持金融产品，相关金融产品被大量抛售，致使银行的资产负债表再受冲击。

（3）长期的气候变化不仅会对全球潜在经济产出产生重大影响，而且会给供应链金融领域带来显著冲击。

当实际经济产出未能达到其潜在水平时，市场价格和实际利率的波动将对银行的稳健运营构成严峻挑战。此外，物理风险还可能直接破坏物流供应链，导致上下游环节运行受阻，进而引发财务流动性紧张。这种流动性危机还会沿着供应链迅速蔓延，使得供应链金融部门面临的违约风险暴露显著增加。

13.4.2 转型风险对金融体系的影响

气候风险，尤其是转型风险，对金融体系的影响深远且复杂。相较于物理风险，转型风险因涉及广泛的经济结构调整和技术革新，显得更为突出和重要。

首先，实体经济作为金融体系的根基，其受气候风险的影响会直接或间接地传导至金融体系。当企业运营受阻、家庭财富缩水时，投资人和贷款人的财务状况会受到影响，进而增加金融体系的信用风险和市场风险。特别是转型过程中可能出现的资产闲置、搁浅和抵押物贬值等问题，会严重损害金融机构的资产质量和资金来源，加剧流动性风险。这些风险在短期内可能不会立即显现为系统性金融风险，但长期累积下来，一旦资产价值大幅下跌，将严重威胁金融稳定。

其次，转型风险还会通过投资、生产率和相对价格等多个渠道对金融体系产生广泛影响。随着全球向低碳经济转型，金融机构若未能及时调整投融资结构以适应这一趋势，将面临声誉风险和市场竞争力下降的挑战。因此，金融机构需要密切关注气候风险对实体经济的影响，并积极采取措施应对转型风险，以确保自身的稳健运营和金融体系的整体稳定。

再次，金融与实体经济紧密相连，金融风险也会反作用于实体经济，影响其发展和转型。例如，若政策转向过于突然且缺乏对低碳能源生产的大规模投资，将给高碳排放行业带来巨大压力，无序的政策节奏会加剧转型风险从实体经济向金融体系的传导。对于煤炭企业等特定行业的企业而言，转型风险会导致成本上升、利润空间压缩，进而影响企业履约能力和信用评级，甚至引发投资者恐慌和股票抛售等非理性行为。

此外，银行、保险等金融机构作为资本市场投资链中的关键一环，也面临着巨大的风险承载压力。商业银行的预期风险损失敞口会因搁浅资产带来的违约概率增加而发生改变，保险公司则可能因气候变化导致的巨额索赔而陷入经营困境。这些风险不仅会影响金融机构的稳健运营，还可能通过提高保费、限制承保范围等方式将风险转移给被保险方。

最后，投资者对转型风险的担忧和恐慌还会反映在证券市场中，导致与碳密集型行业相关的大宗商品、公司债券、股票及金融衍生品的价格剧烈波动。这种价格波动会扰乱市场价格信号，影响投资者的投资决策，进一步加剧金融市场的不稳定性。

因此，气候风险尤其是转型风险对金融体系的影响是多方面的、复杂的，需要金融机构、政策制定者和投资者等各方共同努力，采取有效措施进行应对和管理。气候相关风险向金融风险传导的宏微观经济渠道如图 13-1 所示。

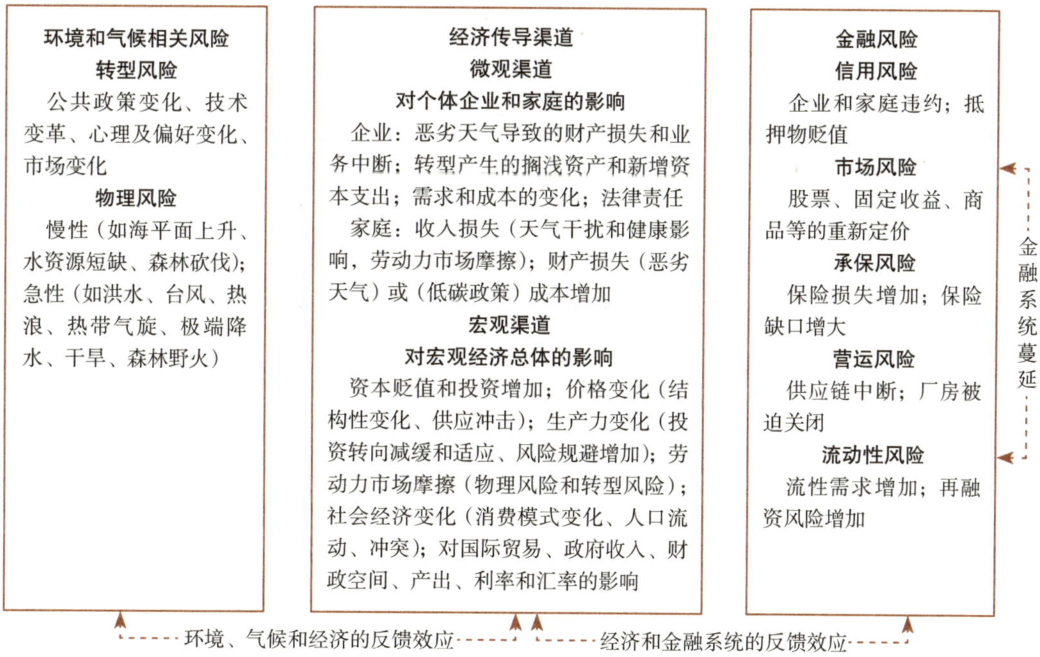

环境和气候相关风险	经济传导渠道	金融风险
转型风险 公共政策变化、技术变革、心理及偏好变化、市场变化 **物理风险** 慢性（如海平面上升、水资源短缺、森林砍伐）；急性（如洪水、台风、热浪、热带气旋、极端降水、干旱、森林野火）	**微观渠道** **对个体企业和家庭的影响** 企业：恶劣天气导致的财产损失和业务中断；转型产生的搁浅资产和新增资本支出；需求和成本的变化；法律责任 家庭：收入损失（天气干扰和健康影响，劳动力市场摩擦）；财产损失（恶劣天气）或（低碳政策）成本增加 **宏观渠道** **对宏观经济总体的影响** 资本贬值和投资增加；价格变化（结构性变化、供应冲击）；生产力变化（投资转向减缓和适应、风险规避增加）；劳动力市场摩擦（物理风险和转型风险）；社会经济变化（消费模式变化、人口流动、冲突）；对国际贸易、政府收入、财政空间、产出、利率和汇率的影响	**信用风险** 企业和家庭违约；抵押物贬值 **市场风险** 股票、固定收益、商品等的重新定价 **承保风险** 保险损失增加；保险缺口增大 **营运风险** 供应链中断；厂房被迫关闭 **流动性风险** 流性需求增加；再融资风险增加

←---- 环境、气候和经济的反馈效应 ----←---- 经济和金融系统的反馈效应 ----←

金融系统蔓延

图 13-1 气候相关风险向金融风险传导的宏微观经济渠道

资料来源：NGFS（2020b）、兴业碳金融研究院。

13.5 气候风险加剧了银行业面临的其他风险

气候风险对实体经济的影响，加剧了商业银行面临的其他风险。气候风险对商业银行风险管理产生的影响，可以通过观察传统的风险类别来发现。

巴塞尔委员会指出，物理风险和转型风险均会对传统风险范畴，包括信用风险、市场风险、流动性风险、操作风险及声誉风险等，产生连锁效应，此种效应会进一步波及银行乃至整个金融体系的风险层级结构。这表明气候风险并非作为一个孤立的风险类型存在，而是作为影响传统风险的一个风险因素而存在。在广泛的调查研究基础上，巴塞尔委员会发现，当前的研究多集中于气候风险因子对信用风险的作用，其次是市场风险的分析，而对于其他风险领域，如对流动性风险、操作风险及声誉风险的探讨，则相对不足。气候风险对银行业面临的风险的影响渠道如图13-2所示。

（1）增加信用风险。极端天气事件与自然灾害对债务人的偿债能力构成威胁，可能导致抵押物损毁或价值贬低，进而加剧商业银行的信用风险。具体实例如，洪水、飓风等灾害可能引发企业资产损毁，削弱其债务偿还能力。此外，随着经济向低碳转型，高碳企业面临资产价值缩减、盈利下滑及债务违约风险增加的困境。这些因素共同作用，可能导致银行贷款质量下滑，不良贷款比例显著上升。气候风险引发信用风险的传导路径如图13-3所示。

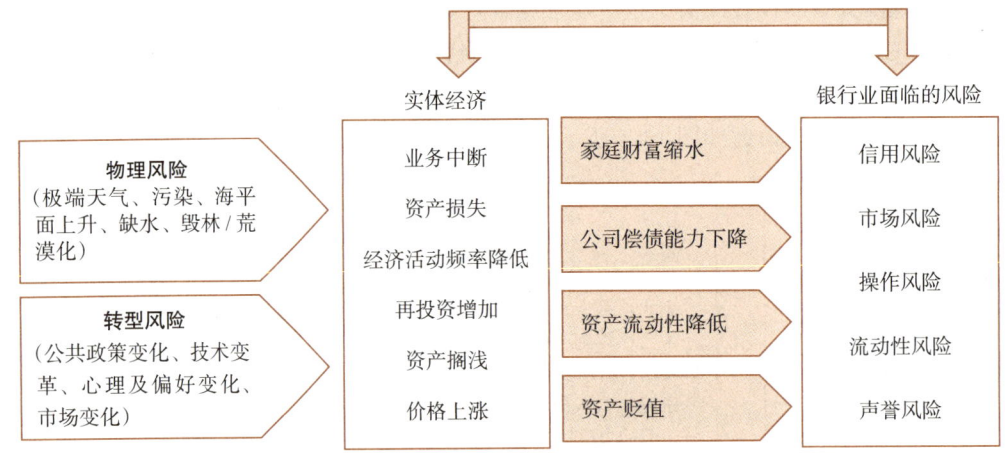

图13-2　气候风险对银行业面临的风险的影响渠道

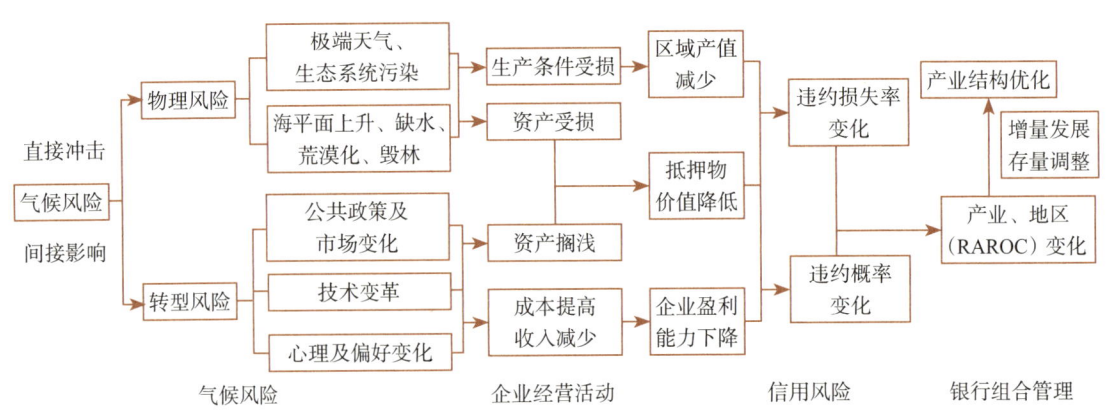

图13-3　气候风险引发信用风险的传导路径

（2）提升市场风险。气候变化对银行资产价值构成潜在威胁，进而推高市场风险。举例来说，全球气候变暖趋势下，部分地区房地产价值面临贬值风险，这将直接波及银行抵押贷款资产的价值评估。同时，转型风险也不容忽视，政策调整与技术革新双重作用下，高碳排放资产的预期收益及市场价值或将缩减。

（3）提升操作风险。洪水、飓风、地震等自然灾害可能直接破坏银行的物理设施，如分行和数据中心的物理设施或ATM机，导致业务运营中断。这种中断不仅影响客户服务，还可能造成数据丢失、交易延误或系统瘫痪，增加银行的操作风险；气候变化引发的极端天气可能导致供应链中断，影响银行的供应商和合作伙伴，如IT服务提供商、支付处理系统或物流服务商。这可能导致银行无法及时获取关键资源或服务，进而影响其日常运营。气候风险也有可能引发网络安全问题。例如，自然灾害可能导致电力中断，使银行的安全系统失效。

（4）加剧流动性风险。极端天气或自然灾害可能导致银行持有的抵押品（如房产、土地、设备等）价值受损。当借款人因抵押品价值下降而无法足额偿还贷款时，银行需要动用更多的资金来弥补损失，从而增加了流动性压力。家庭也可能因气候灾害而遭受经济损失，影响还款能力。这些因素都会导致银行不良贷款的增加，进而加剧流动性风险。就转型风险方面而言，政策变化和技术革新可能导致高碳排放资产面临抛售压力，从而进一步影响银行的流动性状况。

（5）增加声誉风险。气候风险还可能影响银行的声誉。如果银行在气候风险管理方面表现不佳，可能会引发公众和利益相关者的批评和质疑，进而影响其业务发展和市场地位。

13.6 气候风险评估

气候风险评估对于金融机构和政策制定者而言至关重要，因为它能够帮助他们深入理解气候变化可能对经济和金融稳定产生的潜在影响。通过气候风险评估，这些机构和个人能够更有效地应对和适应与气候相关的风险，从而显著降低潜在的经济损失，并敏锐地捕捉气候转型中的机遇。

举例来说，联合国政府间气候变化专门委员会（IPCC）在其发布的第六次评估报告（AR6）中明确指出，气候变化已经对自然系统和人类系统造成了广泛的不利影响，这包括极端天气事件的增加、生态系统和人类系统脆弱性的加剧等。

另外，气候风险评估的重要性不仅于此，它还能为金融机构和企业提供有力的支持，帮助他们识别、量化并有效管理由气候变化引发的各类风险，可能包括极端天气事件和海平面上升等物理风险，也可能涵盖政策调整、技术进步带来的市场风险以及声誉风险等转型风险。

因此，气候风险评估是金融机构和政策制定者在应对气候变化挑战、维护经济和金融稳定以及把握转型机遇方面不可或缺的工具。

13.6.1 气候风险情景分析和压力测试

1. 概念和特点

气候风险缺乏可借鉴的历史数据，且涉及的风险期限较长，传统的风险计量工具在评估这类风险时难以发挥作用，因此，金融机构在应对气候变化带来的金融风险时，目前主要采用情景分析和压力测试这两种手段。在金融风险管理领域，情景分析和压力测试是两种重要的工具，用于评估金融机构在特定或极端市场条件下的表现和承受能力。

（1）**情景分析**（scenario analysis）。情景分析是一种多因素分析方法，通过构建一系列可能发生的市场情景（如经济衰退、利率上升、通货膨胀等）来研究这些情景对资产价值或机构表现的影响。它帮助金融机构理解在不同情况下可能需要采取的策略或措施，并预测这些情景对整体经济价值产生的影响。情景分析通常包括历史情景分析和假设情景分析两种方法，前者利用过去市场剧烈变动的数据进行评估，后者则基于假设的突发事件来模拟可能的影响。

气候风险情景分析通过设定一系列假设和约束条件，考虑各种可能的未来状态（即情景），来预测并深入分析这些情景下可能出现的结果及应对策略。在气候风险管理中，情景分析需设置多个情景，通常包括一个基准情景（代表经济发展的自然形态，不受额外因素干扰）和若干个风险情景。这种分析方法帮助金融机构探索与气候相关的潜在结果范围，分析这些情景对业务的影响，以及企业可能的应对策略。它通常用于识别和评估潜在的业务、战略和财务影响，尤其对于采用前瞻性风险评估方法的企业来说，情景分析可以帮助其应对与气候变化相关的各种不确定性。

（2）**压力测试**（stress testing）。压力测试是一种评估金融机构在极端市场条件下表现的测试方法，通过模拟利率骤升、货币贬值、股价暴跌等异常市场变化，来检验其应对能力。压力测试的主要目的是识别潜在的风险点，确保资产或机构在市场压力下仍能维持功能，并帮助其制定有效的风险应对策略。压力测试可以分为敏感性测试和情景测试两种具体方法，前者关注单个风险因素对资产组合的影响，后者则分析多个风险因素同时变化及极端不利事件对银行风险暴露和承受能力的影响。

气候风险的压力测试方法具有如下特点。首先，它是一种量化评估方法，它通过量化评估气候风险对企业或金融机构的潜在影响，为金融机构的气候风险管理提供客观、可比较的风险度量指标。其次，它具有情景多样性特征。情景设计灵活多样，可根据不同需求定制不同的气候情景，以全面评估气候风险。最后，它可以进行动态调整。随着气候科学的发展和气候数据的更新，压力测试方法可以动态调整和完善，以更好地反映实际气候风险。

气候风险压力测试的本质与传统压力测试相同，是传统压力测试的延伸，其目标是指导金融机构管理气候风险。压力测试通常包括筛选测试行业、设计气候环境压力情景、确定气候风险指标、建立风险传导机制以及量化风险变量等步骤。此外，压力测试还涉及将气候风险转化为对金融风险敞口的影响，并通过自上而下或自下而上的方法进行全面评估。

气候风险情景分析与压力测试在气候风险管理中是相辅相成的工具。情景分析提供对未来不同状态下的洞察，为压力测试提供了多种可能的未来状态，使得压力测试更具针对性和全面性；压力测试则通过模拟极端情景，以量化手段评估金融机构在特定情景下的风险承受能力，为情景分析的结果提供了实证支持。两者结合使用，可以帮助金融机构更全面地识别、评估和管理气候风险。

2. 情景分析在实践中的应用[⊖]

情景分析起源于20世纪60年代。荷兰皇家壳牌石油公司（以下简称"壳牌公司"）自1967年起便开始实施这一方法，以预测和研究未来的商业环境。壳牌公司的成功，部分归功于其对几次石油危机的准确预测。1971年，壳牌公司的研究员皮埃尔·瓦克（Pierre Wack）和其他同事预见到了中东产油国动荡可能导致的严重后果，并通过情景分析预测了石油输出

⊖ 资料来源：基于TCFD建议的气候变化情景分析介绍，Seneca ESG，2023年9月20日。

国组织（OPEC）未来的可能动向，预演了面对各种危机的应对措施。这种预见性的情景分析使壳牌公司在1973年石油危机爆发时预先做好准备，成功应对了这场危机。

壳牌公司的情景分析案例展示了其在商业环境预测和战略规划方面的卓越能力。壳牌公司的成功，促使其他公司开始采用情景分析法。据贝恩公司2011年的调查显示，在近1 000家跨国公司中，约有65%的公司已经开始使用情景分析，以提高对不确定性的应对能力。壳牌公司的情景分析不仅覆盖了石油地下储量和油井数量等传统因素，还特别关注政治因素对石油供应的潜在影响。这种方法使得壳牌公司能够提前识别并准备应对各种危机情景，保持全球市场的竞争优势。

壳牌公司在20世纪90年代之前就已经意识到环境和社会问题，尤其是气候变暖可能带来的影响，并开始在公司内部推行碳管理战略。该公司创造了新的全球情景分析，如2008年发布的2050年能源情景分析，以及在后续年份发布的其他情景分析，这些情景分析涉及政治权力、经济发展、全球化、关键资源等因素，并一直延伸到2060年。

基于对全球变暖和极端天气的担忧，情景分析越来越多地应用于与环境变化相关的问题中，如气候变化。金融机构使用情景分析来测试其管理的资产和投资组合的弹性，非金融机构则使用情景分析来评估气候变化对其业务的影响。尽管情景分析在实施过程中存在一定的挑战，但许多企业和组织已经成功地应用了情景分析法，并从中获益。这些企业和组织评估其战略计划对情景中与气候相关的潜在风险和机遇的应变能力，并改进其计划。在熟悉了基于定性信息的情景分析之后，这些企业或组织可以增加定量数据，进一步发展其通向这些情景的可能途径，还可以考虑通过内部建模建立自己的情景，而不是仅仅使用公共情景。

3. 压力测试的方法与步骤

气候风险压力测试以气候因素为立足点，识别各类气候风险，并利用量化工具将气候风险转化为对金融风险敞口的影响，有自上而下和自下而上两种开展模式。气候风险的压力测试框架如图13-4所示。

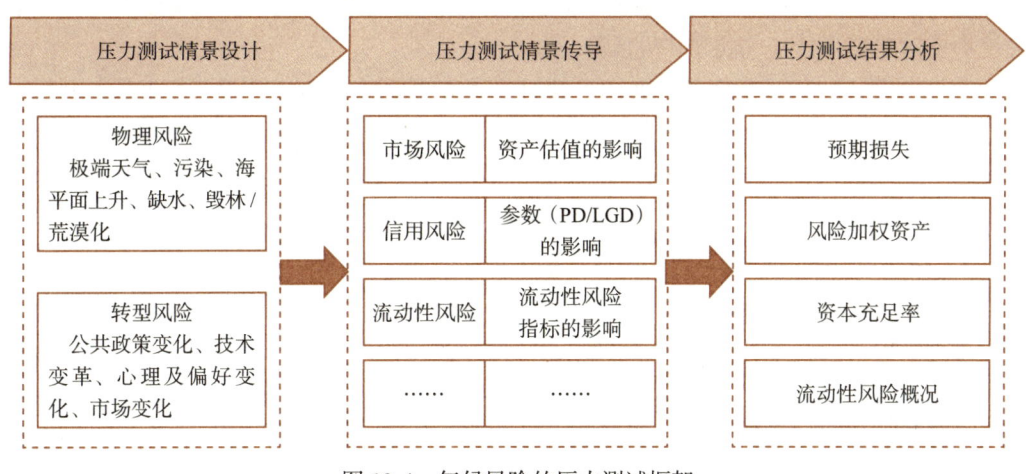

图13-4　气候风险的压力测试框架

第一，设计情景。设计不同的气候情景，包括基准情景（无额外气候因素干扰的对照参考情景）和若干个不同程度的压力情景（反映在不同程度的外部气候冲击下的变化）。情景设计需考虑多种因素，如气温变化、降水模式、极端天气事件频率等，并基于科学的气候模型和历史数据进行模拟。

第二，构建经济－气候模型。评估气候情景对公司财务指标的影响。通过输入各类气候风险因素，输出经气候风险调整后的公司财务指标。构建财务风险模型，输入调整后的公司财务指标，评估相应的各类财务风险情况，并输出财务风险度量指标。

第三，收集模型中各情景相应的测试数据，包括气候数据、经济数据、企业财务数据等。对数据进行处理和分析，确保数据的准确性和一致性，为压力测试提供可靠的基础。

第四，实施压力测试。基于风险传导模型实施压力测试，模拟不同气候情景下的风险传导路径和影响程度。分析测试结果，评估气候风险对企业或金融机构的潜在影响，包括财务状况、资产质量、运营稳定性等方面的影响。

第五，分析结果与制定应对策略。分析测试结果，识别气候风险的关键驱动因素和敏感点。根据测试结果制定相应的风险管理策略和应对措施，如优化环境风险信息披露和管理、规划合理的减排脱碳路径等。

气候风险的压力测试方法尽管具有显著的优势和应用价值，但在实际操作中也面临一些挑战，如气候风险相关数据的获取和准确性、模型的复杂性和计算成本等。随着气候科学、数据技术和计算能力的提升，这些挑战有望逐步得到解决。

未来，气候风险的压力测试方法将在更多领域得到应用和推广，成为企业和金融机构管理气候风险的重要工具。同时，随着全球对气候变化问题的关注和应对行动的加强，气候风险的压力测试方法也将不断完善和发展，为应对气候变化挑战提供更加有力的支持。

13.6.2 中国气候风险压力测试的监管实践

2021年4月15日，在中国人民银行与国际货币基金组织联合召开的"绿色金融和气候政策"高级别研讨会上，时任行长易纲表示[⊖]："人民银行正探索在对金融机构开展压力测试中系统性地考虑气候变化因素，并逐步将气候变化相关风险纳入宏观审慎政策框架，同时鼓励金融机构评估和管理自身气候和环境风险。"

2022年2月，中国人民银行发布的《2021年第四季度中国货币政策执行报告》开设"探索开展气候风险压力测试"专栏，专栏披露，中国人民银行于2021年8月至11月组织23家主要银行（2家政策性银行、6家大型商业银行、12家股份制商业银行和3家城市商业银行）开展首轮气候风险敏感性压力测试，评估"双碳"目标转型对银行体系的潜在影响。

已完成第一阶段气候风险压力测试，重点针对火电、钢铁和水泥行业年排放量在2.6万吨以上二氧化碳当量的企业，考察碳排放成本上升（轻度、中度、重度三种碳价情景）对企业还款能力的影响，以及进一步对参试银行持有的相关信贷资产质量和资本充足水平的影响。

测试结果表明，压力情景下企业的还款能力出现不同程度的下降，银行资本充足率也有所下滑，但均能满足监管要求，风险可控。此轮压力测试不仅增强了银行业金融机构管理气候相关风险的能力，而且对监管机构完善气候风险压力测试方法、拓展测试行业范围、探索宏观情景压力测试提供了启示。

⊖ 资料来源：《央行行长易纲：逐步将气候变化相关风险纳入宏观审慎政策框架》，新浪财经，2021年4月16日。

中国人民银行表示，计划在下一阶段的工作中进一步优化气候风险压力测试的方法。首先，根据我国的实际情况，调整压力测试的情景设定和影响传导机制，以增强测试结果的实用性和指导作用。其次，扩大测试的行业覆盖面，将更多高碳排放行业纳入考量，从而更全面地评估我国金融系统面临的气候风险。最后，将探索实施宏观层面的气候风险压力测试，以便系统地评估经济和社会向绿色低碳转型过程中可能出现的结构性和交叉性影响。

13.6.3 国际组织对气候风险情景分析及压力测试的监管建议[⊖]

国际组织已提出将气候相关风险纳入金融监管框架中的设想，认可气候风险情景分析及压力测试作为气候风险监管的有力工具。国际组织主要围绕监管机构的宏观审慎监管、对金融机构的微观审慎监管，以及金融机构的自我监测方面提出建议。

（1）巴塞尔委员会。巴塞尔委员会是一个致力于协调、制定国际银行监管规则及标准，促进国际银行监管合作的国际机构。该委员会的主要任务是加强全球银行业的监管、监督与实践，以促进金融系统的稳定。在应对气候变化带来的金融风险方面，巴塞尔委员会于2022年6月发布了《有效管理和监督气候相关金融风险的原则》，为银行及监管机构提供了管理和监管气候相关金融风险的原则性指引。这些原则包括情景分析与压力测试，旨在帮助银行更好地识别和管理气候相关的潜在风险。

（2）NGFS。NGFS是一个旨在促进全球绿色金融发展和强化金融体系应对气候与环境挑战能力的国际组织。NGFS于2020年5月发布了《监管者指南：将气候相关的环境风险纳入审慎监管》。该指南建议金融机构应识别物理风险和转型风险的风险敞口，并开发必要的方法和工具，如气候风险情景分析和压力测试，来掌握气候和环境风险的规模与范围。

（3）金融稳定理事会。金融稳定理事会的前身是金融稳定论坛，2008年全球金融危机爆发后，为了加强对金融市场的监督，确保国际金融稳定，20国集团（G20）领导人于2009年4月将其更名为金融稳定理事会。金融稳定理事会是一个重要的国际金融组织，在全球金融稳定中发挥着不可或缺的作用。金融稳定理事会于2022年发布《应对气候相关金融风险的监督和管理方法》，鼓励监管机构将气候风险情景分析及压力测试作为宏观审慎监管工具。另外，该文件还推荐监管机构在进行气候风险情景分析时可酌情参考利用NGFS情景分析法，以便促进数据和评估工具的一致性。

13.7 金融机构的气候风险管理

气候风险作为一种全局性的系统性风险，已深刻嵌入社会各行业的讨论范畴之中，对其进行有效应对不仅能够维护我国金融稳定、促进经济平稳转型，更关乎国家长远发展的可持续性。然而，气候变化本身的不确定性及其对不同行业造成的差异化冲击，导致了行业间在气候风险认知上的显著差异。这种认知鸿沟体现在对风险阈值的界定、责任分担机制等方面，致使难以迅速凝聚起全社会共同应对的合力。

在此背景下，商业银行作为我国推动高质量发展的核心金融引擎，肩负着不可推卸的责

⊖ 徐金，方琦，钱立华，等. 气候风险情景分析与压力测试概述：基础概念与监管框架[J]. 西南金融，2024，(5)：3-13.

任与使命。它们需要积极强化气候风险管理能力，不仅是为了自身经营的稳健性，更是为了通过金融创新的手段向全社会提供应对气候变化的资金支持与解决方案，助力构建绿色低碳的经济体系。

尽管作为国内金融机构核心的商业银行在行动层面已有所作为，但学术界在评估与量化气候风险方面仍面临重重挑战。这些挑战包括但不限于：如何精准捕捉气候变化的复杂动态，建立科学合理的风险评估模型；如何平衡短期经济利益与长期环境效益，制定合理的风险承受水平；以及如何在缺乏统一标准与数据共享机制的情况下，实现跨行业、跨领域的风险监测与预警等。因此，金融机构在未来进行气候风险管理中仍面临一定的挑战。

13.7.1 气候风险面临诸多挑战

金融机构在气候风险管理方面面临的挑战来自多个方面，这些挑战要求金融机构采取更为积极主动的管理策略，以有效应对气候变化所带来的风险。金融机构气候风险管理面临的主要挑战有以下方面。

1. 数据基础薄弱

根据金融稳定理事会和国际财务报告准则基金会等权威机构的研究，气候风险缺乏有效的历史数据积累，这是金融机构在评估和管理气候风险时面临的首要挑战。气候风险评估需要大量的气象、地理、生产等数据，但这些数据与传统的财务数据和市场交易数据缺乏交集，没有成熟的收集和积累渠道，这使得金融机构在将气候风险纳入传统风险管理框架时面临困难。此外，公开可获得的气候风险相关数据源较为分散，且多为非结构化数据，难以短时间内整合出高质量数据库。这导致金融机构在构建气候风险计量工具时，会由于数据基础薄弱而难以准确评估和管理气候风险。

2. 量化困难是气候风险管理的技术难题

气候风险具有长期性、广泛性、异质性等特点，这使得其评估、计量、监测的难度很大。首先，对于物理风险，各类别灾害和各区域环境差异很大，难以进行统一定量评估。对于转型风险，在未来较长时间跨度内，人类的生产生活方式和科学技术水平将发生重大改变，这些改变难以定量预估。其次，气候风险评估方法目前尚不成熟，缺乏统一的评估标准和模型。金融机构在评估气候风险时，往往采用不同的方法和模型，导致评估结果存在较大的差异。最后，气候风险预测需要基于大量的实证研究和数据支持，但目前气候相关的金融风险管理领域的模型经验较为缺乏，基础数据难以支撑准确的预测结果。因此，金融机构需要探索更为科学、合理的评估方法，以准确衡量气候风险的影响。目前应对气候风险管理的评估方法主要是情景分析和压力测试。

3. 激励约束机制尚不成熟

金融机构在运营过程中，通常会遵循风险收益对等原则，即根据风险的潜在收益来承担相应的风险，并通过资本约束和合规要求来有效制约和管理这些风险。然而，在气候风险这一特定领域，情况却有所不同。气候风险具有显著的外部性特征，这意味着风险相关的损失主体与受益主体在空间和时间上往往存在较大的错配。这种错配导致金融机构在经营气候风险时缺乏内在的动力和机理，因为它们难以直接从气候风险的管理中获得即时的经济回报。

为了应对这一挑战，金融机构通常依赖于外部机制来引导和要求其披露、评估和管理气候风险。然而，目前这些外部机制仍然不够成熟。一方面，由于气候风险的复杂性和不确定性，可靠的评估手段和统一的量化标准尚未完全建立，这使得金融机构在评估和管理气候风险时面临较大的困难。另一方面，由于气候风险的外部性特征，金融机构在承担气候风险时往往难以获得即时的经济回报，这进一步削弱了其管理气候风险的内在动力。

因此，为了完善金融机构在气候风险管理方面的激励约束机制，我们需要加强气候风险评估方法和模型的研究，建立统一的量化标准，并探索有效的激励措施，以激发金融机构在气候风险管理方面的积极性和动力。

4. 技术与人才短缺

气候风险管理是一项高度专业化的任务，它依赖于先进的技术和人才支持来确保其实施的有效性和准确性。然而，当前金融机构在气候风险管理领域的技术和人才储备存在显著的不足。

具体来说，技术和人才的缺乏使得金融机构在应对气候风险时可能面临诸多挑战。一方面，缺乏先进的技术支持可能导致金融机构难以准确评估和量化气候风险，从而无法制定出科学合理的风险管理策略。另一方面，专业人才的缺失则可能使得金融机构在风险管理过程中缺乏必要的专业指导和建议，进一步影响其风险管理的效果。

因此，为了提升金融机构在气候风险管理方面的能力，我们需要加大技术和人才的投入，加强相关领域的研发和创新，培养一支具备专业知识和实践经验的人才队伍，以确保金融机构能够有效地应对气候风险带来的挑战。

5. 监管政策不确定性

随着全球对气候变化的关注度不断提高，各国政府和相关机构正在逐步加强气候风险管理的监管政策。然而，由于气候风险的复杂性和不确定性，监管政策的制定和实施也存在一定的不确定性。这可能导致金融机构在应对气候风险时面临监管政策的变化和调整，从而增加其风险管理的难度和成本。

目前，尽管金融机构在气候风险管理过程中面临诸多挑战，但由于气候风险管理正处于早期发展阶段，缺乏高质量的数据和合适的评估方法来量化气候风险仍然是现阶段金融机构进行气候风险管理时面临的最重要的挑战。

巴塞尔委员会强调，气候风险的显著特征为高度的不确定性与强烈的前瞻性。具体而言，气候事件的发生地点、频次及影响程度，连同政策变动、技术革新及消费者偏好的变化，均蕴含着极大的不确定性，使得前瞻性预测工作面临重重挑战。2023年11月，该委员会发布了针对《有效管理和监督气候相关金融风险的原则》执行情况的调研报告，指出银行在实施过程中遇到的主要障碍在于气候相关数据与方法的获取与应用。为克服这一难题，银行需构建特定行业的专业知识体系，以深入理解各行业及其交易对手方在气候风险领域所遭遇的挑战。同时，还需大力投入人力、专业知识及时间资源，以提升数据的可获得性和质量，确保数据的持续采集、有效管理及自动化处理。

为了有效应对这些挑战，金融机构需要加强气候风险管理的策略研究和实践探索，加强数据收集和积累工作，推动数据标准化和结构化进程，并不断探索新的评估方法和模型，从而提高风险管理水平和能力。

13.7.2 气候风险管理蕴含的机遇

金融机构在气候风险管理方面不仅面临挑战，同时也有机会抓住诸多机遇。

1. 推动绿色金融发展

随着全球范围内对气候变化问题的关注度持续攀升，绿色金融作为一种新兴的、符合可持续发展理念的金融模式，已经逐渐成为金融行业的重要发展趋势。绿色金融旨在通过金融手段引导资金流向环保、低碳、可持续的领域，推动全球经济的绿色转型。在这一背景下，金融机构扮演着至关重要的角色。它们可以通过积极参与绿色金融项目，如绿色债券的发行、绿色贷款的提供等，为低碳经济和可持续发展提供有力的资金支持。这些绿色金融项目通常涉及清洁能源、环保技术、绿色农业等领域。它们的实施有助于减少温室气体排放，促进资源的节约和循环利用，从而实现经济的可持续发展。

同时，金融机构参与绿色金融项目也能够降低自身的气候风险。随着全球气候变化加剧，极端天气事件频发，传统的高碳排放行业面临着越来越大的转型压力。金融机构如果继续将大量资金投入这些高风险行业，无疑会增加自身的经营风险。因此，通过参与绿色金融项目，金融机构可以实现风险的有效分散和降低，保障自身的稳健运营。

2. 创新金融产品和服务

气候风险管理为金融机构提供了创新金融产品和服务的契机。一方面，金融机构可以开发气候相关保险产品，为企业和个人提供气候灾害的风险保障。这类保险产品可以针对特定的气候灾害（如洪水、飓风、干旱等）进行设计，为受灾企业和个人提供必要的经济补偿，帮助他们尽快恢复生产和生活。通过提供这样的保险产品，金融机构不仅可以为客户提供全面的风险保障，还可以拓展自身的业务领域和收入来源。

另一方面，金融机构可以推出碳金融产品，如碳期货、碳期权等，为市场参与者提供碳价格风险管理工具。随着全球碳市场的不断发展，碳价格波动风险日益凸显，企业和投资者对碳价格风险管理的需求也越来越强烈。通过推出碳金融产品，金融机构可以为市场参与者提供有效的碳价格风险管理工具，帮助他们规避碳价格波动风险，实现稳健经营和可持续发展。

3. 提升风险管理能力

应对气候风险需要金融机构不断提升自身的风险管理能力。这一过程中，金融机构可以借鉴国际先进的风险管理理念和技术，完善自身的风险管理体系，提高风险识别、评估、监测和应对的能力。

4. 增强品牌影响力和社会责任感

金融机构通过积极应对气候风险，不仅能够树立良好的企业形象，还能显著增强品牌影响力。具体而言，金融机构可以采取一系列措施，包括制定明确的气候风险管理政策、优化资产配置以支持绿色经济、创新气候相关金融产品和服务、加强气候信息披露以提高透明度、积极参与气候相关活动和倡议，以及强化内部管理和员工培训。这些措施不仅能够帮助金融机构有效应对气候变化的挑战，还可以提升其市场竞争力，增加社会价值，从而进一步强化其品牌影响力。

此外，金融机构参与气候风险管理，不仅是对环境负责，也是在履行社会责任。通过支持绿色金融、推动绿色低碳转型发展，金融机构为应对全球气候变化贡献力量，从而提升自身的社会价值。例如，中国建设银行秉持"成为全球领先的可持续发展银行"的愿景，支持绿色低碳转型发展，全力以赴做好绿色金融这篇大文章，助力国家"3060目标"的实现。

5. 开拓新的业务领域

随着全球对气候变化的关注度日益提升，以及气候风险管理在金融机构中的不断深入，金融机构迎来了开拓新业务领域的重要机遇。这些新领域不仅有助于金融机构实现业务的多元化发展，还能为应对气候变化提供有力的金融支持。

一方面，金融机构可以为气候适应性和减缓性项目提供融资支持。气候适应性项目旨在提高社会对气候变化的适应能力，减少气候变化带来的负面影响，如建设防洪设施、改善农业灌溉系统等。气候减缓性项目致力于减少温室气体的排放，如推广清洁能源、发展低碳交通等。通过为这些项目提供融资支持，金融机构不仅能够帮助项目方实现其气候目标，还能拓展自身的业务领域，增加收入来源。

另一方面，金融机构可以积极参与气候相关基础设施的建设和运营。随着气候变化的加剧，对气候基础设施的需求也在不断增加。这些基础设施包括气象观测站、洪水预警系统、海平面监测设施等，它们对于提高社会对气候变化的监测和预警能力至关重要。金融机构可以通过提供融资、技术支持和运营管理服务等方式，参与这些基础设施的建设和运营，从而在新的业务领域中获得更多的发展机会。

除了上述领域外，金融机构还可以探索其他与气候风险管理相关的新业务领域。例如，提供气候风险评估和咨询服务，帮助企业和个人了解和管理其面临的气候风险；开发气候相关的大数据分析和人工智能技术，为气候风险管理提供更精准的支持；参与碳市场交易和碳资产管理等，为碳减排和碳定价提供金融服务。

在开拓新业务领域的过程中，金融机构需要密切关注市场动态和政策导向，确保新业务与自身战略和风险偏好相符。同时，金融机构还需要加强与其他金融机构、政府、国际组织以及非政府组织的合作与交流，共同推动气候风险管理相关的新业务发展。

13.7.3 气候风险管理的策略

在平衡挑战与机遇的过程中，金融机构必须注重内部机制的建设与外部合作的拓展。采取全方位、多层次的风险管理举措。内部机制建设方面，金融机构应建立完善的风险管理体系，提高风险管理能力和水平。这包括加强气候相关数据的收集和分析，改进风险评估方法，提升员工的气候风险管理意识和专业技能等。外部合作方面，金融机构应积极寻求与政府机构、行业协会、科研单位及国际组织的外部合作，共享资源，协同推进气候风险管理策略的实施。

为了更有效地应对气候风险，金融机构必须致力于提升自身的风险管理能力。在这一持续的进步过程中，以下策略显得尤为重要。

一方面，要加强气候风险意识的培养，构建绿色金融发展的理念，并积极借鉴国际先进的风险管理理念和技术。金融机构应充分发挥其在应对气候变化、防范气候风险中的引领作用，提升绿色投资意识，开发绿色金融产品，并利用其公众影响力，加大宣传和普及力度，培育全社会绿色理念。这意味着要紧跟全球金融行业的最新动态，了解并吸收那些在国际上被广泛认可和实践的风险管理策略。通过与国际金融机构的交流与合作，金融机构可以更快地引进和应用新的风险管理工具和方法。

另一方面，要完善自身的风险管理体系，这是目前提升气候风险管理能力的关键。金融机构需要建立一个全面、系统的气候风险管理框架，确保从风险识别、评估、监测到应对的每一个环节都得到充分的关注。这包括制定明确的气候风险管理政策，设立专门的风险管理部门，以及培训员工提高气候风险管理意识和技能等。

在风险识别方面，金融机构需特别关注气候相关风险，并对其进行细致的识别与分类。这意味着要深入理解气候变化事件如何影响金融资产和业务运作，同时对这些风险发生的概率和潜在影响进行评估。为了更高效地监测和分析气候风险的动态，建议金融机构构建一个全面的风险数据库和信息管理系统，收集并整合气候相关数据，用于追踪和分析气候风险的动态变化。该系统应具备强大的数据处理能力，能实时更新风险信息，帮助金融机构及时捕捉风险趋势的变化。

在风险评估方面，金融机构需要采用科学的方法和模型来量化气候风险。这包括利用历史数据和情景分析来评估气候事件对金融资产和业务的潜在影响，以及计算风险调整后的收益率和资本充足率等指标。通过这些评估，金融机构可以更准确地了解自身面临的气候风险，并制定相应的风险管理策略。

在风险监测方面，金融机构应建立实时、动态的风险监测系统。这包括利用先进的技术手段来监测气候事件的发展和影响，以及及时更新风险数据库和信息系统。通过持续的监测和分析，金融机构可以及时发现潜在的风险问题，并采取相应的措施进行应对。

在风险应对方面，金融机构需要制定灵活、有效的应对策略。比如：通过调整投资组合和信贷政策，减少对高碳资产的投资，支持低碳和气候适应性项目的风险缓解策略；使用保险和衍生品等金融工具来转移气候风险，进而增强吸收损失的能力的风险保留策略等。除此之外，还应包括建立应急响应机制，制定灾难恢复计划。

通过实施这些策略，金融机构可以在气候事件发生时迅速做出反应，提升风险抵御能力，减少潜在损失，并保障业务的连续性和稳定性。同时，这些策略有助于金融机构抓住绿色转型带来的机遇，促进可持续发展，增强市场竞争力，从而在应对气候变化的过程中实现自身的长远发展和价值创造。

13.7.4 气候风险管理成功案例

在应对气候风险方面，金融机构有很多可以借鉴的成功案例。这些案例展示了金融机构如何通过建立风险数据库、成立专门的工作组、纳入风险管理体系、开展情景分析和压力测试，以及制定具体的应对战略来管理和缓解气候风险。通过这些实践，金融机构能够更好地识别、评估和管理与气候相关的风险，从而提高其韧性和可持续性。从国际视角看，成功案例如下。

（1）花旗集团。花旗集团建立了涵盖客户、第三方的气候数据库，并将其应用于智能风控系统。花旗集团还成立了气候风险工作组，负责指导和管理企业的风险识别、风险评估、情景分析和压力测试。

（2）三菱日联金融集团。该集团构建了"董事会–执行委员会–可持续发展委员会"的治理架构，其中可持续发展委员会负责审议气候风险状况及应对策略，并将其纳入全面风险管理体系。

（3）微软。微软设立了气候委员会和气候风险与韧性（CR+R）工作组，负责监督气候相关风险与机遇，并将气候风险管理职能部门与核心业务部门的力量整合在一起。微软还制定了"5R"战略，以实现负碳排放，并从碳排放、水资源、废弃物和生态系统等方面披露其应对气候变化的目标。

国内金融机构中，将气候风险纳入全面风险管理体系的商业银行包括但不限于以下几家。

（1）兴业银行。根据公开信息，兴业银行已将ESG与气候风险管理纳入全面风险管理体系，并主动印发了23个敏感行业ESG授信政策。这表明兴业银行在气候风险管理方面采取了积极措施，并将其作为全面风险管理的重要组成部分。

（2）中国工商银行。中国工商银行将环境与气候风险纳入全面风险管理体系，建立了专业风险管理部门，并加强了客户准入、贷中审核、贷后管理全流程管控。中国工商银行还开展了火电、钢铁和水泥行业的气候风险压力测试，并建立了环境风险信息大数据服务平台。

（3）中国建设银行。中国建设银行将气候风险纳入全面风险管理体系，并由专业风险部门管理，同时加强了贷前、投前风险评估和贷后、投后风险管理。

除上述银行外，中国银行、中国农业银行、交通银行和中国邮政储蓄银行等国有大行也在其发布的社会责任报告或相关披露中，提及了应对气候变化风险的相关信息和措施。虽然未直接说明将气候风险纳入全面风险管理体系，但从其披露的内容来看，这些银行也在逐步加强气候风险管理。这些机构在气候风险管理方面采取了积极措施，并注重实践应用。未来，随着气候风险日益凸显，预计将有更多的金融机构加入这一行列，共同推动金融业在应对气候变化方面发挥积极作用。

13.7.5 利用金融衍生品管理气候风险的案例

1. 气候风险管理的国内实践：探索天气衍生品市场

近年来，国内外频发的极端天气灾害使各方深刻认识到，气候风险已成为不容忽视的"绿天鹅"⊖事件。针对这一风险，衍生品市场在风险管理中的职能如何有效发挥，成了亟待探讨的问题。

天气衍生品市场的发展与研究，是一个横跨金融、气象与风险管理等多个领域的复杂课题。自1997年首笔天气衍生品交易诞生以来，该领域发展迅速，特别是在美国芝加哥商业交易所等地，标准化产品的推出更是推动了市场的进一步壮大。然而，尽管实务应用层面的进展迅速，但理论研究却相对滞后，尚需加强。

在国际市场上，天气衍生品市场已经相对成熟。以芝加哥商业交易所为例，近年来其天气衍生品交易量显著增长，2020年的名义持仓金额高达7.5亿美元，同比增长60%，彰显了

⊖ 相较于"黑天鹅""灰犀牛"等资本市场投资者耳熟能详的术语，"绿天鹅"一词也许尚不为大众熟知。2020年，国际清算银行在"黑天鹅"基础上提出了"绿天鹅"概念，是指气候变化引发的极端事件对金融市场构成系统性威胁。

市场的蓬勃活力。

在国内，天气衍生品领域的实践尚处在不断探索与创新中。其中，"气象+期货"作为一种新兴的风险管理工具和业务模式，旨在借助金融衍生品市场，有效转移和对冲因天气变化而带来的经营风险，为企业的稳健经营提供有力保障。

（1）"气象+期货"业务模式。"气象+期货"业务模式是一种将气象因素与金融衍生品市场相结合的风险管理方式。该模式通过设计基于特定气象指数的衍生品，如温度指数、降雨量指数等，帮助企业规避因天气变化带来的经营风险。当实际气象条件与预期不符时，企业可以通过衍生品市场进行风险转移和对冲，从而减少损失。

（2）国内实践案例[一]：郑州商品交易所（以下简称"郑商所"）的探索和大连商品交易所（以下简称"大商所"）的创新。

2024年5月31日，郑商所与国家气象信息中心、中国气象科学研究院，在北京签署战略合作框架协议。三方将发挥各自优势，深化战略合作，共同探索适应我国发展阶段的"期货+气象"业务模式，包括天气指数编制与应用、天气衍生品研发上市等。目前已形成长江中下游气温指数编制方案，并进入技术开发阶段。这一实践有助于健全天气风险管理体系，更好地服务长江经济带高质量发展，保障粮食和重要农产品供给，以及能源电力安全稳定供应。

大商所自2002年起开始研究农业天气风险管理，并与中央气象台开展长期战略合作。双方共同发布了"中央气象台–大商所温度指数"。该指数基于中央气象台权威气象数据，具有权威性和市场认可度。基于该温度指数，中国人寿财产保险股份有限公司广东省分公司与中泰期货股份有限公司、天韧科技（上海）有限公司合作推出了水产养殖温度指数保险，帮助水产养殖户应对高温风险。[二] 这一创新产品将温度指数保险与"保险+期货"模式融合，实现了逐层风险转移的闭环。

接下来，我们将对大商所温度指数进行简要介绍。

大商所温度指数包括以下几类[三]：**日平均温度指数**（daily average temperature，DAT）、**月度累积平均温度指数**（cumulative average temperature，CAT）和月度**制热指数**（heating degree day，HDD）以及月度**制冷指数**（cooling degree day，CDD），其中，日平均温度指数衡量特定自然日的日内平均温度，月度累积平均温度指数反映特定自然月的累积温度，月度HDD和月度CDD反映特定自然月温度累计向下和向上偏离基准温度的波动程度。大商所温度指数的单位均为℃。

（1）日平均温度指数。日平均温度指数衡量特定自然日的平均温度，t日的日平均温度指数为当日2时、8时、14时和20时等四个时点温度值的算术平均值加上调整值100。

$$\mathrm{DAT}_t = \frac{T_{02} + T_{08} + T_{14} + T_{20}}{4} + 100 \quad (13\text{-}1)$$

式中，DAT_t为t特定自然日的日平均温度指数；T_{02}为2时观测到的温度值；T_{08}为8时观测到的温度值；T_{14}为14时观测到的温度值；T_{20}为20时观测到的温度值。

（2）月度累积平均温度指数。月度累积平均温度指数反映特定自然月的累积温度。月度

[一] 资料来源：韩乐. 探索"期货+气象"业务模式[N]. 期货日报，2024-6-3（001）.

[二] 资料来源：https://finance.sina.com.cn/money/future/2023-07-31/doc-imzeqmwq2101700.shtml。

[三] 资料来源：http://index.nmc.cn/temperature/explain?stationid=54511&year=2024&month=11。

累积平均温度指数基于日平均温度计算。当月第 t 个自然日的日平均温度 T_t 的计算方法如下

$$T_t = \frac{T_{02} + T_{08} + T_{14} + T_{20}}{4} \qquad (13\text{-}2)$$

t 日的历史日平均温度 $T_t^{'}$ 计算方法如下

$$T_t^{'} = \frac{\sum_{i=1}^{5} T_i}{5} \qquad (13\text{-}3)$$

式中，T_i 为过去第 i 年同一天的日平均温度。那么，t 日的月度累积平均温度指数为当月每个自然日平均温度加上调整值的和，其中已经过自然日取 T_t，未经过自然日为 $T_t^{'}$，具体见下式

$$\text{CAT}_t = \sum_{i=1}^{t}(T_i + 调整值) + \sum_{i=t+1}^{N}(T_i^{'} + 调整值) \qquad (13\text{-}4)$$

式中，CAT_t 为 t 日标的城市月度累积平均温度指数；N 为当月自然日的天数。调整值为 10、20 或 40，根据城市地理位置与历史温度选择。 ⊖

（3）月度 HDD。月度 HDD 衡量特定月份温度累计向下偏离基准温度（18℃）的波动程度。计算月度 HDD 首先需要根据当月第 t 个自然日的日平均温度 T_t 计算 t 日的日制热指数 DHDD_t。

$$\text{DHDD}_t = \max(18 - T_t, 0) \qquad (13\text{-}5)$$

然后是计算 t 日的历史日平均温度 $T_t^{'}$ ［见式（13-3）］和历史日制热指数 $\text{DHDD}_t^{'}$。

$$\text{DHDD}_t^{'} = \max(18 - T_t^{'}, 0) \qquad (13\text{-}6)$$

t 日的月度制热指数 HDD_t 为当月每个自然日的日制热指数 DHDD_t 的和，计算公式见式（13-7），其中已经过自然日取 DHDD_t，未经过自然日为 $\text{DHDD}_t^{'}$。N 为当月自然日的天数。

$$\text{HDD}_t = \sum_{i=1}^{t} \text{DHDD}_i + \sum_{i=t+1}^{N} \text{DHDD}_i^{'} \qquad (13\text{-}7)$$

（4）月度 CDD。月度 CDD 衡量特定月份温度累计向上偏离基准温度（18℃）的波动程度。计算月度 CDD 首先需要根据当月第 t 个自然日的日平均温度 T_t 计算 t 日的日制冷指数 DCDD_t。

$$\text{DCDD}_t = \max(T_t - 18, 0) \qquad (13\text{-}8)$$

然后计算 t 日的历史日平均温度 $T_t^{'}$ ［见式（13-3）］和历史日制冷指数 $\text{DCDD}_t^{'}$。

$$\text{DCDD}_t^{'} = \max(T_t^{'} - 18, 0) \qquad (13\text{-}9)$$

t 日的月度制冷指数 CDD_t 为当月每个自然日的日制冷指数 DCDD_t 的和，计算公式见式（13-10），其中已经过自然日取 DCDD_t，未经过自然日为 $\text{DCDD}_t^{'}$。N 为当月自然日的天数。

$$\text{CDD}_t = \sum_{i=1}^{t} \text{DCDD}_i + \sum_{i=t+1}^{N} \text{DCDD}_i^{'} \qquad (13\text{-}10)$$

寒潮会带来用电需求上升，拉高电价，增加售电企业风险。招商期货风险子公司招证资本发行寒潮指数场外期权产品，求实能源技术（深圳）有限公司作为产品买方在出现寒潮事故时行权，可获得赔偿，规避寒潮风险。

冻灾和旱灾给农业生产带来了不小的安全隐患，保险公司向农户销售冻灾、旱灾保险，

⊖ 资料来源：http://index.nmc.cn/temperature/explain?stationid=54511&year=2024&month=12。

随后购买招证资本发行的"温度指数+旱灾指数"场外期权进行对冲。当出现冻灾和旱灾时，招证资本会向保险公司进行赔付，农户会收到保险公司赔付。

"气象+期货"业务模式在国内的实践中已经取得了显著成效，为实体企业提供了有效的风险管理工具。未来，随着技术的不断进步和市场的不断完善，该模式的应用范围将进一步扩大，有望在更多领域发挥重要作用。同时，也需要加强与国际市场的交流与合作，共同推动气候风险管理领域的发展与创新。

2. PNW公司（西北太平洋电力公司）的气候风险管理[一]

PNW公司的气候风险管理案例是一个极具代表性的实例，它生动地展示了企业如何在面对由气候变化带来的复杂且多变的挑战时，采取一系列前瞻性和创新性的策略来有效应对。

PNW公司是美国西北部的一家大型电力公司，其主要业务是通过建设发电站、发电、售电来获取收入。气候风险管理对于PNW公司来说至关重要，因为它直接关系到公司的运营稳定性和财务健康。然而，在2000年左右，PNW公司面临了多重挑战。一方面，美国政府放松了对电力行业的管制，使得行业内竞争更加激烈；另一方面，气候变化导致的极端天气事件频发，给电力公司的运营带来了不确定性。特别是在PNW公司业务覆盖的美国西北部地区，地中海气候使得居民用电量在冬季因气候变暖而减少，导致公司收入下降。

PNW公司面临的主要气候风险是气温波动对电力需求的影响。具体来说，该公司的电力销售与居民用电需求密切相关，而居民用电需求在很大程度上受到温度的影响。例如，如果是温暖的冬季，那么居民使用电暖器的需求就会减少，这会导致PNW公司的电力销售量下降，进而影响其收入和盈利。

为了应对气候变化带来的挑战，PNW公司采取了一系列策略来量化和管理气候风险：通过分析历史数据和使用气候模型预测，评估不同气候情景下电力需求的变化，从而制订相应的风险管理计划。

PNW公司采用HDD和CDD来量化温度波动对电力需求的影响。这两个指数均依据实际日均气温与设定的基准温度（一般设定为65 ℉，即18.33℃）之间的偏差来计算，旨在评估居民对供暖或制冷的需求水平。

HDD是衡量寒冷天气对电力需求影响的指标。HDD的计算依据是基准温度与日平均气温的差值。实际日均气温每低于基准温度1 ℉，就增加一个HDD单位。HDD值越高，表明居民对供暖的需求越大，进而带动电力需求的增长。与HDD相反，CDD则用于衡量炎热天气对电力需求的影响。CDD的计算基于日均气温与基准温度的差值。实际日均气温每高于基准温度1 ℉，就增加一个CDD单位。CDD值越高，意味着居民对制冷的需求越大，电力需求也随之增加。

需要注意的是，这里的65 ℉是一个标准化的计量基准，用于所有相关合同的计算，而非气温达到或超过/低于此值时就必须启动供暖或制冷系统。HDD和CDD的作用类似于股票价格，在合同中作为标的资产来衡量和预测电力需求。

下面，我们通过具体示例来探讨PNW公司的气候风险管理。

如果某天的平均气温是40 ℉，那么当天的HDD就是25（即65-40）。如果第二天的平

[一] 资料来源：http://www.360doc.com/content/22/0505/18/79520218_1029900730.shtml。

均温度下降到 30 °F（相当于大约 −1℃），则第二天的 HDD 就会增加到 35。因此，我们可以根据气温来计算每天的 HDD 值，HDD 的数值越大，说明越需要供暖；反之，若气温较高，HDD 值则会相应降低，但这并不直接表示需要降温，而是反映了供暖需求的减少。

（1）识别风险。以美国西雅图 1 月和 2 月的供暖为例，我们采用 60 天作为计算周期。PNW 公司期望每天的 HDD 值保持在 15 左右，那么 60 天的 HDD 总和就应为 900。基于未来气温的变动，PNW 公司的收益情况存在如下两种可能。

一种情况：若 1 月至 2 月期间的 HDD 累计总和超过 900，则标志着寒冷天气较为持久，由此促使居民对供暖的需求大幅上升。这一趋势将直接转化为 PNW 公司电费收入的增加，进而助力公司财务状况显著改善，可能提升其信用评级。随着信用评级的提升，PNW 公司将能享受到更为优惠的融资成本，且其融资活动也会因此变得更加顺畅与高效。因此，对于 PNW 公司而言，HDD 值的较高累积不仅反映了寒冷天气的延续，更是公司财务稳健与融资优势增强的积极信号。

另一种情况：若 1 月至 2 月期间的 HDD 累计值低于 900，则意味着该时段气温相对适宜，导致居民对供暖服务的需求显著降低。这一变化将直接反映为 PNW 公司销售收入的下滑，进而可能对其财务状况构成不利影响，加剧资金流紧张，削弱公司的融资能力并推高融资成本，最终可能使公司陷入财务困境。鉴于此，PNW 公司自然更倾向于 HDD 值维持在较高区间，并对 HDD 值可能出现的下滑趋势表示深切关注，视其为一项重要的财务风险因素。

由此可见，PNW 公司需要规避的是 HDD 降低所带来的风险。

（2）风险管理策略。第一，明确风险管理工具。为了降低因气温波动导致的收入不确定性，PNW 公司可以利用资本市场上的金融衍生品来应对气温风险，这些衍生品允许 PNW 公司在温度偏离预期时获得经济补偿，从而稳定其收入流。

PNW 公司可以购买与温度相关的衍生品（如天气期货或期权），以对冲因温度波动导致的电力销售风险。因其最担忧 HDD 下降，所以对其而言，最直接的风险管理方式便是购入以 HDD 为标的的看跌期权，或者卖出 HDD 的远期或期货合约，甚至可以选择卖出 HDD 互换合约。这些方式均能在 HDD 下跌时为 PNW 公司提供现金流保护。

第二，确定交易对手。在 2000 年，管理气候风险的合约难以在交易所直接购买。而当时作为能源行业革新者的安然公司[一]，通过大量金融创新改造了传统能源行业，并开发出了以气温为标的资产的产品。因此，PNW 公司在场外市场中找到了交易对手——安然公司，双方签订了一份以 HDD 为标的资产的场外看跌期权合约。

安然公司在破产前，在能源创新领域表现卓越，尤其在金融工具和电子商务平台开发方面取得了显著成果[二]。他们创造性地运用期货、期权等金融衍生品，将能源商品金融化和证券化，成为能源期货与期权交易市场的先驱和领军者。这种创新不仅大幅提升了公司的盈利能力，还使其在全球能源市场中占据了举足轻重的地位。

作为期权合约的买方，PNW 公司需要支付购买看跌期权的费用。若气温数据足够丰富，PNW 公司可以依据气温的历史分布，利用前面章节所介绍的二叉树模型或 Black-Scholes 期权定价模型来确定期权费用。

[一] 资料来源：http://news.sina.com.cn/w/2002-01-14/443365.html。

[二] 资料来源：https://xueqiu.com/9048373524/133611068。

（3）风险管理效果。合约到期后，结果无非如下两种。

若遭遇暖冬，即 HDD 低于合约中约定的行权价格，尽管公司的电费收入会减少，但此时看跌期权将产生价值，PNW 公司将从安然公司获得相应的现金流补偿。

若遇到寒冬，即 HDD 高于合约中约定的行权价格，看跌期权失去价值。然而，由于寒冬期间居民用电需求激增，公司的电费收入会显著上升，从而确保 PNW 公司的总体收益保持稳定。

因此，无论是面对寒冬还是暖冬，PNW 公司通过实施气候风险管理策略，即购买看跌期权能有效保障公司的现金流稳定，成功实现风险管理的目标。

（4）风险管理启示。PNW 公司的气候风险管理案例为其他企业提供了以下启示。

1）重视气候风险。企业应认识到气候变化对其业务可能产生的重大影响，并将气候风险管理纳入其风险管理框架中。

2）量化评估风险。通过科学的方法和工具（如 HDD、CDD 等）量化评估气候风险，为制定风险管理策略提供依据。

3）多元化风险管理手段。结合金融手段、业务调整和信息披露等多种方式，构建全面的气候风险管理体系。

4）持续关注与调整。由于气候变化是一个持续的过程，企业应定期评估其气候风险管理策略的有效性，并根据实际情况进行调整和优化。

总之，PNW 公司的气候风险管理案例展示了企业如何面对和应对气候变化带来的挑战。通过科学的风险识别、量化评估、多元化风险管理手段以及持续的信息披露与沟通，PNW 公司成功地降低了气候风险对其业务的影响，并为其他企业提供了有益的借鉴。

13.8 ESG、可持续发展与气候风险管理

13.8.1 ESG 与气候风险管理

在探讨气候风险管理的议题时，一定避不开涵盖环境、社会及治理三个维度的 ESG。ESG 是气候风险管理的重要框架，它的正式亮相是在 2004 年，由联合国全球契约组织在其发布的《关怀者胜》(Who Cares Wins) 报告中首次明确提出。

ESG 是 environmental、social 和 governance 三个英文单词的首字母缩写。具体而言，环境（E）层面聚焦于温室气体排放控制及其他环境相关议题。环境维度直接涉及气候变化相关的议题，如温室气体排放、能源消耗和效率等，这些都是气候风险管理的重要方面。社会（S）层面则涉及多样性、公平、包容性和员工福利等社会议题。虽然目前社会因素的衡量标准不如环境因素完善，但未来公司可能需要披露更多这方面的信息。社会维度虽然不直接涉及气候变化，但企业的社会责任表现，如员工管理、产品安全性等，可能影响其应对气候风险的能力。治理（G）层面则强调企业应采用准确且透明的会计处理方法，并建立健全的治理架构，以确保企业政策与实际操作的一致性。治理维度关注企业的治理结构和风险管理机制，这对于制定和执行气候风险管理策略至关重要。

随着全球环境问题的愈发严峻及公众对企业社会责任关注度的不断提升，人们对于公司职责的认知已发生转变：过去，人们普遍认为公司的首要任务是最大化股东价值；而现在，

人们认识到公司的价值目标必须与环境和社会责任紧密结合。投资者在关注传统价值导向性投资的同时，日益重视企业的 ESG 表现，特别是其在环境气候风险管理领域的投入与成效。通过 ESG 信息披露机制，企业能够向投资者、监管机构及其他利益相关方清晰地展示其在环境气候风险管理方面所做的努力及取得的成果。因此，加强气候风险管理不仅有助于提升企业的 ESG 表现，还能进一步增强其市场竞争力及融资能力。

ESG 因素不仅能帮助金融机构识别环境风险，还为其提供了风险评估的新视角。例如，一家环保表现不佳的公司可能面临更高的法律和监管风险，而治理不善则可能导致股价下跌和声誉受损。兴业银行和中国工商银行等金融机构已将 ESG 因素纳入全面风险管理体系，通过制定相关政策和建设数据库，实现对气候风险和社会责任的量化评估。我们将在案例专栏部分，专门介绍中国工商银行的 ESG 投资理念与气候风险管理。

13.8.2 可持续发展

与 ESG 理念相似，可持续性发展同样涵盖了气候风险管理问题，但其范畴更广泛。1983 年，联合国前秘书长哈维尔·佩雷斯·德奎利亚尔（Javier Pérez de Cuéllar）鉴于全球环境问题的紧迫性，特别委任挪威前首相格罗·哈莱姆·布伦特兰（Gro Harlem Brundtland）组建了一个专门机构，即著名的布伦特兰委员会，旨在深入探索并制定可持续发展的环境战略。1987 年发布的布伦特兰报告对可持续发展的定义被广泛采用：可持续发展是既能满足当代人的需求，又不损害后代人满足其需求的能力的发展。非可持续发展通常指的是那些以牺牲环境、社会长远利益为代价的发展模式。

温室气体排放作为非可持续发展的一个显著例证，其影响深远且广泛。温室气体排放，特别是二氧化碳等气体的排放，是导致全球气候变化的主要原因。根据联合国政府间气候变化专门委员会的报告，人类活动产生的温室气体排放正在以前所未有的速度改变地球的气候系统，进而引发一系列严重的风险管理问题。然而，这仅仅是冰山一角。我们处理废弃物的方式同样是一个不容忽视的重要问题。尤其是海洋环境，正遭受着塑料垃圾、工业化学品、石油废弃物以及未经处理的污水等多重污染源的侵袭，这一问题尤为引人关注。此外，土壤和水源的污染问题同样严峻，农药、化肥以及石油产品等化学物质的滥用，正在悄然侵蚀着自然生态的基石。

当探讨可持续发展与金融风险管理的关联时，我们必须强调，可持续发展问题已日益成为金融机构在风险评估与管理过程中不可或缺的一环。随着环境挑战的不断加剧及可持续发展观念的广泛接纳，绿色金融正逐步崛起为金融行业的核心发展趋势。绿色金融凭借其对资金流向低碳、环保项目的引导作用，加速推动着经济体系向可持续发展模式的转变。在此背景下，金融机构在制定投资决策时，愈发重视企业的 ESG 绩效表现。

最后，我们不得不提及，风险管理领域越来越重视环境风险。随着人类居住的地球所面临的环境风险变得越来越明显，环境风险很可能会成为许多公司和国家越来越重要的考虑因素。全球风险专业人士协会（GARP）现在除了提供金融风险管理师（FRM）资格外，在 2020 年还推出了可持续性与气候风险（sustainability and climate risk，SCR）资格考试项目，旨在帮助从业人士了解和管理气候变化对其机构的潜在经济和运营影响。SCR 资格考试项目是第一个真正意义上的全球气候风险管理项目，考试内容涵盖了气候风险的相关政策和监管、绿色与可持续金融、气候风险的度量和管理、气候情景分析，以及气候相关前沿话题等多个模块。特许金融分析师协会（CFA Institute）自 2021 年起，除了提供 CFA 资格证书外，还提供 ESG 投资证书。该证书在全球范围内具有较高的认可度，尤其是在可持续投资和绿色金融领域。

本章小结

本章探讨了气候风险对经济和金融体系的影响，包括物理风险和转型风险对经济活动的影响，以及气候风险是如何增加银行业的信用风险、市场风险、操作风险、流动性风险和声誉风险的。介绍了情景分析和压力测试等风险评估工具，强调了气候风险管理的重要性和紧迫性。同时，讨论了金融机构在气候风险管理中的机遇和挑战，并通过案例展示了如何通过创新策略有效管理气候风险。最后，强调了气候风险管理与 ESG 和可持续发展的紧密联系，呼吁社会各界，特别是企业和政策制定者，在管理气候风险时应严格遵循可持续发展原则，共同努力，以实现人与自然的和谐共生。

本章的**重点**和**难点**：①理解气候风险效应，探讨气候变化如何影响金融体系，包括资产价值、市场信心和信贷条件，要求具备理论与实践相结合的分析能力；②金融机构在气候风险管理中所面临的机遇与挑战；③气候风险量化分析；④ESG 与气候风险管理。

关键概念

| 气候风险 | 物理风险 | 转型风险 | 气候风险管理 |
| 情景分析 | 压力测试 | ESG | 可持续发展 |

练习题

1. 气候风险通常被分为哪两类？
   A. 物理风险和市场风险
   B. 物理风险和转型风险
   C. 信用风险和操作风险
   D. 流动性风险和市场风险

2. 以下哪项不是气候风险管理的传统工具？
   A. 天气衍生品   B. 保险产品
   C. 碳排放交易   D. 压力测试

3. 在气候风险评估中，哪种方法可以帮助金融机构理解在不同气候变化情景下的风险暴露？
   A. 蒙特卡洛模拟   B. 情景分析
   C. 历史数据分析   D. 回归分析

4. 气候变化对以下哪个行业的影响可能最为直接和显著？
   A. 金融服务业   B. 信息技术业
   C. 农业和自然资源   D. 教育服务业

5. 以下哪项措施不是金融机构用来缓解气候风险的策略？
   A. 增加对可再生能源项目的投资
   B. 限制对高碳排放行业贷款
   C. 提高对气候风险的披露和透明度
   D. 增加对化石燃料行业的投资

6. 气候变化引起的物理风险包括哪些方面？
   A. 法律和政策变化
   B. 海平面上升导致的直接物质影响
   C. 技术进步带来的市场变化
   D. 消费者偏好变化

7. ESG 投资理念主要关注哪三个维度？
   A. 经济、社会、政府
   B. 环境、安全、治理
   C. 环境、社会、治理

D. 生态、社会责任、管理
8. 描述情景分析在气候风险评估中的作用。
9. 解释为什么金融机构需要关注气候风险管理。
10. 在气候风险管理中，金融机构如何平衡风险对冲的需求和道德责任，尤其是在面对可能加剧气候变化的活动（如投资化石燃料项目）时？
11. 解释可持续发展的概念。
12. 如果一家能源公司通过购买基于温度的天气衍生品来对冲其风险，该衍生品的支付结构是月平均气温每高于平均气温 1 ℉ 支付 100 美元，而该地区的平均气温为 65 ℉。如果某月的平均气温为 75 ℉，那么该公司将从这个衍生品中获得多少收益？
13. 一家公司购买了一份温度指数保险，以保护自己免受异常高温的影响。保险合同规定，如果月平均温度超过 20 ℃，保险公司将为每超过 1 ℃ 支付 1 000 美元。如果某月的平均温度记录为 23 ℃，请计算该公司将从保险公司获得多少赔偿金。
14. 一家能源公司预计在接下来的季度需要大量的天然气来满足其客户的需求。为了对冲天然气价格波动的风险，该公司决定购买天然气期货合约。每份期货合约代表 10 000 千立方米的天然气，而该公司预计需要 20 000 千立方米。如果当前期货价格为每千立方米 0.8 美元，计算该公司为对冲风险需要购买多少份期货合约，并计算总成本。
15. 描述气候变化如何影响金融机构的信用风险。
16. 讨论金融机构在面对气候变化带来的挑战时，如何通过产品和服务创新来抓住机遇。
17. 如果你是郑州商品交易所的产品开发负责人，你将如何设计一个新的天气衍生品来帮助本地农民对冲极端天气事件的风险？
18. 讨论金融机构在应对气候变化带来的挑战时，如何平衡其盈利目标与社会责任，并提出具体的策略和措施。
19. 论述企业在追求经济效益的同时，如何平衡 ESG 目标，以实现可持续发展。请提供具体实例加以说明。
20. 假设你是一家银行的风险管理负责人，你的一个主要客户是一家农业公司，该公司的收入在很大程度上受到天气变化的影响。请解释你会如何使用气候风险管理工具来帮助该公司减少其业务运营中的不确定性。
21. 某公司计划在其生产过程中引入可再生能源，以减少碳排放并提升环境绩效。请分析这一举措如何体现 ESG 原则中的"环境"维度，并讨论该举措可能对公司长期可持续发展产生的正面影响。

案例专栏

中国银行业的气候风险管理实践

随着全球气候变化问题的日益严峻，气候风险已成为社会各界广泛关注的焦点。中国明确提出了 2030 年前实现碳达峰、2060 年前力争实现碳中和的目标。这一目标不仅是对国际社会的庄严承诺，也是推动国内经济社会高质量发展的内在要求。面对这一宏伟而艰巨的任务，中国银行业作为金融体系的重要组成部分积极响应，通过一系列创新和实践，努力将金融资源有效配置到绿色低碳领域，同时构建和完善气候风险管理体系，为实现双碳目标贡献力量。

为了有效应对气候风险，中国银行业采取了多项举措。首先，成立了中国银行业支持实现碳达峰碳中和目标专家工作组，该工作组负责统筹规划和指导银行业在助力实现双碳目标方面的各项工作。其次，推动各商业银行在治理层面成立碳达峰碳中和领导小组，确保双碳目标在银行业务中的有效落地。此外，还通过促进信贷资源向绿色低碳领域倾斜、推动绿色金融产品和业务创新、引导银行构建气候风险管理体系、加强碳排放数据的收集和信息建设、做好碳排放信息的披露、推动建设气候友好型银行以及加强碳领域的交流合作等方式，全面助力双碳目标的实现。

作为中国银行业的重要代表，中国工商银行在气候风险管理方面进行了深入探索和实践，形成了具有自身特色的气候风险管理体系。它的一些做法颇具代表性，为行业树立了典范。

（1）中国工商银行已将绿色低碳纳入其集团战略管理，明确了战略导向和碳偏好，并积极配置资源以形成持续合力。通过制定一系列绿色低碳政策，中国工商银行引导业务向绿色低碳领域发展，旨在为经济社会的绿色低碳转型提供全方位的金融服务。

（2）中国工商银行已对《全面风险管理规定》进行了修订，将气候风险作为独立篇章纳入全面风险管理体系。通过完善治理架构、明确三道防线的具体职责、制定风险偏好与限额标准和建立相关制度与流程，中国工商银行构建了气候风险的识别、计量、监测、报告及控制的完整体系。此外，该行还设立了气候风险压力测试和预警机制，持续优化数据和IT系统，为气候风险的有效管理提供了坚实支持。

（3）为了更好地管理气候风险，中国工商银行建立了气候风险数据库，包括行内和行外数据。通过底层数据库、中间指标层数据和顶层应用层的构建，数据库实现了碳排放统计和监测、气候风险压力测试等功能。同时，中国工商银行将气候风险纳入智能化风控体系，为气候风险的全流程管理提供了系统化支持。

（4）中国工商银行参考国际经验，构建了包括物理风险和转型风险在内的气候风险压力测试体系。通过对企业层面的转型路径影响和财务影响进行深入分析，该体系为银行的风险管理和业务决策提供了科学依据。

（5）随着气候风险和双碳工作的开展，中国工商银行不断增强气候风险防控体系研究。中国工商银行通过对国内外气候评级模型和数据的调研，逐步将气候风险和碳因素纳入内部评级体系，为信贷业务的审批和风险管理提供了更加全面的考量。

（6）为了增强透明度和社会责任感，中国工商银行不断完善气候风险信息披露体系，形成了以绿色金融专题报告、社会责任报告（ESG报告）、绿色债券年度报告为主体的信息披露体系。同时，中国工商银行还积极参与TCFD国际规则制定，推动TCFD披露建议更加适宜中国国情，为国内外投资者提供了更加清晰、准确的气候风险信息。

通过这些科学、系统且富有创新性的做法，中国工商银行在气候风险管理方面取得了显著的成绩。

（1）根据中国工商银行官网发布的数据及年报，其绿色信贷规模持续保持快速增长态势。截至2021年年末，中国工商银行投向绿色产业的贷款余额已达到2.48万亿元，与上年相比增长了34.4%，规模位居国内六大银行之首。2022年，中国工商银行的绿色信贷规模继续保持国内同业领先地位，并在全球同业中脱颖而出。截至2023年年末，按照国家金融监管总局的统计口径，中国工商银行的绿色贷款余额已升至5.4万亿元，与上年年末相比大幅增加，增幅超过50%（基于增长量估算）。而到了2024年6月末，这一数字更是突破了6万亿元。

（2）根据中国工商银行官网发布的数据及年报，2023年度，其累计向841个项目发放碳减排贷款1 046.21亿元，贷款加权平均利率为2.69%，带动的年度碳减排量为2 900.05万吨二氧化碳当量。通过投放大量的碳减排贷款，中国工商银行支持了众多企业的节能减排和清洁能源项目，推动了绿色经济的发展。这些贷款不仅为中国工商银行带来了稳定的利息收入，还有助于提升其社会形象和品牌价值。

（3）在绿色债券领域，中国工商银行作为银行间市场的重要一员，积极发行并承销绿色债券，发行量在银行间市场中名列前茅，承销规模亦持续增长。这些绿色债券业务不仅为中国工商银行带来了可观的承销费和利息收入，更显著提升了其在绿色金融市场的竞争力。据中国工商银行官网数据，2024年上半年，中国工商银行主承销的绿色债券规模已达132亿元。此外，中国工商银行不仅积极开拓国内市场，还成功发行了全球多币种"碳中和"主题境外绿色债券，进一步拓宽了其绿色债券的发行渠道，增强了国际影响力。

（4）中国工商银行积极将ESG因素纳入其投资决策中。通过投资绿色、低碳、可持续的项目和企业，该行不仅获得了稳定的投资回报，还有力地推动了绿色经济的发展。与此同时，ESG投资理念的实施有助于提升中国工商银行的品牌价值和社会形象，进一步增强了其在市场中的竞争力。

中国工商银行的这些实践不仅为自身的可持续发展奠定了坚实基础，也为全球银行业的气候风险管理提供了有益借鉴和示范效应。未来，随着全球气候变化问题的进一步加剧和碳达峰、碳中和目标的深入推进，中国银行业将面临更加严峻的气候风险挑战。因此，银行业需要继续加强气候风险管理实践和创新，不断提升自身的气候风险管理能力和水平，加强与政府、企业和社会各界的合作与交流，共同推动全球气候治理和绿色低碳发展。

资料来源：[1] 刘瑞霞. 气候风险信息披露的全球实践 [J]. 中国金融，2022，（1）：86-88.

[2] GARP，从极端气候到低碳经济：商业银行气候风险管理路径解析，雪球，2024年11月4日。

案例讨论题

1. 结合中国工商银行的实践，谈谈你对中国银行业在推动绿色低碳发展中所承担的社会责任的理解。
2. 结合中国工商银行的案例，讨论金融机构如何通过气候风险管理来优化资产结构和提升财务绩效。
3. 中国工商银行在推动绿色金融和气候风险管理方面的实践，如何体现了企业的社会责任和环保意识？这对大学生有什么启示？

第13章　案例讨论题参考答案

参考文献

[1] 国际货币基金组织.货币与金融统计手册[M].华盛顿：国际货币基金组织，2000.

[2] IMF. Monetary and financial statistics compilation guide [M]. Washington DC：IMF，2008.

[3] JOHN C H. Risk management and financial institutions[M]. 5th ed. New Jersey：John Wiley & Sons, Inc.，2018.

[4] 乔瑞.金融风险管理师考试手册：原书第6版[M].王博，刘伟琳，赵文荣，译.北京：中国人民大学出版社，2012.

[5] 王勇，关晶奇，隋鹏达.金融风险管理[M].北京：机械工业出版社，2020.

[6] 赫尔.风险管理与金融机构：原书第4版[M].王勇，董方鹏，译.北京：机械工业出版社，2018.

[7] 科罗赫，加莱，马克.风险管理[M].曾刚，罗晓军，卢爽，译.北京：中国财政经济出版社，2005.

[8] 桑德斯，科尼特.金融风险管理：原书第5版[M].王中华，陆军，译.北京：人民邮电出版社，2012.

[9] 赫尔.期权、期货及其他衍生产品：原书第10版[M].王勇，索吾林，译.北京：机械工业出版社，2018.

[10] 奈特.风险、不确定性和利润[M].王宇，王文玉，译.北京：中国人民大学出版社，2005.

[11] 乔瑞.风险价值VAR：原书第3版[M].郑伏虎，万峰，杨瑞琪，译.北京：中信出版社，2010.

[12] 刘亚.金融风险管理学[M].北京：中国金融出版社，2017.

[13] 陈选娟，柳永明.金融机构与风险管理[M].上海：格致出版社，2018.

[14] 王周伟.风险管理[M].北京：机械工业出版社，2017.

[15] 陆静.金融风险管理[M].2版.北京：中国人民大学出版社，2019.

[16] 亚历山大，夏普，贝利.投资学基础：原书第3版[M].赵锡军，等译.北京：中国人民大学出版社，2012.

[17] 潘席龙.固定收益证券分析[M].北京：机械工业出版社，2011.

[18] 任翠玉.衍生金融工具基础[M].北京：机械工业出版社，2018.

[19] 朱淑珍.金融风险管理[M].3版.北京：北京大学出版社，2017.

[20] 克里斯托弗森.金融风险管理：原书第2版[M].金永红，章琦，罗丹，译.北京：中国人民大学出版社，2015.

[21] 高晓燕.金融风险管理[M].2版.北京：清华大学出版社，2019.

[22] 喻平.金融风险管理[M].北京：高等教育出版社，2016.

[23] 贝西. 银行风险管理：原书第 4 版 [M]. 路蒙佳，译. 北京：中国人民大学出版社，2019.

[24] 邹宏元. 金融风险管理 [M]. 4 版. 成都：西南财经大学出版社，2017.

[25] 钱斯，布鲁克斯. 金融衍生工具与风险管理：原书第 10 版 [M]. 路蒙佳，译. 北京：中国人民大学出版社，2020.

[26] 巴塞尔银行监管委员会. 第三版巴塞尔协议改革最终方案 [M]. 北京：中国金融出版社，2020.

[27] 斯马特，吉特曼，乔恩科. 投资学基础：原书第 12 版 [M]. 孙国伟，译. 北京：中国人民大学出版社，2018.

[28] 刘桂平. 努力提高金融体系气候风险管理能力 [J]. 中国金融，2022，(5)：9-11.

[29] 徐睿哲. 气候变化对金融体系的传导机理分析 [J]. 海南金融，2024，(3)：32-40.

[30] 张晓艳. 环境风险对金融稳定的影响 [J]. 中国金融，2020，(23)：55，58.

[31] 李研妮，韩静，黄龙. 环境气候风险评估方法的研究综述 [J]. 当代金融研究，2022，5(9)：83-92.

[32] 徐金，方琦，钱立华，等. 气候风险情景分析与压力测试概述：基础概念与监管框架 [J]. 西南金融，2024，(5)：3-13.

[33] 陈国进，丁赛杰，赵向琴. 气候政策、银行风险与宏观审慎监管创新 [J]. 金融研究，2023，(9)：38-57.

[34] 危平，舒浩，成静涛. 气候变化背景下搁浅资产理论的演变 [J]. 金融论坛，2021，26(9)：70-80.

[35] 陈国进，郭珺莹，赵向琴. 气候金融研究进展 [J]. 经济学动态，2021，(8)：131-145.

[36] 王遥，施懿宸，吴祯姝. "绿天鹅"事件下的金融风险管理 [J]. 当代金融家，2020，(7)：64-66.

[37] 周舟. 巴塞尔委员会气候风险相关监管要求综述 [J]. 债券，2024，(8)：62-66.

[38] 孙天琦，苗萌萌. 金融业管理和应对气候风险的思考 [J]. 中国金融，2023，(16)：12-15.

[39] 王文蔚. 气候冲击下金融风险的研究进展和展望：基于物理风险和转型风险视角 [J]. 金融经济，2024，(4)：34-51.

[40] 张琳，廉永辉，方意. 政策连续性与商业银行系统性风险 [J]. 金融研究，2022，(5)：95-113.

[41] 王向楠. 气候变化与保险业：影响、适应与减缓 [J]. 金融监管研究，2020，(11)：46-61.

本书练习题参考答案